青銅器銘文檢索

第六冊

總編　　周　何
主編　　季旭昇　汪中文
編輯　　周聰俊　陳　韻
　　　　方炫琛　盧心懋
協編　　陳美蘭

文史哲出版社
印行

文編附錄上

a001

0256	㪤登鼎	[㪤]登
0257	㪤徵鼎	[㪤]徵
0336	㪤父甲鼎	[㪤]甲父
0351	㪤父乙鼎一	[㪤]父乙
0352	㪤父乙鼎二	[㪤]父乙
0353	㪤父乙鼎三	[㪤]父乙
0354	㪤父乙鼎四	[㪤]父乙
0385	㪤父丁鼎一	[㪤]父丁
0386	㪤父丁鼎二	[㪤]父丁
0401	㪤父己鼎	[㪤]父己
0443	㪤父癸方鼎	[㪤]匕癸
0499	文方鼎	文彝[㪤]
0594	㪤祝父癸鼎	[㪤祝]父癸
0689	㪤母关父癸鼎	[㪤]母关父癸
0800	㪤乍_婦方鼎	乍h4婦尊彝[㪤]
0815	㪤且辛禹方鼎一	[㪤]且辛禹[bn]
0816	㪤且辛禹方鼎二	[㪤]且辛禹[bn]
0897	㪤娥乍父癸鼎	娥乍父癸寶尊彝[㪤]
0967	㪤___乍文父甲鼎	p5u3用乍文父甲寶尊彝[㪤]
1058	復鼎	復用乍父乙寶尊彝[㪤]
1150	小臣缶方鼎	[㪤]父乙
1158	小子_鼎	Jn用乍父己寶尊[㪤]
1164	旂乍文父日乙鼎	旂用乍文父日乙寶尊彝[㪤]
1187	員乍父甲鼎	用乍父甲𩰫彝[㪤]
1346	㪤母鬲	[㪤]母
1350	㪤父丁鬲	[㪤]父丁
1360	㪤齊婦鬲	[㪤]齊婦
1579	㪤父癸甗	[㪤]父癸
1613	㪤商婦甗	商婦乍彝[㪤]
1638	㪤_夫乍且丁甗	Ln夫乍且丁[㪤]
1826	㪤_𣪕	[㪤]ii
1833	㪤敂𣪕一	[㪤敂]
1861	㪤父乙𣪕二	[㪤]父乙
1862	㪤父乙𣪕	[㪤]父乙
1863	㪤父乙𣪕一	[㪤]父乙
1877	㪤父丁𣪕一	[㪤]父丁
1878	㪤父丁𣪕二	[㪤]父丁
1879	㪤父丁𣪕三	[㪤]父丁
1925	㪤母辛𣪕	[㪤]母辛
2189	㪤向乍氒隣𣪕一	向乍氒尊彝[㪤]
2190	㪤向乍氒隣𣪕二	向乍氒尊彝[㪤]
2283	㪤□乍癸𣪕	㪤□乍且癸寶尊彝
2291	㪤向乍父癸寶𣪕	向乍父癸寶尊彝[㪤]
2322	庚姬乍𩰫女𣪕	庚姬乍𩰫母寶尊彝[㪤]
2334	頌𣪕	[冊㪤]受冊令頌其寶彝
2515	小子射乍父丁𣪕	用乍父丁尊𣪕[㪤]

㪤

𡬭

2654	𡬭乍文父丁𣪘	才十月彡(肜)日[𡬭]
3151	𡬭爵	[𡬭]
3863	𡬭父己爵	[𡬭]父己
3962	𡬭父癸爵一	[𡬭]父癸
3963	𡬭父癸爵二	[𡬭]父癸
3965	𡬭父癸爵	[𡬭]父癸
3966	𡬭父癸爵	[𡬭]父癸
3966.	𡬭父癸爵一	[𡬭]父癸
3974.	𡬭父癸爵	[𡬭]父癸
3976	𡬭匕己爵	[𡬭]匕己
3985	𡬭毎爵	[𡬭毎]
4039	𡬭亞椃爵一	[𡬭亞椃]
4040	𡬭亞椃爵二	[𡬭亞椃]
4041	𡬭亞椃爵三	[𡬭亞椃]
4042	𡬭亞椃爵四	[𡬭亞椃]
4157	𡬭黽婦__爵一	黽婦pd彝[𡬭]
4158	𡬭黽婦__爵一	黽婦pd彝[𡬭]
4166.	黽婦__爵	黽婦pd彝[𡬭]
4212	𡬭且己角	[𡬭]且己
4217	𡬭父乙角	[𡬭]父乙
4218	𡬭父乙角	[𡬭]父乙
4221	𡬭父戊角	[𡬭]父戊
4222	𡬭父辛角	[𡬭]父辛
4319	𡬭父癸斝	[𡬭]父癸
4320	𡬭鑒鑒斝	[𡬭鑒鑒]
4342	𡬭婦闢斝	婦闢乍文姑日癸尊彝[𡬭]
4351.	𡬭盉	[𡬭]
4379.	𡬭父丁盉	[𡬭]父丁
4409	𡬭乍公__艾盉	乍公uc艾(鑒)[𡬭]
4451	𡬭尊	[𡬭]
4564	𡬭且癸尊	[𡬭]且癸
4570	𡬭父乙尊	[𡬭]父乙
4585	𡬭父丁尊一	[𡬭]父丁
4586	𡬭父丁尊二	[𡬭]父丁
4608	𡬭父癸尊	[𡬭]父癸
4645	亞𡬭父辛尊	[亞𡬭]父辛
4658	𡬭文父丁尊一	[𡬭]文父丁
4772	𡬭秜乍乍父丁尊	[𡬭]秜乍父丁尊彝
4774	𩰫乍文父日丁尊	𩰫乍文父日丁[𡬭]
4810	子変乍母辛尊	子変乍母辛尊彝[𡬭]
4842	啟乍文父辛尊	用乍文父辛尊彝[𡬭]
4853	復尊	用乍父乙寶尊彝[𡬭]
4862	𡬭能匋尊	能匋用乍文父日乙寶尊彝[𡬭]
4870	𡬭商尊	用乍文辟日丁寶尊彝[𡬭]
4911	𡬭文父丁觥	[𡬭]文父丁
4924	𡬭婦闢乍文姑日癸觥	[𡬭]婦闢乍文姑日癸尊彝
5032	𡬭卣	[𡬭]
5094	𡬭婦卣	[𡬭]婦
5116	𡬭且癸卣	[𡬭]且癸
5127	𡬭父乙卣	[𡬭]父乙

5138	奘父丁卣一	[奘]父丁
5139	奘父丁卣二	[奘]父丁
5154	奘父己卣	[奘]父己
5159	奘父庚卣	[奘]父庚
5171	奘父辛卣(蓋)	[奘]父辛
5176	奘父癸卣	[奘]父癸
5178	奘母己卣	[奘]母己
5208	奘亞__卣	[奘 __、奘亞__]
5292	奘乍父乙卣	[奘]乍父乙彝
5297	奘父己母癸卣(蓋)	[奘]父己母癸
5299	奘叔父辛卣	[奘叔]父辛彝
5303	奘父癸母关卣	[奘]父癸母[关]
5346	奘向卣	向孚乍尊彝[奘]
5351	婺憖卣	憖乍□寶尊彝[奘]
5358	亞__奘且辛禹卣	[奘]且辛禹[亞bn]
5383	奘父己卣	[奘]父己乍寶尊彝
5433	奘亞束寂𣪕乍父癸卣	[亞束]寂𣪕乍父癸寶尊彝[奘]
5435	婦闢𡚬乍文姑日癸卣一	婦闢乍文姑日癸尊彝[奘]
5436	婦闢𡚬乍文姑日癸卣二	婦闢乍文姑日癸尊彝[奘]
5437	奘女子小臣兒乍己卣	女子{ 小臣 }兒乍己尊彝[奘]
5471	奘小子省乍父己卣	用乍父己寶彝[奘]
5471	奘小子省乍父己卣	用乍父己寶彝[奘]
5479	奘商乍文辟日丁卣	商用乍文辟日丁寶尊彝[奘]
5494	奘繁乍母辛卣	[奘]母辛
5557	奘且辛禹罍	且辛禹[bn奘]
5575	奘婦闢乍文姑日癸罍	婦闢文姑日癸尊彝[奘]
6122	奘亞次觚	[奘亞次]
6132	奘父乙觚一	[奘]父乙
6133	奘父乙觚二	[奘]父乙
6140	奘父丁觚一	[奘]父丁
6147	奘父戊觚	[奘]父戊
6156	奘父庚觚	[奘]父庚
6226	奘乍父丁觚	[奘]乍父丁
6236	奘子父辛觚	[奘子]父辛
6285	奘觶	[奘]
6286	奘觶	[奘]
6287	奘觶二	[奘]
6443	奘父乙觶一	[奘]父乙
6444	奘父乙觶二	[奘]父乙
6445	奘父乙觶三	[奘]父乙
6487	奘父辛觶	[奘]父辛
6490	奘父辛觶	[奘]父辛
6513	奘父癸觶一	[奘]父癸
6514	奘父癸觶二	[奘]父癸
6519	奘母辛觶	[奘]母辛
6521	奘觶	[奘]
6618	奘繇__乍且辛觶	[奘繇vr]乍且辛彝
6688	奘父己盤	[奘]父己
6796	奘父乙匜	[奘]父乙
6951	奘雔嬈一	[奘儌]

奘

奘
奘
奕
甲奘
天黽

6952 奘徵鐃二 [奘徵]
7594 奘矛 [奘]
7923 奘鑵蓋 [奘]

小計：共 149 筆

奘 a001

3150 奘爵 [奘]
6387 甲奘觶 [甲奘]

小計：共 2 筆

奕 a001

1669 奕毀 [奕]
3149 奕爵 [奕]
4450 奕尊 [奕]
6935 奕鐃一 [奕]
6936 奕鐃二 [奕]
6937 奕鐃三 [奕]
7243 奕戈 [奕]
7244 奕戈 [奕]
7245 奕戈 [奕]

小計：共 9 筆

甲奘 a002

6387 甲奘觶 [甲奘]

小計：共 1 筆

天黽 a003

0253 天黿鼎 [天黽]
0556 天黿父乙鼎一 [天黽]父乙
0557 天黿父乙鼎二 [天黽]父乙
0558 天黿父乙鼎三 [天黽]父乙
0559 天黿父乙鼎四 [天黽]父乙
0585 天黿父癸鼎一 [天黽]父癸
0586 天黿父癸鼎二 [天黽]父癸
0645 天黿婦于未鼎一 [天黽]婦于未
0646 天黿婦于未鼎二 [天黽]婦于未
0647 天黿帚__鼎 [天黽]帚o5
0759 天黿乍父戊方鼎 [天黽]乍父戊彝
0857 天黿婦姑鼎一 [天黽]乍婦姑𪔂彝
0858 天黿婦姑鼎二 [天黽]乍婦姑𪔂彝
0936 天黿敕𪭢乍丁侯鼎 剌𪭢乍丁侯尊彝[天黽]
1124 玥乍父庚鼎一 用乍父庚彝[天黽]

1125	玐作父庚鼎二	用作父庚彝[天黽]
1135	獻侯作丁侯鼎	用作丁侯尊彝[天黽]
1136	獻侯作丁侯鼎二	用作丁侯尊彝[天黽]
1172	征人作父丁鼎	用作父丁尊彝[天黽]
1635	天黿作婦姑甗	[天黽]作毓姑甗彝
1817	天黽毀	[天黽]
1988	天黽父乙毀一	[天黽]父乙
1989	天黽父乙毀二	[天黽]父乙
1990	天黽父乙毀三	[天黽]父乙
1996	天黽父丁毀	[天黽]父丁
2057	天黽亞虫毀一	[亞虫天黽]
2058	天黽亞虫毀二	[亞虫天黽]
3581	天黿爵	[天黽]
4091	天黽父癸爵	[天黽]父戊
4104	天黽母庚爵	母庚[天黽]
4183	貝隹易爵一	貝隹易、[天黽]父乙
4184	貝隹易爵二	貝隹易、[天黽]父乙
4229	天黽父乙角一	[天黽]父乙
4230	天黽父乙角二	[天黽]父乙
4239	天黿宔作父癸角	用作父癸尊彝[天黽]
4326	天黽父乙斝	[天黽]父乙
4355	天黽盉	[天黽]
4397	天黽父戊盉	[天黽]父戊
4655	天黽父乙尊	[天黽]父乙
4662	天黽父辛尊	[天黽]父辛
4666	天黽父癸尊	[天黽]父癸
4671	天黽父□尊	[天黽]父□
4696	天黽作從彝尊	[天黽]作從彝
5071	天黿卣一	[天黽]
5072	天黿卣二	[天黽]
5227	天黿父乙卣一	[天黽]父乙
5228	天黿父乙卣二	[天黽]父乙
5229	天黿父乙卣三	[天黽]父乙
5241	天黿父戊卣	[天黽]父戊
5247	天黿父癸卣	[天黽]父癸
5278	天黿父辛卣	[天黽]父辛
5448	天黿韓作父癸卣	子易韓用作父癸尊彝[天黽]
5450	天黿冐作父辛卣	用作父辛尊彝[天黽]
6037	天黿觚	[天黽]
6219	天黿父乙觚一	[天黽]父乙
6220	天黿父乙觚二	[天黽]父乙
6235	天黿父辛觚	[天黽]父辛
6239	天黿父癸觚	[天黽]父癸
6250	天黿且丁觚	[天黽獸]且丁
6277	貝隹作父乙觚	貝鳥易用作父乙尊彝[天黽]
6552	天黿父乙觶一	[天黽]父乙
6553	天黿父乙觶二	[天黽]父乙
6690	天黿父乙盤	[天黽]父乙
6801	天黿父乙匜	[天黽]父乙
6802	天黿父癸匜	[天黽]父癸

7319	天黿戈	[天黽]

天黽
黽
豢
ab
亦

小計：共 66 筆

黽 a004

0369	黽父丁鼎一	[黽]父丁
0370	黽父丁鼎二	[黽]父丁
1275	師同鼎	判用iz王羞于黽
1594	黽乍父辛甗	黽乍父辛
3190	黽爵	[黽]
3613	弔黽爵一	[弔黽]
3614	弔黽爵二	[弔黽]
3615	弔黽爵三	[弔黽]
3616	弔黽爵四	[弔黽]
3617	弔黽爵五	[弔黽]
3926	黽父辛爵	[黽]父辛
4339	乍婦姑黽罍	乍婦姑黽尊彝
5170	父辛黽卣	父辛[黽]
6469	黽父己觶	[黽]父己
7899	鄂君啟車節	母載金革黽箭、女馬、女牛、女特

小計：共 15 筆

豢 a005

0158	天豕鼎一	[豢]
0159	天豕鼎二	[豢]
0160	天豕鼎三	[豢]
0573	天豕父丁鼎	[豢]父丁
2011	天豕匕辛毁	[豢]匕辛
3256	豢爵	[豢]
3806	豢父丁爵	父丁[豢]
4124	天豕父丁爵	父丁[豢]
4309	天豕父甲罍	[豢]父甲
4648	天豕父丁尊	[豢]父丁
6224	父乙天豕觚	父乙[豢]

小計：共 11 筆

 ab a006

0442	__父癸鼎	[ab]父癸
3374	__爵	[ab]
5829	__觚	[ab]

小計：共 3 筆

亦 a007

1185	強白乍井姬鼎一	井姬婦亦佩祖考弔公宗室
1186	強白乍井姬鼎二	井姬婦亦佩祖考弔公宗室
1217	毛公籊方鼎	毛公旅鼎亦隹設
1217	毛公籊方鼎	亦引唯考
1274	哀成弔鼎	亦弗其□蒦
1323	師訊鼎	天子亦弗謹公上父猷德
1323	師訊鼎	白亦克豩古先且蠱孫子一鬭皇辟懿德
1324	禹鼎	肆武公亦弗叚望朕聖且考幽大弔、懿弔
1324	禹鼎	肆禹亦弗敢惷
1324	禹鼎	亦唯噩侯馭方率南淮尸、東尸
1332	毛公鼎	亦唯先正ht辥氒辟
2722	寍弔乍豐姞旅設	丝設駱(肰?)皀(餿)亦壽人
2802	六年召白虎設	亦我考幽白姜令
2841	芇白設	我亦弗宎亯邦
2842	卯設	昔乃且亦既令乃父死(司)葊人
2856	師訇設	亦則於女乃聖且考克左右先王
2857	牧設	亦多虐庶民
2984	伯公父盤	亦幺亦黃
2984	伯公父盤	亦幺亦黃
4885	效尊	揚公亦
4885	效尊	亦其子子孫孫永寶
5511	效卣一	亦其子子孫孫永寶
6791	兮甲盤	毋敢或入蠻宄賈、則亦井
6877	儼乍旅盉	今女亦既又pb誓
6877	儼乍旅盉	辿亦茲五夫
6877	儼乍旅盉	亦既卬乃誓
6877	儼乍旅盉	女亦既從辭從誓
7069	者汈鐘一	q7亦虔秉不經悳
7070	者汈鐘二	女亦虔秉不經悳台克刺__光之于聿
7071	者汈鐘三	女亦虔秉不經悳
7072	者汈鐘四	女亦虔秉不經德
7073	者汈鐘五	女亦虔秉不經悳
7272	亦戈	[亦]
7612	亦車矛	[亦、車]
7613	亦車矛	[亦、車]

小計：共 35 筆

需 a008

0412	需父辛鼎一	[需]父辛
0413	需父辛鼎二	[需]父辛
2696	盂設一	盂曰：朕文考眔毛公遣中征無需
2697	盂設二	盂曰：朕文考眔毛公遣中征無需

小計：共 4 筆

ac a009

1341.1	__鬲	[ac]

奄
䚄
㫃
af
弜
𡚸

5629 __且己壺蓋 [ac]且己

小計：共 2 筆

奄 a010

4609 奄父癸尊 [奄]父癸

小計：共 1 筆

䚄 a011

4284+ □䚄斝 □䚄
4291 隹䚄斝 [隹䚄]

小計：共 2 筆

㫃 a012

0838 亞吳鼎 [亞吳]宮𤔲㫃䍙(斆?)侯宜
5108 㫃且乙卣 [㫃且乙]

小計：共 2 筆

 af a013

5831 觚 [af]
5953 觚 [af]

小計：共 2 筆

弜 a014

1673 弜毁 [弜]
2289 弜 乍父癸宗毁 q2乍父癸宗尊彝[弜]
3138 弜爵 [弜]

小計：共 3 筆

𡚸 a015

0254 𡚸冊鼎 [𡚸冊]
0897 奘𡚸乍父癸鼎 𡚸乍父癸寶尊彝[奘]
1209 嬰方鼎 𡚸商又正嬰嬰貝
1209 嬰方鼎 嬰揚𡚸商
1415 𡚸鬲 [𡚸𡆥]白乍父乙彝
1440 亞俞林𡚸鬲 林𡚸乍父辛寶尊彝[亞俞]
1577 𡚸父辛甗 [𡚸]父辛
1589 亞𡚸甗 [亞𡚸]吳
1623 𥎦史𡚸旅甗 𥎦史𡚸乍旅彝
1923 𡚸父癸毁 [𡚸]父癸
2339 䧹烏乍且癸毁 𡚸易烏玉、用乍且癸彝[䧹]

2409	⿰女丮父丁𣪘	辛未吏□易⿰女丮貝十朋
2409	⿰女丮父丁𣪘	⿰女丮用乍父丁尊彝
2737	段𣪘	令韓⿰女丮追(饋)大則于段
2786	縣妃𣪘	易女婦爵⿰女丮之弋周玉
3148	⿰女丮爵	[⿰女丮]
3858	⿰女丮父己爵	[⿰女丮]父己
3893	⿰女丮父庚爵一	[⿰女丮]父庚
3894	⿰女丮父庚爵二	[⿰女丮]父庚
3904	⿰女丮父辛爵	[⿰女丮]父辛
3937	⿰女丮父癸爵	[⿰女丮]父癸
4240	亞未乍父辛角	丁未⿰女丮商征貝
4847	小子夫尊	⿰女丮賞小子夫貝二朋
4892	麥尊	巳夕、侯易者⿰女丮臣二百家
5308	㢊⿰女丮乍從彝卣	[㢊]⿰女丮乍從彝
5443	亞㠱侯吴⿰女丮卣	⿰女丮易孝用乍且丁彝[亞㠱侯吴]
5491	亞獏二祀卲其卣	既⿰女丮于上帝
5925	⿰女丮觚	[⿰女丮]
6278	臤⿰女丮用＿日義觚	𪓐婦賞于⿰女丮
6427	⿰女丮父乙觶	[⿰女丮]父乙
6477	執戈父庚觶	[⿰女丮]父庚
6500	⿰女丮父癸觶一	[⿰女丮]父癸
6501	⿰女丮父癸觶二	[⿰女丮]父癸
6691	乍⿰女丮從彝盤	乍⿰女丮从彝
6792	史墻盤	方蠻亡不⿰女丮見
		小計：共 35 筆

⿰丬大 a015

1580	⿰丬大母癸甗	[⿰丬大]母癸
1885	⿰丬大父辛𣪘	[⿰丬大]父辛
		小計：共 2 筆

⿰大丨 a016

0347	⿰大丨父乙鼎	[⿰大丨]父乙
1547	⿰大丨甗	[⿰大丨]
1773	⿰大丨𣪘	[⿰大丨]
1843	⿰大丨□辛𣪘	[⿰大丨]□辛
2003	＿父己⿰大丨𣪘	＿父己[⿰大丨]
2312	𠛰亟乍且癸𣪘	𠛰亟乍且戊寶尊彝⿰大丨(戰)
3146	⿰大丨爵	[⿰大丨]
3375	⿰大丨爵	[⿰大丨]
3765	⿰大丨父乙爵	[⿰大丨]父乙
3843.	父辛⿰大丨爵	父辛[⿰大丨]
4558	⿰大丨且丁尊	[⿰大丨]且丁
4656	⿰大丨鼎父乙尊	[⿰大丨鼎]父乙
5835	⿰大丨觚一	[⿰大丨]
5836	⿰大丨觚二	[⿰大丨]

⿰女丮 ⿰丬大 ⿰大丨

扏
矢扏
絨
ae
尧
aG

5837	扏觚三	[扏]
6195	扏且丙觚	[扏]且丙
6221	扏＿己且觚	[eJ]己且[扏]
6276	扏趣乍日癸觚	趣乍日癸寶尊彝[扏]
6425	扏父乙觶	[扏]父乙

小計：共 19 筆

矢扏 a016

J2883	矢扏父己觶	[矢扏]父己

小計：共 1 筆

絨 a017

5838	絨觚一	[絨]
5839	絨觚二	[絨]

小計：共 1 筆

 ae a018

5926	＿觚一	[ae]
5927	＿觚二	[ae]
5928	＿觚三	[ae]
5929	＿觚四	[ae]

小計：共 4 筆

尧 a019

3580	尧卒爵	[尧卒]
3657	尧犬爵	[尧犬]
4259	尧斝	[尧]
5120	尧父乙卣	[尧]父乙
5246	尧父癸＿卣	[尧]父癸[fz]
5551	荷戈父癸罍	[尧]父癸＿
5985	荷馬妍彡觚	[尧馬]
6237	＿尧父癸觚一	父癸[尧fz]
6238	＿尧父癸觚二	父癸[尧fz]
7247	尧戈	[尧]

小計：共 10 筆

 aG a020

J1163	＿父乙𣪘	[aG]

小計：共 1 筆

𡧊 a021

0044	𡧊鼎一	[𡧊]
0045	𡧊鼎二	[𡧊]
0046	𡧊鼎三	[𡧊]
0346	𡧊父乙鼎	[𡧊]父乙
0399	𡧊父己鼎	[𡧊]父己
0424	𡧊父辛鼎	[𡧊]父辛
3242	𡧊爵一	[𡧊]
3243	𡧊爵二	[𡧊]
3244	𡧊爵	[𡧊]
3726	𡧊且乙爵	且乙[𡧊]
3759	𡧊且癸爵	[𡧊]且癸
3777	𡧊父乙爵	[𡧊]父乙
4370	𡧊父乙盉	[𡧊]父乙
4476	𡧊尊	[𡧊]
4593	𡧊父己尊	[𡧊]父己
4729	乍父丁尊	乍父丁寶彝[𡧊]
5321	𡧊乍父乙卣	乍父乙寶彝[𡧊]
5849	𡧊觚	[𡧊]
5955	𡧊觚一	[𡧊]
6160	𡧊父辛觚	[𡧊]父辛
6274	𡧊亥召乍父辛觚	𡧊亥召乍父辛彝

小計：共 21 筆

𡚸 a022

0254	𡚸冊鼎	[𡚸冊]
0897	𠤳𡚸乍父癸鼎	𡚸乍父癸寶尊彝[𠤳]
1209	㛸方鼎	𡚸商又正㛸嬰貝
1209	㛸方鼎	㛸揚𡚸商
1415	𡚸鬲	[𡚸𡵂]白乍父乙彝
1440	亞俞林𡚸鬲	林𡚸乍父辛寶尊彝[亞俞]
1577	𡚸父辛甗	[𡚸]父辛
1589	亞𡚸甗	[亞𡚸]矦
1623	寡史𡚸籀甗	寡史𡚸乍旅彝
1923	𡚸父癸段	[𡚸]父癸
2339	敃烏乍且癸段	𡚸易烏玉、用乍且癸彝[敃]
2409	𡚸父丁段	辛未吏□易𡚸貝十朋
2409	𡚸父丁段	𡚸用乍父丁尊彝
2737	段段	令龏𡚸遣(饋)大則于段
2786	縣妀段	易女婦爵𡚸之弋周玉
3148	𡚸爵	[𡚸]
3858	𡚸父己爵	[𡚸]父己
3893	𡚸父庚爵一	[𡚸]父庚
3894	𡚸父庚爵二	[𡚸]父庚
3904	𡚸父辛爵	[𡚸]父辛
3937	𡚸父癸爵	[𡚸]父癸
4240	亞未乍父辛角	丁未𡚸商征貝

4847	小子夫尊	奿賞小子夫貝二朋
4892	麥尊	巳夕、侯易者奿臣二百家
5308	廣奿乍從彝卣	[廣]奿乍從彝
5443	亞㠱侯吳奿卣	奿易孝用乍且丁彝[亞㠱侯吳]
5491	亞獏二祀邲其卣	既奿于上帝
5925	奿觚	[奿]
6278	臤奿用＿日義觚	黽婦賞于奿
6427	奿父乙觶	[奿]父乙
6477	執戈父庚觶	[奿]父庚
6500	奿父癸觶一	[奿]父癸
6501	奿父癸觶二	[奿]父癸
6691	乍奿從彝盤	乍奿从彝
6792	史墻盤	方蠻亡不奿見

小計：共　35 筆

嬰　a023

0006	嬰鼎	[嬰]
0007	嬰鼎	[嬰]
0248	嬰女鼎一	[嬰女]
0249	嬰女鼎二	[嬰女]
0330	嬰且丁鼎	[嬰]且丁
0380	嬰父丁鼎	[嬰]父丁
1842	□辛嬰毀	□辛[嬰]
1847	嬰且丁毀	[嬰]且丁
1855	嬰父乙毀	[嬰] 父乙
1967	父癸嬰毀	父癸[嬰]
3092.	嬰父辛爵二	[嬰]父辛
3121	王子嬰次盧	王子嬰次之炒盧
3738	嬰且丁爵	[嬰]且丁
3902	嬰父辛爵一	[嬰]父辛
4214	嬰且癸角一	[嬰]且癸
4215	嬰且癸角二	[嬰]且癸
4374	嬰父丁盉	[嬰]父丁
4588	嬰兄丁尊	[嬰]兄丁
5142	嬰兄丁卣一	[嬰]兄丁
5143	嬰兄丁卣二	[嬰]兄丁
5144	嬰父己卣	[嬰]父己
5624	嬰父女壺	[嬰父女]56256252弔姜壺壺弔姜□□□□
6684	嬰父乙盤	[嬰]父乙

小計：共　23 筆

嬰　a024

0006	嬰鼎	[嬰]
0007	嬰鼎	[嬰]
0248	嬰女鼎一	[嬰女]
0249	嬰女鼎二	[嬰女]

0330	嬰且丁鼎	[嬰]且丁
0380	嬰父丁鼎	[嬰]父丁
1842	□辛嬰毁	□辛[嬰]
1847	嬰且丁毁	[嬰]且丁
1855	嬰父乙毁	[嬰] 父乙
1967	父癸嬰毁	父癸[嬰]
3092.	嬰父辛爵二	[嬰]父辛
3121	王子嬰次盧	王子嬰次之炒盧
3738	嬰且丁爵	[嬰]且丁
3902	嬰父辛爵一	[嬰]父辛
4214	嬰且癸角一	[嬰]且癸
4215	嬰且癸角二	[嬰]且癸
4374	嬰父丁盉	[嬰]父丁
4588	嬰兄丁尊	[嬰]兄丁
5142	嬰兄丁卣一	[嬰]兄丁
5143	嬰兄丁卣二	[嬰]兄丁
5144	嬰父己卣	[嬰]父己
5624	嬰父女壺	[嬰父女]56256252弔姜壺壺弔姜□□□□
6684	嬰父乙盤	[嬰]父乙

小計：共 23 筆

倗 a024

0138	倗鼎	[倗]
3347	倗爵	[倗]
3704	倗丁爵	[倗丁]
5027	倗卣	[倗]
5965	倗觚	[倗]
6288	倗觶	[倗]

小計：共 6 筆

ai a025

3575	箙__爵	[箙ai]

小計：共 1 筆

aJ a026

3381.1	__爵	[aJ]

小計：共 1 筆

ak a027

6130	__父乙觚	[ak父乙]

小計：共 1 筆

吳 a028

吳	0968	走馬吳買乍雜鼎	sz父之走馬吳買乍雜貞(鼎)用
	1107	番仲吳生鼎	番中吳生乍尊鼎
	1153	白頵父鼎	白頵父乍朕皇考屖白吳姬寶鼎
	1163	齊陳__鼎蓋	永保用之[吳]
	1224	王子吳鼎	王子吳羼其吉金
	1331	中山王礜鼎	昔者、吳人并雩(越)
	1331	中山王礜鼎	五年逯(覆)吳
	2543	𢦚敃𣪘	用乍父戊寶尊彝[吳]
	2560	吳彭父𣪘一	吳彭父乍皇且考庚孟尊𣪘
	2561	吳彭父𣪘二	吳彭父乍皇且考庚孟尊𣪘
	2562	吳彭父𣪘三	吳彭父乍皇且考庚孟尊𣪘
	2600	白𡩂父𣪘	白𡩂父乍朕皇考屖白吳姬尊𣪘
	2703	免乍旅𣪘	眔吳眔牧
	2721	𦳊𣪘	王命𦳊眔弔緐父歸吳姬飴器
	2721	𦳊𣪘	吳姬賓帛束
	2788	靜𣪘	王𠂤吳𣏟、呂剛
	2789	同𣪘一	王命周左右吳大父𤔲昜林吳牧
	2789	同𣪘一	世孫孫子子左右吳大父
	2790	同𣪘二	王命周左右吳大父𤔲昜林吳牧
	2790	同𣪘二	世孫孫子子左右吳大父
	2798	師瘨𣪘一	王乎內史吳冊令師瘨曰
	2799	師瘨𣪘二	王乎內史吳冊令師瘨曰
	2803	師酉𣪘一	王才吳
	2803	師酉𣪘一	各吳大廟
	2804	師酉𣪘二	王才吳
	2804	師酉𣪘二	各吳大廟
	2804	師酉𣪘二	王才吳
	2804	師酉𣪘二	各吳大廟
	2805	師酉𣪘三	王才吳
	2805	師酉𣪘三	各吳大廟
	2806	師酉𣪘四	王才吳
	2806	師酉𣪘四	各吳大廟
	2806.	師酉𣪘五	王才吳
	2806.	師酉𣪘五	各吳大廟
	2812	大𣪘一	王呼吳師召大
	2813	大𣪘二	王呼吳師召大
	2829	師虎𣪘	王乎內史吳曰冊令虎
	2855	班𣪘一	王令吳白曰
	2855.	班𣪘二	王令吳白曰
	2857	牧𣪘	王乎內史吳冊令牧
	2899	尹氏弔緐旅匡	吳王御士尹氏弔緐乍旅匡
	2921	__弔乍吳姬𠤳	qi弔乍吳姬尊𠤳(匡)
	3035	魯𤔲徒旅𣪘(盨)	魯𤔲徒白吳敢肇乍旅𣪘
	4413	吳盉	吳乍寶盉[亞俞]
	4887	蔡侯𩰫𨭬	敬配吳王
	4926	吳𢦚馭觥(蓋)	[吳]𢦚馭弔史遣馬、弗左
	4953	吳父乙方彝	[吳]父乙

4978	吳方彝	宰朏右乍冊吳入門
4978	吳方彝	王乎史戊冊令吳
4978	吳方彝	吳拜稽首、敢對揚王休
4978	吳方彝	吳其世子孫永寶用
5942	吳觚	[吳]
6698	亞艅吳盤	吳乍寶盤[亞俞]
6788	蔡侯𧿞盤	敬配吳王
6803	自乍吳姬賸匜	自乍吳姬賸它(匜)
6885	吳王夫差御鑑一	攻吳王大差羼𠀅吉金
6886	吳王夫差御鑑二	吳王夫差羼𠀅吉金
6888	吳王光鑑一	吳王光羼其吉金
6889	吳王光鑑二	吳王光羼其吉金
7334	吳寓戈	吳寓(𡇸)
7553	廿年奠令戈	廿年鄭命韓恙司寇吳裕
7717	吳季子之子劍	吳季子之子逞之永用劍
M252	免簠	嗣奠還𢿃眔吳眔牧
M487	魯司徒伯吳段	魯司徒白吳敢肈乍旅段
M545	配兒勾鑃	吳王□□□□□子配兒曰
M548	吳王孫無壬鼎	吳王孫無壬之脰鼎
M806	滕侯吳戟一	滕侯吳之造戟
M807	滕侯吳戟二	滕侯吳之□

小計：共 68 筆

aL a029

5186	__乍彝卣	[aL]乍彝
5186	__乍彝卣	[aL]乍彝

小計：共 2 筆

am a030

0551	__乍且戊鼎	[am]乍且戊
1637	乍父癸甗	乍父癸寶尊甗[am]
4376.1	父乙__盉	父乙[am],[七六七六七六]
4594	__父己尊	[am]父己
6157	__父庚觚	[am]父庚

小計：共 5 筆

aa a031

3940	__父癸爵	[aa]父癸

小計：共 1 筆

[cut-off glyph] a032

4285	宎田斝	[宎田]

卬天
an
ao
aa
竟
奚

		小計：共　1 筆

卬天　a033

3576	卬天爵	[卬天]
		小計：共　1 筆

 an a034

1560	__甗	[an]
		小計：共　1 筆

 ao a035

	__盉	[ao]
		小計：共　1 筆

竟　a036

0010	竟鼎	[竟]
0714	竟乍氒寶鼎	[竟]乍氒寶彝
1372	竟父乙鬲一	[竟]乍父乙
1373	竟父乙鬲二	[竟]乍父乙
1755	竟毁	[竟]
4762	竟乍且癸尊	[竟]乍且癸寶
4910	父戊竟觥	父戊[竟]
5107	竟且辛卣	[竟]且辛
5332	竟卣	[竟]乍氒寶尊彝
5555	竟乍氒彝罍	[竟]乍氒彝
6482	竟父辛觶	[竟]父辛
6990.	秦王鐘	秦王卑命、竟sd王之定救秦戎
7298	竟戈	[竟]
		小計：共　13 筆

奚　a037

1780	亞奚毁	[亞奚]
3141	奚爵	[奚]
4241	箙亞__乍父癸角	丙申王易箙亞jb奚貝、才豪
4246	奚斝	[奚]
4984	奚卣	[奚]
5058	亞奚卣	[亞奚]
5930	奚觚	[奚]
5999	亞奚觚	[亞奚]
6909	遡盂	寮女寮：奚、綠、華
		小計：共　9 筆

a038

6201	斐父辛觚	父辛[斐]
		小計：共 1 筆

亩天 a039

6554	__父乙觶	[火亩天]父乙
		小計：共 1 筆

天 a040 a041

0574	衡天父乙鼎一	[衡天]父乙
0575	衡天父乙鼎二	[衡天]父乙
0576	衡天父乙鼎三	[衡天]父乙
0577	衡天父丁鼎	[衡天]父乙
2007	衡天父癸設	[衡天]父癸
		小計：共 5 筆

]ad a042

0439	__父癸鼎	[ad]父癸
4610	__父癸尊	[ad]父癸
		小計：共 2 筆

ap a043

0675	__䵼父乙方鼎	[ap䵼]父乙
3140	__爵	[ap]
4836	__䍜乍父乙尊	䍜䍜吏口用乍父乙旅尊彝[冊ap]
		小計：共 3 筆

aq a044

1880	__父己鼎	[aq]父己
		小計：共 1 筆

舟 a045 (天舟)

5317	大舟乍父乙卣	[大舟]乍父乙彝
		小計：共 1 筆

ar a046

6273	__乍且己觚	[夙]乍且己尊彝[ar]

小計：共 1 筆

𤊪 a047

5304	𤊪父癸卣	[𤊪]父癸

小計：共 1 筆

tf a048

2251	比乍白父__𣪘	比乍白父tf尊彝

小計：共 1 筆

𪓐 a049

0255	𪓐𡡉方鼎	[𪓐]𡡉
1356	𪓐父己鬲	[𪓐]父己
2103	𪓐禾乍寶彝𣪘	[𪓐禾]乍寶彝

小計：共 3 筆

臾 a050

5381	臾人乍父己卣	[臾]人乍父己尊彝
5381	臾人乍父己卣	[臾]人乍父己尊
5670	遅子壺	遅子臾尊壺
5685	臾匕乍父己壺	[臾]匕乍父己尊彝
6750	白侯父盤	白侯父賸弔媯臾母槃(盤)

小計：共 5 筆

bc a051

0654	__父丁冊方鼎	[bc]父丁冊
5100	戉箙卣一	[戉箙bc]
5101	戉箙卣二	[戉箙bc]

小計：共 3 筆

𩰿 a052 當作聑下𩰿

0525	__婦㪤方鼎	[𩰿]婦㪤
1964	𩰿婦媟𣪘	[𩰿]婦媟
2546	聖𣪘	用乍大子丁[𩰿]
4122	𩰿婦媟嫋一	[𩰿]婦㪤

4123	貜婦敹爵二	[[illegible]]婦敹
4123.	貜婦敹爵三	[[illegible]]婦敹
4232	貜婦敹角	[[illegible]]婦敹
4697	貜婦敹尊	[[illegible]]婦敹
5218	貜婦__卣	[[illegible]]婦敹
6070	貜觚	[[illegible]]
6248	貜婦敹觚	[[illegible]]婦敹
		小計：共 11 筆

a052

0127	髭鼎	[髭]
1328	盂鼎	有髭祡蒸祀
3700.	耳髭爵	[耳髭]
4249	髭斝	[髭]
		小計：共 4 筆

光單 a053

5954	單光單觚	[單光單]
		小計：共 1 筆

a054 人下从止者當釋企，參下條企字條下

3752.	人且辛爵	[人]且辛
4247	人斝	[人]
		小計：共 2 筆

a054

0017	企鼎	[企]
3528	癸企爵	癸[企]
5833	企觚	[企]
		小計：共 3 筆

a055

0010	竟鼎	[竟]
0714	竟乍𤔲寶鼎	竟乍𤔲寶彝
1372	竟父乙鬲一	竟乍父乙
1373	竟父乙鬲二	竟乍父乙
1755	竟毀	[竟]
4762	竟乍且癸尊	竟乍且癸寶尊彝
4910	父戊竟觥	父戊[竟]
5107	竟且辛卣	[竟]且辛

竟 at 光 av aw 歹

5332	竟卣	[竟]乍孚寶尊彝
5555	竟乍孚彝罍	[竟]乍孚彝
6482	竟父辛觶	[竟]父辛
6990.	秦王鐘	秦王卑命、竟sd王之定救秦戎
7298	竟戈	[竟]
		小計：共　13 筆

 at a056

3559	子_爵	子[at]
		小計：共　1 筆

光　a057

5559	亞光父丁𦣻竹罍	父丁[𦣻(孤)竹亞光]
6257	亞父乙光莫觚	[亞父乙光莫]
		小計：共　2 筆

 av a058

0048	_鼎	[av]
		小計：共　1 筆

 aw a059

4771	乍父丁寶尊彝	乍父丁寶尊彝[aw]
		小計：共　1 筆

歹　a060

0350	父乙歹鼎	父乙[歹]
0414	歹父辛鼎	[歹]父辛
0508	臣辰方鼎一	臣辰[𦉶歹]
0509	臣辰方鼎二	臣辰[𦉶歹]
0672	父乙臣辰歹鼎一	父乙[臣辰歹]
0673	父乙臣辰歹鼎二	父乙[臣辰歹]
0680	父辛冊歹冊方鼎	父辛[𦉶歹]
0754	臣辰歹冊父乙鼎	[臣辰歹冊]父乙
0846	臣辰父癸鼎	[臣辰𦉶歹]父癸
1353	歹父丁鬲	[歹]父丁
1578	歹父辛甗	[歹]父辛
1649	𦉶歹乃子乍父辛甗	乃子乍父辛寶尊彝[𦉶歹]
1976	臣辰毀	[臣辰𦉶歹]
1995	乍父乙歹毀	乍父乙[歹]
2010	乍父癸歹毀	乍父癸[歹]

2115	父乙臣辰歺𣪘一	父乙臣辰[歺]
2116	父乙臣辰歺𣪘二	父乙臣辰[歺]
2158	歺乍父乙寶𣪘一	乍父乙寶𣪘[歺]
2159	歺乍父乙寶𣪘二	乍父乙寶𣪘[歺]
2258	臣辰冊歺冊父癸𣪘一	臣辰[𦊅歺]父癸
2259	臣辰冊歺冊父癸𣪘二	臣辰[𦊅歺]父癸
3144	歺爵二	[歺]
3222	歺爵一	[歺]
3532	歺癸爵	[歺]癸
3768	歺父乙爵一	[歺]父乙
3769	歺父乙爵二	[歺]父乙
3769.	歺父乙爵三	父乙[歺]
3973	歺父癸爵	[歺]父癸
3988	冊歺冊爵一	[𦊅歺]
3988.	冊歺冊爵二	[𦊅歺]
4020	父乙歺爵	父乙[歺]
4133	臣辰歺父乙爵一	父乙臣辰[歺]
4134	臣辰歺父乙爵二	父乙臣辰[歺]
4135	臣辰歺父乙爵三	父乙臣辰[歺]
4136	臣辰歺父乙爵四	父乙臣辰[歺]
4394	歺乍彝盉	[歺]乍彝
4395	臣辰歺𦊅盉	臣辰[歺𦊅]
4406	父癸臣辰歺盉	父癸[臣辰歺]
4406.	臣辰歺父乙爵五	父乙臣辰[歺]
4447	臣辰冊冊歺乍冊父癸盉	臣辰[𦊅歺]
4651	乍父乙子尊	乍父乙[歺]
4734	小臣歺辰父辛尊	小臣[歺]辰父辛
4802	__尊	__乍父乙寶尊彝[歺]
4827	兀乍高㽙日乙__尊	兀乍高㽙日乙__尊[臣辰歺𦊅]
5279	乍父癸歺卣	乍父癸[歺]
5290	父乙臣辰歺卣一	父乙臣辰[歺]
5201	父乙臣辰歺卣二	父乙臣辰[歺]
5501	臣辰冊冊歺卣一	用乍父癸寶尊彝[臣辰𦊅歺]
5502	臣辰冊冊歺卣二	用乍父癸寶尊彝[臣辰𦊅歺]
5665	臣辰𦊅歺壺	[臣辰𦊅歺]
6441	父乙歺觶	父乙[歺]

小計：共 51 筆

岂岂 a061

4592	__父己尊	[岂岂]父己

小計：共 1 筆

白 a062

6146	白父戊觚	[白]父戊

小計：共 1 筆

配
ax
ay
az
埶

配 a063

1332	毛公鼎	配我有周
1332	毛公鼎	不巩先王配命
2834	㝬殷	用配皇天
2985	陳逆匿一	台(以)乍氒元配季姜之祥器
2985.	陳逆匿二	台(以)乍氒元配季姜之祥器
2985.	陳逆匿三	台(以)乍氒元配季姜之祥器
2985.	陳逆匿四	台(以)乍氒元配季姜之祥器
2985.	陳逆匿五	台(以)乍氒元配季姜之祥器
2985.	陳逆匿六	台(以)乍氒元配季姜之祥器
2985.	陳逆匿七	台(以)乍氒元配季姜之祥器
2985.	陳逆匿八	台(以)乍氒元配季姜之祥器
2985.	陳逆匿九	台(以)乍氒元配季姜之祥器
2985.	陳逆匿十	台(以)乍氒元配季姜之祥器
3095	拍乍祀彝(蓋)	拍乍朕配平姬庸宮祀彝
3546	子配爵	子[配]
4887	蔡侯䌛尊	上下陟配
4887	蔡侯䌛尊	敬配吳王
6788	蔡侯䌛盤	上下陟配
6788	蔡侯䌛盤	敬配吳王
7116	南宮乎鐘	畯永保四方、配皇天
7176	㝬鐘	我隹司配皇天
7186	叔夷編鐘五	其配襄公之__
7189	叔夷編鐘八	其配襄公之__
7214	叔夷鎛	其配襄公之__
7862	配量	[配]
M545	配兒勾鑃	吳王□□□□□子配兒曰

小計:共 26 筆

 ax a064

3560	子__爵	子[ax]

小計:共 1 筆

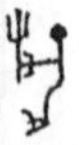 ay a065 (埶)

3519	__己爵	[ay]己

小計:共 1 筆

 az a066

4704	__父辛主雞尊	[az]父辛[主雞]

小計:共 1 筆

埶 a067

1251	中先鼎一	埶于寶彝
1252	中先鼎二	貫行埶
1252	中先鼎二	埶于寶彝
1318	晉姜鼎	妥懷遠埶(迩)君子
1668	中甗	埶应在㠯(曾)
1671	埶毀	[埶埶]
1884	埶父辛毀	[埶]父辛
3519.	共埶爵	[共埶]
4101	□父癸爵	[埶戈]父癸
4185	埶徲乍父庚爵	埶遅父庚寶彝
4890	盠方尊	[illegible]嗣六自眔八自埶
4979	盠方彝一	[illegible]嗣六自眔八自埶
4980	盠方彝二	[illegible]嗣六自眔八自埶
5233	埶父丁卣	[埶]父丁
5852	埶觚	[埶]
6275	埶戉埶乍且癸旬觚	[埶戉埶]乍且癸[旬]寶彝
6470	埶埶父己觶	[埶埶]父己
6635	中觶	中埶王休
7188	叔夷編鐘七	卑百斯男而埶斯字
7189	叔夷編鐘八	斯男而埶斯字
7214	叔夷鎛	卑百斯男而埶斯字

小計：共 22 筆

a1 a068

5848	__觚	[a1]

小計：共 1 筆

a2 a069

3318	__爵	[a2]

小計：共 1 筆

a3 a070

3324	__爵一	[a3]
3325	__爵二	[a3]

小計：共 2 筆

子八 a071

3801	子八父丁爵	[子八]父丁

小計：共 1 筆

斿 a072

0293	__斿鼎	[n1斿]
0427.	斿父辛鼎	[斿]父辛
0460	亞受斿方鼎	[亞受斿]
0861	亞受丁斿若癸鼎	[亞受丁斿若癸止乙自乙]
0862	亞受丁斿若癸鼎二	[亞受丁斿若癸止乙自乙]
0934	中斿父鼎	中斿父乍寶尊彝貞(鼎)[七五八]
1088	師麻斿弔旅鼎	師麻斿乍旅鼎
1250	曾子斿鼎	曾子斿羃其吉金
1670	斿𣪘	[斿]
2281	亞受丁斿若癸𣪘	[亞若癸自乙受丁斿乙]
3115	曾仲斿父甫	曾中斿父自乍寶簠
3115.	曾仲斿父甫二	曾中斿父自乍寶甫(莆)
3128	魚鼎匕	出斿(游)水虫
3157	斿爵	[斿]
3159	斿爵	[斿]
3864	斿父己爵	[斿]父己
4360.	樂斿盉	樂斿
4452	斿尊	[斿]
4790	亞受丁斿若癸尊二	[亞受斿乙止若自癸乙]
4964	亞受丁斿若癸方彝	[亞受丁斿若癸]
5075	竹斿卣	[竹斿]
5718	曾仲斿父壺	曾中斿父用吉金
5718	曾仲斿父壺	曾中斿父用吉金
5840	斿觚	[斿]
5841	斿觚	[斿]
5842	斿觚	[斿]
5843	斿■斿觚	[斿■斿]
6234	亞斿父己觚	[亞斿]父己
6279	亞受丁若癸觚一	亞受斿若癸丁乙止自乙
6280	亞受丁若癸觚二	亞受斿若癸丁乙止自乙
6636	甘斿杯	甘斿
7257	斿冄戈	[斿冄]
7278	斿戈	[斿]
7631	廿二年左斿矛	廿二年左斿
7987	受斿容器	受斿若丁乙自乙

小計：共 35 筆

斿冄 a073

7257	斿冄戈	[斿冄]

		小計：共 1 筆

a4 a074

6177	__乙冊宫觚一	[a4乙冊宫]
6178	__乙冊宫觚二	[a4乙冊宫]
		小計：共 2 筆

a5 a075

4633	__冊宫尊	[a5冊宫]
		小計：共 1 筆

重 a076

0016	重鼎二	[重]
1351	重父口鬲	[重]父口
1757	重毀	[重]
3153	重爵	[重]
3154	重爵	[重]
3155	重爵	[重]
3521	己重爵	己[重]
3798	重父丙爵	[重]父丙
5631	重父乙壺	[重]父乙
5850	重觚一	[重]
5851	重觚二	[重]
6025	癸重觚	癸[重]
6337	亞重觶	[亞重]
6449	重父丙觶	[重]父丙
6504	重父癸觶	[重]父癸
		小計：共 15 筆

a6 a077

5537	車__罍	[車a6]
		小計：共 1 筆

a7 a078

6950	__矛鐃	[a7矛]
		小計：共 1 筆

配 a079

1332	毛公鼎	配我有周
1332	毛公鼎	不巩先王配命
2834	㝬毀	用配皇天
2985	陳逆匿一	台(以)乍氒元配季姜之祥器

2985.	陳逆匿二	台(以)乍氒元配季姜之祥器
2985.	陳逆匿三	台(以)乍氒元配季姜之祥器
2985.	陳逆匿四	台(以)乍氒元配季姜之祥器
2985.	陳逆匿五	台(以)乍氒元配季姜之祥器
2985.	陳逆匿六	台(以)乍氒元配季姜之祥器
2985.	陳逆匿七	台(以)乍氒元配季姜之祥器
2985.	陳逆匿八	台(以)乍氒元配季姜之祥器
2985.	陳逆匿九	台(以)乍氒元配季姜之祥器
2985.	陳逆匿十	台(以)乍氒元配季姜之祥器
3095	拍乍祀彝(蓋)	拍乍朕配平姬章宮祀彝
3546	子配爵	子[配]
4887	蔡侯䌛尊	上下陟配
4887	蔡侯䌛尊	敬配吳王
6788	蔡侯䌛盤	上下陟配
6788	蔡侯䌛盤	敬配吳王
7116	南宮乎鐘	畯永保四方、配皇天
7176	㝬鐘	我隹司配皇天
7186	叔夷編鐘五	其配襄公之__
7189	叔夷編鐘八	其配襄公之__
7214	叔夷鎛	其配襄公之__
7862	配量	[配]
M545	配兒勾鑃	吳王□□□□□子配兒曰

小計：共 26 筆

顯 a080

4307	顯且丁斝	[顯]且丁
4723	刄顯乍尊彝尊	顯乍尊彝[刄]
5466	顯乍母辛卣一	顯乍母辛尊彝
5466	顯乍母辛卣一	顯易婦rb、日用將于乃姑宊
5467	顯乍母辛卣二	顯乍母辛尊彝
5467	顯乍母辛卣二	顯易婦rb、日用將于乃姑宊
M143	顯壺	顯乍母辛尊彝
M143	顯壺	顯易婦rb曰

小計：共 8 筆

㓝 a081

1874	㓝父丁毁	[㓝]父丁
2140	㓝乍尊彝㪅毁	㓝乍尊彝[㪅]

小計：共 2 筆

𢦏 a082

4101	□父癸爵	[𢦏]父癸

小計：共 1 筆

a8 a083

5067	__己卣	[a8]己
		小計：共 1 筆

尧 a084

3657	尧犬爵	[尧犬]
4259	尧斝	[尧]
5120	尧父乙卣	[尧]父乙
5246	尧父癸__卣	[尧]父癸[fz]
5551	荷戈父癸罍	[尧]父癸__
5985	荷獸形觚	[尧馬]
6237	__尧父癸觚一	父癸[尧fz]
6238	__尧父癸觚二	父癸[尧fz]
7247	尧戈	[尧]
		小計：共 10 筆

伐 a085

0065	伐鼎	[伐]
3147	伐爵	[伐]
5895	伐觚	[伐]
7229	伐鬳戈	[伐、鬳]
		小計：共 4 筆

a9 a086

6336.1	__觶	[a9]
		小計：共 1 筆

ba a087

5565	乍父乙罍	乍父乙寶中尊靁(罍)
		小計：共 1 筆

⊿卩刀 a088

1847.1	⊿卩刀且己殷	[⊿卩刀]且己
		小計：共 1 筆

寐 a089 或隸定作寐

6498	寐父辛觶	[寐]父辛

重
亞重
侎
係
及弓

小計：共 1 筆

重 a090

0016	重鼎二	[重]
1351	重父囗鬲	[重]父囗
1757	重毁	[重]
3153	重爵	[重]
3154	重爵	[重]
3155	重爵	[重]
3521	己重爵	己[重]
3798	重父丙爵	[重]父丙
5631	重父乙壺	[重]父乙
5850	重觚一	[重]
5851	重觚二	[重]
6025	癸重觚	癸[重]
6337	亞重觶	[亞重]
6449	重父丙觶	[重]父丙
6504	重父癸觶	[重]父癸

小計：共 15 筆

亞重 a090

6337	亞重觶	[亞重]

小計：共 1 筆

侎 a091

0014	侎鼎	[侎]
1804	侎丁毁	[侎]丁
3729	侎且乙爵	[侎]且乙
5204	侎父乙卣	[侎]父乙

小計：共 4 筆

係 a092

3156	係爵	[係]

小計：共 1 筆

及弓 a093

5984.	及弓觚	[及弓]

小計：共 1 筆

b a094		
3843	＿父丁爵	[bb]父丁
		小計：共 1 筆
a095		
4251	𩕳斝	[𩕳]
		小計：共 1 筆
a096		
4544	𦍌尊	[𦍌]
		小計：共 1 筆
a097		
1672	𢀡𣪘	[𢀡]
		小計：共 1 筆
a098		
0306	𦔻攖鼎	[𦔻攖]
6071	𦔻攖觚	[𦔻攖]
		小計：共 2 筆
a099		
3603	𦎧爵	[𦎧]
		小計：共 1 筆
用 a100		
J4007	𡚸甲用斝	[𡚸甲用]
J4008	𡚸甲用爵	[𡚸甲用]
		小計：共 2 筆
a101		
6038	干建觚	[干建]
6227	干父丁觚	[干建]父丁
		小計：共 2 筆

bb
𩕳
𦍌
𢀡
𦔻攖
𦎧
𡚸甲用
干建

皃
毀
bd
令
開
卯
bG
丮丮
丮丮戉
夘
束

皃 a102

4250 皃罍 [皃]

小計：共 1 筆

毀 a103

4172 毀中乍且辛爵 毀中乍且辛彝

小計：共 1 筆

 bd a104

3859 __父己爵 [bd]父己

小計：共 1 筆

令 a105

1576 令父己甗 [令]父己
1674 令𣪕 [令]
3766 令父乙爵 [令]父乙
5173 令父癸卣 [令]父癸
5243 令__父辛卣 [cv令]父辛
M098 令盤 令乍父丁[鼎]

小計：共 6 筆

開 a106

2013 開乍寶彝𣪕 [開]乍寶彝

小計：共 1 筆

卯 a107

4008 __父癸爵 [卯]父癸

小計：共 1 筆

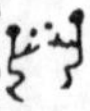

 bG a108

4117 亞向__父戊爵 [亞向bG]父戊

小計：共 1 筆

丮丮 a109 丮之複體

1671 執𣪕 [丮丮]
4185 [丮丮]徝乍父庚爵 [丮丮]徝乍父庚寶彝

5233	埶埶父丁卣	[埶埶]父丁
6470	埶埶父己觶	[埶埶]父己

小計：共 4 筆

埶戉 a109

6275	埶埶戉乍且癸句觚	[埶埶戉]乍且癸[句]寶彝

小計：共 1 筆

柬 a110

5984.	夘柬觚	[夘柬]
7833	__干首	[夘柬]

小計：共 2 筆

封 a111

4488	__方尊	[夘封]
4896	__方觥	[夘封]
4934	夘封方彝	[夘封]

小計：共 3 筆

a112 a113

0291	罷戈鼎一	[罷戈]
0292	罷戈鼎二	[罷戈]
0724	罷乍從旅鼎	[罷]乍從旅彝
1677	罷毀	[罷]
1769	罷毀	[罷戈丁]
2336	冊戈罷鄙乍父辛毀	[戈罷冊]鄙乍父辛尊彝
3161	罷爵	[罷]
3162	戈爵	[戈罷]
3263	罷爵	[罷]
3623	戈罷	[戈斤罷]
5623	罷戈壺	[罷戈]
5900	戈罷觚	[戈罷]
6215	戈罷觚	[戈罷]
6289	罷觶	[罷]
6679	罷戈盤	[罷戈]

小計：共 15 筆

a114

1921	扟父己毀	[扟]父己

批
孛
bh
斿[illegible]
鄉
bj
亞耴耴
[illegible]
卿宁

3687.	__父爵	[批]父
3762	批父甲爵	[批]父甲
3939	批父癸爵	[批]父癸

小計：共　4 筆

孛　a115

5244	孛[illegible]父辛卣	[孛[illegible]]父辛
5454	孛卣	孛乍寶尊彝

小計：共　2 筆

 bh a116

4261	__斝	[bh]

小計：共　1 筆

斿[illegible]　a117

5843	斿[illegible]斿觚	[斿[illegible]斿]

小計：共　1 筆

鄉　a118

0011	鄉鼎	[鄉]

小計：共　1 筆

bj a119

4260	__斝	[bj]
4276	__斝	[bj]

小計：共　2 筆

亞耴耴　a120

6068	亞耴耴觚	[亞耴耴]

小計：共　1 筆

[illegible]　a121

7766	[illegible]鉞	[[illegible]]

小計：共　1 筆

卿宁　a122

0247	卿宁鼎	[卿宁]
0301	卿宁鼎	[卿宁]
0448	卿宁癸鼎	[卿宁]癸
0449	卿宁癸鼎	[卿宁]癸
0563	卿宁父乙鼎	[卿宁]父乙
0643	卿宁父乙鼎	[卿宁]父乙
0942	亞囊竹士宦鼎	[亞囊竹宦]智光徽(簪)[卿宁]
1790	卿宁毁一	[卿宁]
1791	卿宁毁二	[卿宁]
3707	卿宁爵一	[卿宁]
3708	卿宁爵二	[卿宁]
3709	卿宁爵三	[卿宁]
4279	卿宁斝	[卿宁]
4548	卿宁尊	[卿宁]
4939	卿宁方彝一	[卿宁]
4940	卿宁方彝二	[卿宁]
5611	卿宁壺一	[卿宁]
5612	卿宁壺二	[卿宁]
5997	卿宁觚	[卿宁]
5998	卿宁觚	[卿宁]
6118	己卿宁觚	己[卿宁]
6205	辛卿宁觚	辛[卿宁]
		小計：共 22 筆

bi a123

0674	旁＿父乙鼎	[旁bi]父乙
		小計：共 1 筆

bk a124

4090	父癸＿宁爵	父癸[bk]宁
		小計：共 1 筆

橐 a125

7310.	夘橐戈	[夘橐]
		小計：共 1 筆

a126 令之複體

5173	令父癸卣	[令]父癸

小計：共 1 筆

bL
亞醜  bL a127

3698 ____爵 [bL]

小計：共 1 筆

亞醜 a128

0186	亞醜鼎一	[亞醜]
0187	亞醜鼎二	[亞醜]
0188	亞醜鼎三	[亞醜]
0189	亞醜鼎四	[亞醜]
0190	亞醜鼎五	[亞醜]
0191	亞醜鼎六	[亞醜]
0192	亞醜鼎七	[亞醜]
0193	亞醜鼎八	[亞醜]
0531	亞醜父乙鼎	[亞醜]父乙
0535	亞醜父丙方鼎	[亞醜]父丙
0536	亞醜父丁方鼎一	[亞醜]父丁
0537	亞醜父丁方鼎二	[亞醜]父丁
0538	亞醜父丁方鼎三	[亞醜]父丁
0545	父己亞醜鼎	父己[亞醜]
0548	亞醜父辛鼎	[亞醜]父辛
0549	亞醜父辛鼎	[亞醜]父辛
0550	亞醜父辛鼎	[亞醜]父辛
0886	亞醜季乍兄己鼎	[亞醜]季乍兄己尊彝
1643	亞醜諸女甗	[亞醜]者母乍大子尊彝
1783	亞醜𣪘一	[亞醜]
1784	亞醜𣪘二	[亞醜]
1785	亞醜𣪘三	[亞醜]
1786	亞醜𣪘四	[亞醜]
1787	亞醜𣪘五	[亞醜]
1788	亞醜𣪘六	[亞醜]
1789	亞醜𣪘七	[亞醜]
1984	亞醜父辛𣪘一	[亞醜]父辛
1985	亞醜父辛𣪘二	[亞醜]父辛
3392	亞醜爵一	[亞醜]
3393	亞醜爵二	[亞醜]
3394	亞醜爵三	[亞醜]、[亞仙]
3395	亞醜爵四	[亞醜]
3396	亞醜爵五	[亞醜]
3397	亞醜爵六	[亞醜]
4125	亞醜父丙爵	[亞醜]父丙
4197	亞醜方爵	[亞醜]者(諸)始旨大子尊彝
4353	亞醜盉一	[亞醜]
4354	亞醜盉二	[亞醜]
4364	亞醜母盉	[亞醜]母、母

4380	亞醜父丁方盉	[亞醜]父丁
4512	亞醜尊一	[亞醜]
4513	亞醜尊二	[亞醜]
4514	亞醜尊三	[亞醜]
4514.	亞醜尊四	[亞醜]
4514.	亞醜尊五	[亞醜]
4514.	亞醜尊六	[亞醜]
4514.	亞醜尊七	[亞醜]
4514.	亞醜尊八	[亞醜]
4646	亞醜父丁尊	[亞醜]父丁
4788	亞醜酉乍父乙尊	[亞醜]酉乍父乙尊彝
4806	亞醜方尊	[亞醜]者始以大子尊彝
4919	亞醜者姛觥一	[亞醜 }者始大子尊彝
4920	亞醜者姛觥二	[亞醜 }者始大子尊彝
4944	亞醜方彝一	[亞醜]
4945	亞醜方彝二	[亞醜]
5052	亞醜卣一	[亞醜]
5053	亞醜卣二	[亞醜]
5054	亞醜卣三(蓋)	[亞醜]
5055	亞醜卣四	[亞醜]
5056	亞醜卣五	[亞醜]
5220	亞醜父辛卣	[亞醜]父辛
5222	亞醜杞婦卣	[亞醜]杞婦
5524	亞醜罍一	[亞醜]
5525	亞醜罍二	[亞醜]
5526	亞醜罍三	[亞醜]
5568	亞醜者姛方罍一	[亞醜]者姛(始)以大子尊彝
5569	亞醜者姛方罍二	[亞醜]者姛(始)以大子尊彝
5613	亞醜壺	[亞醜]
6004	亞醜觚一	[亞醜]
6005	亞醜觚二	[亞醜]
6006	亞醜觚三	[亞醜]
6007	亞醜觚四	[亞醜]
6231	亞醜父丁觚	[亞醜]父丁
6261	亞醜婦__觚	婦__乍彝[亞醜]
6341	亞醜觶	[亞醜]
6815	亞醜者姛匜	[亞醜]者始㠯大子尊匜
6944	亞醜鐃	[亞醜]
6946	亞醜㚸鐃	[亞醜㚸]
7597	亞醜矛一	[亞醜]
7598	亞醜矛二	[亞醜]
7599	亞醜矛三	[亞醜]
7600	亞醜矛四	[亞醜]
7601	亞醜矛五	[亞醜]
7602	亞醜矛六	[亞醜]
7603	亞醜矛七	[亞醜]
7604	亞醜矛八	[亞醜]
7605	亞醜矛九	[亞醜]
7770	亞醜鉞	[亞醜]
7946	亞醜錛	[亞醜]錛

小計：共 89 筆

亞矣 亞矣 a129

0162	亞矣鼎一	[亞矣]
0163	亞矣鼎二	[亞矣]
0164	亞矣鼎三	[亞矣]
0165	亞矣鼎四	[亞矣]
0166	亞矣鼎五	[亞矣]
0167	亞矣鼎	[亞矣]
0836	曩女鼎	曩女尊彝[亞矣]
0838	亞矣鼎	[亞矣]宮晉旅𢽟(𢽟?)侯宜
1777	亞矣𣪕	[亞矣]
3101	亞矣豆一	[亞矣]
3102	亞矣豆二	[亞矣]
3383	亞矣爵一	[亞矣]
3384	亞矣爵二	[亞矣]
3385	亞矣爵三	[亞矣]
3386	亞矣爵四	[亞矣]
3387	亞矣爵五	[亞矣]
3388	亞矣爵六	[亞矣]
3389	亞矣爵七	[亞矣]
3390	亞矣爵八	[亞矣]
3391	亞矣爵九	[亞矣]
4240	亞未乍父辛角	用乍父辛彝[亞矣]
4280	亞矣斝一	[亞矣]
4281	亞矣斝二	[亞矣]
4343	亞矣小臣邑斝	隹王六祀肜日、才四月[亞矣]
4507	亞矣尊	[亞矣]
4943	亞矣方彝	[亞矣]
5364	亞矣禹乍車彝卣	禹乍車彝[亞矣]
5529	亞矣罍一	[亞矣]
5530	亞矣罍二	[亞矣]
5552	亞矣玄婦方罍一	[玄鳥]婦、[亞矣]
5553	亞矣玄婦方罍二	[玄鳥]婦、[亞矣]
5589	亞矣瓿	[亞矣]
6000	亞矣觚一	[亞矣]
6001	亞矣觚二	[亞矣]
6002	亞矣觚三	[亞矣]
6003	亞矣觚四	[亞矣]
6265	亞矣乍父辛尊觚	乍父辛尊[亞矣]
6338	亞矣觶	[亞矣]
6557	亞矣父乙觶	[亞矣]父乙
6593	亞矣𣪘父乙觶	[亞矣𣪘]父乙
6674	亞矣盤	[亞矣]
6694	亞矣母己盤	[亞矣妃]
6941	亞矣鐃	[亞矣]
7224	亞矣鈴	[亞矣]
7311	亞矣戈	[亞矣]

7756	亞吴斧	[亞吴]
7944	亞吴農器一	[亞吴]
7945	亞吴農器二	[亞吴]
7950	亞吴銅器	[亞吴]
7957	亞吴小器一	[亞吴]
7958	亞吴小器二	[亞吴]

小計：共 51 筆

a129

0505	亞辛吴方鼎一	亞辛[吴]
0878	亞㠱吴麥乍母癸鼎	[亞㠱吴]麥乍母癸
1589	亞䖵甗	[亞䖵]吴
1961	衭段	[衭吴戈]
1971	亞父乙吴段	亞父乙[吴]
2114	吴乍白旅彝	[吴]乍白旅
2147	亞㠱吴乍父乙段	[亞㠱吴]乍父乙
2150	亞㠱侯父戊吴段	[亞㠱]侯父戊[吴]
2151	亞㠱侯吴父己段	[亞其]侯[吴]父己
2611	㫃渣嗣土吴段	渣司土吴眔啚乍氒考尊彝[㫃]
4130	吴亞父乙爵一	[吴亞]父乙
4131	吴亞父乙爵二	[吴亞]父乙
4340	亞吴麥乍母癸斝	[亞㠱吴]麥乍母癸
4429	㫃吴乍氒考盉	[㫃]吴乍氒考寶尊彝
4786	亞㠱＿乍母癸尊	亞㠱吴麥乍母癸
4808	亞㠱吴篓乍母辛尊	[亞㠱吴]篓乍母辛寶彝
5398	亞㠱吴麥乍母癸卣	[亞㠱吴麥]乍母癸
5509	㭿卣	㠱侯吴其子子孫孫寶用
6121	亞守吴觚	[亞守吴]
6497	吴父辛觶	[吴]父辛
6612	亞㠱侯匕辛吴觶	[亞㠱侯匕辛吴]

小計：共 21 筆

侯吴 a129

1209	㽙方鼎	[亞㠱侯吴]丁亥
2148	亞㠱侯吴父乙段	[亞㠱侯吴]父乙
4438	亞㠱侯吴盉	[亞㠱侯吴]
5443	亞㠱侯吴䖵卣	䖵易孝用乍且丁彝[亞㠱侯吴]

小計：共 4 筆

吴 a129

5081	亞其吴卣	[亞其吴]
5367	亞其吴乍母辛卣一	[亞其吴]母辛彝
5368	亞其吴乍母辛卣二	[亞其吴]母辛彝
5369	亞其吴乍母辛卣三	[亞其吴]母辛彝

小計：共 4 筆

亞𡨄 a130

0184	亞𡨄鼎	[亞𡨄]
0572	亞𡨄父丁鼎	[亞𡨄]父丁
0664	亞𡨄方鼎	[亞𡨄]母_樂
0665	亞𡨄𦣞鼎	亞𡨄𦣞匕（ 妣 ）酉
0942	亞𡨄竹士宮鼎	[亞𡨄竹宮]智光徽（ 甏 ）[卿宁]
3723	亞𡨄天爵	[亞𡨄天]
4205	亞𡨄角一	[亞𡨄]
4206	亞𡨄角二	[亞𡨄]
4206.	亞𡨄角三	[亞𡨄]
4970	乍冊宅方彝	[亞𡨄宮箙箙徽]乍冊宅乍彝
5365	亞𡨄宮𦣞竹父丁卣	[亞𡨄宮𦣞竹]父丁
5554	亞𡨄𦣞竹罍	[𦣞（ 孤 ）竹亞𡨄]
5990	亞𡨄觚	[亞𡨄]
6943	亞𡨄鐃	[亞𡨄]

小計：共 14 筆

亞𡨄止 a130

0183	亞𡨄止鼎	[亞𡨄止]

小計：共 1 筆

亞冀 a131

0580	亞冀父己鼎	[亞冀]父己
1593	亞冀父己甗	[亞冀]父己
5218.	亞冀父甲卣	[亞冀]父甲
6240	亞冀父己觚	[亞冀]父己
6549	亞冀父甲觶	[亞冀]父甲

小計：共 5 筆

冀 a131

5456	冀子乍婦㛸卣	女子母庚宥[冀]

小計：共 1 筆

亞俞 a132

0840	亞艅曆乍且己鼎	[亞俞]曆乍且己彝
0908	宥乍父辛鼎	宥乍父辛尊彝[亞俞]
0943	亞父庚且辛鼎	[亞俞fw]父父庚保且辛

1440	亞俞林㞢鬲	林㞢乍父辛寶尊彝[亞俞]
1466	亞艅犨母辛鬲	[亞俞]犨入餗于女子
4413	吳盉	吳乍寶盉[亞俞]
5219	亞艅父乙卣	[亞俞]父乙
5388	亞艅寠乍父辛卣	寠乍父辛尊彝[亞俞]
6577	亞俞父辛觶	[亞俞]父辛
6698	亞艅吳盤	吳乍寶盤[亞俞]
		小計：共 10 筆

俞 a132 或隸定作艅舲

2193		
4738	艅伯尊	艅(俞)白乍寶尊彝
4866	小臣艅尊	王易小臣艅(俞)夔貝
5324	艅白卣	艅(俞)白乍寶尊彝
6682	艅舌盤	[丁艅(俞)舌]
		小計：共 1 筆

亞甾 a133

1342	亞甾鬲	[亞甾]
4509	亞甾尊	[亞甾]
6342	亞甾觶	[亞甾]
		小計：共 3 筆

甾 a133

1037	乍冊甾鼎	康侯才朽自易乍冊甾貝
1330	曶鼎	用臣曰甾
4921	子𥷑乍父乙觥	子𥷑才甾
		小計：共 3 筆

亞弜 a134

0271	亞弜鼎一	[亞弜]
0272	亞弜鼎二	[亞弜]
0273	亞弜鼎三	[亞弜]
0274	亞弜鼎四	[亞弜]
0275	亞弜鼎五	[亞弜]
0276	亞弜鼎六	[亞弜]
0277	亞弜鼎七	[亞弜]
1818	亞弜𣪘	[亞弜]
1986	亞弜父癸𣪘	[亞弜]父癸
3587	亞弜爵一	[亞弜]
3588	亞弜爵二	[亞弜]

3589.	亞弜爵三	[亞弜]
4223	亞弜父丁角一	[亞弜]父丁
4224	亞弜父丁角二	[亞弜]父丁
4327	亞弜父丁斝	[亞弜]父丁
4533	亞弜尊	[亞弜]
5610	亞弜壺一	[亞弜]
5993	亞弜觚	[亞弜]
6948	亞弜編鐃一	[亞弜]
6949	亞弜編鐃二	[亞弜]

小計：共　20 筆

弜　a134

2676	旅肄乍父乙毁	戊辰、弜師易肄𦔻、q1鹵貝
3330	弜爵	[弜]
3781	弜父乙爵	[弜]父乙
5126	弜父乙卣	[弜]父乙
6543	帚亞弜觶	[亞帚弜]
6567	典弜父丁觶	[典弜]父丁

小計：共　6 筆

亞肘史　a135

0595	亞肘史母子鼎	[亞肘史]母子

小計：共　1 筆

肘史　a135

4235	肘史父乙爻角	[肘史]父乙[爻]
5457	小臣系乍且乙卣一	[爻][肘史]
5458	小臣系乍且乙卣二	[爻][肘史]

小計：共　3 筆

亞攴　a136

5319	_父乙母告田卣	[亞攴]父乙、[鳥]父乙母[告田]

小計：共　1 筆

攴　a136

0717	旁攴乍尊諆鼎	旁攴乍尊諆
3370	攴爵	[攴]
4165	攴宁父戊爵	攴宁[cz]父戊

小計：共　4 筆

𣄰 a137

0540	亞𣄰父丁鼎	[亞𣄰]父丁
1632	亞𣄰乍父口甗	[亞𣄰]乍父乙彝甗
4225	亞𣄰父丁角	父丁[亞𣄰]
4822.	𢔶侯尊	𢔶侯乍父辛彝尊[亞𣄰]
5426	亞𣄰剌乍兄日辛卣	剌乍兄日辛尊彝[亞𣄰]
6262	亞𣄰效_觚	[亞𣄰]效e6尊彝
		小計：共 6 筆

a137

6262	亞𣄰效_觚	[亞𣄰]效e6尊彝
		小計：共 1 筆

a138

6560	亞𦏴父乙觶	[亞𦏴]父乙
6947	亞𦏴鐃	[亞𦏴左]
		小計：共 2 筆

橐 a139

1978	亞橐父丁𣪘	[亞橐]父丁
6340	亞橐觶	[亞橐]
		小計：共 2 筆

示 a140

3402	亞祉爵	[亞示]
6620	亞示乍父己觶	[亞示]乍父己尊彝
		小計：共 2 筆

肱 a141

0169	亞寸方鼎	[亞肱]
J4009	父乙器	[亞肱]
		小計：共 2 筆

𣪕 a142

1591	亞𣪕父丁甗	[亞𣪕]父丁
6229	亞𣪕父丁觚	[亞𣪕]父丁
		小計：共 2 筆

亞聿 a143

4209	亞聿角	[亞聿]
		小計：共 1 筆

亞牧 a144

0193.	亞牧鼎	[亞牧]
0893	亞牧乍父辛鼎	乍父辛寶尊彝[亞牧]
6339	亞牧觶	[亞牧]
		小計：共 3 筆

亞夭 a145

2004	亞夭父己毁	[亞夭]父己
		小計：共 1 筆

夭 a145

2004	亞夭父己毁	[亞夭]父己
3517	己夭爵	己[夭]
4106.	己夭父丁爵	己[夭]父丁
4931	夭方彝	[夭]
		小計：共 4 筆

亞保酉 a146

1781	亞保酉毁	[亞保酉]
		小計：共 1 筆

亞衛 a147

0185	亞衛鼎	[亞衛]
		小計：共 1 筆

亞孳 a148

4385	亞孳父辛盉	[亞孳]父辛
6588	亞孳父辛觶	[亞孳]父辛
		小計：共 2 筆

 a149
bm

5594	____亞瓿	[亞bm]

小計：共 1 筆

 bm a149

4936	__彝	[bm]

小計：共 1 筆

趩 a150

0179	亞趩鼎一	[亞趩]
0180	亞趩鼎二	[亞趩]
4511	亞趩尊	[亞趩]

小計：共 3 筆

 a151
bn

0815	奘且辛禹方鼎一	[奘]且辛禹[bn]
0816	奘且辛禹方鼎二	[奘]且辛禹[bn]
5358	亞__奘且辛禹卣	[奘]且辛禹[亞bn]
5557	奘且辛禹罍	且辛禹[bn奘]

小計：共 4 筆

 a152
bo

7338	亞__戈	[bo]

小計：共 1 筆

亞大 a153

6558	亞大父乙觶一	[亞大]父乙
6559	亞大父乙觶二	[亞大]父乙

小計：共 2 筆

亞  a154
bp

1192	亞口伐__乍父乙鼎	用乍父乙齍[bp]

亞bm
亞趩
亞bn
亞bo
亞大
亞bp

小計：共 1 筆

亞  a155
bq

0543	__亞父己鼎一	[bq]父己
0543	__亞父己鼎二	[bq]父己

小計：共 2 筆

亞仰 a156

3394	亞醜爵三	[亞醜]、[亞仰]

小計：共 1 筆

亞光 a157

5559	亞光父丁𦣞竹罍	父丁[𦣞(孤)竹亞光]

小計：共 1 筆

bs a158

1898.1	亞__父口毀	[bs]父口

小計：共 1 筆

亞趄 a159

0503	亞趄銜鼎一	[亞趄銜]
0504	亞趄銜鼎二	[亞趄銜]
1568	亞趄銜甗	[亞趄銜]
1844	亞趄銜毀	[亞趄銜]
3720	亞趄__爵一	[亞趄__]
3721	亞趄__爵二	[亞趄__]
4303	亞趄銜斝	[亞趄銜]
4363	亞趄盉	[亞趄]
4557	亞趄銜尊	[亞趄銜]
5079	亞趄銜卣	[亞趄銜]
6569	亞趄父丁觶	[亞趄]父丁

小計：共 11 筆

亞址 a160

4055	亞址父己爵	[亞址]父己
6617	中亞址乍匕己觶	乍匕己彝[中亞址]

小計：共 2 筆

 a161
bt

5423 亞_中_乍父丁卣 va乍父丁尊彝[亞bt中]

小計：共 1 筆

 a161
bu

5423 亞_中_乍父丁卣 va乍父丁尊彝[亞bu中]

小計：共 1 筆

亞企 a162

6624 亞_遽仲乍父丁觶 遽中乍父丁寶[亞企]

小計：共 1 筆

止 a163
bw

3718 亞_爵 [亞bw]

小計：共 1 筆

亞䙴 a164

0177 亞䙴鼎 [亞䙴]

小計：共 1 筆

䙴 a164

0177 亞䙴鼎 [亞䙴]
0501 亞卒䙴鼎 [亞卒䙴]
1322 九年裘衛鼎 䙴朿鞻鞃

小計：共 3 筆

亞鹿 a165

4056 亞_父壬爵 父壬[亞鹿]

小計：共 1 筆

亞甕 a166

0178 亞_鼎 [亞甕皿矛]
0546 亞甕父己鼎 [亞甕]父己
1361 亞_母鬲 [亞甕皿矛]母
3589 亞甕皿矛爵一 [亞甕皿矛]

3590	亞甕皿矛爵二	[亞甕皿矛]
4065	亞甕皿矛父乙爵	[亞甕皿矛]父乙
6263	亞__皿觚	[亞甕犬]皿白乍尊彝
6408	亞皿觶	[亞甕皿矛]

小計：共 8 筆

亞甕皿矛 a167

0178	亞__鼎	[亞甕皿矛]
1361	亞__母鬲	[亞甕皿矛]母
3589	亞甕皿矛爵一	[亞甕皿矛]
3590	亞甕皿矛爵二	[亞甕皿矛]
4065	亞甕皿矛父乙爵	[亞甕皿矛]父乙
6408	亞皿觶	[亞甕皿矛]

小計：共 6 筆

亞甕犬 a167

6263	亞__皿觚	[亞甕犬]皿白乍尊彝

小計：共 1 筆

亞離 a168

1977	亞離父丁設	[亞離]父丁
4332	辛亞中畢斝	辛[亞離]
4643	亞離父乙尊	[亞離]父乙
5527	亞離罍	[亞離]
6343	亞離觶	[亞離]
7926	亞鳥鑵	[亞離]

小計：共 6 筆

離 a168

0052	離鼎	[離]
1336	畢鬲	[離]
6942	離鐃	[離]

小計：共 3 筆

亞  a169
bx

5295	亞__父己卣	[亞bx魚]父己

小計：共 1 筆

a170

0181	亞隲鼎一	[亞隲]
0182	亞隲鼎二	[亞隲]
0182.1	亞隲鼎	[亞隲]

小計：共 3 筆

乙 a171

1616.	子商亞羌乙甗	子商[亞羌乙]
3719.	亞乙羌爵	[亞羌乙]

小計：共 2 筆

a172

0173	亞果鼎	[亞果]

小計：共 1 筆

a173

5376	亞束無憂作父丁卣	[亞束]無憂作父丁彝
5433	奘亞束窬嬖作父癸卣	[亞束]窬嬖作父癸寶尊彝[奘]

小計：共 2 筆

 a174
bz

0542	__亞父己鼎	[亞bz]父己

小計：共 1 筆

a175

4054	父癸亞血爵	父癸[亞血]

小計：共 1 筆

 父 a176
b0

J315	亞中__作父乙鼎	拓本未見

小計：共 1 筆

皿矢 a177

亞隲
亞羌乙
亞果
亞束
亞bz
亞血
亞b0父
亞皿矢

5288.　林卣　[林亞皿矢]

小計：共　1 筆

亞古　a178

2446　亞古乍父己𣪘　用乍父己尊彝[亞古]
4234.　亞古父己角　[亞古]父己
4234.　亞古父癸角　[亞古]父癸
4383　亞古父己盉　[亞古]父己
5360　亞古乍父己卣　[亞古]乍父己彝

小計：共　5 筆

亞  a179
b1

4053　__亞父辛爵　[亞b1]父辛

小計：共　1 筆

亞竒　a180

0746　父己亞竒史鼎　父己[亞竒史]

小計：共　1 筆

亞示　a181

3402　亞祉爵　[亞示]
6620　亞示乍父己觶　[亞示]乍父己尊彝

小計：共　2 筆

亞  a182
b2

5421　亞__對乍父乙卣　對乍父乙寶尊彝[亞b2]

小計：共　1 筆

亞 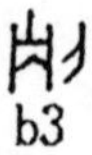 a183
b3

5387　亞__夾乍父辛卣　夾乍父辛尊彝[亞b3]

小計：共　1 筆

 a184
b4

3326	__爵	[b4]
5983.2	__觚	[b4]
		小計：共 2 筆

舟亞舟 a185

0519	亞舟鼎	[舟亞舟]
6656	舟亞舟勺	[舟亞舟]
		小計：共 2 筆

亞薦 a185+

6228	亞薦父丁觚	[亞薦]父丁
		小計：共 1 筆

亞弜母朋 a185+

6960	亞弜母朋鐃一	[亞弜母朋]
6961	亞弜母朋鐃二	[亞弜母朋]
6962	亞弜母朋鐃三	[亞弜母朋]
6967	亞弜朋女鐘一	[亞弜母朋]
		小計：共 4 筆

♧ a185+

1948	♧旅毁	[♧旅]
		小計：共 1 筆

鳶 a186

1752	鳶毁一	[鳶]
1886	鳶父辛毁	[鳶]父辛
3319	鳶爵一	[鳶]
3320	鳶爵二	[鳶]
5112	鳶且辛卣	[鳶]且辛
5521	鳶罍	[鳶]
5962	鳶觚一	[鳶]
5963	鳶觚二	[鳶]
6293	鳶觶	[鳶]
6642	鳶勺	[鳶]
6931	鳶鐃	[鳶]

小計：共　11 筆

鳶
鳥 鳥　a187
鳥

0026	鵃形鼎一	[鳥]
0027	鵃形鼎二	[鳥]
0430	鳥父癸鼎	[鳥]父癸
0834	鳥壬侜鼎	鳥壬侜乍尊彝
1407	亞從父丁鬲	亞从父丁[鳥宁]
1675	鳥𣪕一	[鳥]
1676	鳥𣪕二	[鳥]
1924	鳥父戊𣪕	[鳥]父戊
2339	㠱鳥乍且癸𣪕	娸易鳥玉、用乍且癸彝[㠱]
3176	鳥爵	[鳥]
3398	亞鳥爵	[亞鳥]
3611	鳥卯爵	[鳥卯]
3941	隹父癸爵	[鳥]父癸
3942	鳥父癸爵	[鳥]父癸
4152.	庚寅父癸爵	庚寅父癸[鳥]
4403	亞鳥宁从父丁盉	[亞鳥宁dc]父丁
4531	癸鳥尊	癸[鳥]
4556.	鳥且犧尊	[鳥]且
4611	鳥父癸尊	[鳥]父癸
4691	子乍弄鳥鳥形尊	子乍弄鳥
5106	鳥且甲卣	[鳥且甲]
5114	鳥父甲卣	[鳥]父甲
5296	鳥乍旅父丁卣(蓋)	[鳥]乍旅父丁
5319	__父乙母告田卣	[亞𠭯]父乙、[鳥]父乙母[告田]
5552	亞矣玄婦方罍一	[玄鳥]婦、[亞矣]
5553	亞矣玄婦方罍二	[玄鳥]婦、[亞矣]
5881	鳥觚一	[鳥]
5960	鳥觚	[鳥]
5961	鳥觚	[鳥]
6128	鳥父乙觚	[鳥]父乙
6136	鳥父丁觚	[鳥]父丁
6277	貝隹乍父乙觚	貝鳥易用乍父乙尊彝[天黽]
6294	鳥觶	[鳥]
6472	鳥父己觶	[鳥]父己
6547	鳥冗且乙觶	[鳥冗]且乙
6604	尚乍父乙觶	尚乍父乙彝[鳥]
6628	鳥冊何般貝宁父乙觶	[何般貝宁]用乍父乙寶尊彝[鳥]
7287	__戈	[__鳥]

小計：共　38 筆

鳥　a188

0641	子鳥君妻鼎	子鳥君妻
1255	作冊大鼎一	用乍且丁寶尊彝[鳥冊]
1256	作冊大鼎二	用乍且丁寶尊彝[鳥冊]
1257	作冊大鼎三	用乍且丁寶尊彝[鳥冊]
1258	作冊大鼎四	用乍且丁寶尊彝[鳥冊]
1859	鳥父乙段	[鳥]父乙
4100	鳥畫父癸爵	父癸[畫鳥]
4265	鳥斝	[鳥]
4893	矢令尊	用乍父丁寶尊彝、敢追明公賞于父丁[鳥冊]
4981	鳥冊令方彝	用光父丁[鳥冊]
5130	鳥父乙卣	[鳥]父乙
5216	串鳥父丁卣(蓋)	[串鳥]父丁
7978	鳥弓形器	[鳥]
M098	令盤	令乍父丁[鳥]
		小計：共 14 筆

鳥宁 a189

1407	亞從父丁鬲	亞从父丁[鳥宁]
4403	亞鳥宁从父丁盉	[亞鳥宁dc]父丁
		小計：共 2 筆

鳥  a190
b5

6088	__觚	[b5]
		小計：共 1 筆

帚隻 a191

5158	帚隻父庚卣	[帚隻]、父庚、父辛[酉]
		小計：共 1 筆

蝠 a192

3539	子蝠形爵一	子[蝠]
3540	子蝠形爵二	子[蝠]
3541	子蝠形爵三	子[蝠]
3542	子蝠形爵四	子[蝠]
3543	子蝠形爵五	子[蝠]
3544	子蝠形爵六	子[蝠]
4292.	子蝠斝	[子蝠]
4356	子蝠形盉	[子蝠]
4942	子蝠形方彝	[子蝠]
6035	子蝠形觚 一	[子蝠]

鳥
鳥宁
鳥
帚隻
蝠

6172 子蝠形何觚一 [子蝠何]
6173 子蝠形何觚二 [子蝠何]

小計：共 12 筆

蝠
隻
虎
虒
b7
豖

隻 a193

0660 __隻父乙鼎 [d8隻]父乙
3590. 亞隻爵 [亞隻]
3945 隻父癸爵 [隻]父癸
4161 __隻乍旅彝爵 __隻乍旅彝
5049 隻卣 [隻]
5050. 隻覊卣 [隻覊]
5158 帚隻父庚卣 [帚隻]、父庚、父辛[酉]
5992 亞隻觚 [亞隻]
6202 隻父癸觚 [隻]父癸

小計：共 9 筆

虎 a194

1741 虎設一 [虎]
1742 虎設二 [虎]
1743 虎設三 [虎]
1744 虎設四 [虎]
7270 虎戈 [虎]

小計：共 5 筆

虒 a194

4498 虒尊一 [虒]
4498. 虒尊二 [虒]
5662 亞虒柩父乙壺 [亞虒柩]父乙
6164 虒父辛觚 [虒]父辛

小計：共 4 筆

豖
亞豖
b8
犬

 b7 a195

3178 __爵 [b7]

小計：共 1 筆

豖 a196 (a 202 同)

0425 丮豖父辛鼎 [丮豖]父辛
0539 畐豖父丁鼎 [畐豖]父丁

0683	□父辛鼎	[豕□豕]父辛
1692	汲豕𣪘	[汲豕]
3167	豕形爵	[豕]
3170	屠豕形爵二	[汲豕]
3171	屠豕形爵一	[汲豕]
3596	__豕爵	[dn豕]
3597	__豕爵	[__豕]
3612	鵜豕爵	[鵜豕]
3810	屠豕形父丁爵	[汲豕]父丁
3865	屠豕形父己爵	[汲豕]父己
4614	豕父癸尊	[豕]父癸
5984	屠豕形觚	[豕汲]
6072	__豕觚	[__豕]
6605	亞聿豕父乙觶	[亞箕聿豕]父乙
7282	豕形戈	[豕]

小計：共 18 筆

豕 a196

0278	亞豕鼎	[亞豕]
3697	亞豕爵	[亞豕]
4048	亞豕父戊爵	[亞豕]父甲
6204	爪亞豕觚	[爪亞豕]

小計：共 4 筆

b8 a197

0025		
4661	__卒父辛尊	[b8卒]父辛
5145	__父己卣	[b8]父己

小計：共 2 筆

a198

0363	犬父丙鼎	[犬]父丙
0506	亞犬父鼎	[亞犬]父□
0753	犬且辛且癸鼎	犬且辛且癸[亯]
0755	京犬犬魚父乙鼎	[京犬犬魚]父乙
3169	犬爵	[犬]
3657	尭犬爵	[尭犬]
4069	鹵䦧形父丁爵	[鹵犬]父乙
5062	丁犬卣	[丁犬]
5355	犬且辛且癸享卣	[犬]且辛、且癸[享]
6165	犬未父辛觚	[犬未]父辛
6263	亞__皿觚	[亞䨏犬]皿白乍尊彝
6626	犬山刀子乍父戊觶	子乍父戊[犬山刀]

豕
亞豕
b8
犬

		小計：共 12 筆

b9 a199

4529	亞__尊	[亞b9]
		小計：共 1 筆

羊 a200

0023	羊鼎一	[羊]
0024	羊鼎二	[羊]
0402	羊父庚鼎	[羊]父庚
0566	子羊父丁鼎	[子羊]父丁
0950	羊甚諆臧鼎	甚諆臧聿乍父丁尊彝[羊]
1210	甯__鼎	用乍父乙尊[羊冊]
1679	羊毁	[羊]
2002	又養父己毁	[又羊夂]父己
2078	饱羊父丁毁	[饱羊]父丁
3165	羊爵一	[羊]
3166	羊爵二	[羊]
3983	羊己__爵	[羊]己f8
4014	羊__車爵	[羊__車]
4139	羊馬__父丁爵	[羊馬de]父丁
5240	又養父己卣	[又羊夂]父己
5374	羊乍父乙卣	羊乍父乙寶尊彝
6022	羊己觚	[羊]己
6203	羊貝車觚	[羊貝車]
6397	羊冊觶	[羊冊]
6496	羊父辛觶	[羊]父辛
7268	羊戈	[羊、耳]
		小計：共 21 筆

馬 a201

0512	岃父乙鼎	[馬馬岃]父乙
4139	羊馬__父丁爵	[羊馬de]父丁
5985	荷闌㸚形觚	[尧馬]
6291	__觶	[馬馬]
7263	馬戈戈	[馬、戈]
		小計：共 5 筆

豕 a202 (a196 同)

0278	亞豕鼎	[亞豕]
0425	㧊豕父辛鼎	[㧊豕]父辛
0539	田豕父丁鼎	[田豕]父丁
0683	□父辛鼎	[豕□豕]父辛

1692	㪿豖𣪘	[㪿豖]
3167	豖形爵	[豖]
3170	屠豖形爵二	[㪿豖]
3171	屠豖形爵一	[㪿豖]
3596	__豖爵	[dn豖]
3597	__豖爵	[__豖]
3612	鵝豖爵	[鵝豖]
3697	亞豖爵	[亞豖]
3810	屠豖形父丁爵	[㪿豖]父丁
3865	屠豖形父己爵	[㪿豖]父己
4048	亞豖父戊爵	[亞豖]父甲
4614	豖父癸尊	[豖]父癸
5984	屠豖形觚	[豖㪿]
6072	__豖觚	[__豖]
6204	爪亞豖觚	[爪亞豖]
6605	亞聿豖父乙觶	[亞箕聿豖]父乙
7282	豖形戈	[豖]

小計：共 21 筆

a203

0028	龍鼎	[龍]
1680	龍𣪘	[龍]
3175	龍爵	[龍]
3177	龍爵	[龍]
3691	冂龍爵	[冂龍]
5043	龍卣	[龍]
補2	冂觚	[冂龍]
補2	冂觚	[冂龍]

小計：共 8 筆

a204

0020	牛首形鼎	[牛]
0021	牛鼎	[牛]
1684	牛𣪘	[牛]
5034	牛(首形)卣	[牛]

小計：共 4 筆

a205

0170	亞告鼎一	[亞告]
0171	亞告鼎二	[亞告]
0241	告宁鼎	[告宁]
0282	告田鼎	[告田]
1782	亞告𣪘	[亞告]
1998	田告父丁𣪘	[田告]父丁

3702	告宁爵一	[告宁]
3703	告宁爵二	[告宁]
3703.	告宁爵三	[告宁]
4667	父癸告品尊	父癸[告品]
4962	竹室父戊方彝一	[竹室]父戊[告永]
4963	竹室父戊方彝二	[竹室]父戊[告永]
5098	冊告卣	[冊告]
5221	田告父乙卣	[田告]父乙
5319	__父乙母告田卣	[亞収]父乙、[鳥]父乙母[告田]
5533	田告罍	[田告]
5912	告觚	[告]
5986	亞告觚	[亞告]
6046	告宁觚	[告宁]
6390	告田觶二	[告田]
6391	告田觶一	[告田]
6561	告田父丁觶	[告田]父丁
6590	告宁父戊觶	[告宁]父戊
7264	告戈戈	[告、戈]
7746	告丁刀	[告]丁

小計：共 25 筆

ca a206

4016	亞_爵	[亞ca]丁

小計：共 1 筆

丁犬 a207

5062	丁犬卣	[丁犬]

小計：共 1 筆

狽 a208

2014	乍狽寶彝設	乍狽寶彝
4336	宁狽乍父丁斝	[宁狽]乍父丁彝
5380	狽人乍父戊卣	[狽]兀乍父戊尊彝
5380	狽人乍父戊卣	[狽]兀乍父戊尊彝

小計：共 4 筆

京犬犬 a209

0755	京犬犬魚父乙鼎	[京犬犬魚]父乙

小計：共 1 筆

cb a210

5876	豕觚	[cb]
		小計：共 1 筆

a211 (a212同)

3168	馭爵	[馭]
3339	馭爵	[馭]
5880	馭觚	[馭]
5964	馭觚	[馭]
6082	馭癸觚	[馭]癸
6290	馭觶	[馭]
7277	馭戈	[馭]
		小計：共 7 筆

a212 (a211同)

3168	馭爵	[馭]
3339	馭爵	[馭]
5880	馭觚	[馭]
5964	馭觚	[馭]
6082	馭癸觚	[馭]癸
6290	馭觶	[馭]
7277	馭戈	[馭]
		小計：共 7 筆

豕 a213

0425	豗豕父辛鼎	[豗豕]父辛
1692	豗豕毁	[豗豕]
3170	屠豕形爵二	[豗豕]
3171	屠豕形爵一	[豗豕]
3810	屠豕形父丁爵	[豗豕]父丁
3865	屠豕形父己爵	[豗豕]父己
		小計：共 6 筆

豯 a214

1590.	守豯父乙甗	[守豯]父乙
6436	守豯父乙觶	[守豯]父乙
		小計：共 2 筆

豯 a215

6040	亞豯觚	[亞豯]

小計：共 1 筆

爨 爨 a216
驫
cc

3172	爨爵	[爨]
3538	子爨爵	子[爨]
6030	子爨觚	[子爨]
6168	爨父癸觚	[爨]父癸
6377	子爨觶一	[子爨]
6378	子爨觶二	[子爨]

小計：共 6 筆

驫 a217

0427	驫父辛鼎	[驫]父辛
1018	驫屯乍父己鼎一	用乍諸彝、父己[驫]
1019	__屯乍父己鼎二	用乍諸彝、父己[驫]
2041	驫乍從毁一	乍從毁[驫]
2042	驫乍從毁二	乍從毁[驫]
2313	驫辨乍父己毁一	辨乍文父己寶尊彝[驫]
2314	驫辨乍父己毁二	辨乍文父己寶尊彝[驫]
2315	驫辨乍父己毁三	辨乍文父己寶尊彝[驫]
4324.	亞次斝	[亞次驫]
4664	驫乍父辛尊	[驫]乍父辛
4766	乍父丁尊	乍父丁[驫]寶尊彝
4767	乍父丁尊	乍父丁寶尊彝[驫]
4791	屯乍兄辛尊	屯乍兄辛寶尊彝[驫]
4952	驫父丁方彝	[驫]父丁
5141	驫父丁卣	[驫]父丁
5412	驫屯乍兄辛卣	屯乍兄辛寶尊彝[驫]
5539	驫罍	[驫]
5545	驫父丁罍	[驫]父丁
6473	父己驫觶	父己[驫]

小計：共 19 筆

cc a218

0600	田𢍰𢍰形冊鼎一	[田cc冊]
0601	田𢍰𢍰形冊鼎二	[田cc冊]
0758	田𢍰𢍰形父丁鼎	[田cc]父丁
1974	田犀冊毁	[田cc冊]
2160	田豕父丁冊毁	[田cc冊]父丁
2316	宣父丁毁	宣父丁尊彝[田cc冊]
5217	田𢍰𢍰形冊卣	[田cc冊]
6613	田豕冊冊父丁觶	[田cc冊]父丁
1974	田兕冊盤	[田cc冊]

小計：共 9 筆

a219

0909	夌＿父鼎	夌kw父乍狩姛朕（ 賸 ）鼎
2774.	南宮弔殷	天子𤔲（ 司 ）𡍲（ 賜 ）女繺旂、用狩
5816	奠義白𨱕	以𬪩狩用

小計：共 3 筆

a220

0669	王且甲方鼎	[狂]且甲

小計：共 1 筆

cd a221

1824	＿＿殷	[pacd]
4653	屮＿父乙尊一	[屮cd]父乙
4654	屮＿父乙尊二	[屮cd]父乙

小計：共 3 筆

未 a222

6165	犬未父辛觚	[犬未]父辛

小計：共 1 筆

a223

1691	魚殷	[漁]
3185	魚爵一	[漁]
3186	魚爵二	[漁]
3187	魚爵三	[漁]
4293	子漁斝	[子漁]
4543	子漁尊	[子漁]
4990	魚卣	[漁]
5871	魚觚	[漁]

小計：共 8 筆

a224 a225

0233	𠦪宍鼎一	[𠦪宍]
0234	𠦪宍鼎二	[𠦪宍]
0235	𠦪宍鼎三	[𠦪宍]
0560	𠦪宍父乙鼎	[𠦪宍]父乙
0839	宍𠦪乍父乙鼎	[宍𠦪]乍父乙寶□
1363	𠦪宍父丁鬲	[𠦪宍]父丁

狩
狂
cd
犬未
漁
宍

小計：共 2 筆

a231 弔

0239	弔丁鼎	[弔]丁
0252	弔龜鼎	[弔龜]
0362	弔父丙鼎	[弔]父丙
0372	弔父丁鼎二	[弔]父丁
0373	弔父丁鼎一	[弔]父丁
0374	弔父丁鼎三	[弔]父丁
1349	弔父丁鬲	[弔弔]父丁
1358	弔乍彝鬲	[弔]乍彝
1721	弔殷	[弔]
1955	弔弔母癸殷	[弔弔]母癸
1979	弔弔父丁殷一	[弔弔]父丁
1980	弔弔父丁殷二	[弔弔]父丁
1991	弔幺父乙殷	[弔弔]幺父乙
2117	弔龜乍父丙殷一	[弔龜]乍父丙
2118	弔龜乍父丙殷二	[弔龜]乍父丙
2180	弔弔仲子日乙殷	[弔弔]中子日乙
3259	弔爵一	[弔]
3260	弔爵二	[弔]
3261	弔爵三	[弔]
3262	弔爵	[弔]
3613	弔黽爵一	[弔黽]
3614	弔黽爵二	[弔黽]
3615	弔黽爵三	[弔黽]
3616	弔黽爵四	[弔黽]
3617	弔黽爵五	[弔黽]
3651	弔車爵	[弔車]
3651.	弔車爵	[弔車]
3920	弔父辛爵	[弔]父辛
4296	弔龜斝	[弔龜]
4475	弔尊	[弔]
4537	_弔尊	[_弔]
4556.	仲弔尊	[仲弔]
5014	弔卣	[弔]
5160	弔父辛卣	[弔]父辛
5634	弔父丁壺	[弔]父丁
5906	弔觚	[弔]
5908	弔觚	[弔]
5989	亞弔觚	[亞弔]
6019	弔丁觚	[弔]丁
6042	弔龜觚	[弔龜]
6061	弔車觚	[弔車]
6076	弔車觚	[弔車]
6161	弔父辛觚	[弔]父辛
6216	龜且癸觚	[弔龜]且癸
6315	弔觶	[弔]

6335	弔龜觶一	[弔龜]
6548	弔龜且癸觶	[弔龜]且癸
7241	弔戈一	[弔]
7242	弔戈二	[弔]
7320	弔龜戈	[弔龜]
7757	弔黽形斧	[弔龜]

小計：共 51 筆

比羊 a232

2078	比羊父丁毁	[比羊]父丁

小計：共 1 筆

比 a233

3807	比父丁爵	[比]父丁
3808	比父丁爵	[比]父丁

小計：共 2 筆

ce a234

7922.1	__軛飾	[ce]

小計：共 1 筆

學 a235

0236	己學鼎	己[學]
0447	學父癸鼎	[學]父癸
3974.	學父癸爵	[學]父癸
4530	己學尊	己[學]
5065	己學卣	己[學]
5066	學己卣	[學]己
5894	學觚	[學]

小計：共 7 筆

戰 a236

2312	剳函乍且癸毁	剳函乍且戊賓尊彝𢦔(戰)
3993	戰刀爵	[戰(戎)刀]
5349	戰乍從彝卣	[戰(戎)]乍從彝

小計：共 3 筆

戈斤 a237

3623	戈罷	[戈斤罷]
		小計：共 1 筆

戜 a238

0105	戜鼎	[戜]
0106	戜鼎	[戜]
1326	多友鼎	多友乃獻孚、戜、訊于公
1329	小字盂鼎	隻戜四千八百□二戜
1329	小字盂鼎	孚戜二百卅七戜
1329	小字盂鼎	□□□□□□□□□人戜入門
2837	敔段一	敔告禽戜百、訊卌
3240	戜爵一	[戜]
4725	乍父乙尊	[戜]父乙
5970	戜觚一	[戜]
5971	戜觚二	[戜]
5972	戜觚三	[戜]
5973	戜觚四	[戜]
5974	戜觚五	[戜]
6790	虢季子白盤	獻戜于王
		小計：共 15 筆

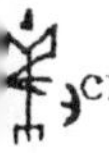cf a239

5356	乍父庚卣	乍父庚尊彝[cf]
		小計：共 1 筆

刀 a240 a241 a242 a244

0147	__鼎	[子刀刀]
0587	子刀父辛方鼎	[子刀]父辛
0766	刀糸子__父癸鼎	[刀糸子cv]父癸
1813	子刀段	[子刀]
1847.	㓝刀且己段	[㓝刀]且己
3233	刀爵	[刀]
3631	刀口爵	[刀口]
3993	戭刀爵	[戭(戎)刀]
4064	子刀父乙爵	[子刀]父乙
4118	子刀父壬爵	[子刀]父壬
4540	刀形尊	[__刀]
5092	__刀卣	__刀
5169	刀父辛卣	[刀]父辛
5464	刀耳乍父乙卣	用乍父乙寶尊彝[刀]
5991	亞刀觚	[亞刀]
6051	__刀觚	__刀
6213	且辛戉刀觚	且辛[戉刀]
6379	子刀觶	[子刀]

6626	犬山刀子乍父戊解	子乍父戊[犬山刀]
6681	子刀盤	[子刀]
7283	刀戈	[刀]

小計：共 21 筆

子刀刀 a243

0147	__鼎	[子刀刀]
4659	__父己尊	[子刀刀]父己
5157	子刀刀父庚卣	[子刀刀]父庚

小計：共 3 筆

剛 a245

0498	長剛倉鼎	長剛倉
0868	之左鼎	□廥(府)之左但(剛)□□盛
1231	楚王酓忓鼎一	剛工師盤野佐秦忓為之
1232	楚王酓忓鼎二	剛工師盤野佐秦忓為之
4156	剛乍寶隮彝爵	剛乍寶尊彝
5245	刀网父癸卣	[剛]父癸
6776	楚王酓忎盤	剛市紹圣差陳共為之
6792	史墻盤	左右綬鈫剛鰷
6793	矢人盤	封剳析、隮陵、剛析
6793	矢人盤	陟剛、三封
6793	矢人盤	陟州剛、登析

小計：共 11 筆

刀  a246
cG

7745	__刀	[cG]

小計：共 1 筆

刀  a247
ch

6575	____父辛解	[chf0]父辛
7290	__戈	[ch]
3351	__爵	[ch]

小計：共 3 筆

矛 a248

0178	亞__鼎	[亞甕皿矛]

1361	亞__母鬲	[亞醜皿矛]母
3589	亞醜皿矛爵一	[亞醜皿矛]
3590	亞醜皿矛爵二	[亞醜皿矛]
4065	亞醜皿矛父乙爵	[亞醜皿矛]父乙
6408	亞皿觶	[亞醜皿矛]
6950	__矛鐃	[a7矛]
7273	矛从戈	[矛从]

小計：共 8 筆

a249

0073	辛鼎	[辛]
1556	舟辛甗	[舟辛]
1812	辛邛毀	[辛邛]
3276	辛爵	[辛]
3511	亞辛爵	[亞辛]
3525	舟辛爵	[舟辛]
4110	子工乙酉爵	[子[illegible]乙辛]
4783	亞共尊一	[亞𠭯乙日辛甲共受]
4784	亞共尊二	[亞𠭯日乙受日辛日甲共]
5103	辛舟卣	[辛舟]
5909	䀠辛觚	[䀠辛]
5967	__觚	[辛门]
6205	辛卿宁觚	辛[卿宁]
6372	舟辛觶	[舟]辛
6375	戈辛觶	[戈]辛
6612	亞㠱侯匕辛矣觶	[亞㠱侯匕辛矣]
7259	辛戈一	[辛]
7260	辛戈二	[辛]
7261	辛戈三	[辛]
7262	辛戈四	[辛]
7362	亞又攴辛戈	[辛、亞又攴]

小計：共 21 筆

a250

0590	戚乍父癸鼎	[戚]乍父癸
0923	戚箙束乍父丁鼎	束乍父丁寶鼎[戚箙]
1994	戚喜父乙毀	[戚喜]父乙
3968	戚父癸爵	[戚]父癸
4381	戚父己盉	[戚]父己
4793	隹乍父己尊	隹乍父己寶彝[戚箙]
4859	戉箙啟尊	[戚箙]
4903	喜戚觥	[喜戚]
5224	戚箙且乙卣	[戚箙]且乙
5225	箙戚父乙卣	[箙戚]父乙
5489	戉箙啟卣	用夙夜事[戚箙]

小計：共 11 筆

耒
ci
彊
𦎫
宁

耒 a251

0393 耒父己鼎 [耒]父己
1696 耒段 [耒]
2005 耒乍父己段 [耒]乍父己
3787 耒父乙爵 [耒]父乙
4015 ____耒爵 [GsGt耒]
4955 ____耒方彝 [GsGt耒]
6466 耒父己觶 [耒]父己
6568 亞父丁觶 [亞耒]父丁
6586 耒乍寶彝觶 [耒]乍寶彝

小計：共 9 筆

 ci a252

3226 __爵 [ci]

小計：共 1 筆

彊 a253

0128 彊鼎 [彊]
0676 弓𦎫父丁方鼎 [彊]父丁
0679 弓羊亯父己鼎 [彊]父己
0863 弓𦎫乍公尊鼎 乍公尊彝[彊]
3376 彊爵 [彊]
4077 弓𦎫父丁爵 父丁[彊]
5353 乍公尊彝卣 乍公尊彝[彊]

小計：共 7 筆

𦎫 a253

0130 𦎫鼎 [𦎫]
0240 丁詳鼎 丁[𦎫]
1690 𦎫段 [𦎫]
2564 𦎫且日庚乃孫段一 其子子孫孫永寶用[𦎫]
2565 𦎫且日庚乃孫段二 其子子孫孫永寶用[𦎫]
3598 亯羊爵 [𦎫]
6041 亯羊鼎 [𦎫]
6627 鼓𦎫乍父辛觶 [鼓𦎫]乍父辛寶尊彝
7927 亯羊錡 [𦎫]

小計：共 9 筆

宁 a254

0097	宁鼎	[宁]
0157.	矢宁鼎	[矢宁]
0241	告宁鼎	[告宁]
0247	卿宁鼎	[卿宁]
0300	美宁鼎	[美宁]
0301	卿宁鼎	[卿宁]
0329	卿乙宁鼎	[卿乙宁]
0448	卿宁癸鼎	[卿宁]癸
0449	卿宁癸鼎	[卿宁]癸
0562	矢宁父乙方鼎	[矢宁]父乙
0563	卿宁父乙鼎	[卿宁]父乙
0643	卿宁父乙鼎	[卿宁]父乙
0942	亞囊竹士宦鼎	[亞囊竹宦]智光徽(簪)[卿宁]
1407	亞從父丁鬲	亞从父丁[鳥宁]
1790	卿宁設一	[卿宁]
1791	卿宁設二	[卿宁]
1976.	矢宁設	[矢宁]父丁
2012	卿父癸宁設	[卿]父癸[宁]
3327	矢宁爵	[矢宁]
3702	告宁爵一	[告宁]
3703	告宁爵二	[告宁]
3703.	告宁爵三	[告宁]
3707	卿宁爵一	[卿宁]
3708	卿宁爵二	[卿宁]
3709	卿宁爵三	[卿宁]
4090	父癸_宁爵	父癸[bk宁]
4165	叔宁父戊爵	叔宁[cz]父戊
4279	卿宁斝	[卿宁]
4336	宁狽乍父丁斝	[宁狽]乍父丁彝
4403	亞鳥宁从父丁盉	[亞鳥宁dc]父丁
4405	宁未父乙冊盉	父乙[宁未冊]
4548	卿宁尊	[卿宁]
4722	冊口宁父辛方尊	[冊口宁]父辛
4897.	_觥	[宁矢]
4939	卿宁方彝一	[卿宁]
4940	卿宁方彝二	[卿宁]
5089	___卣	[収京]、[宁工工]
5611	卿宁壺一	[卿宁]
5612	卿宁壺二	[卿宁]
5995	矢宁觚一	[矢宁]
5996	矢宁觚二	[矢宁]
5997	卿宁觚	[卿宁]
5998	卿宁觚	[卿宁]
6046	告宁觚	[告宁]
6047	宁貫觚	[宁貫]
6048	宁戈觚	[宁戈]
6118	己卿宁觚	己[卿宁]
6205	辛卿宁觚	辛[卿宁]
6590	告宁父戊觶	[告宁]父戊
6628	鳥冊何般貝宁父乙觶	[何般貝宁]用乍父乙寶尊彝[鳥]

小計：共 50 筆

⿰女宁 a255

0043	⿰女宁鼎	[⿰女宁]
0251	冊⿰女宁鼎	[冊⿰女宁]
1592	⿰女宁父乙甗	[⿰女宁]乙父
4046	⿰女宁父丁爵	父丁[⿰女宁]
4378	⿰女宁父丁盉	[⿰女宁]父丁
4532	卿⿰女宁尊	[卿⿰女宁]
4812	冊⿰女勿作父乙尊	冊⿰女勿作父乙寶尊彝[⿰女宁]
5632	⿰女宁父乙壺	[⿰女宁]父乙
5661	⿰女宁季父乙壺	季甾父乙[⿰女宁]
6800	冊⿰女宁匜	[冊⿰女宁]
6820	冊⿰女勿匜	⿰女勿作父乙寶尊彝[冊⿰女宁]

小計：共 11 筆

宁工工 a256

5089	___卣	[収京]、[宁工工]

小計：共 1 筆

宁酉 a257

J152	宁酉鼎	[宁酉]

小計：共 1 筆

宁cj a258

3717.1	__乙爵	[cj乙]
5603	__壺	[cj]

小計：共 2 筆

美宁 a259

0300	美宁鼎	[美宁]

小計：共 1 筆

宁矢 a260

4897.	__觥	[宁矢]

小計：共 1 筆

a261

0132	亯鼎	[亯]
0394	亯父己鼎一	[亯]父己
0395	亯父己鼎二	[亯]父己
0753	犬且辛且癸鼎	犬且辛且癸[亯]
1117	豐乍父丁鼎	丁亥、豐用乍父乙齍彝[亞亯]
1745	亯毁	[亯]
1994	戚亯父乙毁	[戚亯]父乙
3128.	亯爵	[亯]
3217	亯爵二	[亯]
3218	亯爵一	[亯]
3219	亯爵三	[亯]
3533	亯癸爵	[亯]癸
3599	亯_爵	[亯_]
3826	亯父丁爵	[亯]父丁
3843.	亯奴父丁爵	[亯奴]父丁
3974.	亯父癸爵	[亯]父癸
4500	亯尊一	[亯]
4500.	亯尊二	[亯]
4595	亯父己尊	[亯]父己
4633	_冊亯尊	[a5冊亯]
4903	亯戚觥	[亯戚]
5883	亯觚一	[亯]
5884	亯觚二	[亯]
5885	亯觚三	[亯]
5886	亯觚四	[亯]
5887	亯觚五	[亯]
6143	亯父丁觚	[亯]父丁
6177	_乙冊亯觚一	[a4乙冊亯]
6178	_乙冊亯觚二	[a4乙冊亯]
6475	亯父己觶	[亯]父己
6546	口亯且己觶	[口亯]且己
6953	_鐃一	[fa亯亯]
6954	_鐃二	[fa亯亯]
6955	_鐃三	[fa亯亯]
7237	亯戈	[亯]
7288	亯戈	[亯]
補7	亯爵	[亯]

小計：共 37 筆

a262

4999	稟卣一	[稟]
5000	稟卣二	[稟]

小計：共 2 筆

ck a263

1976	__父乙段	[ck]父乙
		小計：共　1 筆

ck
京
攸京
cL
主
cm

京 京　a264

0218	子京鼎	[子京]
0755	京犬犬魚父乙鼎	[京犬犬魚]父乙
1110	䠶白原鼎	[射京]
1807	京辛段	[京]辛
3600	子京爵	[子京]
3699.	毌京保爵	[毌京保]
4043	__京比爵	[__京比]
4542	子京尊	[子京]
5089	___卣	[攸京]、[宁工工]
6256	京戈冊父乙觚	[京戈冊]父乙
6716	京隣仲__盤	[京]隣中wb乍父辛寶尊彝
		小計：共　11 筆

攸京　a265

5089	___卣	[攸京]、[宁工工]
		小計：共　1 筆

 cL　a266

1573	__父己甗	[cL]父己
		小計：共　1 筆

主　a267

2485	陵仲孝段	子子孫其永寶用[主]
3522	主庚爵二	[主]庚
3523	主庚爵一	[主]庚
3970	__父癸爵	[主]父癸
4704	__父辛主雞尊	[az]父辛[主雞]
		小計：共　5 筆

▼ cm　a268

0922	𥁕婦方鼎	[cm]己且丁父癸𥁕婦尊
3498	__甲爵	[cm]甲
5372	𥁕且丁父癸卣	[𥁕cm己]且丁父癸
5573	𥁕__己且丁方罍	[亞𥁕]且丁cm己父癸
		小計：共　4 筆

cn a269

3685	_畧箙爵	[cn畧箙]
4404	子___父甲盉	[子cndt]父甲

小計：共 2 筆

co a270

2086	_乍父丁毀	乍父丁[co]
2284	___乍父丁寶毀一	[co]乍父丁寶尊彝
2284	___乍父丁寶毀二	[co]乍父丁寶尊彝
2284	___乍父丁寶毀三	[co]乍父丁寶尊彝
J1507	竷乍且庚尊	子子孫孫其萬年永寶用[co]

小計：共 5 筆

cp a271

0264	___鼎	[cp]
0589	___父癸鼎	[cp]父癸
6775	_仲乍父丁盤	[cp]

小計：共 3 筆

cq a272

2243	_休乍父丁寶毀	休乍父丁寶毀[cq]

小計：共 1 筆

cr a273

5655	___父丁盤	[eqcr]父丁

小計：共 1 筆

cs a274

3328	_爵	[cs]

小計：共 1 筆

ct a275

3850	_父戊爵	[ct]父戊

小計：共 1 筆

 cu a276

4825	奔者君乍父乙尊	奔者君乍父乙寳尊彝[cu]
		小計：共 1 筆

丁 a277

0032	丁鼎	[丁]
0175	亞而丁鼎	[亞而丁]
1769	罷殷	[罷戈丁]
1950	丁箙睪箙父乙殷	[丁箙睪箙]父乙
2281	亞受丁斿若癸殷	[亞若癸自乙受丁斿乙]
3512	山丁爵	[山]丁
3513	丁羞爵	丁[羞]
3514	丁舟爵	丁[舟]
3578	丁羌爵	[丁羌]
3602	飲爵	[飲丁]
3621	丁舟先爵一	丁[舟]先
3622	丁舟先爵二	丁[舟]先
3653	丁口爵	丁口
3692	丁共爵	[丁共]
3692.	圉爵	報丁
3704	儷丁爵	[儷丁]
3881	丁父己爵	[丁]父己
3977.	丁大中爵	丁[大中]
4016	亞__爵	[亞ca]丁
4084	畁冊父己爵	[冊]丁[畁][守冊]父己
4525	舟丁尊	[舟丁]
4526	丁舟尊	[丁舟]
4789	亞受丁斿若癸尊一	[亞受旅丁乙止若自癸乙]
4964	亞受丁斿若癸方彝	[亞受丁斿若癸]
5050.	丁卣	[丁]
5062	丁犬卣	[丁犬]
5063	丁卬卣	丁[卬]
5064	丁丰卣	丁[丰]
5177	丁舟宊卣	丁[舟宊]
5179	秉冊丁卣	[秉冊]丁
6019	弔丁觚	[弔]丁
6279	亞受丁若癸觚一	亞受斿若癸丁乙止自乙
6280	亞受丁若癸觚二	亞受斿若癸丁乙止自乙
6369	舟丁觶	[舟丁]
6676	丁舟盤	丁[舟]
6677	丁舟盤二	丁[舟]
6682	艅舌盤	[丁艅舌]
7746	告丁刀	[告]丁
7987	受斿容器	受斿若丁乙自乙
		小計：共 39 筆

cv a278

0766	刀糸子__父癸鼎	[刀糸子cv]父癸
4561	__且丁尊	[cv]且丁
5243	令__父辛卣	[cv令]父辛

小計：共 3 筆

a279

3285	■爵	[■]
3561	子■爵	子[■]
3583	■屰爵	[■屰]
3584	■屰爵	[■屰]
3585	__■爵	[__■]
3607	敗■爵	[敗■]
3608	■教爵	[■教]
4013	子■__爵	[子■et]
4110	子工乙酉爵	[子■乙辛]
5070	子■卣	子[■]
5528	敎方罍	[敎■]
5843	旇■旇觚	[旇■旇]

小計：共 12 筆

cx a280

1109	師眘乍齋鼎	其萬年子子孫孫永寶用[cx]
2060	白姬乍__毁	白姬乍[cx]
2431	__弔侯父乍尊毁一	[cx]
2432	__弔侯父乍尊毁二	[cx]
2551	弔角父乍宕公毁一	其子子孫孫永寶用[cx]
2552	弔角父乍宕公毁二	其子子孫孫永寶用[cx]
2669	__妊小毁	其子子孫孫永寶用[cx]
2672	伯艿父毁	其子子孫孫永寶用[cx]

小計：共 8 筆

a281

0441	弓父癸鼎	[弓]父癸
0756	疋弓欽乍父丙鼎	[疋弓]欽乍父丙
1273	師湯父鼎	王呼宰雁易□弓
1278	十五年趞曹鼎	史趞曹易弓矢、虎盧、□冑、毌、殳
1308	白晨鼎	{ 彤弓 }、{ 彤矢 }、旅弓、旅矢
1329	小字盂鼎	征王令賞盂□□□□□□弓一、矢百、畫皋一、
2653	戠毁	易戠弓矢束、馬匹、貝五朋
2791	豆閉毁	司馬弓矢
2828	宜侯夨毁	彤弓一、彤矢百、旅弓十、旅矢千
2836	㦰毁	孚戎兵盾、矛、戈、弓、備、矢、裨、冑

弓
冂
cy
cz
c0
c1

2852	不嬰𣪘一	易女弓一、矢束
4062	弓衛且己爵	[弓衛]且一己
4086	弓衛父庚爵	父庚[弓衛]
4668	弓㚔父癸尊	[弓㚔]父癸
4796	𣪕乍父庚尊	𣪕乍父庚寶尊彝[弓]
5155	弓父庚卣	[弓]父庚
5647	𤰔子弓箙壺	[𤰔子弓箙]
5984.	及弓觚	[及弓]
6380	子弓觶	[子弓]
6506	弓父癸觶	[弓]父癸

小計：共 20 筆

冂 a282

3593	冂戈爵	[冂戈]
3691	冂龍爵	[冂龍]
5967	__觚	[辛冂]
6085	𩏂冂觚	[𩏂冂]
6551	冂__乍父乙觶	[冂ii]乍父乙
補2	冂觚	[冂龍]
補2	冂觚	[冂龍]

小計：共 7 筆

 cy a283

4234.3	作__女角	[cy]hi女
6457	__父丁觶	[cy]父丁

小計：共 2 筆

 cz a284

4165	攸宁父戊爵	攸宁[cz]父戊

小計：共 1 筆

 c0 a285

4504	__尊	[c0]

小計：共 1 筆

 c1 a286

3969	__父癸爵	[c1]父癸

小計：共 1 筆

a287

3312	兮爵	[兮]
7755	耒冏兮斧	[耒冏兮]
7847	兮盉一	[兮]
7848	兮盉二	[兮]

小計：共 4 筆

a288

0033	戉鼎	[戉]
1597	箙戉父癸甗	[箙戉]父癸
3595	戉木爵	[戉木]
3630	___爵	[关戉c2]
4416	戉中乍父丁盉	中乍彝父丁[戉]
4474	戉尊	[戉]
5100	戉箙卣一	[戉箙、bc]
5101	戉箙卣二	[戉箙、bc]
5490	戉稰卣	其子子孫永福[戉]
5490	戉稰卣	其子子孫永福[戉]
5680	恆乍且辛壺	恆乍且辛壺[戉]
6212	__戉且戊觚	[__戉]且戊
6213	且辛戉刀觚	且辛[戉刀]
6275	丮戉丮乍且癸旬觚	[丮戉丮]乍且癸[旬]寶彝
6414	戉且丁觶	[戉]且丁

小計：共 15 筆

c2 a289

3630	___爵	[关戉c2]

小計：共 1 筆

c3 a290

1774.1	__毀	[c3]

小計：共 1 筆

a291

6033	子規觚一	[子規]
6034	子規觚二	[子規]

小計：共 2 筆

a291

6033	子乂觚一	[子乂]

乂
c4
c5
c6
个
c7
丁

6034	子乂觚二	[子乂]
		小計：共 2 筆

c4 a292

1759	_毀	[c4]
		小計：共 1 筆

c5 a293

0157.1	_鼎	[c5]
		小計：共 1 筆

c6 a294

6334.1	_觶	[c6]
		小計：共 1 筆

个 a295

1725	个毀	[个] 筆
		小計：共 1 筆

c7 a296

1722	_毀	[c7]
		小計：共 1 筆

丁 a297

0032	丁鼎	[丁]
0175	亞而丁鼎	[亞而丁]
0239	弔丁鼎	[弔]丁
0240	丁韋鼎	丁[韋]
0250	丁大鼎	丁[大]
0861	亞受丁旂若癸鼎	[亞受丁旂若癸止乙自乙]
0862	亞受丁旂若癸鼎二	[亞受丁旂若癸止乙自乙]
1769	䍐毀	[䍐戈丁]
1803	舟丁毀	[舟]丁
1804	倴丁毀	[倴]丁
1950	丁箙冓箙父乙毀	[丁箙冓箙]父乙
2281	亞受丁旂若癸毀	[亞若癸自乙受丁旂乙]
3512	山丁爵	[山]丁
3513	丁羞爵	丁[羞]

3514	丁冉爵	丁[冉]
3578	丁羌爵	[丁羌]
3602	飲爵	[飲丁]
3621	丁冉先爵一	丁[冉]先
3622	丁冉先爵二	丁[冉]先
3653	丁口爵	丁口
3692	丁共爵	[丁共]
3692.	𡆥爵	報丁
3704	𠑹丁爵	[𠑹丁]
4016	亞＿爵	[亞ca]丁
4525	冉丁尊	[冉丁]
4526	丁冉尊	[丁冉]
4789	亞受丁斿若癸尊一	[亞受旅丁乙止若自癸乙]
4964	亞受丁斿若癸方彝	[亞受丁斿若癸]
5050.	丁卣	[丁]
5062	丁犬卣	[丁犬]
5063	丁卬卣	丁[卬]
5064	丁丰卣	丁[丰]
5177	丁冉共卣	丁[冉共]
5179	秉毌丁卣	[秉毌]丁
6019	弔丁觚	[弔]丁
6279	亞受丁若癸觚一	亞受斿若癸丁乙止自乙
6280	亞受丁若癸觚二	亞受斿若癸丁乙止自乙
6369	冉丁觶	[冉丁]
6676	丁冉盤	丁[冉]
6677	丁冉盤二	丁[冉]
6682	賒舌盤	[丁賒舌]
7746	告丁刀	[告]丁
7987	受斿容器	受斿若丁乙自乙

小計：共　43 筆

鋬　a298　a299

0088	鋬鼎一	[鋬]
0089	鋬鼎二	[鋬]
0090	鋬鼎三	[鋬]
0091	鋬鼎四	[鋬]
0387	鋬父戊鼎一	[鋬]父戊
0388	鋬父戊鼎二	[鋬]父戊
1365	鋬乍父辛鬲	乍父辛[鋬]
1538	鋬甗	[鋬]
1569	鋬父乙甗	乙父[鋬]
1736	鋬𣪕三	[鋬]
1737	鋬𣪕一	[鋬]
1738	鋬𣪕二	[鋬]
1870	鋬父甲𣪕	[鋬]父甲
1871	鋬父丁𣪕一	[鋬]父丁
1872	鋬父丁𣪕二	[鋬]父丁
1873	鋬父丁𣪕三	[鋬]父丁

鍪 丫

1949	鍪父丁𣪘	[鍪]父丁
3301	鍪爵一	[鍪]
3302	鍪爵二	[鍪]
3303	鍪爵三	[鍪]
3304	鍪爵四	[鍪]
3305	鍪爵五	[鍪]
3306	鍪爵六	[鍪]
3322	鍪爵一	[鍪]
3323	鍪爵二	[鍪]
3578.	鍪羌爵	[鍪羌]
3732	鍪且丙爵	[鍪]且丙
3743	鍪且己爵	[鍪]且己
3757	鍪且癸爵	[鍪]且癸
3785	鍪父乙爵	[鍪]父乙
3835	鍪父丁爵	[鍪]父丁
3839	鍪父丁爵一	[鍪]父丁
3840	鍪父丁爵二	[鍪]父丁
3886	父己爵	[鍪]父己
3892	鍪父庚爵	[鍪]父庚
3928	鍪父辛爵	[鍪]父辛
3929	鍪父辛爵	[鍪]父辛
4320	吳鍪鍪斝	[吳鍪鍪]
4347	鍪盉	[鍪]
4384	鍪父己盉	[鍪]父己
4386	鍪父辛盉	[鍪]父癸
4387	鍪父癸盉	[鍪]父癸
4486	鍪尊	[鍪]
4578	父乙鍪尊	父乙[鍪]
4579	鍪父乙尊	[鍪]父乙
4584	鍪父丁尊一	[鍪]父丁
4867	鍪睘尊	用乍朕文考日癸旅寶[鍪]
5040	鍪卣一	[鍪]
5041	鍪卣二	[鍪]
5134	鍪父乙卣	[鍪]父乙
5135	鍪父丁卣	[鍪]父丁
5542	父乙鍪罍	父乙[鍪]
5543	鍪父丁罍	[鍪]父丁
5923	鍪觚	[鍪]
5924	鍪觚	[鍪]
6153	鍪父己觚	[鍪]父己
6233	鍪＿父丁觚	[鍪＿]父丁
6412	鍪且丙觶	[鍪]且丙
6492	鍪父辛觶一	[鍪]父辛
6538	鍪父己觶	[鍪]父己

小計：共 60 筆

丫 a300 a301

0149	丫鼎	[丫]

0368	丫父丁鼎	[丫]父丁
1607	丫射乍尊甗	[丫]射乍尊
1823	女丫段	女[丫]
3087	鬲从盨	其子子孫孫永寶用[丫]
3290	丫爵	[丫]
3291	丫爵一	[丫]
3292	丫爵二	[丫]
3740	丫且己爵一	[丫]且己
3741	丫且己爵二	[丫]且己
3836	丫父丁爵一	[丫]父丁
3837	丫父丁爵二	[丫]父丁
3838	丫父丁爵三	[丫]父丁
3923	丫父辛爵	[丫]父辛
3971	__父癸爵	[●丫]父癸
4191	亞戣丫父癸爵	亞戣□□[丫]父癸
4306	丫且己斝	[丫]且己
4556	丫射尊	[丫射]
4815	白丫薛乍日癸尊	[白丫]薛乍日癸公寶尊彝
6125	丫且己觚	[丫]且己
6416	丫且戊觶	[丫]且戊
6539	丫父丁觶	[丫]父丁

小計：共 22 筆

丫 a302

3971	__父癸爵	[●丫]父癸

小計：共 1 筆

c8 a303

4733	乍父己尊	乍父己寶彝[c8]

小計：共 1 筆

a304

1575	亥亞父丁甗	[亥亞]父丁
4089	大辛父辛爵	[大亥]父辛
4535	亞亥尊	[亞亥]
5238	舟亥父丁卣	[舟亥]父丁

小計：共 4 筆

a305

3951	缶父癸爵	[缶]父癸
4954	般缶彝方彝	[般缶]彝

5091	缶戈卣	[缶戈]
		小計：共 3 筆

 c9 a306

2083	_鼺父乙𣪘	[c9鼺]父乙
		小計：共 1 筆

 da a307

5879	_觚	[da]
		小計：共 1 筆

 db a308

0287	___鼎	[dbep]
		小計：共 1 筆

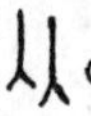 dc a309

4403	亞鳥宁从父丁盉	[亞鳥宁dc]父丁
		小計：共 1 筆

劳 a310

0271	亞劳鼎一	[亞劳]
0272	亞劳鼎二	[亞劳]
0273	亞劳鼎三	[亞劳]
0274	亞劳鼎四	[亞劳]
0275	亞劳鼎五	[亞劳]
0276	亞劳鼎六	[亞劳]
0277	亞劳鼎七	[亞劳]
1818	亞劳𣪘	[亞劳]
1986	亞劳父癸𣪘	[亞劳]父癸
2676	旅𦘕乍父乙𣪘	戊辰、劳師易𦘕曺、q1窅貝
3330	劳爵	[劳]
3587	亞劳爵一	[亞劳]
3588	亞劳爵二	[亞劳]
3589.	亞劳爵三	[亞劳]
3781	劳父乙爵	[劳]父乙
4223	亞劳父丁角一	[亞劳]父丁
4224	亞劳父丁角二	[亞劳]父丁
4327	亞劳父丁斝	[亞劳]父丁
4533	亞劳尊	[亞劳]
5126	劳父乙卣	[劳]父乙

5610	亞劈壺一	[亞劈]
5993	亞劈觚	[亞劈]
6543	帚亞劈觶	[亞帚劈]
6567	典劈父丁觶	[典劈]父丁
6948	亞劈編鐃一	[亞劈]
6949	亞劈編鐃二	[亞劈]
		小計：共 26 筆

劈
dd
不

dd a311

1816	子_段	[子dd]
		小計：共 1 筆

a312

3562	子不爵	子[不]
		小計：共 1 筆

de a313

4139	羊馬__父丁爵	[羊馬de]父丁

小計：共 1 筆

用 a314

3505	用乙爵	[用]乙
7299	用戈	[用]

小計：共 2 筆

df a315

3842	__父丁爵	[df]父丁

小計：共 1 筆

心 a316

3730.	心且乙爵	[心]且乙
3885	心父己爵	[心]父己
5617	心守壺	[心守]
6245	子妹壬心觚	[子妹壬心]

小計：共 4 筆

口 a317

0103	口鼎	[口]
5817	口缶	口缶
6023	口己觚	[口]己
6546	口啚且己觶	[口啚]且己

小計：共 4 筆

dG a318

1761	__段	[dG]

小計：共 1 筆

dh a319

1947	白八__段	[白八dh]
		小計：共 1 筆

di a320

3746	__且戊爵	[di]且戊
		小計：共 1 筆

dj a321

5664	__乍尊彝壺	[dj]乍尊彝
		小計：共 1 筆

dk a322

4820	__何乍兄日壬尊	qn乍兄日壬[dk]
5425	__何乍兄日壬卣	qn乍兄日壬[dk]
5708	__何乍兄日壬壺	qn乍兄日壬[dk]
		小計：共 3 筆

dL a323

3164	__爵	[dL]
		小計：共 1 筆

dm a324

5382	__乍父己卣	[dm]乍寶父尊彝己
		小計：共 1 筆

dn a325

3596	__豕爵	[dn豕]
		小計：共 1 筆

do a326

3381.2	__爵	[do]
		小計：共 1 筆

 dp a327

0086	__鼎	[dp]
0511	__父甲鼎	[dp]父甲
1362	__父乙鬲	[dp]父乙
3307	__爵	[dp]
3954	__父癸爵	[dp]父癸
4366.1	__母乙盉	[dp]母乙
5148	__父己卣	[dp]父己
6131	__父乙觚	[dp]父乙

小計：共 8 筆

 dq a328

3833	__父丁爵	[dq]父丁

小計：共 1 筆

句 a329 a330 a331

0346.	句冊父乙鼎	[句冊]父乙
0359	句冊父乙鼎	[句冊]父乙
0384	句父丁鼎	[句]父丁
0426	句父辛鼎	[句]父辛
0685	句冊冊父癸鼎	[句冊冊]父癸
1191	堇乍大子癸鼎	用乍大子癸寶尊鬹[句冊句]
1723	句須毀一	[句須]
1724	句須毀二	[句須]
3749	句且辛爵	[句]且辛
3794.	句冊父乙爵	[句冊]父乙
4115	亼句冊且辛爵	[亼句冊]且辛
4371	句冊父乙盉	[句冊]父乙
4393	句父癸盉	[句]父癸
4505	句尊	[句]
4904	句庚觥	[句庚]
5132	句冊父乙卣一	[句冊]父乙
5133	句冊父乙卣二	[句冊]父乙
5277	__六六六父戊卣	[句冊六六六]父戊
5596	句冊父戊瓿	[句冊]父戊
5656	周奴句父癸壺	[周奴句]父癸
5917	句冊觚	[句冊]
6197	句冊父乙觚	[句冊]父乙
6275	丮戉丮乍且癸句觚	[丮戉丮]乍且癸[句]寶彝
6614	句乍父丁觶	[句]乍父丁尊彝

小計：共 24 筆

頁 a332

1723	句須𣪘一	[句須]
1724	句須𣪘二	[句須]
		小計：共 2 筆

a333

0296	□耳鼎	[□耳]
3700	內耳爵	[內耳]
3700.	耳髭爵	[耳髭]
4538	危耳尊	[危耳]
5088	__耳卣	[危]耳
5607	耳壺	[耳]
7268	羊戈	[羊、耳]
7275	北耳戈一	[北耳]
7276	北耳戈二	[北耳]
		小計：共 9 筆

a334

0423	㽙父辛鼎	[㽙]父辛
1825	㽙㝩𣪘	[㽙㝩]
3632	㽙竹爵一	[㽙竹]
3633	㽙竹爵二	[㽙竹]
6050	㽙竹觚	[㽙竹]
6071	㽙㨮觚	[㽙㨮]
6387	㽙龔觶	[㽙龔]
		小計：共 7 筆

]dr a335

5713	孟上父尊壺	其永寶用[dr]
		小計：共 1 筆

ds a336

1711	__𣪘	[ds]
		小計：共 1 筆

dt a337

4404	子__父甲盉	[子cndt]父甲

小計：共 1 筆

刀 a338

0147	__鼎	[子刀刀]
0587	子刀父辛方鼎	[子刀]父辛
0766	刀糸子__父癸鼎	[刀糸子cv]父癸
1813	子刀毁	[子刀]
1847.	厶卬刀且己毁	[厶卬刀]且己
3233	刀爵	[刀]
3631	刀口爵	[刀口]
3993	戦刀爵	[戦(戒)刀]
4064	子刀父乙爵	[子刀]父乙
4118	子刀父壬爵	[子刀]父壬
4540	刀形尊	[__刀]
4659	__父己尊	[刀子刀]父己
5157	子刀子父庚卣	[子刀子]父庚
5169	刀父辛卣	[刀]父辛
5991	亞刀觚	[亞刀]
6213	且辛戉刀觚	且辛[戉刀]
6379	子刀觶	[子刀]
6626	犬山刀子乍父戊觶	子乍父戊[犬山刀]
6681	子刀盤	[子刀]
7283	刀戈	[刀]

小計：共 20 筆

 du a339

4650	__受且丁尊	[du受]且丁
6520	__兄丁觶	[du]兄丁

小計：共 2 筆

皛 a340

1558	____甗	皛e0
4313	皛父乙斝	[皛]父乙
5409	皛__乍且癸卣	__乍且癸寶尊彝[皛]
6283	____觚	[皛卜止卜]
6383	皛婦觶	[皛婦]
6592	皛小龏母乙觶	[皛小龏]母乙

小計：共 6 筆

皇 a341

0707	猷乍寶鼎	猷乍寶鼎[皇]
1335	皇鬲	[皇]
2111	農乍寶障彝毁	農乍寶尊彝[皇]

5310	皇_乍尊彝卣 (蓋)	[皇r8]乍尊彝
		小計：共 3 筆

dw a342

2290	_黃乍父癸毁	[dw]黃乍父癸寶尊彝[戈]
		小計：共 1 筆

a343

0452	中婦䵼鼎	[中]婦䵼
0610	中乍寶鼎	中乍寶鼎
1750	中毁	[中]
3314	中爵	[中]
3778	中父乙爵	[中]父乙
3903	中父辛爵	[中]父辛
6064	中得觚一	[中得]
6065	中得觚二	[中得]
6617	中亞址乍匕己觶	乍匕己彝[中亞址]
6927	中鐃一	[中]
6928	中鐃二	[中]
6929	中鐃三	[中]
6930	中鐃四	[中]
		小計：共 13 筆

dx a344

0148	_方鼎	[dx]
		小計：共 1 筆

a345 a346

0120	輪鼎一	[輪]
0121	輪鼎二	[輪]
1758	輪毁	[輪]
3315	輪爵	[輪]
4266	輪斝	[輪]
5041	輪觚	[輪]
6667	輪盤	[輪]
		小計：共 7 筆

dy a347

1543	_甗	[dy]

小計：共 1 筆

丯 a348

0244	辛丯鼎	辛[丯]
3706	乙戈爵	己[丯]
6013	丯乙觚	[丯乙]
6154	丯父己觚	[丯]父己

小計：共 4 筆

网 a349

1557	戈网甗	[戈网]
1751	网毁	[网]
3367	网爵	[网]
5099	戈网卣	[戈网]
5347	貙卣	貙乍寶尊彝[网]
5418	白睘卣二	白睘乍室尊寶彝[网]

小計：共 6 筆

丰 a350 a351

0770	康侯丰鼎	康侯丰乍寶尊
5064	丁丰卣	丁[丰]
6014	丰乙觚	[丰]乙

小計：共 3 筆

0 a352

5085 ___卣 [d0d1]

小計：共 1 筆

1 a353

5085 ___卣 [d0d1]

小計：共 1 筆

2 a354

0769 ___乍鼎 [abd2d3]乍彝

小計：共 1 筆

3 a355

0769 ___乍鼎 [abd2d3]乍彝

小計：共 1 筆

六 a356

5277 _六六六父戊卣 [句毌六六六]父戊

小計：共 1 筆

a357 俞字參見

0943 亞父庚且辛鼎 [亞舲fw]父父庚保且辛

小計：共 1 筆

4 a358

0688 魚父癸鼎 [魚]父癸斧[d4]

小計：共 1 筆

5 a359

3984 子_爵 子[d5]__

小計：共 1 筆

6 a360

d0
d1
d2
d3
六六六
舲
d4
d5
d6

6066	__父癸觚	[d6]父癸
		小計：共 1 筆

d6
d7 □ d7 a361
□

4644	亞父辛__尊	亞父辛[d7]
4912	亞父辛__觥	亞父辛[d7]
		小計：共 2 筆

□ a362

0082	□鼎一	[□]
0083	□鼎	[□]
0084	□鼎二	[□]
0085	□鼎三	[□]
0341	□父乙鼎	[□]父乙
0342	□父乙鼎一	[□]父乙
0343	□父乙鼎二	[□]父乙
0398	□父己鼎	[□]父己
0422	□父辛鼎	[□]父辛
0438	□父癸鼎	[□]父癸
0583	□乍父辛鼎	[□]乍父辛
1208	乙亥乍父丁方鼎	唯王正井方[□]
1548	□甗	[□]
1571	□父乙甗	[□]父乙
1731	□毁一	[□]
1732	□毁二	[□]
1733	□毁三	[□]
1747	□毁一	[□]
1748	□毁二	[□]
1812	辛□毁	辛[□]
1845	□且丁毁	[□]且丁
1889	□父辛毁	[□]父辛
1894	□父癸毁	[□]父癸
1895	□父癸毁	[□]父癸
3265	□爵一	[□]
3266	□爵二	[□]
3267	□爵三	[□]
3268	□爵四	[□]
3269	□爵五	[□]
3270	□爵六	[□]
3271	□爵七	[□]
3272	□爵八	[□]
3506	□乙爵一	[□]乙
3507	□乙爵二	[□]乙
3516	己□爵	己[□]
3576	□天爵	[□天]
3576.	□止爵	[□止]

3760	〓且癸爵	[〓]且癸
3866	〓父己爵一	[〓]父己
3867	〓父己爵二	[〓]父己
3867.	父己〓爵	父己[〓]
3905	〓父辛爵	[〓]父辛
3906	〓辛父爵	[〓]父辛
3906.	父辛〓爵	父辛[〓]
4050	〓且辛爵	[〓]且辛
4373	〓父乙盉	[〓]父乙
4480	〓尊一	[〓]
4481	〓尊二	[〓]
4482	〓尊三	[〓]
4590	〓父戊尊	[〓]父戊
4603	〓父辛尊	[〓]父辛
4615	〓父癸尊	[〓]父癸
4902	〓己觥	[〓己]
5021	〓卣一	[〓]
5022	〓卣二	[〓]
5023	〓卣三	[〓]
5024	〓卣四	[〓]
5025	〓卣五	[〓]
5026	〓卣六	[〓]
5063	丁〓卣	丁[〓]
5115	且癸〓卣	且癸[〓]
5118	〓父甲卣	[〓]父甲
5152	〓父己卣	[〓]父己
5163	〓父辛卣一	[〓]父辛
5164	〓父辛卣二(蓋)	[〓]父辛
5302	〓木父辛冊卣	[〓木父辛冊]
5472	乍毓且丁卣	用乍毓且丁尊[〓]
5472	乍毓且丁卣	用乍毓且丁尊[〓]
5520	〓罍	[〓]
5636	〓父辛壺	[〓]父辛
6150	〓父己觚	[〓]父己
6194	冉午觚	[冉●〓]
6455	〓父丙觶	[〓]父丙
6483	〓父辛觶	[〓]父辛
6494	〓父辛觶	[〓]父辛
6495	父辛〓觶	父辛[〓]
M121	〓鼎	用乍父□□□[〓]

小計：共 77 筆

〓
冉

a363

0076	冉鼎一	[冉]
0077	冉鼎二	[冉]
0078	冉鼎三	[冉]
0079	冉鼎四	[冉]
0080	冉鼎五	[冉]

冉

0081	冉鼎六	[冉]
0227	己冉鼎	己[冉]
0228	己冉鼎	己[冉]
0229	乙冉鼎	乙[冉]
0230	冉辛鼎	[冉]辛
0231	癸冉方鼎一	癸[冉]
0232	癸冉方鼎二	癸[冉]
0233	冉兴鼎一	[冉兴]
0234	冉兴鼎二	[冉兴]
0235	冉兴鼎三	[冉兴]
0344	冉父乙鼎	[冉]父乙
0345	父乙冉鼎	父乙[冉]
0360	冉父丙鼎	[冉]父丙
0365	冉父丁鼎一	[冉]父丁
0366	冉父丁鼎二	[冉]父丁
0408	冉父辛鼎	[冉]父辛
0409	冉父辛鼎二	[冉]父辛
0410	冉父辛鼎一	[冉]父辛
0445	冉父癸鼎	[冉]父癸
0560	冉兴父乙鼎	[冉兴]父乙
0582	乍父己冉鼎	乍父己[冉]
0596	彭母彝冉鼎一	彭母彝[冉]
0597	彭母彝冉鼎二	彭母彝[冉]
0839	兴冉乍父乙鼎	[兴冉]乍父乙寳□
1352	冉癸鬲	[冉]癸
1363	冉兴父丁鬲	[冉兴]父丁
1544	冉甗	[冉]
1556	冉辛甗	[冉]辛
1600	__北子冉甗	uh北子[冉]
1603	冉彭女彝甗	彭母彝[冉]
1727	冉殷一	[冉]
1728	冉殷二	[冉]
1729	冉殷三	[冉]
1730	冉殷四	[冉]
1803	冉丁殷	[冉]丁
1829	乙冉殷	乙[冉]
1860	父乙冉殷	父乙[冉]
1881	冉父己殷	[冉]父己
1897	冉父癸殷一	[冉]父癸
1898	冉父癸殷二	[冉]父癸
2051	彭女彝冉殷	彭母彝[冉]
2077	冉雞父丁殷	[冉雞]父丁
2123	陕乍寳殷	陕乍寳殷[冉]
2255	冉兴乍父乙殷	乍父乙寳彝[冉兴]
2327	弔寵乍日壬殷	弔寵乍日壬寳尊彝[冉]
2421	冉兴貸乍父乙殷	用乍父乙寳尊彝[冉兴]
3128.	冉爵	[冉]
3293	冉爵一	[冉]
3294	冉爵二	[冉]
3295	冉爵三	[冉]

3296	冉爵四	[冉]
3297	冉爵五	[冉]
3298	冉爵六	[冉]
3502	乙冉爵	乙[冉]
3503	冉乙爵一	[冉]乙
3504	冉乙爵二	[冉]乙
3509	冉丙爵	[冉]丙
3514	丁冉爵	丁[冉]
3515	單冉爵	[單冉]
3518	冉己爵	[冉]己
3525	冉辛爵	[冉]辛
3527	癸冉爵	癸[冉]
3530	冉癸爵	[冉]癸
3621	丁冉先爵一	丁[冉]先
3622	丁冉先爵二	丁[冉]先
3727	冉且乙爵一	[冉]且乙
3728	冉且乙爵二	[冉]且乙
3730	冉且乙爵	[冉]且乙
3731	冉且丙爵	[冉]且丙
3786	冉父乙爵	[冉]父乙
3794	冉乙父爵	[冉]乙父
3817	冉父丁爵一	[冉]父丁
3818	冉父丁爵二	[冉]父丁
3819	冉父丁爵三	[冉]父丁
3820	冉父丁爵四	[冉]父丁
3821	冉父丁爵五	[冉]父丁
3822	父丁冉爵六	父丁[冉]
3846	冉父戊爵	[冉]父戊
3856	冉戊父爵	[冉]父戊
3870	冉父己爵	[冉]父己
3910	冉父辛爵	[冉]父辛
3911	冉父辛爵二	[冉]父辛
3955	冉父癸爵一	[冉]父癸
3956	冉父癸爵二	[冉]父癸
3957	冉父癸爵	[冉]父癸
3958	父癸冉爵	父癸[冉]
3959	冉父癸爵	[冉]父癸
4066	冉吹父乙爵	[冉吹]父乙
4168.	師遽爵	師遽乍且乙[冉]
4212.	冉且庚角	[冉]且庚
4264	冉斝	[冉]
4297	冉父斝	[冉]父
4311	冉父乙斝	[冉]父乙
4348	冉盉	[冉]
4349	冉盉	[冉]
4360.	乙冉盉	乙[冉]
4361	冉[illegible]盉	[冉[illegible]]
4377	冉父丁盉	[冉]父丁
4396	冉乍宗彝盉	[冉]乍宗彝
4478	冉尊一	[冉]

冉

冉

4479	冉尊二	[冉]
4479.	冉尊三	[冉]
4525	冉丁尊	[冉丁]
4526	丁冉尊	[丁冉]
4527	冉己尊	[冉己]
4546	冉[illegible]尊	[冉[illegible]]
4560	冉且丁尊	[冉]且丁
4565	冉父丁尊	[冉]父丁
4567	冉且辛尊	[冉]且辛
4568	冉父乙尊	[冉]父乙
4617	冉父癸尊	[冉]父癸
4761	乍且己尊	乍且己寶尊彝[冉]
4843	冉員父壬尊	子子孫孫其永寶[冉]
4848	冉岕[illegible]乍父乙尊	用乍父乙寶尊彝[冉岕]
4909	[illegible]冉觥	[[illegible]冉]
4915	冉父辛觥	[冉]父辛寶尊彝
4947	冉岕方彝	[冉岕]
5028	冉卣一	[冉]
5029	冉卣二	[冉]
5059	冉丙卣	[冉丙]
5060	冉乙卣	[冉]乙
5082	冉岕卣一	[冉岕]
5083	冉岕卣二	[冉岕]
5103	辛冉卣	[辛冉]
5104	癸冉卣	[癸冉]
5153	冉父己卣	[冉]父己
5165	冉父辛卣一	[冉]父辛
5166	冉父辛卣二	[冉]父辛
5177	丁冉岕卣	丁[冉岕]
5232	冉岕父丁卣	[冉岕]父丁
5244	孛冉父辛卣	[孛冉]父辛
5260	冉乍旅彝卣	乍旅彝[冉]
5282	冉岕父丁卣	[冉岕]父丁
5516	罍一	[冉]
5517	冉罍二	[冉]
5560	冉乍父丁方罍	[冉]乍父丁妻盟
5582	對罍	用匄釁壽敬冬[冉]
5865	冉觚一	[冉]
5866	冉觚二	[冉]
6012	冉乙觚	[冉]乙
6074	冉[illegible]觚一	[冉[illegible]]
6075	冉[illegible]觚二	[冉[illegible]]
6134	冉父乙觚	[冉]父乙
6148	冉父己觚	[冉]父己
6194	冉午觚	[冉[illegible]]
6208	冉父丁觚	[冉]父丁
6321	冉觶	[冉]
6368	冉戊觶	[冉]戊
6369	冉丁觶	[冉丁]
6372	冉辛觶	[冉]辛

6373	舟□觶	[舟□]
6374	舟宍觶	[舟宍]
6413	舟且丁觶	[舟]且丁
6419	舟父甲觶一	[舟]父甲
6420	舟父甲觶二	[舟]父甲
6465	舟父己觶	[舟]父己
6493	舟父辛觶	[舟]父辛
6511	舟父癸觶	[舟]父癸
6555	宍舟父乙觶	[宍舟]父乙
6565	舟宍父丙觶	[舟宍]父丙
6566	舟父丁觶	[舟] 舟父丁
6572	舟乍父己觶	[舟]乍父己
6676	丁舟盤	丁[舟]
6677	丁舟盤二	丁[舟]
6811	乍父乙匜	乍父乙寶尊彝[舟]
7257	斿舟戈	[斿舟]
補2	舟鼎	[舟]
補9	舟爵	[舟]

小計：共　173 筆

d8　a364

0527	北子__鼎	北子[d8]
0660	__隻父乙鼎	[d8]隻父乙
3925	__父辛爵	[d8]又辛
6464	__父己觶	[d8]父己

小計：共　4 筆

a365　移至1137+

冊　a366

0346.	句冊父乙鼎	[句冊]父乙
0359	句冊父乙鼎	[句冊]父乙
1191	堇乍大子癸鼎	用乍大子癸寶尊彝[句冊句]
3794.	句冊父乙爵	[句冊]父乙
4115	大句冊且辛爵	[大句冊]且辛
4371	句冊父乙盉	[句冊]父乙
5132	句冊父乙卣一	[句冊]父乙
5133	句冊父乙卣二	[句冊]父乙
5277	__六六六父戊卣	[句冊六六六]父戊
5596	句冊父戊瓿	[句冊]父戊
5917	句冊觚	[句冊]
6197	句冊父乙觚	[句冊]父乙

舟
d8
冊
句冊

戰(戎)
誟
d9
ea
eb
會

		小計：共　12 筆

戎　a367

0303	乙戰鼎	乙[戰(戎)]
3993	戰刀爵	[戰(戎)刀]
5349	戰乍從彝卣	[戰(戎)]乍從彝
		小計：共　3 筆

誟　a368

0427.	誟父辛鼎	[誟]父辛
		小計：共　1 筆

d9　a369

4044.2	__偁戈父乙鼎	[d9偁]父乙
		小計：共　1 筆

ea　a370

1854	__父乙𣪘	[ea]父乙
		小計：共　1 筆

eb　a371

2008	女康丁__𣪘	母康丁[eb]
1854	父乙__𣪘	父乙[eb]
5343	__魆父乍旅卣	魆父乍旅彝[eb]
		小計：共　3 筆

會　a372　a373

0092	會鼎一	[會]
0093	會鼎二	[會]
0094	會鼎三	[會]
0095	會鼎四	[會]
0096	會鼎	[會]
0379	會父丁鼎	[會]父丁
0435	會父癸鼎	[會]父癸
1057	會娟鼎	會妘乍寶鼎
1375	會始朕鬲	會始乍朕鬲
1739	會𣪘	[會]
4276.	會斝	[會]

4276.	會斝	[會]
4489	會尊	[會]
4490	會尊	[會]
4490.	會尊	[會]
4587	父丁會尊	父丁[會]
5289	會且己父辛卣	且己父辛[會]
6429	會父乙觶	[會]父乙
6645	會勺	[會]

小計：共 19 筆

a374

4317	冎父□斝	[冎]父□
7316	酉癸戈	[酉冎]

小計：共 2 筆

ec a375

0458	子___鼎	[子ec__]
0459	子鼎	[子ec□]
3569	子__爵	[子ec]
3570	子__爵	[子ec]
4018	__丁乙爵	[ec]丁乙
5978	__觚	[ec]
6036	子__觚	[子ec]
6571	亞__父己觶	[亞ec]父己

小計：共 7 筆

ed a376

1774.2	__毁	[ed]

小計：共 1 筆

ee a377

5919	__觚	[ee]

小計：共 1 筆

ef a378

2166	__乍父己毁	[ef]乍父己尊彝

小計：共 1 筆

a379

0453 畄母丁鼎 [畄]母丁
4568 畄父乙尊 [畄]父乙

小計：共 2 筆

 eG a380

7310.1 _戈 [eG]

小計：共 1 筆

 eh a381

3641 _斊爵 [eh斊]

小計：共 1 筆

 ei a382

5698 鬼乍父丙寶壺 鬼乍父丙寶壺[ei]

小計：共 1 筆

鹵 a383

0113 鹵鼎二 [鹵]
0114 鹵鼎三 [鹵]
4069 鹵獸形父丁爵 [鹵犬]父乙
4276. 鹵斝 [鹵]
4351. 鹵盉 [鹵]
4492 鹵尊 [鹵]
4935 鹵方彝 [鹵]
5038 鹵卣 [鹵]
5587 鹵瓿 [鹵]
5872 鹵觚 [鹵]
5914 鹵觚 [鹵]
6328 鹵觶 [鹵]

小計：共 13 筆

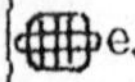 ej a384

6221 㭉_己且觚 [ej]己且[㭉]

小計：共 1 筆

 ek a385

1718 _段 [ek]

小計：共 1 筆

eL a386

2476	葷㲃	其子子孫孫萬年永用[eL]
2477	葷父丁㲃	其子子孫孫萬年永用[eL]
2519	周𧊒生媵㲃	其孫孫子子萬年永用[eL]
2778	格白㲃一	其萬年子子孫孫永保用[eL]
2778	格白㲃一	其萬年子子孫孫永保用[eL]
2779	格白㲃二	其萬年子子孫孫永保用[eL]
2780	格白㲃三	其萬年子子孫孫永保用[eL]
2781	格白㲃四	其萬年子子孫孫永保用[eL]
2782	格白㲃五	其萬年子子孫孫永保用[eL]
2782.1	格白㲃六	其萬年子子孫孫永保用[eL]
3029	周鮥旅盨	子子孫孫永寶用[eL]
5483	周乎卣	其孫孫子子其永保用周[eL]
5766	周䜌壺一	其子子孫孫萬年永寶用[eL]
5767	周䜌壺二	其子子孫孫萬年永寶用[eL]

小計：共 14 筆

em a387

4075	__亘父丁爵	父丁[em亘]

小計：共 1 筆

a388

3216	步爵	[步]
4649	子且辛步尊	[子]且辛[步]
6595	雞步登父丁觶	[雞步登車]父丁

小計：共 3 筆

en a389

6471	__父己觶	[on]父己

小計：共 1 筆

a390

0262	探🌢鼎一	[探🌢]
0263	探🌢鼎二	[探🌢]
0588	子探父癸鼎	[子探]父癸
1893	探父癸㲃	[探]父癸
3338	探爵	[探]
3605	探🌢爵一	[探🌢]

3606	探▲爵二	[探▲]
3606.	探▲爵三	[探▲]
3780	探父乙爵	[探]父乙
3946	探父癸爵	[探]父癸
4616	探父癸尊	[探]父癸
6798	探父癸匜	[探]父癸
7256	探戈	[探]

小計：共 13 筆

 eo a3 91

5011	一卣	[eo]
5012	一卣	[eo]
7285	一戈	[eo]

小計：共 3 筆

八一六 a392

5090	一一六八一六召卣	[一一六八一六召]
6673	八一六盤	[八一六]

小計：共 2 筆

八五一 a393

2250	八五一／堇白乍旅毁	堇白乍旅尊彝[八五一]

小計：共 1 筆

五八六 a394

2404	效父毁一	用乍氒寶尊彝[五八六]
2405	效父毁二	用乍氒寶尊彝[五八六]
2406	五八六效父毁三	用乍氒寶尊彝[五八六]

小計：共 3 筆

六一八六一一 a395

5090	一一六八一六召卣	[一一六八一六 (六一八六一一) 召

小計：共 1 筆

六六一六六一 a396

1631.	六六一六六一甗	[六六一六六一]

小計：共 1 筆

七五八 a397

0934	中斿父鼎	中斿父乍寶尊彝貞(鼎)[七五八]
		小計：共 1 筆

七八六六六六 a397.1

1279	中方鼎	[七八六六六六]
		小計：共 1 筆

八七六六六六 a397.2

1279	中方鼎	[八七六六六六]
		小計：共 1 筆

ep a398

0287	___鼎	[dbep]
3308	__爵	[ep]
5401	__乍父丁寶尊彝	[ep]乍父丁寶尊彝
6641	__勺	[ep]
		小計：共 4 筆

戚 a399

0590	戚乍父癸鼎	[戚]乍父癸
0923	戚箙束乍父丁鼎	束乍父丁寶鼎[戚箙]
1994	戚啚父乙毀	[戚啚]父乙
3968	戚父癸爵	[戚]父癸
4381	戚父己盉	[戚]父己
4793	隹乍父己尊	隹乍父己寶彝[戚箙]
4859	戉箙敔尊	{戚箙}
4903	啚戚觥	[啚戚]
5224	戚箙且乙卣	[戚箙]且乙
5225	箙戚父乙卣	[箙戚]父乙
5489	戉箙敔卣	用夙夜事[戚箙]
		小計：共 11 筆

興 a400

3206	興爵二	[興]
3207	興爵一	[興]
3909	興父辛爵	[興]父辛
3933.	興父辛爵	[興]父辛
4267	興斝	[興]
5590	下興瓿	[下興]
5608	興壺一	[興]

5609	興壺二	[興]
5869	興觚	[興]

小計：共 9 筆

鼎 a401

0031	鼎鼎	[鼎]
0031.1	鼎鼎	[鼎]
1832	鼎_段	[鼎_]
2517	是口乍乙公段	子子孫孫永寶用[鼎]
2569	鼎卓林父段	其子子孫孫永寶用[鼎]
3047	攺乍乙公旅盨	子子孫孫永寶用[鼎]
3782	鼎父乙爵	[鼎]父乙
3795	鼎父丙爵	[鼎]父丙
3714	鼎父辛爵一	[鼎]父辛
3715	鼎父辛爵二	[鼎]父辛
4464	鼎尊	[鼎]
4465	鼎尊	[鼎]
4598	鼎父己尊	[鼎]父己
4932	鼎方彝	[鼎]
5001	鼎卣一	[鼎]
5002	鼎卣二	[鼎]
7322	鼎棘戈	[鼎棘], [鼎它]
7845	鼎盉	[鼎]

小計：共 18 筆

則 a402

4023	則爵	[則]乍寶
4044.	則乍寶爵	[則]乍寶

小計：共 2 筆

er a403

4663	_父庚冊尊	[er]父庚[冊]

小計：共 1 筆

 es a404

6437	_父乙觶	[es]父乙觶

小計：共 1 筆

 et a405

4013	子■_爵	[子■et]

小計：共 1 筆

a406 子

0050	子鼎	[子]
0147	子刀刀鼎	[子刀刀]
0216	子乙鼎	[子]乙
0217	子緣鼎	[子緣]
0218	子京鼎	[子京]
0219	子壴鼎一	[子衛]
0220	子壴鼎二	[子衛]
0221	子廠鼎	[子廠]
0222	子妥鼎一	[子妥]
0223	子妥鼎二	[子妥]
0224	子戊鼎	[子]戊
0225	子韓鼎一	[子韓]
0226	子韓鼎二	[子韓]
0246	長子鼎	[長子]
0328.	子媚鼎	[子媚]
0392	子父己鼎	[子]父己
0411	子父辛鼎	[子]父辛
0444	子父癸鼎	[子]父癸
0454	子雨己鼎	[子雨]己
0458	子___鼎	[子ec__]
0459	子鼎	[子ec□]
0566	子羊父丁鼎	[子羊]父丁
0587	子刀父辛方鼎	[子刀]父辛
0588	子探父癸鼎	[子探]父癸
0595	亞肘史母子鼎	[亞肘史]母子
0684	子冊__父辛鼎	[子冊__]父辛
0766	刀糸子__父癸鼎	[刀糸子cv]父癸
1813	子刀簋	[子刀]
1814	子畫簋一	[子畫]
1815	子畫簋二	[子畫]
1816	子__簋	[子dd]
1834	韓子簋	[韓]子
1836	子__簋	[子__]
1856	子父乙簋一	[子]父乙
1857	父乙子簋	父乙[子]
1860	子父丁簋	[子]父丁
1882	子父戊簋	[子]父戊
2001	子翻父丁簋	子翻父丁
2085	子眉__父乙簋	子o9父乙
2157	子乍父乙寶簋	[子]乍父乙寶彝
2180	弔弔仲子日乙簋	[弔弔]中子日乙
3129	子爵一	[子]
3130	子爵二	[子]
3131	子爵四	[子]
3132	子爵三	[子]

子

3133	子爵五	[子]
3404	亞子爵	[亞子]
3535	子守爵	[子守]
3536	子雨爵一	[子雨]
3537	子雨爵二	[子雨]
3538	子爨爵	[子爨]
3539	子蝠形爵一	[子蝠]
3540	子蝠形爵二	[子蝠]
3541	子蝠形爵三	[子蝠]
3542	子蝠形爵四	[子蝠]
3543	子蝠形爵五	[子蝠]
3544	子蝠形爵六	[子蝠]
3545	子口爵	[子口]
3545.	子圍爵	[子衛]
3546	子配爵	[子配]
3547	子媚爵一	[子媚]
3548	子媚爵二	[子媚]
3549	子媚爵三	[子媚]
3550	子媚爵四	[子媚]
3551	子媚爵五	[子媚]
3552	子媚爵六	[子媚]
3553	子媚爵七	[子媚]
3554	子媚爵八	[子媚]
3555	糸去爵	[糸去 (子)]
3556	子糸爵	[子糸]
3557	子禾爵	[子禾]
3558	子左爵	[子左]
3559	子__爵	[子at]
3560	子__爵	[子ax]
3561	子▇爵	[子▇]
3562	子不爵	[子不]
3563	子何爵	[子何]
3564	子母爵	[子母]
3565	子母爵二	[子__母]
3566	子母爵三	[子__母]
3567	子母爵四	[子__母]
3568	子母爵五	[子__母]
3569	子__爵	[子ec]
3570	子__爵	[子ec]
3571	子__爵	[子__]
3572	庚子爵	[庚子]
3574	羌子爵	[羌子]
3600	子京爵	[子京]
3659	__子爵	[__子]
3694	子衛爵一	[子衛]
3695	子衛爵二	[子衛]
3696	子爵三	[子衛]
3701	子幸爵	[子幸]
3747	子且辛爵	[子]且辛
3800	子父丁爵	[子]父丁

3801	子八父丁爵	[子八]父丁
3844	子父戊爵一	[子]父戊
3845	子父戊爵二	[子]父戊
3888	子父己爵	[子]父己
3891	子父庚爵	[子]父庚
3897	子父辛爵一	[子]父辛
3898	子父辛爵二	[子]父辛
3899	子父辛爵三	[子]父辛
3938	子父癸爵	[子]父癸
3984	子__爵	[子d5]__
4013	子▇__爵	[子▇et]
4022	子父乙爵	[子]父乙
4064	子刀父乙爵	[子刀]父乙
4106	子工父丁爵	[子工父丁]
4109	禾子父癸爵	[禾子]父癸
4110	子工乙酉爵	[子▇乙辛]
4118	子刀父壬爵	[子刀]父壬
4145.	子東壬父辛爵	[子東]壬父辛
4152	子木工父癸爵	[木子工]父癸
4196	子緐爵	[子緐]
4219	子父乙角	[子]父乙
4292	子媚斝	[子媚]
4292.	子蝠斝	[子蝠]
4293	子漁斝	[子漁]
4323.	子東泉爵	[子東泉]
4356	子蝠形盉	[子蝠]
4365	子且壬盉	[子]且壬
4367	子父乙盉一	[子]父乙
4368	子父乙盉二	[子]父乙
4368.	子父乙盉三	[子]父乙
4369	子父乙盉四	[子]父乙
4379	父丁子盉	父丁[子]
4379	父丁子盉	丁父[子]
4404	子____父甲盉	[子cndt]父甲
4542	子京尊	[子京]
4543	子漁尊	[子漁]
4547	子龔尊	[子龏]
4636	子東泉尊一	[子東泉]
4637	子東泉尊二	[子東泉]
4649	子且辛步尊	[子]且辛[步]
4659	__父己尊	[刀子刀]父己
4695	女子匕丁尊	[母子]匕丁
4707	亞fk子父辛尊	[亞fk子徙父辛]
4794	魁乍且乙尊	魁乍且乙寶彝[子廟]
4861	噭士卿尊	[子p3]
4942	子蝠形方彝	[子蝠]
4985	子厌卣	[子、侯]
4986	子卣	[子]
5070	子▇卣	[子▇]
5109	子且丁卣(蓋)	[子]且丁

子

5111	子且己卣	[子]且己
5113	子且壬卣	[子]且壬
5156	子父庚卣	[子]父庚
5157	子刀子父庚卣	[子刀子]父庚
5180	子辛_卣	[子辛f1]
5182	子自犬卣	[子臭]
5183	子廟圖卣一	[子廟圖]
5184	子廟圖卣二	[子廟圖]
5468	子寡子卣	[子]
5621	子媚壺	[子媚]
5630	子父乙壺	[子]父乙
5647	申子弓箙壺	[申子弓箙]
5931	子觚一	[子]
5932	子觚二	[子]
5933	子觚三	[子]
5934	子觚四	[子]
6027	子媚觚	[子媚]
6028	子_觚	[子公叔]
6029	子糸觚	[子糸]
6030	子纍觚	[子纍]
6031	子衛觚一	[子衛]
6032	子衛觚二	[子衛]
6033	子規觚一	[子規]
6034	子規觚二	[子規]
6035	子蝠形觚 一	[子蝠]
6036	子雨觚	[子雨]
6036.	子_觚	[子ec]
6087	子肙觚	[子肙]
6091	子保觚	[子保]
6135	子父丙觚	[子]父丙
6171	庚子父觚	[庚子]父
6172	子蝠形何觚一	[子蝠何]
6173	子蝠形何觚二	[子蝠何]
6174	子東爵一	[子東泉]
6175	子東爵二	[子東泉]
6236	喫子父辛觚	[喫子]父辛
6245	子妹壬心觚	[子妹壬心]
6246	子工冊木觚	[冊木子工]
6377	子纍觶一	[子纍]
6378	子纍觶二	[子纍]
6379	子刀觶	[子刀]
6380	子弓觶	[子弓]
6448	子父丙觶	[子]父丙
6454	子父丁觶	[子]父丁
6478	子父庚觶	[子]父庚
6480	子父辛觶	[子]父辛
6486	子父辛觶	[子]父辛
6523	子癸盥觶	[子]癸[盥]
6542	犨母子觶	[犨母子][犨子]
6544	唐子且乙觶	[唐子]且乙

6550	子廟父乙觶	[子廟]父乙
6570	子_父己觶	[子Gf]父己
6596	聯子乍父丁觶	[聯子]乍父丁
6647	犕子勺	[犕子]
6681	子刀盤	[子刀]
6940	子鐃	[子]
7911	子車鑾一	[子]
7912	子車鑾二	[子]

小計：共 201 筆

a407

2091	縌乍父癸殷	[縌]乍父癸彝
4485	縌尊	[縌]

小計：共 2 筆

ev a408

5428	_乍父考癸卣	uv乍文考癸寶尊彝[ev]

小計：共 1 筆

a409

2000	安夏父丁殷	[安夏]父丁
2156	安父乙卯婦□殷	[安]父乙卯婦□[安]
3264	安爵	[安]
3829	安父丁爵	[安]父丁
5239	安夏父丁卣	[安夏]父丁[599]
6411	安且丙觶	[安]且丙

小計：共 6 筆

ew a410

5910	_觚	[ew]

小計：共 1 筆

a411

0539	田豕父丁鼎	[田豕]父丁
0554	田亞且癸鼎	[田亞]且癸
0600	田獸形䍙鼎一	[田cc䍙]
0601	田獸形䍙鼎二	[田cc䍙]
0758	田獸形父丁鼎	[田cc]父丁
0789	田迭鼎一	[田]迭乍寶尊彝
0790	田迭鼎二	[田]迭乍寶尊彝

毌
ex
ey
辛章
dz

0845	毌乍父癸鼎	[毌]乍父癸寶尊彝
0903	毌滳白鼎	[毌]滳白□乍寶尊彝
1624	毌寏白甗	[毌]寏白采乍旅
2222	季始乍用毁	季始(姒)乍用毁[毌]
2611	毌滳嗣土吴毁	滳司土吴眔啚乍氒考尊彝[毌]
3299	毌爵	[毌]
3618	毌滳爵一	[毌滳]
3619	毌滳爵二	[毌滳]
3620	毌滳爵三	[毌滳]
3638	䩸毌爵	[䩸毌]
3699.	毌京保爵	[毌京保]
4292.	毌虒斝	[毌虒]
4429	毌吴乍氒考盉	[毌]吴乍氒考寶尊彝
4832	毌滳白逘尊一	[毌]滳白逘乍氒彝考寶旅尊
4833	毌滳白逘尊二	[毌]滳白逘乍氒彝考寶旅尊
4858	甾毌尊	隹甾毌叀□金
5104.	毌封卣	[毌封]
5446	毌滳白逘旅卣一	[毌]滳白逘乍氒考寶旅尊
5550	_毌罍	[_毌]乍彝
5581	甾毌罍	唯甾毌叀于u1
5647	毌子弓箙壺	[毌子弓箙]
5909	毌辛觚	[毌辛]
6045	毌中觚	[毌中]
6609	毌疑_觶	疑乍寶尊彝[毌]
6711	毌逘乍氒考盤	[毌]逘乍氒考寶尊彝
7321	毌斵㸚彡戈	[毌_]

小計：共 33 筆

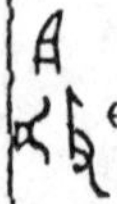 ex a412

5105	___卣	[ex]
6334.2	_觶	[ex]

小計：共 2 筆

 ey a413

0528.1	作_鼎	作_[ey]

小計：共 1 筆

辛章 a414

0283	辛章鼎	辛[章]

小計：共 1 筆

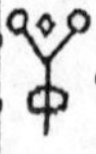 dz a415

1611	鼂妊甗	鼂妊賸獻[dz](單)
1746	__甗	[dz]
5564	單陵乍父日乙方罍	陵乍父日乙寶罍(罍)[dz]

小計：共 3 筆

cw a416

3282	__爵一	[cw]
3283	__爵二	[cw]

小計：共 2 筆

eu a417

5897	__觚	[eu]

小計：共 1 筆

a418

2081	鱓壹且乙段	[鱓壹]且乙
2082	鱓巸且乙段	[鱓巸]且己
3253	鱓爵一	[鱓]
3254	鱓爵二	[鱓]
3638	鱓田爵	[鱓田]
3799	鱓父丙爵	[鱓]父丙
4253	鱓斝	[鱓]
5050.	隻鱓卣	[隻鱓]
5140	鱓中中父丁卣	[鱓中中]父丁
5626	鱓父□壺	[鱓]父□
5898	鱓觚一	[鱓]
5899	鱓觚二	[鱓]
6024	鱓己觚	[鱓]己
6329	鱓壹觶	[鱓壹]

小計：共 14 筆

鱓 a419

5050.	隻鱓卣	[隻鱓]

小計：共 1 筆

鱓田 a420 參鱓壹，鱓巸條

3638	鱓田爵	[鱓田]

小計：共 1 筆

辭畺
辭疆
b6
罕
be
ez
e0
東

辭畺 a420

2081	辭畺且乙段	[辭畺]且乙
6329	辭畺觶	[辭畺]
		小計：共 2 筆

辭疆 a420

2082	辭疆且乙段	[辭疆]且己
		小計：共 1 筆

b6 a421

3258	__爵	[b6]
		小計：共 1 筆

罕 a422

3252	罕爵	[罕]
		小計：共 1 筆

be a423

4631	__尊	[be]
		小計：共 1 筆

ez a424

0285	__射女鼎	[ez射女]
0286	__射女鼎	[ez射女]
6689.1	__射女盤	[ez射女]
6878	__射女鑑	[ez射女]
		小計：共 4 筆

e0 a425

1558	____甗	晶[e0]
		小計：共 1 筆

東 a426

3675	東泉爵一	[東泉]
3676	東泉爵二	[東泉]
3677	東泉爵三	[東泉]

3678	束泉爵四	[束泉]
3679	束泉爵五	[束泉]
3680	束泉爵六	[束泉]
3681	束泉爵七	[束泉]
3682	束泉爵八	[束泉]
4323.	子束泉爵	[子束泉]
4636	子束泉尊一	[子束泉]
4637	子束泉尊二	[子束泉]
5968	__觚	[禾束]
6113	束泉爵一	[束泉]
6114	束泉爵二	[束泉]
6115	束泉爵三	[束泉]
6174	子束爵一	[子束泉]
6175	子束爵二	[子束泉]
6668	束盤	[束]
7303	束戈	[束]

小計：共 19 筆

e1 a427

4899	__雨觥	[e1雨]

小計：共 1 筆

a428

3203	关爵一	[关]
3630	____爵	[关戉c2]
5234	立关父丁卣一	[立关]父丁
5235	立关父丁卣二	[立关]父丁
5294	关乍父己彝卣	乍父己彝[关]
5303	奘父癸母关卣	[奘]父癸母[关]
5870	关觚	[关]
6217	冊关父甲觚	[冊关]父甲
7310.	关戈	[关]
7922	关車飾	[关]
7951	冊关冊銅器	[关䨻]

小計：共 11 筆

e2 a429

3284	__爵	[e2]
5911	__觚	[e2]

小計：共 2 筆

e3 a430

e3
舌
夂
〸止
正

4258	__斝	[e3]
		小計：共 1 筆

舌 a431 432

0069	舌鼎二	[舌]
0070	舌鼎	[舌]
0155	告鼎	[舌]
0397	舌父己鼎	[舌]父己
1957	舌父己毁	[舌]父己
3279	舌爵一	[舌]
3280	舌爵二	[舌]
3281	舌爵三	[舌]
3848	舌父戊爵	[舌]父戊
3878	舌父己爵	[舌]父己
4120	舌乍妣丁爵一	[舌]乍妣丁
4121	舌乍妣丁爵二	[舌]乍妣丁
4121.	舌乍婦丁爵	[舌]乍婦丁
5039	舌卣	[舌]
5080	舌亞卣	[舌亞]
5207	力田舌卣	[力田舌]
5903	舌觚一	[舌]
5904	舌觚二	[舌]
5905	舌觚三	[舌]
5987	舌__觚	[舌__]
6151	舌父己觚	[舌]父己
6460	舌父丁觶	[舌父丁]
6682	餘舌盤	[丁餘舌]
		小計：共 23 筆

夂 a433

0517	亞夂雨鼎	[亞夂雨]
		小計：共 1 筆

〸止 a434 a435

6043	〸止鼎觚	[〸止鼎]
6526	〸止中且觶	[〸止且中]
		小計：共 2 筆

正 a436

6218	冊正父乙觚	[冊正]父乙
6254	膚冊父庚正觚	[膚冊]父庚[正]

小計：共 2 筆

a437

3609 自出爵 [自出]

小計：共 2 筆

a438

0591 疋父癸__鼎一 [疋]父癸fy
0592 疋父癸__鼎二 [疋]父癸fy
0644 疋癸父冊鼎 [疋冊]父癸
0756 疋弓欽乍父丙鼎 [疋弓]欽乍父丙

小計：共 4 筆

a439

0364 此父丁鼎 [此]父丁
4508 亞此中犧形尊 [亞此]

小計：共 2 筆

a440

3273 罡爵 [罡]
4996 罡卣 [罡]

小計：共 2 筆

a441

3212 䰜爵 [䰜(祉)]
3403 亞祉爵 [亞祉]

小計：共 2 筆

e4 a442

5185 庚婦聿卣 婦庚[聿][e4]

小計：共 1 筆

判 a443 參挈字條

0349	判父丁方鼎	[判]父丁
1275	師同鼎	判用iz王羞于黽
5187	判母彝卣	[判]母彝

小計：共 3 筆

挈 a443 參判字條

0348	挈父乙鼎	[挈]父乙
1956	挈登毁	[挈]登
4847	小子夫尊	用乍父己尊彝[挈]

小計：共 3 筆

e5 a444

4098	___乍父癸爵	[e5]父癸

小計：共 1 筆

e6 a445

6262	亞旛姣__觚	[亞旛]姣e6尊彝

小計：共 1 筆

品 a446

0110	品鼎	[品]
1708	正毁二	[品]
1709	品毁一	[品]
1837	品侯毁	[品侯]
2278	冊亞品冊乍父戊毁	乍父戊彝[亞品冊]
2288	圍田乍父己毁	田乍父己寶尊彝[品]
3357	品爵一	[品]
3358	品爵二	[品]
4495	品尊	[品]
4495.	品尊	[品]
4553	牧圍尊	[牧品]
4667	父癸告品尊	父癸[告品]
5874	品觚一	[品]
5875	品觚二	[品]
6591	牧正父己觶	[牧品]父己
7846	品盉	[品]

小計：共 16 筆

圗 a447

0108	囧鼎一	[囧]
0109	囧鼎二	[囧]
4272	囧斝	[囧]
		小計：共 3 筆

a448

0111	㽙鼎	[㽙]
3355	㽙爵一	[㽙]
3356	㽙爵二	[㽙]
4271	㽙斝	[㽙]
5605	㽙壺一	[㽙]
5606	㽙壺二	[㽙]
6939	㽙鐃	[㽙]
7248	㽙戈	[㽙]
補1	㽙爵	[㽙]
		小計：共 9 筆

侯 a449

1837	品侯段	[品侯]
		小計：共 1 筆

a450

3717.2	戕糸爵	[戕糸]
		小計：共 1 筆

dv a451

__父辛鼎		[dv]父辛
		小計：共 1 筆

徙 a452

6488	__父辛觶	[虍徙]父辛
		小計：共 1 筆

a453

0924	𠕋奪乍父丁鼎一	奪乍父丁寶尊彝[𠕋]
1734	𠕋段	[𠕋]
1981	𠕋父戊段	[𠕋]父戊
1993	𠕋冊父乙段	[𠕋]父乙
5699	𠕋奪乍父丁壺	奪乍父丁寶尊彝[𠕋]

囧
㽙
品侯
戕
dv
虍徙
𠕋

6272 ■奻乍乙公觚 奻乍乙公寶彝[■]

小計：共 6 筆

旬■ a454

0685 旬■父癸鼎 [旬■]父癸
5656 周奴旬父癸壺 [周奴旬]父癸

小計：共 2 筆

歹■ a455

4395 臣辰歹■盉 臣辰[歹■]
4827 兀乍高習日乙＿尊 兀乍高習日乙＿尊[臣辰歹■]

小計：共 2 筆

豆■ a456

6697 冊冊豆父丁盤 [豆■]父丁

小計：共 1 筆

■as a457

0879 乍父乙鼎 [as]般乍父乙

小計：共 1 筆

亞品■ a458

2278 冊亞品冊乍父戊段 乍父戊彝[亞品■]

小計：共 1 筆

田 bf a459

4009 ＿父癸爵 [bf]父癸
4149 ＿■父癸爵一 [bf■]父癸
4150 ＿■父癸爵二 [bf■]父癸

小計：共 3 筆

牽■ a460

3083 瘓段(盨)一 瘓其萬年子子孫孫其永寶[牽■]
3084 瘓段(盨)二 瘓其萬年子子孫孫其永寶[牽■]
4087 牽■乍父辛爵 [牽■]乍父辛
4175.1 牽■乍父辛爵 乍父辛[牽■]

4178	㚔■豐乍父辛爵一	豐乍父辛寶[㚔■]
4179	㚔■豐乍父辛爵二	豐乍父辛寶[㚔■]
4180	㚔■豐乍父辛爵三	豐乍父辛寶[㚔■]
4341	㚔■折乍父乙斝	折乍父乙寶尊彝[㚔■]
4871	■㚔豐尊	[㚔■]
4875	折折尊	其永寶〔 㚔■ 〕
4928	折觥	其永寶[㚔■]
4976	折方彝	其永寶[㚔■]
5480	㚔■豐卣	用乍父辛寶尊彝[㚔■]
5480	㚔■豐卣	用乍父辛寶尊彝[㚔■]

小計：共 6 筆

a460

1210	寧_鼎	用乍父乙尊[羊■]
6397	羊冊觶	[羊■]

小計：共 2 筆

L a461

5474	劉卣	用乍父乙寶尊彝[fL]
5474	劉卣	用乍父乙寶尊彝[fL]

小計：共 2 筆

㚇 a462

0258	衛鼎	[衛冊㚇]
4997	衛卣	[衛冊㚇]癸，[衛冊㚇]
4998	衛卣	[衛冊㚇]
5181	癸衛冊卣	癸[衛冊㚇]
5231	父乙衛冊卣	[衛冊㚇]父乙

小計：共 5 筆

a463

0381	■父丁鼎	[■]父丁
1997	■竹父丁㲃	[■竹]父丁
3208	■爵	[■]
4233	■父丁角	[■]父丁
4618	■父癸尊	[■]父癸
4692	■父癸尊	[■]父癸
4909	■Ω觥	[■Ω]
5087	■竹卣	[■竹]
5660	■竹父丁壺	[■竹]父丁
6563	■竹父丁觶一	[■竹]父丁
6564	■竹父丁觶二	[■竹]父丁

羊■
fL
衛冊㚇
■
■竹

小計：共 11 筆

⿱艸⿰林林
秝
e7
e8

⿱艸⿰林林竹 a464

1997	⿱艸⿰林林竹父丁毁	[⿱艸⿰林林竹]父丁
5087	⿱艸⿰林林竹卣	[⿱艸⿰林林竹]
5660	⿱艸⿰林林竹父丁壺	[⿱艸⿰林林竹]父丁
6563	⿱艸⿰林林竹父丁觶一	[⿱艸⿰林林竹]父丁
6564	⿱艸⿰林林竹父丁觶二	[⿱艸⿰林林竹]父丁

小計：共 5 筆

⿱艸⿰林林 a465

0381	⿱艸⿰林林父丁鼎	[⿱艸⿰林林]父丁
1997	⿱艸⿰林林竹父丁毁	[⿱艸⿰林林竹]父丁
3208	⿱艸⿰林林爵	[⿱艸⿰林林]
4233	⿱艸⿰林林父丁角	[⿱艸⿰林林]父丁
4618	⿱艸⿰林林父癸尊	[⿱艸⿰林林]父癸
4692	⿱艸⿰林林父癸尊	[⿱艸⿰林林]父癸
4909	⿱艸⿰林林冎觥	[⿱艸⿰林林冎]
5087	⿱艸⿰林林竹卣	[⿱艸⿰林林竹]
5660	⿱艸⿰林林竹父丁壺	[⿱艸⿰林林竹]父丁
6563	⿱艸⿰林林竹父丁觶一	[⿱艸⿰林林竹]父丁
6564	⿱艸⿰林林竹父丁觶二	[⿱艸⿰林林竹]父丁

小計：共 11 筆

秝 a465

1330	曶鼎	曰陪、曰恒、曰秝、曰鑫、曰眚
4335	秝鬪乍父丁罍	[秝]鬪乍父丁
7322	鼎秝戈	[鼎秝]、[鼎它]
7755	秝囧兮斧	[秝囧兮]

小計：共 4 筆

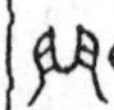e7 a466

3825	__父丁爵	[e7]父丁

小計：共 1 筆

e8 a467

4573	__父乙尊	[e8]父乙

小計：共 1 筆

a468 或釋為 "鞭" 之初文

0005	共鼎	[攵]
2002	又養父己段	[又羊攵]父己
3724	亞攵__爵	[亞攵__]
5240	又養父己卣	[又羊攵]父己
7082	齊鮑氏鐘	卑鳴攵好

小計：共 5 筆

a469 或釋為 "弇(关)字

6217	冊关父甲觚	[冊缶(关弇)]父甲

小計：共 1 筆

a470

6953	__鐃一	[fa宮宮]
6954	__鐃二	[fa宮宮]
6955	__鐃三	[fa宮宮]

小計：共 3 筆

a471

0150	__鼎	[周収工]
4316	周収父癸斝	[周収]父癸
5656	周収句父癸壺	[周収句]父癸
6485	周収父辛觶	[周収]父辛

小計：共 4 筆

a472

0262	探▲鼎一	[探▲]
0263	探▲鼎二	[探▲]
0588	子探父癸鼎	[子探]父癸
1893	探父癸段	[探]父癸
3338	探爵	[探]
3605	探▲爵一	[探▲]
3606	探▲爵二	[探▲]
3606.	探▲爵三	[探▲]
3780	探父乙爵	[探]父乙
3946	探父癸爵	[探]父癸
4616	探父癸尊	[探]父癸
6798	探父癸匜	[探]父癸
7256	探戈	[探]

小計：共 13 筆

亞其奴
弅
糸
皿鬲
叉

公奴 a473

6028	子_觚	[子公奴]
		小計：共 1 筆

亯奴 a474

3843.	亯奴父丁爵	[亯奴]父丁
		小計：共 1 筆

亞其奴 a475

5994	亞其觚	[亞其奴]
		小計：共 1 筆

弅 a475+

1840	飲弅毁	[飲弅]
6089	_弅觚	[_弅]
		小計：共 2 筆

糸 a476

1364	匕糸父丁鬲	[匕糸]父丁
3555	糸去爵	[糸去(子)]
3556	子糸爵	子[糸]
3717.	_糸爵	[□糸]
3934	糸父壬爵	[糸]父壬
5457	小臣糸乍且乙卣一	王易{ 小臣 }糸
5458	小臣糸乍且乙卣二	王易{ 小臣 }糸
7236	糸戈	[糸]
		小計：共 8 筆

皿鬲 a477

3884	_父己爵	[皿鬲]父己
		小計：共 1 筆

叉 a478

0049	叉鼎	[叉]
0281	叉宯鼎	[叉宯]
1819	叉宯毁一	[叉宯]

1820 叉宥殷二 [叉宥]
3604 叉宥爵 [叉宥]
5050. 叉卣 [叉]

小計：共 6 筆

'b a479

6499 __父壬解 [fb]父壬

小計：共 1 筆

'c a480

3199 __爵一 [fc]
3200 __爵二 [fc]

小計：共 2 筆

a481

6332 叚解 [叚]

小計：共 1 筆

a482

5175 取父癸卣 [取]父癸

小計：共 1 筆

'd a483

5124 __父乙卣 [fd]父乙

小計：共 1 筆

a484

0393 耒父己鼎 [耒]父己
1696 耒殷 [耒]
2005 耒乍父己殷 [耒]乍父己
3787 耒父乙爵 [耒]父乙
4015 ____耒爵 [GsGt耒]
4955 ____耒方彝 [GsGt耒]
6466 耒父己解 [耒]父己
6568 亞父丁解 [亞耒]父丁
6586 耒乍寶彝解 [耒]乍寶彝

小計：共 9 筆

fe
ff
𠬝
𣪊
fh
商𠬝
左

fe a485

3717.3	亴_爵	[亴fe]
		小計：共 1 筆

ff a486

4148	_乍父癸爵	[ff]乍父癸
		小計：共 1 筆

𠬝 a488

0425	𠬝豕父辛鼎	[𠬝豕]父辛
1692	𠬝豕毁	[𠬝豕]
3170	屠豕形爵二	[𠬝豕]
3171	屠豕形爵一	[𠬝豕]
3610	𠬝正爵	[𠬝正]
3810	屠豕形父丁爵	[𠬝豕]父丁
3865	屠豕形父己爵	[𠬝豕]父己
3907	𠬝父辛爵	[𠬝]父辛
3978.	𠬝匕辛爵	[𠬝]匕辛
4723	𠬝𩕢乍尊彝尊	𩕢乍尊彝[𠬝]
5984	屠豕形觚	[豕𠬝]
7231	商𠬝戈	[商𠬝]
7849	𠬝盉	[𠬝]
		小計：共 13 筆

𣪊 a489

6593	亞吴𣪊父乙觶	[亞吴𣪊]父乙
		小計：共 1 筆

fh a490

6049	_觚	[fh]
		小計：共 1 筆

商𠬝 a491

7231	商𠬝戈	[商𠬝]
		小計：共 1 筆

左 a492

3558	子左爵	子[左]
4352	左盉	[左]
5622	左征壺	左征
6947	亞孠鐃	[亞孠左]
		小計：共 4 筆

a493

5602	專壺	[專]
6932	專鐃一	[專]
6933	專鐃二	[專]
6934	專鐃三	[專]
		小計：共 4 筆

a494

2173	敟乍父癸毁	[敟]乍父癸尊彝
3607	敟䀇爵	[敟䀇]
		小計：共 2 筆

a495

1695	䝭毁	[䝭]
4278	亞䝭斝	[亞䝭]
5966	䝭觚	[䝭]
		小計：共 3 筆

a496

5293	安夏父丁卣	[安夏]父丁[䣙 攵]
		小計：共 1 筆

a497

3738.	旻且丁爵	[旻]且丁
		小計：共 1 筆

a498

0123	爰鼎	[爰]
		小計：共 1 筆

目♦大 a499

6081	目__觚	[目♦大]
		小計：共 1 筆

fi a500

5180	子辛卣	子辛[fi]
		小計：共 1 筆

fJ a501

4286	__乙斝	[fJ]乙
		小計：共 1 筆

嬰 a502

0062	嬰鼎	[嬰]
0436	嬰父癸鼎	[嬰]父癸
0437	嬰父癸鼎	[嬰]父癸
3360	嬰爵	[嬰]
4254	嬰斝	[嬰]
4287	嬰斝	[嬰]
6149	嬰父己觚	[嬰]父己
6312	嬰觶	[嬰]
7233	嬰戈一	[嬰]
7234	嬰戈二	[嬰]
		小計：共 10 筆

皿辛 a503

5909	皿辛觚	[皿辛]
		小計：共 1 筆

皿中 a504

6045	皿中觚	[皿中]
		小計：共 1 筆

羌又 a505

0260	魚羌鼎	[魚羌又]

小計：共 1 筆

k a506

4707	亞__子父辛尊	[亞fk子徙父辛]
5470	__盂乍父丁卣	用乍父丁寶尊彝[fk]

小計：共 2 筆

a507

0307	䩍鼎	[䩍]
2347	䩍饡頁駒乍父乙毁	饡頁駒用乍父乙尊彝[䩍]

小計：共 2 筆

a508

0541	亞𢕕父戊鼎	[亞𢕕]父戊
1754	𢕕毁	[𢕕]
3851	𢕕父戊爵	[𢕕]父戊
5037	𢕕卣	[𢕕]
5950	𢕕觚	[𢕕]

小計：共 5 筆

a509

3204	叏爵	[叏]
4273	叏斝一	[叏]
4274	叏斝二	[叏]
4274.	叏斝三	[叏]
4989	叏卣	[叏]
5951	叏觚	[叏]
6505	叏父癸觶	[叏]父癸
7267	叏戈	[叏]

小計：共 8 筆

a510

3975	剢匕乙爵	[剢]匕乙

小計：共 1 筆

a511 當與a512𦊅同字

1322	九年裘衛鼎	迺舍裘衛林𦊅里

fk
䩍
𢕕
叏
剢
𦊅

1322	九年裘衛鼎	付裘衛林𦤎里
1404	𦤎姬乍𩱛齊鬲	𦤎姬乍𩱛齊鬲
5365	亞𦣞亞𦤎竹父丁卣	[亞𦣞亞𦤎竹]父丁
7527	＿久白戈	𢍜＿＿＿秉𦤎
		小計：共　5 筆

𨡕　a512

0665	亞𦣞𨡕鼎	亞𦣞𨡕匕（妣）酉
2349	巽乍𢍜且毁	巽乍𢍜且寶尊彝[𨡕㐭]
5554	亞𦣞𨡕竹罍	[𨡕（孤）竹亞𦣞]
5559	亞光父丁𨡕竹罍	父丁[𨡕（孤）竹亞光]
		小計：共　4 筆

壴　a513　a514

0067	壴鼎	[壴]
0420	壴父辛鼎	[壴]父辛
3755	且辛壴爵	且辛[壴]
3933	父辛爵	[壴]父辛
3996	且辛壴爵	且辛[壴]
4097	庚壴父癸爵	[庚壴]父癸
4576	壴父丁尊	[壴]父丁
5983.	壴觚	[壴]
		小計：共　8 筆

示皿　a515

3128.	示皿爵	[示皿]
3337	示皿爵	[示皿]
7979	示皿弓形器	[示皿]
		小計：共　3 筆

探　a516

0262	探♦鼎一	[探♦]
0263	探♦鼎二	[探♦]
0588	子探父癸鼎	[子探]父癸
1893	探父癸毁	[探]父癸
3338	探爵	[探]
3605	探♦爵一	[探♦]
3606	探♦爵二	[探♦]
3606.	探♦爵三	[探♦]
3780	探父乙爵	[探]父乙
3946	探父癸爵	[探]父癸
4616	探父癸尊	[探]父癸

6798 探父癸匜 [探]父癸
7256 探戈 [探]

小計：共 13 筆

a517

4019 亞夭毁爵 [亞夭毁]

小計：共 1 筆

a518

1840 飲弄毁 [飲弄]
3602 飲爵 [飲丁]
4276. 飲斝 [飲]
4510 __飲尊 [__飲]
5068 癸飲卣一 癸[飲]
5069 癸飲卣二 癸[飲]
5944 飲觚 [飲]

小計：共 7 筆

a519

0068 盗鼎 [盗]
0261 盗婦鼎 [盗]婦
0670 盗且庚父辛鼎 [盗]且庚父辛
0922 盗婦方鼎 [cm]己且丁父癸[盗]婦尊
5372 盗且丁父癸卣 [盗cm己]且丁父癸
5573 盗__己且丁方罍 [亞盗]且丁cm己父癸
5845 盗觚 [盗]

小計：共 7 筆

fm a520

4181 __乍且己爵 [fm]乍且己爵

小計：共 1 筆

a521

0405 卒父庚鼎 [卒]父庚
0501 亞卒褎鼎 [亞卒褎]
3289 卒爵 [卒]
3580 尧卒爵 [尧卒]
3641 __卒爵 [eh卒]
3642 __爵 [卒箙卒]
3701 子卒爵 子[卒]

㚔
峚
fn
畧
南
敎

3717.　㚔__爵　[㚔fe]
3883　㚔父己爵　[㚔]父己
3960　㚔父癸爵一　[㚔]父癸
3961　㚔父癸爵二　[㚔]父癸
4566　㚔乙父尊　[㚔]乙父
4661　__㚔父辛尊　[b8㚔]父辛
4668　弓㚔父癸尊　[弓㚔]父癸
4898　㚔旅觥　[㚔旅]
4918　㚔獸乍父辛觥　[獸]乍父辛寶尊彝[㚔]
4965　㚔獸乍父辛方彝一　㚔獸乍父辛寶尊彝
4966　㚔獸乍父辛方彝二（器）　㚔獸乍父辛寶尊彝
6170　父癸㚔箙㚔觚　父癸[㚔箙㚔]
6438　㚔父乙觶　[㚔]父乙
6458　㚔父丁觶　[㚔]父丁
7834　㚔干　[㚔]

小計：共　22 筆

峚　a522

0142　峚鼎　[峚]

小計：共　1 筆

 fn　a523

3852　__父戊爵　[fn]父戊
5400　__韋乍匕癸卣　韋乍父癸尊彝[fn]
6462　__父戊觶　[fn]父戊

小計：共　3 筆

畧　a524

1950　丁箙畧箙父乙段　[丁箙畧箙]父乙
3288　畧爵　[畧]
3685　__畧箙爵　[cn畧箙]
4422　亞畧乍仲子辛盉　[亞畧]乍中子辛彝

小計：共　4 筆

南　a525

1952　父丁南段　父丁[南]
3520　南戊爵　[南]戊
6199　南父戊觚　[南]父戊

小計：共　3 筆

敎　a526

3608	𥃲敎爵	[𥃲敎]
3658	敎天爵	[敎天]
5983.	敎觚一	[敎]
6672	敎盤	[敎]
		小計：共　4 筆

a527

0141	𢍏鼎	[𢍏]
1693	𢍏毀一	[𢍏]
1694	𢍏毀二	[𢍏]
3354	𢍏爵	[𢍏]
3500	甲𢍏爵	甲[𢍏]
4987	𢍏卣	[𢍏]
6310	𢍏觶	[𢍏]
		小計：共　7 筆

a528

0064	執鼎	[執]
		小計：共　1 筆

fo　a529

3353	__爵	[fo]
6686	__父己盤	[fo]父己
		小計：共　2 筆

fp　a530

6512	__父癸觶	[fp]父觶
		小計：共　1 筆

箙卒　a531

3642	__爵	[卒箙卒]
6170	父癸卒箙卒觚	父癸[卒箙卒]
		小計：共　2 筆

箙　a531

1950	丁箙畢箙父乙毀	[丁箙畢箙]父乙
3685	__畢箙爵	[cn畢箙]

敎
𢍏
執
fo
fq
卒箙卒
畢箙

小計：共 2 筆

 fq a532

1892.1	__父辛毀	[fq]父辛

小計：共 1 筆

 fr a533

4958	母____帚方彝一	母[fyfr]帚
4959	母____帚方彝二	母[fyfr]帚

小計：共 2 筆

棫 a534

6232	戉未父己觚	[棫]父己

小計：共 1 筆

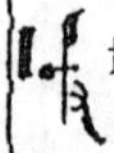 fs a535

4571	__父乙尊	[fs]父乙
6434	__父乙觶	[fs]父乙

小計：共 2 筆

制 a536

0126	制鼎	[制]
1714	制毀	[制]
補1	制鼎	[制]

小計：共 3 筆

 ft a537

3924	__父辛爵	[ft]父辛

小計：共 1 筆

東 a538

3930	東父辛爵	[東]父辛
4145.	子東壬父辛爵	[子東]壬父辛
4575	東父乙尊	[東]乙父

小計：共 3 筆

u a539

0117	__鼎	[fu]
		小計：共 1 筆

a540

3250	𦨶爵	[𦨶]
3251	𦨶爵二	[𦨶]
		小計：共 2 筆

w a541

0943	亞父庚且辛鼎	[亞俞fw]父父庚保且辛
		小計：共 1 筆

a542

5968	__觚	[禾束]
		小計：共 1 筆

x a543

5110	__且戊卣	[fx]且戊
		小計：共 1 筆

y a544

4958	母____帚方彝一	母[fyfr]帚
4959	母____帚方彝二	母[fyfr]帚
6430	__父乙觶	[fy]父乙
		小計：共 3 筆

a543

0042	亞㠱竹士宦鼎	[亞㠱竹宦]智光徹(譬)[卿宁]
2316	宦父丁毁	宦父丁尊彝[cc]
4962	竹宦父戊方彝一	[竹宦]父戊[告永]
4963	竹宦父戊方彝二	[竹宦]父戊[告永]
4970	乍冊宅方彝	[亞㠱宦箙箙徹]乍冊宅乍彝
5320	亞宦父乙卣	[亞宦帚__父乙]
5365	亞㠱宦䀠竹父丁卣	[亞㠱宦䀠竹]父丁
		小計：共 7 筆

fu
𦨶
fw
禾束
fx
fy
宦

fz
寧
竊奸
f0
白乁
f1
弔

fz a546

5246 羌父癸__卣 [羌]父癸[fz]
6237 __羌父癸觚一 父癸[羌fz]
6238 __羌父癸觚二 父癸[羌fz]
6578 __作父癸觶 [fz]作父癸

小計：共 4 筆

寧 a547

5162 寧父辛卣 [寧]父辛

小計：共 1 筆

竊奸 a548

0280 竊奸鼎 [竊奸]

小計：共 1 筆

f0 a549

6575 __父辛觶 [chf0]父
小計：共 1 筆

白乁 a550

4815 白乁辥作日癸尊 [白乁]辥作日癸公寶尊彝

小計：共 1 筆

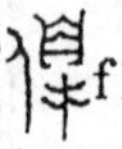f1 a551

1749 __段 [f1]

小計：共 1 筆

弔 a552

0239 弔丁鼎 [弔]丁
0252 弔龜鼎 [弔龜]
0362 弔父丙鼎 [弔]父丙
0372 弔父丁鼎二 [弔]父丁
0373 弔父丁鼎一 [弔]父丁
0374 弔父丁鼎三 [弔]父丁
0461 弔作寶鼎 弔作寶
1349 弔父丁鬲 [弔弔]父丁
1358 弔作彝鬲 [弔]作彝
1721 弔段 [弔]
1955 弔弔母癸段 [弔弔]母癸

1979	弔弔父丁設一	[弔弔]父丁
1980	弔弔父丁設二	[弔弔]父丁
1991	弔妏父乙設	[弔弔]妏父乙
2117	弔龜乍父丙設一	[弔龜]乍父丙
2118	弔龜乍父丙設二	[弔龜]乍父丙
2180	弔弔仲子日乙設	[弔弔]中子日乙
3259	弔爵一	[弔]
3260	弔爵二	[弔]
3261	弔爵三	[弔]
3262	弔爵	[弔]
3613	弔黽爵一	[弔黽]
3614	弔黽爵二	[弔黽]
3615	弔黽爵三	[弔黽]
3616	弔黽爵四	[弔黽]
3617	弔黽爵五	[弔黽]
3651	弔車爵	[弔車]
3651.	弔車爵	[弔車]
3920	弔父辛爵	[弔]父辛
4296	弔龜斝	[弔龜]
4475	弔尊	[弔]
5014	弔卣	[弔]
5160	弔父辛卣	[弔]父辛
5624	嬰父女壺	[嬰父女]
5634	弔父丁壺	[弔]父丁
5906	弔觚	[弔]
5908	弔觚	[弔]
5989	亞弔觚	[亞弔]
6019	弔丁觚	[弔]丁
6042	弔龜觚	[弔龜]
6061	弔車觚	[弔車]
6076	弔車觚	[弔車]
6161	弔父辛觚	[弔]父辛
6189	弔乍彝觚	弔乍彝
6216	龜且癸觚	[弔龜]且癸
6315	弔觶	[弔]
6335	弔龜觶一	[弔龜]
6548	弔龜且癸觶	[弔龜]且癸
6625	弔__乍桷公觶	弔om乍桷公寶彝
7241	弔戈一	[弔]
7242	弔戈二	[弔]
7320	弔龜戈	[弔龜]
7757	弔黽形斧	[弔龜]

小計：共 63 筆

a554

0115	般鼎	[般]
0378	般父丁鼎	[般]父丁
0879	乍父乙鼎	[as]般乍父乙

1697	般殷一	[般]
1698	般殷二	[般]
3811	般父丁爵	[般]父丁
3887	般父己爵	[般]父己
4119	般父癸爵	[般]父癸
4337	般乍兄癸斝	[般]乍兄癸尊彝
4338	般兄癸乍斝	[般]兄癸乍尊彝
4597	般父己尊	[般]父己
4954	般缶彝方彝	[般缶]彝
6423	般父甲觶	[般]父甲
6452	般父丙觶	[般]父丙
6518.	般父癸觶	[般]父癸
6628	鳥冊何般貝宁父乙觶	[何般貝宁]用乍父乙寶尊彝[鳥]

小計：共 16 筆

 f2 a555

6574	逆_父辛觶	[逆f2]父辛

小計：共 1 筆

䑝 a556

6080	䑝女觚	[䑝女]

小計：共 1 筆

媚 a557

0328.1	子媚鼎	[子媚]
5621	子媚壺	[子媚]
6027	子媚觚	[子媚]
3547	子媚爵一	[子媚]
3548	子媚爵二	[子媚]
3549	子媚爵三	[子媚]
3550	子媚爵四	[子媚]
3551	子媚爵五	[子媚]
3552	子媚爵六	[子媚]
3553	子媚爵七	[子媚]
3554	子媚爵八	[子媚]

小計：共 11 筆

眉 a557

7314	夸戈三	[夸、眉]

小計：共 1 筆

a558

2000	安夏父丁𣪘	[安夏]父丁
5239	安夏父丁卣	[安夏]父丁[配]
		小計：共 2 筆

夏
廠
f3
竹
f4

a559

0221	子廠鼎	[子廠]
4794	魁乍且乙尊	魁乍且乙寶彝[子廠]
5183	子廠圖卣一	[子廠圖]
5184	子廠圖卣二	[子廠圖]
6550	子廠父乙觶	[子廠]父乙
		小計：共 5 筆

f3 a560

4088	__父辛爵	[__f3]父辛
		小計：共 1 筆

a561

0942	亞竇竹士宣鼎	[亞竇竹宣]智光𢼸(𩰫)[卿宁]
1997	𠐊竹父丁𣪘	[𠐊竹]父丁
3577	竹天爵	[竹天]
3632	畘竹爵一	[畘竹]
3633	畘竹爵二	[畘竹]
4228	□竹且癸角	[□竹]且癸
4962	竹宣父戊方彝一	[竹宣]父戊[告永]
4963	竹宣父戊方彝二	[竹宣]父戊[告永]
5075	竹斿卣	[竹斿]
5087	𠐊竹卣	[𠐊竹]
5365	亞竇宣習竹父丁卣	[亞竇宣習竹]父丁
5554	亞竇習竹罍	[習(孤)竹亞竇]
5559	亞㝵父丁習竹罍	父丁[習(孤)竹亞㝵]
5660	𠐊竹父丁壺	[𠐊竹]父丁
6050	畘竹觚	[畘竹]
6563	𠐊竹父丁觶一	[𠐊竹]父丁
6564	𠐊竹父丁觶二	[𠐊竹]父丁
補1	□乳竹爵	[□乳竹]
		小計：共 18 筆

f4 a562

3889	__父己爵	[f4]父己

小計：共 1 筆

屮
誂

屮 a563

0018 屮鼎 [屮]
0512 屮父乙鼎 [馬馬屮]父乙
3142 屮爵 [屮]
3143 屮爵一 [屮]
3329 屮爵 [屮]
3624 屮父爵一 [屮]父
3625 屮父爵二 [屮]父
3715 單屮爵 [單屮]
4245 屮斝 [屮]
4295 __屮斝 [__屮]
4494 屮尊 [屮]
4592 __父己尊 [屮屮]父己
4653 屮__父乙尊一 [屮cd]父乙
4654 屮__父乙尊二 [屮cd]父乙
4873 臣辰冊屮冊乍父癸尊 [臣辰𠕋屮]
5595 冊冊屮瓿 [𠕋屮]
5846 屮觚 [屮]
5847 屮觚 [屮]
6053 __屮觚二 [__屮]
6054 __屮觚三 [__屮]
6320 光觶 [屮]
6401 弔屮觶 [弔屮]
6579 光乍母辛觶 [屮]乍母辛
6879 冊冊屮鑑 [𠕋屮]

小計：共 24 筆

誂 a564

0403 誂父庚鼎 [誂]父庚
0639 誂禾乍旅鼎 [誂]禾乍旅
1715 誂段 [誂]
1716 誂段一 [誂]
1717 誂段二 [誂]
1999 誂乍父丁段 [誂]乍父丁
2152 誂乍且戊寶段一 乍且戊寶段[誂]
2153 誂乍且戊寶段二 乍且戊寶段[誂]
3227 誂爵一 [誂]
3228 誂爵二 [誂]
4602 __父庚尊 父庚[誂]
4795 觑乍父戊尊 觑乍父戊寶尊彝[誂]
5035 誂卣 [誂]
5322 誂乍父戊旅卣 [誂]乍父戊旅彝
5411 誂醌乍父戊卣 醌乍父戊寶尊彝[誂]
6270 誂觑乍父戊觚一 [誂]觑乍父戊尊彝

6271 皝觑乍父戊觚二 [皝]觑乍父戊尊彝
6323 皝觶 [皝]
6693 皝乍父戊盤 [皝]乍父戊

小計：共 19 筆

f5 a565

3634 且__爵 [且f5]

小計：共 1 筆

f6 a566

7583 __戟 [f6]

小計：共 1 筆

a567

6273 __乍且己觚 [夙]乍且己尊彝[ar]

小計：共 1 筆

a568

0119 守宰鼎 [守宰]

小計：共 1 筆

f7 a569

0363 __父丙鼎 [f7]父丙

小計：共 1 筆

f8 a570

3983 羊己__爵 [羊]己[f8]

小計：共 1 筆

a571

0261 媴婦鼎 [媴]婦
0308 婦旋鼎 [婦旋]
0309 婦好鼎一 [婦好]
0310 婦好鼎二 [婦好]
0311 婦好鼎三 [婦好]
0312 婦好鼎四 [婦好]
0313 婦好鼎五 [婦好]

婦

0314	婦好鼎六	[婦好]
0315	婦好鼎七	[婦好]
0316	婦好鼎八	[婦好]
0317	婦好鼎九	[婦好]
0318	婦好鼎十	[婦好]
0319	婦好鼎十一	[婦好]
0320	婦好鼎十二	[婦好]
0321	婦好鳥足鼎十三	[婦好]
0322	婦好鳥足鼎十四	[婦好]
0323	婦好鳥足鼎十五	[婦好]
0325	婦好鼎	[婦好]
0326	婦好帶流鋬鼎	[婦好]
0645	天黿婦于未鼎一	[天黽]婦于未
0646	天黿婦于未鼎二	[天黽]婦于未
1562	婦好三聯甗架	[婦好]
1563	婦好分體甗甑	[婦好]
1564	婦好三聯甗甑	[婦好]
1565	婦好三聯甗	[婦好]
1566	婦好分體甗	[婦好]
1567	婦好連體甗	[婦好]
1775	婦好段	[婦好]
1822	守婦段	[守婦]
3635	𢿐婦爵	[𢿐婦]
3660	婦好爵一	[婦好]
3661	婦好爵二	[婦好]
3662	婦好爵三	[婦好]
3663	婦好爵四	[婦好]
3664	婦好爵五	[婦好]
3665	婦好爵六	[婦好]
3666	婦好爵七	[婦好]
3666.	婦好爵八	[婦好]
3666.	婦好爵九	[婦好]
3666.	婦好爵十	[婦好]
3666.	婦好爵十一	[婦好]
4299	婦好方斝一	[婦好]
4300	婦好方斝二	[婦好]
4301	婦好方斝三	[婦好]
4302	婦好圓斝	[婦好]
4358	婦好盉一	[婦好]
4359	婦好盉二	[婦好]
4360	婦好盉三	[婦好]
4550	婦好尊一	[婦好]
4551	婦好尊二	[婦好]
4552	婦好尊三	[婦好]
4897	婦觥	[婦]
4900	婦好圈足觥	[婦好]
4901	婦好觥	[婦好]
4948	婦好偶方彝	[婦好]
4949	婦好有蓋方彝	[婦好]
4950	婦好小方彝	[婦好]

5094	奘婦卣	[奘]婦
5535	婦好方罍一	[婦好]
5536	婦好方罍二	[婦好]
5552	亞吳玄婦方罍一	[玄鳥]婦、[亞吳]
5553	亞吳玄婦方罍二	[玄鳥]婦、[亞吳]
5591	婦好瓿一	[婦好]
5592	婦好瓿二	[婦好]
5619	婦好扁壺一	[婦好]
5620	婦好扁壺二	[婦好]
5947	婦觚	[婦]
6073	婦鳥形觚	[婦雈]
6092	婦好觚一	[婦好]
6093	婦好觚二	[婦好]
6094	婦好觚三	[婦好]
6095	婦好觚四	[婦好]
6096	婦好觚五	[婦好]
6097	婦好觚六	[婦好]
6098	婦好觚七	[婦好]
6099	婦好觚八	[婦好]
6100	婦好觚九	[婦好]
6101	婦好觚十	[婦好]
6102	婦好觚十一	[婦好]
6103	婦好觚十二	[婦好]
6104	婦好觚十三	[婦好]
6105	婦好觚十四	[婦好]
6106	婦好觚十五	[婦好]
6107	婦好觚十六	[婦好]
6314	婦觶	[婦]
6381	守婦觶一	[守婦]
6382	守婦觶二	[守婦]
6383	䨻婦觶	[䨻婦]
6384	帚嫡觶	[帚(婦)嫡]
6402	山婦觶	[山婦]
6406	婦好觶	[婦好]
6611	[illegible]婦女觶	[婦_[illegible]]
6648	婦好勺一	[婦好]
6649	婦好勺二	[婦好]
6650	婦好勺三	[婦好]
6651	婦好勺四	[婦好]
6652	婦好勺五	[婦好]
6653	婦好勺六	[婦好]
6654	婦好勺七	[婦好]
6655	婦好勺八	[婦好]
6890	婦好盂	[婦好]
7767	婦好鉞二	[婦好]
7768	婦好鉞一	[婦好]
7925	婦好罐	[婦好]
7991	婦好其	[婦好]
7993	婦好瓿形器	[婦好]

婦

小計：共 106 筆

敉 a572

1833	[illegible]敉毁一	[[illegible]敉]

小計：共 1 筆

Ga a573

6794	__匜	[Ga]

小計：共 1 筆

婦旋 a574

0308	婦旋鼎	[婦旋]

小計：共 1 筆

帚姦 a575

6383	帚姦觶	[帚姦]

小計：共 1 筆

Gb a576

3344	__爵	[Gb]
5889	__觚	[Gb]

小計：共 2 筆

封 a577

4314.	封父庚罍	[封]父庚
4328	封父庚罍	[封]父庚
4488	__方尊	[夘封]
4896	__方觥	[夘封]
4934	夘封方彝	[夘封]
5104.	田封卣	[田封]
6409	且乙封觶	且乙[封]

小計：共 7 筆

Gc a578

6537	__父己觶	[Gc]父己

小計：共 1 筆

a579

4499	并尊	[并]
5948	并觚	[并]

小計：共　2 筆

a580

0175	亞而丁鼎	[亞而丁]

小計：共　1 筆

a581

0075	廗鼎	[廗]
0686	𠕋父癸廗鼎	[𠕋廗]癸父
0881	婦乍父庚鼎	婦乍父庚鬲[廗冊]
1587	廗父己甗	[廗]父己
1883	廗父辛段	[廗]父辛
2357	廗冊𢇍娟𢾺段	𢇍娟𢾺用乍匋辛𢾺段[廗冊]
3655	廗冊爵	[廗冊]
3853	廗父戊爵	[廗]父戊
4010	廗兄癸爵	[廗]兄癸
4074	廗冊父丁爵	[廗冊]父丁
4140	廗父丙𠕋爵	父丙[廗𠕋]
4292.	田廗斝	[田廗]
4601	廗父辛尊	[廗]父辛
5206	廗父乙卣	[廗]父乙
5445	廗寓卣	用乍凡彝[廗]
5586	廗瓿	[廗]
5696	廗冊冊飢乍父辛壺	飢乍父辛彝[廗𠕋]
6117	廗冊觚	[廗冊]
6247	冊廗冊幾觚	[幾廗𠕋]
6253	冊廗冊父乙觚	[廗𠕋]父乙
6254	廗冊父庚正觚	[廗冊]父庚[正]
6589	廗冊父乙觶	廗乍父乙[冊]
6611	廗𠕋婦女觶	婦_[廗𠕋]

小計：共　23 筆

a582　2368號庚字參看

1962	庚父戊段	[庚]父戊
3274	庚爵	[庚]
3522	主庚爵二	[主]庚
3523	主庚爵一	[主]庚
3572	庚子爵	[庚子]
3629	庚祖爵	[庚祖]

3705	萬庚爵	[萬庚]
3790	庚父乙爵	[庚]父乙
4097	庚壴父癸爵	[庚壴]父癸
4197.	相爵	[庚]
4904	句庚觥	[句庚]
5920	庚觚	[庚]
6171	庚子父觚	[庚子]父

小計：共 13 筆

 Gd a583

6325	_觶	[Gd]

小計：共 1 筆

 Ge a584

6524	畁父庚觶	[畁]父庚[Ge]

小計：共 1 筆

辛冂 a585

5967	_觚	[辛冂]

小計：共 1 筆

戣 a586

0760	戣冊乍父己鼎	[戣冊]乍父己彝
1229	厚趠方鼎	其子子孫永寶[戣]
2109	戣妾乍尊彝𣪘	[戣]妾乍尊彝
2684	_寵乎𣪘	乎其萬人永用[戣]
3509.	戣乙爵	[戣]乙
3534	保戣爵	[保戣]
3813	癸父丁爵一	[戣]父丁
3814	癸父丁爵二	[戣]父丁
4191.	亞戣㇏父癸爵	亞戣□□[㇏]父癸
5123	戣父乙卣	[戣]父乙

小計：共 10 筆

字 a587

0648	字角父戊鼎	[字角]戊父
6467	字父己觶	[字]父己

小計：共 2 筆

畁 a588 a590

0051	𠭰鼎	[𠭰]
0375	𠭰父丁鼎一	[𠭰]父丁
0376	𠭰父丁鼎二	[𠭰]父丁
0377	𠭰父丁鼎三	[𠭰]父丁
0431	𠭰父癸方鼎	[𠭰]父癸
0718	𠭰母鼎	𠭰母乍山來
1032	𠭰乍父丁鼎	遣于□癸□□月[𠭰]
1683	𠭰設一	[𠭰]
1772	𠭰設	[𠭰]
3229	𠭰爵二	[𠭰]
3230	𠭰爵一	[𠭰]
3231	𠭰爵三	[𠭰]
3916	𠭰父辛爵	[𠭰]父辛
4084	𠭰冊父己爵	[冊]丁[𠭰][守冊]父己
4462	𠭰尊	[𠭰]
4580	𠭰父丁尊	[𠭰]父丁
4783	亞共尊一	[亞𠭰乙日辛甲共受]
4784	亞共尊二	[亞𠭰日乙受日辛日甲共]
5514	𠭰罍	[𠭰]
5935	𠭰觚	[𠭰]
6063	癸𠭰觚	癸[𠭰]
6484	𠭰父辛觶	[𠭰]父辛
6524	𠭰父庚觶	[𠭰]父Ge
6534	𠭰父癸觶	[𠭰]父癸
6685	父戊𠭰盤	父戊[𠭰]

小計：共 25 筆

Gf a589

6570	子_父己觶	[子Gf]父己

小計：共 1 筆

a590 參a588

GG a591

0237	酉乙鼎	[GG]乙
0478	_父癸鼎	[GG]父癸
4288	_乙斝一	[GG]乙
4289	_乙斝二	[GG]乙
4290	_乙斝三	[GG]乙
5913	_觚	[GG]
6421	_父甲觶一	[GG]父甲
6422	_父甲觶二	[GG]父甲

小計：共 8 筆

 Gh a592

4382	__父戊盉	[Gh]父戊
		小計：共 1 筆

 Gi a593

5019	__卣一	[Gi]
5020	__卣二	[Gi]
		小計：共 2 筆

 Gj a594

3365	__爵	[Gj]
		小計：共 1 筆

攻 a595

3311	攻爵	[攻]
		小計：共 1 筆

 Gk a596

3336	__爵	[Gk]
		小計：共 1 筆

 GL a597

3316	__爵	[GL]
3317	__爵	[GL]
		小計：共 2 筆

眴 a598 a599

3321	眴爵一	[眴]
3332	眴爵	[眴]
		小計：共 2 筆

棄 a600 0637號棄字參看

4011	亞爵	[亞棄]
		小計：共 1 筆

m a601

3381.3 __爵 [Gm]

小計：共 1 筆

a602

6403 𡨦己觶 [𡨦]己

小計：共 1 筆

n a603

6078 ___觚 [GnGo]

小計：共 1 筆

o a604

6078 ___觚 [GnGo]

小計：共 1 筆

p a605

7352 __害戈 [Gp害]

小計：共 1 筆

a606

7352 __害戈 [Gp害]

小計：共 1 筆

r a607

5523 __罍 [Gr]

小計：共 1 筆

s a608

0518 ___鼎 [GsGt]
4015 __耒爵 [GsGt耒]
4955 __耒方彝 [GsGt耒]

小計：共 3 筆

Gt a609

Gt	0518	____鼎	[GsGt]
Gu	4015	_耒爵	[GsGt耒]
北耳	4955	_耒方彝	[GsGt耒]

小計：共 3 筆

Gu a610

7461	冰阳並果戈	冰阳並果之造戈[Gu]

小計：共 1 筆

北耳 a611

7275	北耳戈一	[北耳]
7276	北耳戈二	[北耳]

小計：共 2 筆

附錄上總計：共 4152 筆

乙編附錄下

b001 參1928號䫉字條下

Gv b001

1328 盂鼎 王曰：Gv，令女盂井乃嗣且南公

小計：共 1 筆

Gw b002

5793 幾父壺一 同中宄西公易幾父Gw桒六
5794 幾父壺二 同中宄西公易幾父Gw桒六

小計：共 2 筆

Gx b003

1260 我方鼎一 我乍禦Gx且乙，匕乙，且己，匕癸
1261 我方鼎二 我乍禦Gx且乙，匕乙，且己，匕癸

小計：共 2 筆

b004 b005 0015參號福字條下

Gy b006

2599 宰甫設 才Gy陳

小計：共 1 筆

Gz b007

1172 征人乍父丁鼎 丙午，天君鄉(饗)Gz酉

小計：共 1 筆

b008

1332 毛公鼎 朱市悤黃、玉環、玉珓
2840 番生設 易朱市悤黃、鞞鞍、玉睘、玉珓

小計：共 2 筆

G0 b009

5475 六祀𠨘其卣 乙亥，𠨘其易乍冊孯G0玨

小計：共 1 筆

G1 荳 菽 G3 G4 G5 G6 G7 G8

G1 b010

6773	湯弔盤	林訇湯弔obG1鑄其尊
		小計：共 1 筆

荳 b011

0491	□荳笄鼎	G8荳笄
		小計：共 1 筆

菽 b012 0611參號菽字條下

G3 b013

2397	__乍父辛𣪕	G3乍父辛皇母匕乙寶尊彝
		小計：共 1 筆

G4 b014

2214	師__其乍寶𣪕	師G4其乍寶𣪕
		小計：共 1 筆

G5 b015

6858	樊君首匜	樊君G5用吉自乍匜
6916	樊君夔盆	樊君G5用其吉金自乍寶盆
		小計：共 2 筆

G6 b016

J3878	郙王劍	郙王G6自乍鋥
		小計：共 1 筆

G7 b017

2333	妹弔昏𣪕	義弔G7（聞，昏?）肇乍彝，用鄉賓
		小計：共 1 筆

G8 b018

0491	□荳笄鼎	G8荳笄

小計：共 1 筆

G9 b019

5652 __乍寶彝壺 G9乍寶彝

小計：共 1 筆

b020

4828 __姦乍父丁尊一 王占攸田㸚乍父丁尊[qw]
4829 __姦乍父丁尊二 王占攸田㸚乍父丁尊[qw]
4829 __姦乍父丁尊二 王占攸田㸚乍父丁尊[qw]
5447 王占卣 王占攸田㸚
5577 __姦乍父丁罍 王占攸田㸚乍父丁尊[qw]

小計：共 5 筆

ha b021

5440 __白日__乍父丙卣 ha白日m4乍父丙寶尊彝

小計：共 1 筆

b022

4538 危耳尊 [危耳]
5088 __耳卣 [危]耳

小計：共 2 筆

b023 參0133號君字條下

b024

2092 弔呂乍寶毁 弔呂乍寶毁

小計：共 1 筆

hd b025

1308 白晨鼎 畫hd，幬輚，虎幃

小計：共 1 筆

b026 參0144號吉字條下

he b027

J1442 叩孳毁 叩孳he__于王自乍器

小計：共 1 筆

㽵 㽵 b028
侶
hf 2726 㽵毁 康公右郃㽵
hG 2726 㽵毁 㽵敢對揚王休
hh 4827 兀乍高㽵日乙__尊 兀乍高㽵日乙__尊［臣辰𡖋卌］
hi 4862 媿能匋尊 能匋易貝于氒㽵公矢ns五朋
hJ

小計：共 4 筆

侶 b029

1326 多友鼎 迺命向父侶多友
2735 㕓敖毁 用侶hf

小計：共 2 筆

 hf b030

2375 㕓敖毁 用侶hf

小計：共 1 筆

 hG b031

5485 貉子卣一 王牢于pJ，hG宜

小計：共 1 筆

 hh b032

6864 番__匜 唯番hhvi用士（吉）金自乍寶匜

小計：共 1 筆

 hi b033

4243.3 作__女角 ［cy］作hi女

小計：共 1 筆

 hJ b034

6761 白者君盤 乍番hJ白者君自乍寶槃
6859 白者君匜 乍番hJ白者尹自乍寶它

小計：共 2 筆

b035

5497 農卣 王親令白啓日

小計：共 1 筆

b036

2676 旅肆乍父乙毁 戊辰、弜師易肆書、ql酉貝

小計：共 1 筆

b037

2391 寇乍寶毁一 寇乍寶毁

小計：共 1 筆

m b038

1368 兮_鬲 兮hm乍彝

小計：共 1 筆

n b039

1250 曾子旂鼎 s7hn口口

小計：共 1 筆

o b040

5780 公孫窹壺 公孫窹立事歲飯ho月

小計：共 1 筆

b041

1159 辛鼎一 用昏琌剌多友
1160 辛鼎二 用昏琌剌多友
4447 臣辰冊冊夕乍冊父癸盉 昏百生豚
5501 臣辰冊冊夕卣一 昏百生豚

小計：共 4 筆

p b042

7218 鄎醋尹征城 次hp升犸

訊
嘰
hs
號
號
睘
ht

小計：共 1 筆

訊 b043 b044 參0369號條下

嘰 b045 b046

1332	毛公鼎	馬四匹、攸勒、金嘰、金雁（膺）、朱旂二鈴
2572	毛白嘰父𣪕	毛白嘰父乍中姚寶𣪕

小計：共 2 筆

 hs b047

7108	䢍弔之仲子平編鐘一	rp于hs東
7109	䢍弔之仲子平編鐘二	rp于hs東
7110	䢍弔之仲子平編鐘三	rp于hs東
7111	䢍弔之仲子平編鐘四	rp于hs東

小計：共 4 筆

號 b048

7107	曾侯乙甬鐘	割肄之才楚號為呂鐘
7868	商鞅方升	立號為皇帝
M706	曾侯乙編鐘下一・二	妥賓之才楚號為坪皇
M706	曾侯乙編鐘下一・二	其才𨻰（申）號為遟則
M709	曾侯乙編鐘下二・二	贏孠之才楚號為新鐘
M710	曾侯乙編鐘下二・三	韋音之才楚號為文王
M711	曾侯乙編鐘下二・四	妥賓之才楚號為坪皇
M711	曾侯乙編鐘下二・四	其才𨻰（申）號為遟則
M712	曾侯乙編鐘下二・五	割肄之才楚號為呂鐘
M712	曾侯乙編鐘下二・五	宣鐘之才晉號為六墉
M741	曾侯乙編鐘中三・二	贏孠之才楚號為新鐘
M741	曾侯乙編鐘中三・二	亓才齊號為呂音
M741	曾侯乙編鐘中三・二	大族之才周號為剌音
M741	曾侯乙編鐘中三・二	亓才晉號為槃鐘
M741	曾侯乙編鐘中三・二	穆立楚號為穆鐘
M743	曾侯乙編鐘中三・四	妥賓之才𨻰（申）號為遟則
M744	曾侯乙編鐘中三・五	割肄之才楚號為呂鐘
M745	曾侯乙編鐘中三・六	韋音之才楚號為文王
M746	曾侯乙編鐘中三・七	妥賓之才楚號為坪皇
M746	曾侯乙編鐘中三・七	其才𨻰（申）號為遟則
M747	曾侯乙編鐘中三・八	割肄之才楚號為呂鐘

小計：共 21 筆

睘 b049 參0574號條下

ht b050

1332 毛公鼎 亦唯先正ht辥氒辟

小計：共 1 筆

b051

2760 小臣謎段一 眚(遣)自蠹自
2761 小臣謎段二 遣自蠹自

小計：共 2 筆

v b052

1327 克鼎 穆穆朕文且師華父悤hv氒心

小計：共 1 筆

w b053

4868 趞乍姑尊 易趞采曰，hw易貝五朋
5476 趞乍姑寶卣 易趞采曰，hw易貝五朋

小計：共 2 筆

x b054

5481 叔卣一 賞叔鬱鬯，白金，hx牛
5482 叔卣二 賞叔鬱鬯，白金，hx牛

小計：共 2 筆

b055

2317 趨子冉乍父庚段 趨子冉乍父庚寶尊彝

小計：共 1 筆

z b056

2606 易_乍父丁段一 hz弔休于小臣貝三朋，臣三家
2607 易_乍父丁段二 hz弔休于小臣貝三朋，臣三家

小計：共 2 筆

0 b057

1233 _鼎 王令h0捷東反尸
1233 _鼎 h7肇從h0征

小計：共 2 筆

ht
蠹
hu
hv
hx
趨
hz
h0

h1 h2 趄 h5 夌 h7

h1 b058 0262與號趄字重出

 h2 b059

1631	師_方甗	師h2乍旅甗尊
		小計：共 1 筆

趄 b060

2812	大段一	易趄睽里
2812	大段一	王令善夫豕曰趄睽曰
2813	大段二	易趄睽里
2813	大段二	王令善夫豕曰趄睽曰
		小計：共 4 筆

 h4 b061

0800	𠬝乍_婦方鼎	乍h4婦尊彝[𠬝]
		小計：共 1 筆

 h5 b062

5371	_乍且丁卣	h5乍且丁寶尊彝
		小計：共 1 筆

夌 b063

1270	小臣夌鼎	令小臣夌先省楚应
1270	小臣夌鼎	小臣夌易鼎、兩
1270	小臣夌鼎	夌拜䭫首
1381	夌姬乍寶鬲	夌姬乍寶鬲
2109	戣夌乍尊彝段	[戣]夌乍尊彝
4810	子夌乍母辛尊	子夌乍母辛尊彝[𠬝]
6603	夌白觶	夌白乍寶彝
		小計：共 7 筆

 h7 b064

1233	_鼎	h7肇從h0征
1606.1	_乍旅甗	h7乍旅甗
4716	_尊一	h7乍寶尊彝
4717	_尊二	h7乍寶尊彝
4913	_尊一	h7乍寶尊彝
5305	_乍寶尊彝卣	h7乍寶尊彝

小計：共 6 筆

h8 b065

1308 白晨鼎 用作朕文考h8公尊鼎

小計：共 1 筆

h9 b066

1326 多友鼎 迺h9于獻宮

小計：共 1 筆

b067

2495 季_父徹毀 季oG父徹作寶毀

小計：共 1 筆

b068

1327 克鼎 易女井、𤔲、匔人飘
2421 舟尖𤔲乍父乙毀 公史𤔲吏又宗
2870 𤔲_匿 𤔲mc鑄其寶匿
2893 隨侯𤔲逆匿 隨侯𤔲逆之匿、永壽用之
4848 舟尖𤔲乍父乙尊 公易𤔲貝
6909 遡盂 賓女賓：奚、𤔲、華
7996. 上官登 台為大𤔲之從鉃登□□
5237 遺作父丁卣 [遺]乍父丁

小計：共 8 筆

ib b069

J3719 上官登 ib

小計：共 1 筆

b070

1270 小臣夌鼎 王弍于楚麓
1270 小臣夌鼎 王至于弍应、無遣
5479 奐商乍文辟日丁卣 弍丝廿寺

小計：共 4 筆

id b071

2905 吉_匮 吉id乍寶匮

h8
h9
徹
𤔲
id
ie
id

id 适 if iG 謎 遾 ii ij ik

小計：共 1 筆

适 b072

6806 王子适之遄盤匜 王子适之遄盤

小計：共 1 筆

if b073

5489 寃if山谷至于上侯竟川上

小計：共 1 筆

iG b074

4859 戉箙啟尊 iG山谷才遄水上

小計：共 1 筆

謎 b075

2760 小臣謎毀一 小臣謎蔑曆、眔易貝
2761 小臣謎毀二 小臣謎蔑曆、眔易貝

小計：共 2 筆

遾 b076

1205. 遾鼎 遾其萬年子子孫孫永寶用
2639 遾毀 遾乍朕文考胤白尊毀
2639 遾毀 遾其萬年子子孫孫永寶用

小計：共 3 筆

ii b077

1826 奘_毀 [奘]ii
6551 冂_乍父乙觶 [冂ii]乍父乙

小計：共 2 筆

ij b078

1306 無叀鼎 官嗣Lk土ij側虎臣

小計：共 1 筆

ik b079

6753 仲叡父盤 黍粱ik麥

小計：共 1 筆

b080 參 1421+號履字條下

2778 格白𣪕一 則析，格白履
2780 格白𣪕三 則析，格白履
2781 格白𣪕四 則析，格白履
2782 格白𣪕五 則析，格白履
2782.1 格白𣪕六 則析，格白履

小計：共 5 筆

m b081

1330 曶鼎 王在im应

小計：共 1 筆

n b082

6793 夨人盤 宰in父

小計：共 1 筆

o b083

1332 毛公鼎 勿雝io庶口k1

小計：共 1 筆

b084.b085 正編1377號徵字參見

1332 毛公鼎 取徵卅寽
2743 𩰫𣪕 訊訟罰取徵五寽
2770 𢦏𣪕 楚徒馬、取徵五寽、用吏
2783 趞𣪕 取徵五寽
2810 揚𣪕一 取徵五寽
2811 揚𣪕二 取徵五寽
2840 番生𣪕 取徵廿寽

小計：共 7 筆

r b086

1432 郳白口母鑄羞鬲 郳白ir母鑄其羞鬲

ik
履
im
in
io
遺
iq
ir

ir
獻
it
iu
iv
邍
復
iy

小計：共 1 筆

獻 b087

2833 泰公毁 [illegible]嚴獻各

小計：共 1 筆

 it b088

7213 黏鎛 大使，大it，大宰
7871 子禾子釜 中刑_it

小計：共 2 筆

 iu b089

5826 國差甔 iu

小計：共 1 筆

 iv b090

7117 郐𪘲兒鐘一 余mqiv兒
7119 郐𪘲兒鐘三 余mqiv兒

小計：共 2 筆

邍 b091

1020 鄭饔原父鼎 鄭饔邍（原）父鑄鼎
1521 單白邍父鬲 單白邍父乍中姞尊鬲

小計：共 2 筆

退 b092

2777 天亡毁 亡助爵退橐

小計：共 1 筆

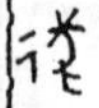 iy b093

2842 卯毁 又進iy

小計：共 1 筆

z b094

1275	師同鼎	判用iz王羞于黽
		小計：共　　1 筆

0 b095

6730	仲蚋盤	中u2臣tiu7i0目金
		小計：共　　1 筆

1 b096

1281	史頌餿一	令史頌i1穌
1282	史頌餿二	令史頌i1穌
2752	史頌餿一	i1穌漗里君百生
2753	史頌餿二	i1穌漗里君百生
2754	史頌餿三	i1穌漗里君百生
2755	史頌餿四	i1穌漗里君百生
2756	史頌餿五	i1穌漗里君百生
2757	史頌餿六	i1穌漗里君百生
2758	史頌餿七	i1穌漗里君百生
2759	史頌餿八	i1穌漗里君百生
2759.1	史頌餿九	i1穌漗里君百生
		小計：共　　11 筆

b097　參0127號條下

b098

5730	保螸母壺	王始易保螸母貝
		小計：共　　1 筆

4 b099

0795	大保__鼎一	i4乍尊彝大保
0796	大保__鼎二	i4乍尊彝大保
0797	大保__鼎三	i4乍尊彝大保
		小計：共　　3 筆

b100

2778	格白餿一	遝谷旅mn
2778	格白餿一	遝谷旅mn
2779	格白餿二	遝谷旅mn
2779	格白餿二	遝谷旅mn

iz
i0
i1
i1
螸
i4
遝

2780	格白𣪘三	遻谷旅mn
2781	格白𣪘四	遻谷旅mn
2782	格白𣪘五	遻谷旅mn
2782.1	格白𣪘六	遻谷旅mn

小計：共 8 筆

适 b101 參正編0229號适字條

2263	寧适乍甲始𣪘	寧适乍甲始尊𣪘

小計：共 1 筆

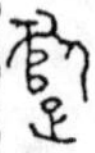 i7 b102

2605	邿_𣪘	i7乍寶𣪘
2605	邿_𣪘	i7乍寶𣪘

小計：共 2 筆

 i8 b103

6823	長湯匜	長湯白i8乍它，永用之

小計：共 1 筆

 i9 b104

J0824	趞鼎	王乎內史i9冊易趞玄衣黹屯
6780	黃大子白克盤	黃大子白口乍中i9口賸盤

小計：共 2 筆

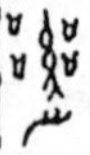 Ja b105

0806	沖子行鼎	沖子Ja之行貞（鼎）

小計：共 1 筆

 Jb b106

1101	亞受乍父丁方鼎	戊寅王Jbsx馬彰，易貝
4241	箙亞_乍父癸角	丙申王易箙亞Jb奚貝

小計：共 2 筆

 Jc b107

4816	亞_傳乍父戊尊	傳乍父戊寶尊彝[亞Jc]

		小計：共　1 筆
b108		
0992	𪚰訧鼎	𪚰訧為其鼎
		小計：共　1 筆
b109		
2473	__乍皇母尊𣪘一	Je乍皇母尊𣪘
2474	__乍皇母尊𣪘二	Je乍皇母尊𣪘
		小計：共　2 筆
b110		
2802	六年召白虎𣪘	用獄Jf為白
		小計：共　1 筆
b111		
5773	陳喜壺	JG客敢為𨻰壺九
		小計：共　1 筆
b112		
7069	者沕鐘一	今余其念Jh乃有
7074	者沕鐘六	今余其念Jh乃有
7077	者沕鐘九	今余其念Jh乃有
		小計：共　3 筆
b113		
7218	郝諮尹征城	郤諮尹者故　自乍征城
		小計：共　1 筆
b114		
4887	蔡侯𩁹尊	需頌JJ商
6788	蔡侯𩁹盤	需頌JJ𠭯(商)
		小計：共　2 筆
b115		

訧
Je
Jf
JG
Jh
諮
JJ
韄

1122 袒白乍石甗 隹袒白韄自乍寶□甗
6925 晉邦盦 召韄□□□□□□□___晉邦

小計：共 2 筆

弇 b116

4839 史喪尊 孫子其永弇

小計：共 1 筆

弭 b117

1329 小字盂鼎 征□□□□□邦賓、不弭
1329 小字盂鼎 禘周王、□王、成王、□□□□王弭述

小計：共 2 筆

 Jm b118

6793 矢人盤 矢卑，鮮，且，Jm

小計：共 1 筆

 Jn b119

1158 小子__鼎 乙亥，子易小子Jn
1158 小子__鼎 Jn用乍父乙寶尊[䵼]

小計：共 2 筆

懘 b120

0704 __懘乍寶鼎 vL懘乍寶na

小計：共 1 筆

 Jo b121

3087 鬲从盨 章卑Jo夫tu鬲比田

小計：共 1 筆

彝 b122

4974 __方彝 其萬年彝

小計：共 1 筆

彞 b123

5646	𢍰乍寶壺	𢍰乍寶壺
		小計：共 1 筆
q b124		
1332	毛公鼎	Jq堇大命
2815	師㝨𣪕	師㝨，乃且考又Jq于我家
2816	彔白㦰𣪕	又Jq于周邦
7020	單白鐘	Jq堇大命
		小計：共 4 筆
r b125		
3088	師克旅盨一	則隹乃先且考又Jr于周邦
3089	師克旅盨二	則隹乃先且考又Jr于周邦
4891	何尊	有Jr于天
		小計：共 3 筆
b126	參0088號條下	
t b127		
1640	__仲寏父方甗	Jt中寏父方甗
		小計：共 1 筆
b128		
6792	史墻盤	檣角熾光
7159	𤼈鐘二	檣角熾光
		小計：共 2 筆
v b129		
6407.1	大__觶	[大Jv]
		小計：共 1 筆
b130		
4753	傳囪乍從宗彝尊	傳囪乍從宗彝
7223	逌囪鐸	逌囪乍寶鐸
		小計：共 2 筆

Jq
Jr
𦳊
Jt
熾
Jv
囪

𦱤 b131

1332 毛公鼎 畫䡴畫𨌲金甬錯衡金踵金豙、勅𦱤金簟弼魚服

小計：共 1 筆

要 b132 參0422號條下

 Jz b133

6793 夨人盤 覵土qhJz，覵馬單邦

小計：共 1 筆

 J0 b134

6925 晉邦盦 諗𦳢不日卑J0

小計：共 1 筆

𪔳 b135

4640. 天_卬尊 天𪔳卬

小計：共 1 筆

 J2 b136

1445 樊君鬲 樊君乍弔qywJ賸器寶J2

小計：共 1 筆

𤎲 b137

1194 郐王䐑鼎 用𤎲pk腊

小計：共 1 筆

𩰫 b138

1126 弔夜鼎 用𩰫用烹

小計：共 1 筆

烹 b139

1126 弔夜鼎 用𩰫用烹

小計：共 1 筆

b140

1204	淮白鼎	其用＿蒸大牢
1328	盂鼎	有髭柴蒸祀
1667	陳公子弔邍父甗	用(蒸)𩞁稻粱
		小計：共　3 筆

蒸𩞁
J3
J4
建
䊷

3 b141

1211	庚兒鼎一	用𩛥用J3
1212	庚兒鼎二	用𩛥用J3
		小計：共　2 筆

4 b142

4779	詠乍夙尊彝日戊尊	詠乍J4尊彝，日戊
		小計：共　1 筆

b143　參0288號條下

b144

1262	㝅鼎	趞中令㝅䊷𤔲鄭田
1283	微䜌鼎	王令敚䜌䊷𤔲九陂
1327	克鼎	易女井、𦈡、𨟻人䊷
1332	毛公鼎	命女䊷𤔲公族
2669	＿妊小𣪘	䊷又＿
2672	伯艿父𣪘	䊷又＿
2776	走𣪘	徒䊷足□
2792	師俞𣪘	䊷司保氏
2796	諫𣪘	先王既命女䊷𤔲王宥
2796	諫𣪘	先王既命女䊷𤔲王宥
2800	伊𣪘	䊷官司康宮王臣妾、百工
2807	𨛜𣪘一	䊷五邑祝
2808	𨛜𣪘二	䊷五邑祝
2809	𨛜𣪘三	䊷五邑祝
2815	師毄𣪘	䊷𤔲我西偏東偏
2830	三年師兌𣪘	令女䊷𤔲走馬
2840	番生𣪘	王令䊷𤔲(司)公族卿吏、大史寮
2854	𥿑𣪘	令女眔曶：䊷足對各
3088	師克旅盨一(蓋)	䊷𤔲左右虎臣
3089	師克旅盨二	䊷𤔲左右虎臣
4890	盠方尊	䊷𤔲六自眔八自埶
4979	盠方彝一	䊷𤔲六自眔八自埶
4980	盠方彝二	䊷𤔲六自眔八自埶
7135	逆鐘	用䊷于公室僕庸臣妾
7184	叔夷編鐘三	䊷命于外內之吏

7214 叔夷鎛 𣪕命于外内之吏

小計：共 26 筆

旻
弜
J6
J7
叡
J8
䝤
J9

旻 b145

5717 旻成侯鍾 旻成侯we容半斗

小計：共 1 筆

弜 b146

2443 孟弜父𣪘一 孟弜父乍寶𣪘

2522 孟弜父𣪘 孟弜父乍幻白姬媵𣪘八

2523 孟弜父𣪘 孟弜父乍幻白姬媵𣪘八

小計：共 3 筆

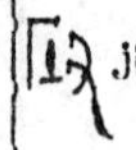 J6 b147

6631 小臣單觶 王後J6克商，才成自

小計：共 1 筆

 J7 b148

1330 曶鼎 女其舍𩵦矢五J7（秉?）

小計：共 1 筆

叡 b149

2836 㦤𣪘 戎伐叡

小計：共 1 筆

 J8 b150

4912.1 王生女觥 王生女J8

小計：共 1 筆

䝤 b151

2347 𢦚䝤頁駒乍父乙𣪘 䝤頁駒用乍父乙尊彝［𢦚］

小計：共 1 筆

 J9 b152

2402 𢿌𣪘 𤔲不吉其J9

小計：共 1 筆

a b153

1163	齊陳__鼎蓋	齊陳ka不敢逸康
2955	齊侯__匿一	齊陳ka不敢逸康
2956	齊侯__匿二	齊陳ka不敢逸康

小計：共 3 筆

b b154

1271	史獸鼎	尹賞史獸kb

小計：共 1 筆

b155

2600	白䂓父設	白䂓父乍朕皇考犀白吳姬尊設

小計：共 1 筆

a b156

1190	內史鼎	內史令ia事

小計：共 1 筆

b157

2843	沈子它設	它用裹䟆我多弟子我孫

小計：共 1 筆

d b158

3034	白孝__旅盨	白孝kd鑄旅盨

小計：共 1 筆

e b159

0980	堇臨乍父乙鼎	堇ke(臨?)乍父乙寶尊彝
0981	堇臨乍父乙方鼎	堇ke(臨?)乍父乙寶尊彝
2287	堇臨乍父乙設	堇ke(臨?)乍父乙寶尊彝

小計：共 3 筆

b160

J9
ka
kb
䂓
ia
䟆
kd
ke
旻

旻
攴
kh
kl
鼝
kj

5786	旻季良父壺	旻季良父乍kh姒(始)尊壺
		小計：共 1 筆

攴 b161

7481	郾王職乍攴鋸	郾王職作攴鋸
7482	郾王職乍巨__鋸	郾王職乍巨攴鋸
7485	郾王詈乍巨__鋸一	郾王詈乍巨攴鋸
7486	郾王詈乍五__鋸二	郾王職乍巨攴鋸
7487	郾王詈乍巨__鋸三	郾王職作巨攴鋸
7488	郾王詈乍五__鋸四	郾王職乍巨攴鋸
7489	郾王喜乍五__鋸一	郾王喜乍巨攴鋸
7490	郾王喜乍五__鋸二	郾王喜乍巨攴鋸
7574	左軍戈	之攴僕
7574	左軍戈	巨校馬臧造攴戈
7635	郾王喜矛	郾王喜□□攴矛
7637	郾王戎人矛二	郾王戎人乍巨攴矛
7639	郾王職矛二	郾王職巨攴矛
7640	郾王職矛三	郾王職乍攴矛
7642	郾王詈矛一	郾王詈乍巨攴矛
7646	郾王職矛二	郾王職乍攴矛
M876	郾王職戟二	郾王戠乍攴鋸
M877	郾王戎人戟	郾王戎人乍攴鋸
		小計：共 18 筆

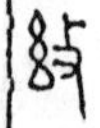 kh b162

4442	季良父盉	季良父乍kh姒(始)寶盉
5786	旻季良父壺	旻季良父乍kh姒(始)尊壺
		小計：共 2 筆

 kl b163

2665	__弔毁	kl弔u4my于西宮
		小計：共 1 筆

鼝 b164

4719	鼝赤尊	鼝赤乍寶彝
		小計：共 1 筆

 kj b165

1064	武生__中差鼎一	武生kj弔乍其差鼎

1065	武生__中羞鼎二	武生kJ弔乍其羞鼎
		小計：共 2 筆
k b166		
2585	禽𣪘	禽又kk祝
		小計：共 1 筆
L b167		
0752	__乍且丁鼎	kL乍且丁盟鼎
		小計：共 1 筆
m b168	(與b174重)	
J3795	宜戈	jm
		小計：共 1 筆
n b169		
0693	__白乍旅鼎	kn白乍旅鼎
		小計：共 1 筆
o b170		
1187	員乍父甲鼎	王獸于眂ko
		小計：共 1 筆
b171		
5807	緻__君鉼	酉、妹、緻qm君丌鉼二ta
		小計：共 1 筆
b172		
1330	曶鼎	□吏孚小子𩡧目限訟于井弔
1330	曶鼎	女其舍𩡧矢五秉
		小計：共 2 筆
q b173		
1330	曶鼎	不出，kq余

kJ
kk
kL
km
kn
ko
緻
𩡧
kq

小計：共 1 筆

kr b174 (與b168重)

J3795	宜戈	kr

小計：共 1 筆

ks b175

0613	_乍寶鼎	ks乍寶鼎

小計：共 1 筆

kt b176 (敖)

J3810	玄鏐戈	kt

小計：共 1 筆

殺 b177

2765	殺毀	井白內、右殺立中廷北鄉

小計：共 1 筆

鎗 b178

1330	曶鼎	曰陪、曰恒、曰秝、曰鎗、曰眚
6792	史墻盤	左右綬鎗剛鯀

小計：共 2 筆

kw b179

0909	亵_父鼎	亵kw父乍狩姛朕(賸)鼎

小計：共 1 筆

kx b180

1192	亞口伐_乍父乙鼎	王賞戍kx貝二朋

小計：共 1 筆

ky b181

2673	_弔買毀	ky弔買自乍尊毀

小計：共 1 筆

z b182

7782	左__矢鏃一	左kz
7783	左__矢鏃二	左kz
7784	左__矢鏃三	左kz

小計：共 3 筆

0 b183

7786	左__矢鏃一	左k0
7787	左__矢鏃二	左k0
7788	左__矢鏃三	左k0
7789	左__矢鏃四	左k0
7790	左__矢鏃五	左k0
7791	右__矢鏃一	右k0
7792	右__矢鏃二	右k0
7793	右__矢鏃三	右k0
7794	右__矢鏃四	右k0
7795	右__矢鏃五	右k0
7796	右__矢鏃六	右k0
7797	右__矢鏃七	右k0
7798	右__矢鏃八	右k0
7799	右__矢鏃九	右k0
7800	右__矢鏃十	右k0
7801	右__矢鏃十一	右k0
7802	右__矢鏃十二	右k0
7803	右__矢鏃十三	右k0
7804	右__矢鏃十四	右k0
7805	右__矢鏃十五	右k0
7806	右__矢鏃十六	右k0
7807	右__矢鏃十七	右k0
7808	右__矢鏃十八	右k0
7809	右__矢鏃一九	右k0

小計：共 24 筆

b184

0004	宗鼎	[宗]
0004.	宗鼎	[宗]
2421	冉共綧乍父乙殷	公史綧吏又宗
5462	宗白乍父乙卣一	隹王八月、宗白易貝于姜
5463	宗白乍父乙卣二	隹王八月、宗白易貝于姜
6116	__宗瓠	[__宗]
7310.	宗戈	[宗]

小計：共 7 筆

kz
k0
宗

k1 b185

1332 毛公鼎 勿雝1o庶囗k1

小計：共 1 筆

篝 b186

2340 弔篝父段 弔篝父乍尊段、其萬年用
4830 犀肈其乍父己尊 犀肁（肈）乍父己寶尊彝［篝＿］

小計：共 2 筆

㚻 b187

2580 㚻乍北子段 㚻乍北子柞段

小計：共 1 筆

k3 b188

1301 大鼎一 王召走馬雁令取k3騆卅二匹易大
1302 大鼎二 王召走馬雁令取k3騆卅二匹易大
1303 大鼎三 王召走馬雁令取k3騆卅二匹易大

小計：共 3 筆

k4 b189

7176 k4k4雝雝

小計：共 1 筆

雉 b190

2734 遹段 穆王親易遹雉

小計：共 1 筆

擊 b191

5475 六祀𨙸其卣 乙亥、𨙸其易乍冊擊G0亞

小計：共 1 筆

谿 b192

2732 曾仲大父蛕蛟段 曾中大父蛕迺用吉攸叡谿金

小計：共 1 筆

b193

0520	茾弔鼎	茾弔乍
2841	茾白毀	己未、王命中到歸茾白or裘
2841	茾白毀	王若曰：茾白
2841	茾白毀	茾白拜手䭫首天子休
2841	茾白毀	用乍朕皇考武茾幾王尊毀
5778	番匊生鑄賸壺	用賸氒元子孟改茾

小計：共　6 筆

k8 b194

6840	__子匜	k8子乍行匜

小計：共　1 筆

b195

7502	非__戈	非sJ帶邘邍陽、廿四
7533	卅二年帶令戈	卅三年帶命初左庫工帀臣冶山

小計：共　3 筆

b196

1347	乍医聅鬲	乍医聅
2069	考母乍医聅毀	考母乍医聅
5659	考母壺	考母乍聅医
5659	考母壺	考母乍聅医
6596	聅子乍父丁觶	[聅子]乍父丁

小計：共　5 筆

La b197

0983(1012)	羊庚鼎	La乍氒文考尸弔寶尊彝

小計：共　1 筆

Lb b198

2386	白__乍白幽毀一	白Lb乍幽白寶毀
2387	白__乍白幽毀二	白Lb乍白幽寶毀

小計：共　2 筆

b199

2601	向曾乍旅毁一	向曾乍旅毁
2601	向曾乍旅毁一	曾其壽考萬年
2602	向曾乍旅毁二	向曾乍旅毁
2602	向曾乍旅毁二	曾其壽考萬年
M191	緐卣	易宗彝一曾(套)

小計：共 5 筆

 Ld b200

1239	__鼎一	以師氏眔有嗣後或𢦏伐Ld
1240	__鼎二	以師氏眔有嗣後或𢦏伐Ld

小計：共 1 筆

腨 b201

7501	齊成右戈	齊成右造車戟，冶腨

小計：共 1 筆

Lf b202

5803	𨕲𡕏𧊒蛮壺	子之大Lf大不宜

小計：共 1 筆

紉 b203

2778	格白毁一	殷人紉雩谷杜木
2778	格白毁一	殷人紉雩谷杜木
2780	格白毁三	殷人紉雩谷杜木
2781	格白毁四	殷人紉雩谷杜木
2782	格白毁五	殷人紉雩谷杜木
2782.	格白毁六	殷人紉雩谷杜木

小計：共 6 筆

剈 b204

2312	剈圅乍且癸毁	剈圅乍且戊寶尊彝𤔲(戰)
2862	剈白鋁	剈白乍孟姬鋁
3020	剈弔旅盨	剈弔乍旅盨(須)

小計：共 3 筆

劊 b205

1206	旟鼎	王姜易旟田三于待劊

小計：共 1 筆

b206

0870 蝤所__鼎 蝤所__貞貞（ 鼎 ）安腏
1004 鑄客鼎 鑄客為集腏、伸腏、睘豚腏為之

小計：共 2 筆

B207

1400 仲釰父鬲 中釰父乍鬲

小計：共 1 筆

b208

4828 __叕乍父丁尊一 王占攸田叕乍父丁尊[qw]
4829 __叕乍父丁尊二 王占攸田叕乍父丁尊[qw]
4829 __叕乍父丁尊二 王占攸田叕乍父丁尊[qw]
5447 王占卣 王占攸田叕
5577 __叕乍父丁罍 王占攸田叕乍父丁尊[qw]
7112 者減鐘一 敦叕于我霝龠
7116 南宮乎鐘 嗣土南宮乎乍大禁叕鐘
7158 痶鐘一 敢乍文人大寶叕龢鐘
7160 痶鐘三 敢乍文人大寶叕龢鐘
7161 痶鐘四 敢乍文人大寶叕龢鐘
7162 痶鐘五 敢乍文人大寶叕龢鐘
7169 痶鐘十二 痶乍叕鐘
7170 痶鐘十三 痶乍叕鐘
7171 痶鐘十四 痶乍叕鐘
7187 叔夷編鐘六 龢叕而又事
7209 秦公及王姬鎛 以康奠叕朕或
7210 秦公及王姬鎛二 以康奠叕朕或
7211 秦公及王姬鎛三 以康奠叕朕或
7212 秦公鎛 叕龢萬民
7214 叔夷鎛 龢叕而又事

小計：共 20 筆

b209

1330 曶鼎 曰陪、曰恒、曰秝、曰䵼、曰眚
4335 秝鬭乍父丁斝 [秝]鬭乍父丁
7322 鼎秝戈 [鼎秝]、[鼎它]
7755 秝囧兮斧 [秝囧兮]

小計：共 4 筆

b210

腏 釰 叕 秝 Li

5468	子寡子卣	章不弔Li乃邦
5468	子寡子卣	章不弔Li乃邦
		小計：共 2 筆

Lj b211

0387.1	北子鼎	北子Lj乍車(肇旅)彝
		小計：共 1 筆

彫 b212

3087	鬲从盨	令小臣成友逆＿□內史無彫
		小計：共 1 筆

Lk b213

1306	無叀鼎	官嗣Lk王iJ側虎臣
		小計：共 1 筆

琨 b214

2803	師酉毀一	公族琨釐入
2804	師酉毀二	公族琨釐入
2804	師酉毀二	公族琨釐入
2805	師酉毀三	公族琨釐入
2806	師酉毀四	公族琨釐入
2806.	師酉毀五	公族琨釐入
		小計：共 6 筆

Lm b215

2786	縣妃毀	休白哭Lm卹縣白室
		小計：共 1 筆

巨 b216 參0731號條下

Ln b217

1638	燮＿夫乍且丁甗	Ln夫乍且丁[燮]
		小計：共 1 筆

吉 b218

1066	穌吉妊鼎	穌吉妊乍虢妃魚母賸
2905	吉__匽	吉1d乍寶匽
6622	吉偖乍氒觶	吉偖乍氒寶尊彝
6744	穌吉妊盤	穌吉妊乍虢妃魚母般(盤)
		小計：共 4 筆

b219

1300	南宮柳鼎	嗣義夷陽、佃吏
1412	倗乍義妣鬲	倗乍義妣寶尊彝
		小計：共 2 筆

b220

4889	盠駒尊二	王拘駒暨、易盠駒
		小計：共 1 筆

b221

2828	宜侯夨毀	易希鬯一、商鬲一肆
		小計：共 1 筆

Lq b222

1092	小臣建鼎	休于小臣Lq貝五朋
		小計：共 1 筆

b223

6921	鄙子仲盆	彭子中羉其吉金
		小計：共 1 筆

b224

5308	廣䢸乍從彝卣	[廣]䢸乍從彝
7136	郘鐘一	余既壽鬯廣
7137	郘鐘二	既壽鬯廣
7138	郘鐘三	既壽鬯廣
7139	郘鐘四	既壽鬯廣
7140	郘鐘五	既壽鬯廣
7141	郘鐘六	既壽鬯廣
7142	郘鐘七	既壽鬯廣
7143	郘鐘八	既壽鬯廣

7144	郘鐘九	既壽㡭廣
7145	郘鐘十	既壽㡭廣
7146	郘鐘十一	既壽㡭廣
7147	郘鐘十二	既壽㡭廣
7148	郘鐘十三	既壽㡭廣
7149	郘鐘十四	既壽㡭廣
7735	少廣劍一	胃之少廣
7736	少廣劍二	胃之少廣

小計：共 17 筆

𤔲 b225

1159	辛鼎一	其亡彊𢍜家𨺅德𤔲
1160	辛鼎二	其亡彊𢍜家𨺅德𤔲
1319	頌鼎一	旂匄康𤔲屯右、通彔永令
1320	頌鼎二	旂匄康𤔲屯右、通彔永令
1321	頌鼎三	旂匄康𤔲屯右、通彔永令
2712	虢姜毀	旛匄康𤔲屯右
2844	頌毀一	用追孝旛匄康𤔲屯右
2845	頌毀二	用追孝旛匄康𤔲屯右
2845	頌毀二	用追孝旛匄康𤔲屯右
2846	頌毀三	用追孝旛匄康𤔲屯右
2847	頌毀四	用追孝旛匄康𤔲屯右
2848	頌毀五	用追孝旛匄康𤔲屯右
2849	頌毀六	用追孝旛匄康𤔲屯右
2850	頌毀七	用追孝旛匄康𤔲屯右
2851	頌毀八	用追孝旛匄康𤔲屯右
5799	頌壺一	旛匄康𤔲屯右
5800	頌壺二	旛匄康𤔲屯右
6854	辭馬南弔匜	辭馬南弔乍𤔲姬賸它
7060	旲生鐘一	用旛康𤔲屯魯、用受

小計：共 19 筆

盄 b226

4818	季盄尊	季盄乍寶尊彝用亯__

小計：共 1 筆

盉 b227

0957	弔盉父鼎	弔盉父乍尊鼎其永寶用

小計：共 1 筆

盤 b228

6806	王子__之遄盥匜	王子ie之遄盤

小計：共 1 筆

b229

2778	格白𣪘一	𡴀書史戠武立𥁕成𡐦
2778	格白𣪘一	𡴀書史戠武立𥁕成𡐦
2779	格白𣪘二	𡴀書史戠武立𥁕成𡐦
2780	格白𣪘三	𡴀書史戠武立𥁕成𡐦
2781	格白𣪘四	𡴀書史戠武立𥁕成𡐦
2782	格白𣪘五	𡴀書史戠武立𥁕成𡐦
2782.	格白𣪘六	𡴀書史戠武立𥁕成𡐦

小計：共 7 筆

Lu b230

7871	子禾子釜	□□目其Lu

小計：共 1 筆

Lv b231

7871	子禾子釜	又外Lv又

小計：共 1 筆

Lw b232

5780	公孫𥨷壺	公子土斧乍子中姜Lw之盤壺

小計：共 1 筆

b233

2583	鄁公𣪘	鄁公白䀇用吉金

小計：共 1 筆

b234

1466	亞餘弇母辛鬲	[亞俞]弇入𩛥干女子
2635	賢𣪘一	賢百畮、𩛥
2636	賢𣪘二	賢百畮、𩛥
2637	賢𣪘三	賢百畮、𩛥
2638	賢𣪘四	賢百畮、𩛥

小計：共 5 筆

b235

盠 盟 Lz L0 寷

1322	九年裘衛鼎	舍顏有嗣壽商圝、裘盠冟
4888	盠駒尊一	王乎師豦召盠
4888	盠駒尊一	王親旨盠駒、易兩
4888	盠駒尊一	mo皇盠身
4888	盠駒尊一	盠曰、王徲下不其
4888	盠駒尊一	盠曰、余其敢對揚天子之休
4888	盠駒尊一	盠曰、其萬年、世子孫永寶之
4888	盠駒尊一	王拘騎敌、易盠駒
4889	盠駒尊二	王拘駒䧹、易盠駒
4890	盠方尊	穆公右盠
4890	盠方尊	易盠赤市幽亢、攸勒
4890	盠方尊	王令盠曰
4890	盠方尊	盠拜稽首
4890	盠方尊	盠曰：天子不假不其
4890	盠方尊	盠敢拜稽首曰
4979	盠方彝一	穆公右盠
4979	盠方彝一	易盠赤市幽亢、攸勒
4979	盠方彝一	王令盠曰
4979	盠方彝一	盠拜稽首
4979	盠方彝一	盠曰：天子不假不其
4979	盠方彝一	盠敢拜稽首曰
4980	盠方彝二	穆公右盠
4980	盠方彝二	易盠赤市幽亢
4980	盠方彝二	王令盠曰
4980	盠方彝二	盠拜稽首
4980	盠方彝二	盠曰：天子不假不其
4980	盠方彝二	盠敢拜稽首曰

小計：共 27 筆

盟 b236

5450	天黿盟乍父辛卣	宜之商盟

小計：共 1 筆

Lz b237

1275	師同鼎	Lz畀其井師同從

小計：共 1 筆

L0 b238

2659	郾侯庫𣪘	休台口L0

小計：共 1 筆

寷 b239

6753	仲叡父盤	用掦譴中氏窨
7335	窨犽戈	窨犽
		小計：共 2 筆

b240

2223	衛始段一	衛始乍饙qo段
2224	衛始段二	衛始乍饙qo段
		小計：共 2 筆

b241

1217	毛公旛方鼎	我用觙厚眔我友
		小計：共 1 筆

b242

2544	亞𦥑乍父乙段	[亞]辛己、𦥑ub倉、才小圃
		小計：共 1 筆

b243

0906	魯内小臣床生鼎	魯内小臣床生乍鼒
1478	齊不趄鬲	齊不趄乍床白尊鬲
		小計：共 2 筆

b244

4822.	𢓊㑊尊	𢓊㑊乍父辛彝尊[亞𠦪]
		小計：共 1 筆

3 b245

0997	__父鼎一	休王易L3父貝
0998	__父鼎二	休王易L3父貝
0999	__父鼎三	休王易L3父貝
		小計：共 3 筆

4 b246

2176	白__父乍䵼段	白L4父乍䵼段

小計：共 1 筆

孷 b247

0878	亞㠱吳孷乍母癸鼎	[亞㠱吳]孷乍母癸
4340	亞吳孷乍母癸斝	[亞㠱吳]孷乍母癸
4786	亞㠱__乍母癸尊	[亞㠱吳]孷乍母癸
5398	亞㠱吳孷乍母癸卣	[亞㠱吳孷]乍母癸

小計：共 4 筆

喬 b248 參1678號條下

蒿 b249

L6 b250

4202	魯侯爵	魯侯乍La鬯u9

小計：共 1 筆

 L7 b251

7723	__公劍	L7公自睪吉和金

小計：共 1 筆

 L8 b252

2688	大段	易L8羊犅
2810	揚段一	眔司L8，眔司寇
2811	揚段二	眔司L8，眔司寇
2841	芇白段	歸L8敢對揚天子不杯魯休

小計：共 4 筆

䜌 b253

5494	婦䜌乍母辛卣	子光商䜌貝二朋
5494	婦䜌乍母辛卣	䜌用乍母辛彝

小計：共 2 筆

 L9 b254

0990	__白肆鼎	L9白肆白乍pz寶鼎

小計：共 1 筆

差 b255 參0729號條下

b256 參0929號條下

c b257

2870	㣈__匿	㣈mc鑄其寶匿
		小計：共 1 筆

d b258

2127	__乍寶毁	md𦉪乍寶毁
		小計：共 1 筆

e b259

1330	曶鼎	□□木me
		小計：共 1 筆

b260

2162	畬乍父丁旅毁	畬乍父丁旅彝
4728	畬乍父丁旅尊	畬乍父丁旅彝
		小計：共 2 筆

b261

2710	𦘺自乍寶器一	王吏榮蔑曆令桂邦
2711	𦘺自乍寶器二	王吏榮蔑曆令桂邦
6793	矢人盤	封于播城桂木
		小計：共 3 筆

b262

5807	綴__君鉼	酉、炑、綴qm君刀鉼二ta
		小計：共 1 筆

G b263

2694	㢊乍且考毁	公白易皁臣弟㢊井五mG
		小計：共 1 筆

h b264

果
mc
md
me
畬
桂
炑
mG
mh

2778	格白𣪘一	還谷旅mh
2779	格白𣪘二	還谷旅mh
2780	格白𣪘三	還谷旅mh
2781	格白𣪘四	還谷旅mh
2782	格白𣪘五	還谷旅mh
2783	格白𣪘六	還谷旅mh
		小計：共 6 筆

梠 b265

0615	梠乍寶鼎	梠乍寶鼎
		小計：共 1 筆

梌 b266

1444	黃虎梌鬲	唯黃虎梌用吉金乍鬲
5492	亞獏四祀卲其卣	己酉、王才梌
		小計：共 2 筆

 mj b267 或釋榑，傳

7899	鄂君啟車節	母（毋）舍mj（榑，傳）飤
7900	鄂君啟舟節	母（毋）舍mj（榑，傳）飤
		小計：共 2 筆

柟 b268

1529	仲柟父鬲一	師湯父有嗣中柟父乍寶鬲
1530	仲柟父鬲二	師湯父有嗣中柟父乍寶鬲
		小計：共 2 筆

 mk b269

7693	夨人盤	以東封于mk東彊右
		小計：共 1 筆

斮 b270

6633	斮乍文考觶	王工从斮各中
6633	斮乍文考觶	中易斮v3
6633	斮乍文考觶	斮揚中休
		小計：共 3 筆

b271

2388	大保乍父丁𣪘	大保易厥臣櫅金
		小計：共　1 筆

m b272

2826	師𡩜𣪘一	𡨦，𤔲，mm，un，左右虎臣
2826	師𡩜𣪘一	𡨦，𤔲，mm，un，左右虎臣
2827	師𡩜𣪘二	𡨦，𤔲，mm，un，左右虎臣
		小計：共　3 筆

n b273

1157	禽鼎	王伐mn（ 𦰩 ）侯
2585	禽𣪘	王伐mn（ 𦰩 ）侯
4850	㓝劫尊	王征mn（ 𦰩 ）
		小計：共　3 筆

o b274

1668	中甗	曰叚，曰mo
4888	盠駒尊	mo皇盠身
		小計：共　2 筆

b275

1009	𢇁侯䉼鼎	𢇁侯隻（ 獲 ）巢
2855	班𣪘一	秉緐、蜀、巢令
2855.	班𣪘二	秉緐蜀巢
7899	鄂君啟車節	適高丘、適下蔡、適居鄛（ 鄛巢 ）、適郢
M160	□貯𣪘	隹巢來攸王令東宮追目六𠂤之年
		小計：共　5 筆

p b276

1260	我方鼎	mp貝五朋
		小計：共　1 筆

b277

1322	九年裘衛鼎	舍顏有𤔲壽商𧹞、裘盠冟
1332	毛公鼎	𧹞𧹞（ 恪 ）大命
1332	毛公鼎	𧹞夙夕

櫅 mm mn mo 巢 mp 𧹞

2763	弔向父禹𣪘	用𪇓(緟)䜌奠保我邦我家
2834	㝬𣪘	𪇓(緟)䜌皇帝大魯令
2840	番生𣪘	用𪇓(緟)䜌大令
6792	史墻盤	天子䜌𦣞文武長剌
7158	𤼈鐘一	秉明德、䜌夙夕、左尹氏
7160	𤼈鐘三	秉明德、䜌夙夕、左尹氏
7161	𤼈鐘四	秉明德、䜌夙夕、左尹氏
7162	𤼈鐘五	秉明德、䜌夙夕、左尹氏
		小計：共 11 筆

圍 b278
圞 b278

1046	圍方鼎	休朕公君匽侯易圍貝
M126	圞卣	王易圞貝
		小計：共 2 筆

僨 b279

1229	厚趠方鼎	厚趠又僨于𨒡公
		小計：共 1 筆

mq b280

7117	叙𩁹兒鐘一	余mqiv兒得吉金鎛鋁
7119	叙𩁹兒鐘三	余mqiv兒得吉金鎛鋁
		小計：共 2 筆

斆 b281

1330	曶鼎	斆曰于王參門
		小計：共 1 筆

祁 b282

6792	史墻盤	nw祁上下
		小計：共 1 筆

郢 b283

2435	散車父𣪘一	散車父乍皇陊姞㚔(餗)𣪘
2436	散車父𣪘二	散車父乍皇陊姞餗𣪘
2437	散車父𣪘三	散車父乍皇陊姞餗𣪘
2438	散車父𣪘四	散車父乍皇陊姞餗𣪘

2438.	散車父𣪕五	散車父乍𡢁陊姞餗𣪕
2438.	㪔車父乍𡢁陊姞餗𣪕	散車父乍𡢁陊姞餗𣪕
2438.	㪔車父乍𡢁陊姞餗𣪕二	散車父乍𡢁陊姞餗𣪕
		小計：共　7 筆

b284

1204	淮白鼎	淮白乍鄁＿寶尊＿
7213	𨭱鎛	與鄁之民人
		小計：共　2 筆

mt b285

7219	冉鉦城（南疆征）	余台□mt
		小計：共　1 筆

b286

2934	曾子遷彝匿	曾子遷魯為孟姬鄁鑄賸匿
		小計：共　1 筆

mv b287

7436	敓乍戈	敓乍mv王戈
		小計：共　1 筆

b288　參0625號條下

b289　參1524號條下

b290

2830	三年師兌𣪕	𨌲白右師兌入門、立中廷
		小計：共　1 筆

my b291

2665	＿弔𣪕	k1弔u4my于西宮
		小計：共　1 筆

b292

4822.	𢓊𠐍尊	𢓊𠐍乍父辛彝尊［亞𠪚］

鄁 mt 陰 mv 果 匍 𨌲 my 𢓊

旂
m0
旃
旟
m3
施
m4
m5

		小計：共 1 筆

 m0 b293

0954	白_乍畢宗方鼎	白m0乍畢宗寶尊彝v8
		小計：共 1 筆

旃 b294

2265	旃乍寶毁	旃乍寶尊彝用饎
		小計：共 1 筆

旟 b295

1329	小字盂鼎	□趞白□□戠旟虘目新□從、咸
4744	白旟尊一	白旟乍寶尊彝
4745	白旟尊二	白旟乍寶尊彝
4746	白旟尊三	白旟乍寶尊彝
		小計：共 4 筆

 m3 b296

4063	_乍父乙爵	m3乍父乙
		小計：共 1 筆

施 b297

1331	中山王譽鼎	奭（與）其汋（溺）烏（於）人施（也）
1331	中山王譽鼎	此易言而難行施（也）
1331	中山王譽鼎	智施（也）
1331	中山王譽鼎	智（知）為人臣之宜施（也）
5805	中山王譽方壺	以阤（施）及子孫
5805	中山王譽方壺	余知其忠信施（也）
5805	中山王譽方壺	下不順於人施
5805	中山王譽方壺	則臣不忍見施
		小計：共 8 筆

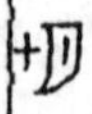 m4 b298

5440	_白日_乍父丙卣	ha白日m4乍父丙寶尊彝
		小計：共 1 筆

 m5 b299

7157	邾公華鐘	愼為之mn(名, 聽, 耶)
		小計：共 1 筆

6 b300

2842	卯設	今余非敢m6先公
		小計：共 1 筆

b301

1304	王子午鼎	𢻻𢍰𢉅犀
1622	𢻻弗生甗	𢻻弗生乍旅彝
6910	師永盂	公迺命鄭𤔲徒𢻻父
7175	王孫遺者鐘	余𢻻𢍰𢉅犀
		小計：共 4 筆

b302

2519	周𩰫生媵設	周𩰫生乍楷娟媿媵設
6618	𡚸𩰫__乍且辛觶	[𡚸𩰫vr]乍且辛彝
		小計：共 2 筆

b303

0848	木工乍妣戊鼎	木工乍匕戊𩰫[冊]
0892	𢼸𩰫引乍文父丁鼎	引乍文父丁[𩰫𢼸𩰫]
0966	匚宁乃孫乍且己鼎	乃孫乍且己宗寶𩰫𩰫[匚宁]
1191	堇乍大子癸鼎	用乍大子癸寶尊𩰫[句冊句]
1209	𡦹方鼎	用乍母己尊𩰫
1219	戍嗣子鼎	用乍父癸寶𩰫
		小計：共 6 筆

b304

1466	亞𩰫𢍰母辛鬲	[亞俞]𢍰入餗于女子
2635	賢設一	賢百畮、餗
2636	賢設二	賢百畮、餗
2637	賢設三	賢百畮、餗
2638	賢設四	賢百畮、餗
		小計：共 5 筆

8 b305

m6 𢻻 𩰫 𩰫 餗 m8

5492 亞獏四祀𠨘其卣 丁未，m8

小計：共 1 筆

m8
鏤 鏤 b306
na
nb 0565 𣪘父丁鏤鼎 [𣪘]父丁鏤
nc 0892 𣪘𡚬引乍文父丁鼎 引乍文父丁[𡚬𣪘鏤]
nd 1274 哀成弔鼎 乍鑄飤器黃鏤
ne 4925 𣪘仲子引觥 中子𡚬引乍文父丁尊彝[鏤]
nf

小計：共 4 筆

na b307

0704 __𣦼乍寶鼎 vL𣦼乍寶na

小計：共 1 筆

nb b308

2346 __乍𩜙𣪘 nb從王伐荊，孚

小計：共 1 筆

nc b309

5579 乃孫乍且甲罍 共iw____共乍nc

小計：共 1 筆

nd b310

2105 __乍寶尊彝𣪘 nd乍寶尊彝

小計：共 1 筆

ne b311

0860 __鼎 ne乍尊彝，用匄永福

小計：共 1 筆

nf b312

7899 鄂君啟車節 大攻尹脽台王命命集尹郘(悼)nf
7900 鄂君啟舟節 大攻尹脽台王命命集尹郘(悼)nf

小計：共 2 筆

b313

1598	__乍寶彝甗	nG乍寶彝
		小計：共 1 筆

b314

2171	__乍父辛毀	nh囗乍父辛彝
		小計：共 1 筆

b315

1174	昜乍旅鼎	寏白于成周休賜小臣金
		小計：共 1 筆

b316

5456	曩子乍婦婤卣	女子母庚宑[曩]
5466	顯乍母辛卣一	顯易婦rb、曰用鬻于乃姑宑
5467	顯乍母辛卣二	顯易婦rb、曰用鬻于乃姑宑
M143	顯壺	用鬻于乃姑宑
		小計：共 4 筆

b317

1219	戍嗣子鼎	在闌宰
		小計：共 1 筆

b318

2771	弭弔師求毀一	井弔內、右師求
2771	弭弔師求毀一	王乎尹氏冊命師求
2771	弭弔師求毀一	師求拜䭫首
2772	弭弔師求毀二	井弔內、右師求
2772	弭弔師求毀二	王乎尹氏冊命師求
2772	弭弔師求毀二	師求拜䭫首
		小計：共 6 筆

b319

5781	曾姬無卹壺一	osnL玆漾陲
5782	曾姬無卹壺二	osnL玆漾陲
		小計：共 2 筆

nm
宓
nn
寂
寰
np

nm b320

4676 __乍旅彝尊 nm乍旅彝尊

小計：共 1 筆

宓 b321 即密字，參正編1537號密字條下

2916 宓姒旅匝 宓姒(始)乍旅匡

小計：共 1 筆

nn b322

2842 卯殷 易于nn一田

小計：共 1 筆

寂 b323

5433 [奘]亞束寂㝬乍父癸卣 [亞束]寂㝬乍父癸寶尊彝[奘]

小計：共 1 筆

寰 b324

1080 華仲義父鼎一 中義父乍新寰寶鼎
1081 華仲義父鼎二 中義父乍新寰寶鼎
1082 華仲義父鼎三 中義父乍新寰寶鼎
1083 華仲義父鼎四 中義父乍新寰寶鼎
1084 華仲義父鼎五 中義父乍新寰寶鼎
1219 戍嗣子鼎 隹王寰闌大室、才九月
1239 __鼎一 nt用乍寰公寶尊鼎
1240 __鼎二 nt用乍寰公寶尊鼎
1263 呂方鼎 王寰口大室
2655 小臣靜殷 王寰葊京
2853. 尹殷 王初寰口口口口周
4447 臣辰冊冊乡乍冊父癸盉 出寰葊京年
4873 臣辰冊岁冊乍父癸尊 隹王大龠于宗周祉寰葊京年
5501 臣辰冊冊乡卣一 祉寰葊京年
5502 臣辰冊冊乡卣二 祉寰葊京年
5509 奘卣 王初寰旁
M171 小臣靜卣 王寰葊京

小計：共 17 筆

np b325

5725 呂王__乍內姬壺 呂王np乍內姬尊壺

		小計：共　1 筆
b326		
2533	己侯貉子段	己姜石用䤻用匄萬年
		小計：共　1 筆
b327		
1328	盂鼎	今我隹即井啇于玟王正德
		小計：共　1 筆
nq b328		
1221	井鼎	辛卯，王漁于nqui
		小計：共　1 筆
nr b329		
1207	眉_鼎	o0學師眉vw王為周nr
		小計：共　1 筆
ns b330		
4862	嬕能匋尊	能匋易貝于䧹智公矢ns五朋
5469	白_卣	白ns父日
		小計：共　2 筆
b331	參1213號條下	
nt b332		
1239	_鼎一	溓公令nt眔史旅曰
1239	_鼎一	nt孚貝
1239	_鼎一	nt用乍竄公寶尊鼎
1240	_鼎二	溓公令nt眔史旅曰
1240	_鼎二	nt孚貝
1240	_鼎二	nt用乍竄公寶尊鼎
		小計：共　6 筆
nu b333		
1453	_嬦鬲	un嬦乍尊鬲

nv
nw
nx
ny
nz
n0
n1
n2

小計：共 1 筆

 nv b334

J0398 康伯𣪕 拓本未見

小計：共 1 筆

 nw b335

6792 史墻盤 nw祁上下

小計：共 1 筆

 nx b336

1328 盂鼎 人鬲千又五十夫𢓊nx𨓚自氒土

小計：共 1 筆

 ny b337

4420 白__自乍用盉 白ny自乍用盉

小計：共 1 筆

 nz b338

5801 洹子孟姜壺一 瑾nz無用從爾大樂
5802 洹子孟姜壺二 瑾nz無用從爾大樂

小計：共 2 筆

 no b339

4883 耳尊 侯各于q3n0

小計：共 1 筆

 n1 b340

0293 __斿鼎 n1斿

小計：共 1 筆

 n2 b341

7870 陳純釜 n2命左關帀jr4

小計：共 1 筆

b342

2791	豆閉毀	嗣窦俞邦君

小計：共 1 筆

b343

2327	弔窻乍日壬毀	弔窻乍日壬寶尊彝[舟]
5566	楚高罍一	征窻右征莉尹楚高

小計：共 2 筆

b344

2935	䆫侯乍弔姬寺男媵匠	䆫侯乍弔姬寺男睉(媵)匠

小計：共 1 筆

b345

1331	多友鼎	易女圭瓚一湯，鐘一齎
2842	卯毀	易女圭四章，瑴，宗彝一齎，寶

小計：共 2 筆

n6 b346

J1488	繼省毀	拓本未見

小計：共 1 筆

n7 b347

0700	姚乍__餴鼎	姚乍n7餴鼎

小計：共 1 筆

n8 b348

3122	君之孫盧(者旨留盤)	n8君之孫郐命尹者旨留
6754.1	郐令尹者旨留爐盤	n8君之孫郐命尹者旨留

小計：共 2 筆

b349

1276	__季鼎	王易赤θ市、玄衣黹屯、鑾旂

1290	利鼎	易女赤θ市、鑾旂、用事
1330	曶鼎	易女赤θ囗、用事
2726	曶毁	易戠衣、赤θ市
2762	免毁	易女赤θ市、用吏
2768	楚毁	赤θ市、綵鑾旂
2770	戠毁	易女戠衣、赤θ市、鑾旂
2776	走毁	易女赤θ市、鑾旂、用吏
2787	朢毁	易女赤θ市、鑾、用吏
2787	朢毁	易女赤θ市
2791	豆閉毁	王曰：閉、易女戠衣、θ市、鑾旂
2810	揚毁一	賜女赤θ市、鑾旂
2811	揚毁二	賜女赤θ市、鑾旂

小計：共 13 筆

來 b350

2765	敔毁	來se拜稽首

小計：共 1 筆

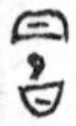 oa b351

1275	師同鼎	孚戎金oa卅

小計：共 1 筆

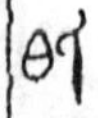 ob b352

6773	_湯弔盤	林匋湯弔obG1鑄其尊

小計：共 1 筆

 oc b353

6897	永盂	永乍寶尊彝[oc]

小計：共 1 筆

 od b354

6334	_觶	od

小計：共 1 筆

処 b355

5472	乍毓且丁卣	歸福于我多高処山易楚
5472	乍毓且丁卣	歸福于我多高処山易楚

		小計：共 2 筆
b356		
2318	琱幽冀乍父癸毀	琱幽冀乍父癸寶尊彝
		小計：共 1 筆
b357		
2495	季_父徹毀	季oa父徹乍寶毀
		小計：共 1 筆
b358		
2778	格白毀一	歐妊彶佗𢍰從格白安彶甸
2778	格白毀一	歐妊彶佗𢍰從格白安彶甸
2780	格白毀三	歐妊彶佗𢍰從格白安彶甸
2781	格白毀四	歐妊彶佗𢍰從格白安彶甸
2782	格白毀五	歐妊彶佗𢍰從格白安彶甸
2782.	格白毀六	歐妊彶佗𢍰從格白安彶甸
		小計：共 6 筆
b359		
1004	鑄客鼎	鑄客為集脯、仲脯、睘豚脯為之
		小計：共 1 筆
b360	參1322條下	
b361		
7218	郐諧尹征城	oJ至劍兵
		小計：共 1 筆
b362		
7117	郐歠兒鐘一	曾孫歠兒
7118	郐儔兒鐘二	曾孫歠兒
		小計：共 2 筆
b363		
7117	郐歠兒鐘一	余崧佫之元子
7118	郐儔兒鐘二	余崧佫之元子

om
on
oo
op
oq
or
os

小計：共 2 筆

om b364

6625 弔＿乍桷公觶 弔om乍桷公寶彝

小計：共 1 筆

on b365

5651 公子裙壺 { 公子 }裙on

小計：共 1 筆

oo b366

1322 禹鼎 命禹oo朕且考政于井邦

小計：共 1 筆

op b367

4421 徒遽＿乍父己盉 徒遽op乍父乙

小計：共 1 筆

oq b368

0973 白＿乍妣羞鼎一 白oq乍嫊（ 曹 ）妹oq羞鼎
0974 白＿乍妣羞鼎二 白oq乍嫊（ 曹 ）妹oq羞鼎
0975 白＿乍妣羞鼎三 白oq乍嫊（ 曹 ）妹oq羞鼎
0976 白＿乍妣羞鼎四 白oq乍嫊（ 曹 ）妹oq羞鼎

小計：共 4 筆

or b369

2841 茾白段 王命中到（ 致 ）歸茾白or裘
2841 茾白段 易女or裘

小計：共 2 筆

os b370

5781 曾姬無卹壺一 osnL茲漾陲
5782 曾姬無卹壺二 osnL茲漾陲

小計：共 2 筆

b371 參2156號條下

b372

2694	㾓乍且考毀	易衰冑，干戈
		小計：共 1 筆

b373

1332	毛公鼎	金車𣪕較、朱䰍𠧪（鞃）靳、虎冟熏裏、右厄
2816	彔白𢦚毀	金車、桒𠷎較桒𠧪（宏）、朱虢靳
2830	三年師兌毀	𠧪靳
2840	番生毀	朱䰍鞃靳、虎冟熏裏、遣衡右戹
2857	牧毀	朱虢、𠧪靳、虎冟、熏裏
3088	師克旅盨一（蓋）	牙僰、駒車、桒較、朱虢、𠧪靳
3089	師克旅盨二	牙僰、駒車、桒較、朱虢、𠧪靳
3090	㙬盨（器）	乃父市、赤舄、駒車、桒較、朱虢、𠧪靳
4978	吳方彝	金車、桒𠧪（鞃）、朱虢靳
5791	十三年㾓壺一	王乎乍冊尹冊易㾓畫靳
5792	十三年㾓壺一	王乎乍冊尹冊易㾓畫靳
		小計：共 11 筆

b374

5392	散白乍__父卣一	散白乍ot父尊彝
5392	散白乍__父卣一	散白乍ot父尊彝
5393	散白乍__父卣二	散白乍ot父尊彝
		小計：共 3 筆

b375

4443	王仲皇父盉	王仲皇父乍ou媜（妘）般盉
		小計：共 1 筆

b376

2210	㞒乍䪨白寶毀	㞒乍䪨白寶毀
		小計：共 1 筆

b377

0990	__白肆鼎	L9白肆乍pz寶鼎
		小計：共 1 筆

艦 艬 oy oz o0 o1 履 頁 o4

艦 b378

2177 白艦乍寶段 白艦乍寶尊彝

小計：共 1 筆

艬 b379

J1488 艬省段 拓本未見

小計：共 1 筆

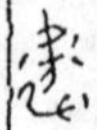 oy b380

1018 驫屯乍父己鼎一 屯蔑曆于口oy（衛?)
1019 驫屯乍父己鼎二 屯蔑曆于口oy（衛?)

小計：共 2 筆

 oz b381

5803 胤嗣好盗壺 竹oz亡彊

小計：共 1 筆

 o0 b382

1207 眉__鼎 o0卑師眉vw王為周nr

小計：共 1 筆

 o1 b383

5738 ____壺 o9o1乍寶壺

小計：共 1 筆

履 b384 參1421+號條下

頁 b385 參1466號條下

o3 b386

4974 __方彝 o3啟蹦宁百生，揚

小計：共 1 筆

 o4 b387

2942 楚子__飤固一 楚子o4鑄其飤固

2943	楚子__臥匠二	楚子o4鑄其臥匠
2944	楚子__臥匠三	楚子o4鑄其臥匠
		小計：共　3 筆
b388		
4723	戉顯乍尊彝尊	顯乍尊彝[戉]
5466	顯乍母辛卣一	顯乍母辛尊彝
5466	顯乍母辛卣一	顯易婦rb、曰用䨻于乃姑宄
5467	顯乍母辛卣二	顯乍母辛尊彝
5467	顯乍母辛卣二	顯易婦rb、曰用䨻于乃姑宄
M143	顯壺	顯乍母辛尊彝
M143	顯壺	顯易婦rb曰
		小計：共　8 筆
5 b389		
0647	天黿婦__鼎	[天黽]婦o5
		小計：共　1 筆
6 b390		
1024	大師人__乎鼎	大師人o6乎乍寶鼎
		小計：共　1 筆
b391		
1135	獻侯乍丁侯鼎	賞獻侯賜貝
1136	獻侯乍丁侯鼎二	賞獻侯賜貝
		小計：共　2 筆
7 b392		
2892	長子口臣乍媵匠	長子o7臣Ⅹ其吉金
2892	長子口臣乍媵匠	長子o7臣Ⅹ其吉金
		小計：共　2 筆
8 b393		
6909	遡盂	天君事遡事o8
		小計：共　1 筆
9 b394		

o4
顯
o5
o6
賜
o7
o8
o9

o9
壐
pa
pb
pc
ᐃ卩
pd

1359	__壬子鬲	[o9]子
2085	子眉__父乙𣪘	子o9父乙
5738	____壺	o9o1乍寶壺

小計：共 3 筆

壐 b395

1298	師旂鼎	白懋父迺罰得壐古三百寽

小計：共 1 筆

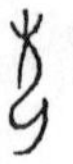 pa b396

1208	乙亥乍父丁方鼎	王饗彡，尹pa遲
1503	御鬲	王pa商御貝
1824	____𣪘	[pacd]
2544	亞𢐗乍父乙𣪘	王pa商𨸏𠂤貝

小計：共 4 筆

 pb b397

6877	𠑵乍旅盉	今女亦既又pb誓

小計：共 1 筆

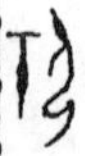 pc b398

4415	戈__乍父丁盉	[戈]pc乍父丁盉

小計：共 1 筆

ᐃ卩 b399

0859	ᐃ卩小子句鼎	ᐃ卩小子句乍寶鼎
1847.	ᐃ卩刀且己𣪘	[ᐃ卩刀]且己
2337	ᐃ卩乍寶𣪘	ᐃ卩乍寶𣪘用鄉王逆造事

小計：共 3 筆

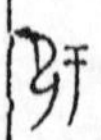 pd b400

4157	㴘黽婦__爵一	黽婦pd彝[㚸]
4158	㴘黽婦__爵二	黽婦pd彝[㚸]
4166.1	㴘黽婦__爵	黽婦pd彝[㚸]
6278	臤𢀜用__日義觚	用乍pd日乙尊彝[臤]

小計：共 4 筆

e b401

5811	曾白文𨬍	唯曾白父自乍𠦪pe𨬍
		小計：共 1 筆

f b402

5773	陳喜壺	陳喜再立事歲pf月己酉
		小計：共 1 筆

G b403

7871	子禾子釜	pG寅□□
		小計：共 1 筆

h b404

1299	噩侯鼎	王南征伐角ph
		小計：共 1 筆

b405

1236	不𣅀方鼎甲二	華鄛（ 祼 ）
1299	噩侯鼎一	乃鄛（ 祼 ）之
1332	毛公鼎	易女秬鬯一卣、鄛（ 祼 ）圭瓚（瓚？ ）寶
6784	三十四祀盤（ 祼盤 ）	鮮蔑鄛、王鄛玉三品、貝廿朋
		小計：共 5 筆

i b406

0979	__君鼎	pi君婦媿霝乍旅尊鼎
0980	__君鼎	pi君婦媿霝乍旅__
4435	__君盉	pi君婦媿霝乍旅__
		小計：共 3 筆

b407

3121	王子嬰次盧	王子嬰次之炒盧
		小計：共 1 筆

b408

pe
pf
pG
ph
鄛
pi
炒
pJ

5485 貉子卣一 王牢于pJ，hG，宜
5486 貉子卣二 王牢于pJ，hG，宜

小計：共 2 筆

 pk b409

1194 郐王𦔻鼎 用𤈦pk腊

小計：共 1 筆

 pL b410

6786 __弔多父盤 pL弔多父盤

小計：共 1 筆

 pm b411

4854 __車㚸乍公日辛尊 白從王女南攸貝鮁pm

小計：共 1 筆

 pn b412

2841 𦬠白毁 弗忘小pn邦

小計：共 1 筆

 po b413

7900 鄂君啟舟節 適po（ 鄖 ），適芸（ 郇 ）陽，逾漢

小計：共 1 筆

宅 b414 參1183號條下

廟 b415

0221 子廟鼎 [子廟]
4794 𩲃乍且乙尊 𩲃乍且乙寶彝[子廟]
5183 子廟圖卣一 [子廟圖]
5184 子廟圖卣二 [子廟圖]
6550 子廟父乙觶 [子廟]父乙

小計：共 5 筆

 pp b416

4883 耳尊 pp師q3對揚侯休

小計：共 1 筆

q b417

7866	少府小器	少府pq二鎰

小計：共 1 筆

b418

2483	量侯毀	量侯豺作寶尊毀

小計：共 1 筆

r b419

5816.1	伯亞臣𦉜	黃孫馬pr子白亞臣自乍𦉜

小計：共 1 筆

b420

1095	函皇父鼎	函皇父乍𡜲妘尊兔鼎

小計：共 1 筆

b421

1328	盂鼎	女勿𩜁余乃辟一人
4840	弔𩜁方尊	弔𩜁易貝于王姒用乍寶尊彝
4874	萬諆尊	其則此𩜁□
4967	弔𩜁方彝	弔𩜁易貝于王姒

小計：共 4 筆

b422

4157	𨟻黽婦＿爵一	黽婦pd彝[獎]
4158	𨟻黽婦＿爵一	黽婦pd彝[獎]
4166.	黽婦＿爵	黽婦pd彝[獎]
6278	𠬪䢅用＿日𢓊觚	黽婦賞于䢅

小計：共 4 筆

b423

2866	樊君飛𩛥匜	樊君飛之𩛥匜

小計：共 1 筆

pq
豺
pr
pr
兔
𩜁
黽
飛

沃
犬
pv
pw
px
py
雌
臾

沃 b424

4427	杺冊沃乍父乙盉一	沃乍父乙尊彝[杺冊]
4428	杺冊沃乍父乙盉二	沃乍父乙尊彝[杺冊]
5684	杺_沃父乙壺	沃父乙彝[杺冊]
		小計：共 3 筆

犬 b425

2206	弔犬乍寶彝毁一	弔犬乍寶尊毁
		小計：共 1 筆

pv b426

2509	旅仲毁	旅仲乍pv寶毁
		小計：共 1 筆

pw b427

4863	奚乍父乙尊	隹公pw于宗周
		小計：共 1 筆

px b428

4449	裘衛盉	衛{ 小子 }px逆者其鄉
		小計：共 1 筆

py b429

1284	尹姞鼎	穆公乍尹姞宗室于py林
1284	尹姞鼎	各于尹姞宗室py林
		小計：共 2 筆

雌 b430

0990	_白肄鼎	L9白肄乍雌寶鼎
		小計：共 1 筆

臾 b431

4854	_車臾乍公日辛尊	臾從王女南

小計：共 1 筆

1 b432

2332	白__乍媿氏旅段	白p1乍媿氏旅用追考（孝）	p1

p2
冶

小計：共 1 筆

2 b433

2677	居__敟段一	p2賢余一斧__舍余一斧
2678	居__敟段二	p2賢余一斧__舍余一斧

小計：共 2 筆

b434 金文編0686號第二行但形當釋冶字

0868	之左鼎	□廎（府）之左但（冶）□□盛
1043	卅年鼎	卅年、庚____事__冶巡鑄
1090	十三年梁上官鼎	十三年、梁陰命率上官__子疾冶乘鑄
1169	平安邦鼎	廿八年坪安邦冶客截｛四分｝齍
1170	信安君鼎	眡（視）事司馬欿、冶王石
1170	信安君鼎	眡（視）事欿、冶瘤
1231	楚王酓忓鼎一	冶工師盤野佐秦忓為之
1232	楚王酓忓鼎二	冶工師盤野佐秦忓為之
5779	安邑下官鍾	府嗇夫__冶事左__止大斛斗一益少半益
6776	楚王酓忓盤	冶帀紹夅差陳共為之
7350	冶瘍戈	冶瘍
7409	去戈	去皮造戟冶
7493	十四年戈	四年卅工帀明冶乘
7501	齊成右戈	齊成右造車戟、冶絅
7503	七年戈	十年得工戈冶左勿
7504	廿三年□陽令戈	工帀倉壘、冶□
7512	六年奠令韓熙戈	六年鄭令韓熙□、右庫工帀馬__冶狄
7522	卅三年大梁左庫戈	卅三年大梁左庫工帀丑冶刅
7523	四年戈	四年命韓__右庫工帀__冶__
7524	三年脩余令戈	三年逌余命韓__工帀____、冶__
7526	卅四年屯丘令戈	卅四年屯丘命爽左工帀谿冶□
7531	廿九年高都令陳愈戈	工帀華、冶無
7532	九年我□令雍戈	高望、九年𢦏丘命雍工帀__冶__
7533	卅二年帶令戈	卅三年帶命初左庫工帀臣冶山
7534	□__戈	□__命司馬伐右庫工帀高反冶□
7535	三年汪陶令戈	下庫工帀王喜冶□
7538	邢令戈	工帀郢討冶奐
7541	四年咎奴戈	四年咎奴__命壯罌工帀賓疾冶問
7542	廿四年右馬令戈	廿四年申陰令右庫工帀戠冶曁
7544	八年亲城大令戈	八年亲城大命韓定工帀宋費冶褚
7546	王三年奠令韓熙戈	王三年奠命韓熙右庫工師吏史□冶□
7548	元年__令戈	__命夜會上庫工帀冶門旅其都
7549	十六年喜令戈	喜命（倫）韓鳳左庫工帀司馬裕冶何

	7550	十二年少令邯鄲戈	十二年㽙命邯鄲□右庫工帀□紹台倉造
	7551	十二年㽙令邯鄲戈	十二年㽙命邯鄲□右庫工帀□紹台倉造
	7553	廿年奠令戈	右庫長阪冶贛
冶	7558	十四年奠令戈	工帀鑄章冶□
	7559	十五年奠令戈	工帀陳平冶贛
	7560	十六年奠令戈	工帀皇㢋冶__
	7561	十七年奠令戈	工帀皇晏冶□
	7562	廿一年奠令戈	廿一年奠命𪐗族司寇裕左庫工帀吉□冶□
	7563	卅一年奠令戈	卅一年奠命槲司寇㽙它坣庫工帀冶㝬啟
	7567	廿九年相邦㽙□戈	左庫工帀𨞦番冶__義執齊
	7568	四年奠令戈	武庫工帀弗__冶尹__造
	7569	五年奠令戈	右庫工帀__高冶尹__　造
	7570	六年奠令戈	六年奠命__幽司寇向__左庫工帀倉慶冶尹成贛
	7571	八年奠令戈	八年奠命__幽司寇史墜右庫工帀易高冶尹__□
	7572	十七年彘令戈	十七年彘命𪐗㽙司寇奠__右庫工帀□較冶□□
	7626	格式矛	格氏冶__
	7651	秦子矛	左右市冶用逸□
	7652	五年鄭令韓□矛	左庫工帀陽函冶尹侃
	7653	十年邦司寇富無矛	上庫工帀戎閒冶尹
	7654	十二年邦司寇野矛	上庫工帀司馬丘茲冶賢
	7656	七年宅陽令矛	右庫工帀夜瘥冶趣造
	7657	九年鄭令向甸矛	武庫工帀鑄章冶造
	7658	五年春平侯矛	工帀______冶執齊
	7659	元年春平侯矛	邦右庫工帀㽙瘁冶□闢執齊
	7661	三年建躳君矛	邦左庫工帀□□冶尹月執齊
	7662	八年建躳君矛	邦左庫工帀杌□冶尹□執齊
	7663	卅二年奠令槍□矛	坣庫工帀皮冶尹造
	7664	元年奠命槍□矛	坣庫工帀皮□冶尹貞造
	7665	三年奠令槍□矛	坣庫工帀皮□冶尹貞造
	7666	七年奠令□幽矛	左庫工帀□□冶尹貞造
	7667	卅四年奠令槍□矛	坣庫工帀皮□□冶尹造
	7668	二年奠令槍□矛	坣庫工帀鈹□□冶尹學造□
	7669	四年□雍令矛	左庫工帀刑秦冶俞敷____
	7719	廿九年高都令劍	廿九年高都命陳愈工帀冶乘
	7724	二年春平侯劍	邦左庫工帀□□冶□□□
	7725	元年劍	右庫工帀杜生、冶參執齊
	7726	八年相邦建躳君劍一	冶尹明執齊
	7727	八年相邦建躳君劍二	冶尹明執齊
	7728	八年相邦建躳君劍三	冶尹__執齊
	7729	守相杜波劍	冶巡執齊大攻尹公孫桴
	7730	十五年守相杜波劍一	冶巡執齊大攻尹公孫桴_
	7731	王立事劍一	冶得執齊
	7732	王立事劍二	冶得執齊
	7733	王立事劍三	冶得執齊
	7737	十五年劍	邦左庫工帀代䩞工帀長鑄冶執齊齊
	7738	十七年相邦春平侯劍	邦左庫□工帀□戊未□冶執齊
	7739	卅三年奠令□□劍	坣庫工帀皮冶尹啟造
	7740	四年春平相邦劍	右庫工帀䍜輅__冶臣成執齊
	7742	十三年劍	冶□執齊
	M897	六年安平守劍	冶余執齊

		小計：共 83 筆
b435		
4921	子筵乍父乙觥	子筵才凿
		小計：共 1 筆
3 b436		
4861	噭士卿尊	[子p3]
		小計：共 1 筆
b437	參0080號條下	
b438		
5381	㝬人乍父己卣	[㝬]人乍父己尊彝
5381	㝬人乍父己卣	[㝬]人乍父己尊
5670	遲子壺	遲子㝬尊壺
5685	㝬匕乍父己壺	[㝬]匕乍父己尊彝
6750	白侯父盤	白侯父媵弔媯㝬母槃(盤)
		小計：共 5 筆
4 b439		
7685	__侯武弔之用劍	p4侯武弔之用劍
		小計：共 1 筆
5 b440		
0967	㝬____乍文父甲鼎	p5u3用乍文父甲寶尊彝[㝬]
		小計：共 1 筆
6 b441		
2652	__段	p6乍文且考尊寶段
2652	__段	p6其萬年孫孫子子永寶
		小計：共 2 筆
7 b442		
4872	古白尊	古白曰p7邗乍尊彝
4872	古白尊	曰古白子曰p7v2畢父彝

冶
筵
p3
蔡
㝬
p4
p5
p6
p7

p8
戳
髭
実
矛
p9
qa
p0
pu

小計：共 2 筆

 p8 b443

1128 ＿白氏鼎 白氏姒（始）氏乍wJrmp8賸鼎

小計：共 1 筆

戳 b444 參0527號下

髭 b445

0127 髭鼎 ［髭］
1328 盂鼎 有髭祡蒸祀
3700. 耳髭爵 ［耳髭］
4249 髭斝 ［髭］

小計：共 4 筆

実 b446

2707 小臣守設一 王吏小臣守吏于実
2708 小臣守設二 王吏小臣守吏于実
2709 小臣守設三 王吏小臣守吏于実

小計：共 3 筆

矛 b447 參2291號條下

p9 b448

6720 來＿乍＿盤 來p9乍sr盤

小計：共 1 筆

 qa b449

1455 棨白鬲 棨白鑄鬲于qa

小計：共 1 筆

 p0 b450

6877 儺乍旅盨（匜） p0qb女

小計：共 1 筆

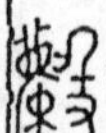 pu b451

6877	儠乍旅盨(匜)	puqb女
6877	儠乍旅盨(匜)	puqb
		小計：共 2 筆

b b452

6877	儠乍旅盨(匜)	p0qb女
6877	儠乍旅盨(匜)	puqb女
6877	儠乍旅盨(匜)	puqb
		小計：共 3 筆

c b453

4764	__白乍父乙尊	qc白乍父乙寶尊
		小計：共 1 筆

b454 參1679號條下

e b455

6774	__右盤	唯qe右
		小計：共 1 筆

f b456

1061	交君子__鼎	交君子qf肈乍寶鼎
2925	交君子__匿一	交君子qf肈乍寶匿
2926	交君子__匿二	交君子qf肈乍寶匿
4882	匡乍文考日丁尊	乍象qf
		小計：共 4 筆

G b457

2606	易__乍父丁毁一	易qG曰
2606	易__乍父丁毁二	易qG曰
		小計：共 2 筆

h b458

6793	矢人盤	嗣土qhjz，嗣馬單qk
		小計：共 1 筆

i b459

pu
qb
qc
奔
qe
qf
qG
qh
qi

2921	_弔乍吳姬匵	qi弔乍吳姬尊匜(匡)
		小計：共 1 筆

諆 b460 請1700參號諆字條下

2126	諆父乍寶毀	諆父乍寶毀
		小計：共 1 筆

 qJ b461

2681	鄘侯毀	嫺乍皇妣qJ君中妃祭器八毀
		小計：共 1 筆

 qk b462

6793	矢人盤	嗣土qhJz，嗣馬單qk
		小計：共 1 筆

 qL b463

5803	胤嗣好盗壺	工qL
		小計：共 1 筆

 qm b464

5807	緻_君鈃	酉，�，緻qm君刀鈃二ta
		小計：共 1 筆

 qn b465

4820	_何乍兄日壬尊	qn乍兄日壬寶尊彝[dk]
5425	何乍兄日壬卣	qn乍兄日壬寶尊彝[dk]
5708	_何乍兄日壬壺	qn乍兄日壬寶尊彝[dk]
		小計：共 3 筆

 qo b466

2223	衛始毀一	衛始乍饑qo毀
2224	衛始毀二	衛始乍饑qo毀
		小計：共 2 筆

p b467

5491	亞㚸二祀卭其卣	qp寽(賓)貝五朋
		小計：共 1 筆

q b468

6793	矢人盤	內陟芻，封于厂qq
		小計：共 1 筆

r b469

6789	寰盤	王乎史qr冊易寰玄衣黹屯
		小計：共 1 筆

b470

0903	毌湆白鼎	[毌]湆白囗乍寶尊彝
2611	毌湆嗣土㝬毀	湆司土㝬眔啚乍氒考尊彝[毌]
3618	毌湆爵一	[毌湆]
3619	毌湆爵二	[毌湆]
3620	毌湆爵三	[毌湆]
4832	毌湆白逘尊一	[毌]湆白逘乍氒彝考寶旅尊
4833	毌湆白逘尊二	[毌]湆白逘乍氒彝考寶旅尊
5446	毌湆白逘旅卣一	[毌]湆白逘乍氒考寶旅尊
		小計：共 8 筆

s b471

1332	毛公鼎	母(毋)敢qs于酒
		小計：共 1 筆

t b472

0723	_律乍寶鼎	qt律乍寶器
		小計：共 1 筆

b473

0895	潶父乍姜懿母鼎一	潶父乍姜懿母餗貞(鼎)
0896	潶父乍姜懿母鼎二	潶父乍姜懿母餗貞(鼎)
		小計：共 2 筆

涇 b474

5785	史懋壺	王才葊京涇宮
6793	矢人盤	我既付散氏涇(隰)田、昔田

小計：共 2 筆

澗 b475

1281	史頌鼎一	澗友里君、百生
1282	史頌鼎二	澗友里君、百生
2752	史頌𣪘一	i1穌澗友里君百生
2753	史頌𣪘二	i1穌澗友里君百生
2754	史頌𣪘三	i1穌澗友里君百生
2755	史頌𣪘四	i1穌澗友里君百生
2756	史頌𣪘五	i1穌澗友里君百生
2757	史頌𣪘六	i1穌澗友里君百生
2758	史頌𣪘七	i1穌澗友里君百生
2759	史頌𣪘八	i1穌澗友里君百生
2759	史頌𣪘九	i1穌澗友里君百生

小計：共 11 筆

湇 b476

M705	曾侯乙編鐘下一・一	獸鐘之湇鑃
M705	曾侯乙編鐘下一・一	穆鐘之湇商
M705	曾侯乙編鐘下一・一	割肄之湇宮
M705	曾侯乙編鐘下一・一	獸鐘之湇徵
M705	曾侯乙編鐘下一・一	新鐘之湇羽
M705	曾侯乙編鐘下一・一	濁坪皇之湇商
M705	曾侯乙編鐘下一・一	濁文王之湇宮
M715	曾侯乙編鐘下二・九	新鐘之湇商
M715	曾侯乙編鐘下二・九	文王之湇鑃
M716	曾侯乙編鐘下二・十	割肄之湇商
M716	曾侯乙編鐘下二・十	鄘音之湇羽

小計：共 11 筆

濾 b477

2990	登白盨	登白乍re濾用

小計：共 1 筆

[illegible]qw b478

4828	__㚔乍父丁尊	王占攸田𡚱乍父丁尊[qw]
5447	王占卣	王占攸田𡚱乍父丁尊[qw]

小計：共 2 筆

b479 參1861號條下

qx b480

6793 矢人盤 以南封于qx逨道

小計：共 1 筆

qy b481

1445 樊君鬲 樊君乍弔qywJ賸器寶J2

小計：共 1 筆

b482

5455 戲乍丁師卣 子易戲棗玗一
5455 戲乍丁師卣 戲棗用乍丁師彝

小計：共 2 筆

b483

2986 曾白桼旅匿一 曾白桼哲聖元元武武孔黹
2986 曾白桼旅匿一 曾白桼叚不黃耇萬年
2987 曾白桼旅匿二 曾白桼哲聖元元武武孔黹
2987 曾白桼旅匿二 曾白桼叚不黃耇萬年

小計：共 4 筆

q1 b484

2676 旅隸乍父乙毁 戊辰，弜師易隸曹，q1𠧟貝

小計：共 1 筆

b485

1017 刺𦆏鼎 刺𦆏乍寶尊

小計：共 1 筆

b486

2803 師酉毁一 王乎史𥎦冊命師酉
2804 師酉毁二 王乎史𥎦冊命師酉
2804 師酉毁二 王乎史𥎦冊命師酉
2805 師酉毁三 王乎史𥎦冊命師酉

2806	師酉設四	王乎史𢦚冊命師酉
2806.	師酉設五	王乎史𢦚冊命師酉
		小計：共 6 筆

𢦚 q2 亘 q4 q5 q6 q7 q8

q2 b487

2289	弜_乍父癸宗設	q2乍父癸宗尊彝[弜]
		小計：共 1 筆

亘 b488

2423	亘_戬設	亘ws戬乍䵼設
		小計：共 1 筆

q4 b489

2796	諫設	王乎内史q4冊命諫曰
2810	揚設一	王乎内史q4冊命揚
2811	揚設二	王乎内史q4冊命揚
		小計：共 3 筆

q5 b490

7443	攻敔王光戈一	攻敔王光自，戈q5
7477	王子孜戈	王子孜之用戈，q5
		小計：共 2 筆

q6 b491

4822.2	_尊	q6乍宗尊孚孫子永寶
		小計：共 1 筆

q7 b492

7069	者沕鐘一	q7(女)亦虔秉不經悳
7070	者沕鐘二	q7(女)亦虔秉不經悳
7071	者沕鐘三	q7(女)亦虔秉不經悳
7072	者沕鐘四	q7(女)亦虔秉不經悳
7073	者沕鐘五	q7(女)亦虔秉不經悳
		小計：共 5 筆

q8 b493

2108 __乍寶彝毀 q8乍寶尊彝

小計：共 1 筆

b494

5276 王乍娘弄卣 王乍q9弄

小計：共 1 筆

b495

J2773 敵作父癸觚 拓本未見

小計：共 1 筆

b496

0927 若鴂乍文嬰宗鼎 若鴂乍文嬰宗尊▆彝

小計：共 1 筆

b497

0888 咸妹早乍且丁鼎 咸敧乍且丁尊彝

小計：共 1 筆

b498

5466 顯乍母辛卣一 顯易帚rb，曰儭于乃姑宓

小計：共 1 筆

b499

0255 𤕌嫰方鼎 [𤕌]嫰

小計：共 1 筆

b500

2061 女姅毀 女姅乍毀
2705 君夫毀 君夫敢姅(奉)揚王休
2786 縣妃毀 縣妃姅(奉)揚白屖父休
4878 召尊 白懋父易召白馬姅黃猶(髮)微

小計：共 4 筆

b501

q8
q9
敵
鴂
敧
rb
嫰
每
rd

rd
妬
嬗
re
rf
rG
敝
姚
ri

4424	白鄙乍旅盉	白鄙乍母rd旅盉
		小計：共 1 筆

嬗 b502

1453	nu嬗鬲	nu嬗乍尊鬲
1506	杜白乍弔嬗鬲	杜白乍叔嬗尊鬲
		小計：共 2 筆

re b503

2990	登白盨	登白乍re盨
		小計：共 1 筆

rf b504

4471	𢻷王盉	𢻷(燹)王乍姬rf盉
		小計：共 1 筆

rG b505

6753	仲𪉵父盤	中𪉵父乍rG尊般(盤)
		小計：共 1 筆

敝 b506

2372	夆乍豐敝段	夆乍豐敝寶段
		小計：共 1 筆

姚 b507

0700	姚乍__餗鼎	姚乍n7餗鼎
1188	旂弔樊乍易姚鼎	旂弔樊乍易姚寶鼎
2572	毛白嘰父段	毛白嘰父乍中姚寶段
2629	牧師父段一	乍敓姚寶段
2630	牧師父段二	乍敓姚寶段
2631	牧師父段三	乍敓姚寶段
M361	井伯南段	井南白乍鄭季姚好尊段
		小計：共 7 筆

ri b508

2518 白田父設 白田父乍井ri寶設

小計：共 1 筆

ri b509

2504 旛賸設 觴rj乍旛婦賸設

小計：共 1 筆

rk b510

2528 魯白大父乍賸設 魯白大父乍季姬rk賸設

小計：共 1 筆

b511

1228 歔□方鼎 楀中賞畢歔□遂毛兩

小計：共 1 筆

rL b512

1401 大乍__鬲 大乍rL寶尊彝

小計：共 1 筆

rm b513

1128 __白氏鼎 白氏姒(始)氏乍wJrmp8賸鼎

小計：共 1 筆

b514 參1005號條下

rn b515

5084 __卣 [rn]
7989 女尌口 [rn]

小計：共 2 筆

b516

1209 嬰方鼎 婌商又正嬰嬰貝

小計：共 1 筆

ro b517

ri
rJ
rk
歔
rL
rm
賸
rn
嬰
ro

ro
rp
rq
rr
rs
rt
燮

5755	散氏車父壺	氏車父乍ro姜口尊壺
5774	散車父壺	楸車父乍皇母ro姜寶壺
		小計：共 2 筆

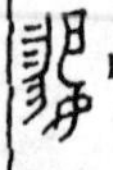 rp b518

7108	膚弔之仲子平編鐘一	rp于hs東
7109	膚弔之仲子平編鐘二	rp于hs東
7110	膚弔之仲子平編鐘三	rp于hs東
7111	膚弔之仲子平編鐘四	rp于hs東
		小計：共 4 筆

 rq b519

7092	㢸羌鐘一	㢸羌乍rq氒辟軋（韓）宗徹
7093	㢸羌鐘二	㢸羌乍rq氒辟軋（韓）宗徹
7094	㢸羌鐘三	㢸羌乍rq氒辟軋（韓）宗徹
7095	㢸羌鐘四	㢸羌乍rq氒辟軋（韓）宗徹
7096	㢸羌鐘五	㢸羌乍rq氒辟軋（韓）宗徹
		小計：共 5 筆

 rr b520

0823	__乍父癸方鼎	乍父癸尊彝[rr]
		小計：共 1 筆

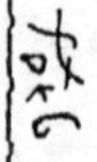 rs b521

0916	__鼎	rs乍寶鼎，子孫永用
		小計：共 1 筆

 rt b522

2826	師寰𣪕一	王若曰：師寰rt
2826	師寰𣪕一	王若曰：師寰rt
2827	師寰𣪕二	王若曰：師寰rt
		小計：共 3 筆

燮 b523

1239	__鼎一	以師氏眔有嗣後或燮伐Ld
1240	__鼎二	以師氏眔有嗣後或燮伐Ld

小計：共 2 筆

rv b524

6529	__乍彝觶一	[rv]乍彝
6530	__乍彝觶二	[rv]乍彝

小計：共 2 筆

rw b525

7871	子禾子釜	關人築桿rw斧

小計：共 1 筆

b526

J2587	衛宋暨尊	拓本未見

小計：共 1 筆

rx b527

2835	訇殷	師笭側新口華尸，敁rx尸

小計：共 1 筆

ry b528

4863	㚇乍父乙尊	㚇從公亥ry洛于官

小計：共 1 筆

rz b529

5431	白__乍西宮白卣	白rz乍西宮白寶尊彝

小計：共 1 筆

b530

4965	亞猷乍父辛方彝一	亞猷乍父辛寶尊彝
4966	亞猷乍父辛方彝二（器）	亞猷乍父辛寶尊彝

小計：共 3 筆

r1 b531

7069	者沕鐘一	以r1（祗）光朕立

7074	者沏鐘六	以r1(祗)光朕立
7077	者沏鐘九	以r1(祗)光朕立
		小計：共　3 筆

弖　b532

0892	戲𡚸弖乍文父丁鼎	弖乍文父丁[𡚸戲鑊]
0915	亞吏弖乍父辛鼎	[亞吏弖]乍父辛尊彝
4925	戲仲子弖𣶒	中子𡚸弖乍文父丁尊彝[鑊]
		小計：共　3 筆

弙　b533

2568	_弙乍父辛𣪘	易弙貝五朋
		小計：共　1 筆

㢸　b534

1633	𢦏㢸乍父乙甗	𢦏㢸乍父乙尊彝
		小計：共　1 筆

r3 b535

6925	晉邦盦	㓷暴舒r3
		小計：共　1 筆

r4 b536

7870	陳純釜	n2命左關帀r4
		小計：共　1 筆

𢐗　b537

0825	𢐗乍井姬鼎	𢐗乍井姬用鼎
0885	井姬㛱鼎	𢐗白乍井姬㛱鼎
1185	𢐗白乍井姬鼎一	隹𢐗白乍井姬用鼎、𣪘
1186	𢐗白乍井姬鼎二	隹𢐗白乍井姬用鼎、𣪘
1627	𢐗伯甗	𢐗白自為用甗
1639	𢐗白乍井姬甗	𢐗白乍井姬用甗
2274	𢐗白乍自為鼎𣪘	𢐗白乍自為貞𣪘
2275	𢐗白乍旅用鼎𣪘一	𢐗白乍旅用鼎𣪘
2276	𢐗白乍旅用鼎𣪘二	𢐗白乍旅用鼎𣪘
4809	𢐗白匌井姬羊形尊	𢐗白匌井姬用盂鑵
5316	𢐗季卣	𢐗季乍寶旅彝
6702	𢐗白盤一	𢐗白自乍盤鎣

6703	漁白盤二	漁白乍用__
M360	漁伯鎣	漁白自乍般鎣
		小計：共　14 筆
b538		
1228	歠𢼸方鼎	楠中賞氒歠𢼸遂毛兩
		小計：共　1 筆
b539		
1154	黃孫子蜈君弔單鼎	唯黃孫子蜈君弔單自乍鼎
		小計：共　1 筆
5 b540		
1327	克鼎	易女井家r5田于𤲞
		小計：共　1 筆
6 b541		
1250	曾子斿鼎	下保臧r6囗囗
		小計：共　1 筆
7 b542		
J517	__作父己鼎	拓本未見
		小計：共　1 筆
b543		
5433	𡚬亞東宬𧒒乍父癸卣	[亞東]宬𧒒乍父癸寶尊彝[𡚬]
		小計：共　1 筆
8 b544		
5310	皇__乍尊彝卣	[皇r8]乍尊彝
		小計：共　1 筆
9 b545		
2681	𨟭侯𣪘	r9趣吉金

漁
𢼸
蜈
r5
r6
r7
𧒒
r8
r9

r9 sa sb sc 尙 軝 堵 sd se 盨

			小計：共 1 筆
 sa	b546		
	0902	弔__肇乍南宮鼎	弔sa肇乍南宮寶尊
			小計：共 1 筆
 sb	b547		
	0894	__乍父癸鼎	sb季乍父癸寶尊彝
			小計：共 1 筆
 sc	b548		
	2801	五年召白虎毁	余sc于君氏大章
			小計：共 1 筆
尙	b549		
	5734	尙乍旅壺	尙（尚）自乍旅壺
			小計：共 1 筆
軝	b550		
	1308	白晨鼎	王命軝侯伯晨曰
	1308	白晨鼎	似乃且考侯于軝
			小計：共 2 筆
堵	b551	參2170號堵字條下	
 sd	b552		
	0866	__夜君鼎	sd夜君戊之__鼎
	6900.1	秦王鐘	秦王卑命，竟sd王之定救秦戎
			小計：共 2 筆
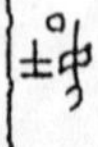 se	b553		
	2765	敹毁	來se拜䭫首
			小計：共 1 筆
盨	b554		

1285 㺇方鼎一 隹九月既望乙丑、才𧊒自
2836 㺇段 隹六月初吉乙酉、才堂(𧊒)自

小計：共 2 筆

b555

4799 ___乍父癸尊 貍乍父癸寶尊彝[單]

小計：共 1 筆

G b556

2467 㚸__母乍南旁段 㚸sG母乍南旁寶段

小計：共 1 筆

h b557

6793 夨人盤 陟于㪤sh𨻰以西

小計：共 1 筆

b558

6847 蚀__匜 隹蚀si__其乍__鼎其匜

小計：共 1 筆

b559

5570 ___罍 ___寶大其sJ
7502 非__戈 非sJ帶刑𨕖陽，廿四

小計：共 2 筆

b560

3097 陳侯午鎛錞一 乍皇妣孝大妃祭器sk錞
3098 陳侯午鎛錞二 乍皇妣孝大妃祭器sk錞

小計：共 2 筆

b561

7212 秦公鎛 其音sLsL雝雝孔煌

小計：共 1 筆

𧊒
貍
sG
sh
si
sJ
sk
sL

錫
鑑
so
sp
sp
sq
sr
ss
st

錫 b562

2815	師設毀	十五錫鐘，一磬，五金，敬乃夙夜
6994	楚公豪鐘一	楚公豪自鑄錫鐘
6998	楚公豪鐘五	楚公豪自鑄錫鐘

小計：共　3 筆

鑑 b563

M705	曾侯乙編鐘下一・一	獸鐘之渚鑑
M706	曾侯乙編鐘下一・二	大族之珈鑑
M711	曾侯乙編鐘下二・四	大族之珈鑑
M712	曾侯乙編鐘下二・五	黃鐘之鑑
M715	曾侯乙編鐘下二・九	曾侯乙乍時，鑑、宮曾，
M715	曾侯乙編鐘下二・九	割肆之鑑
M715	曾侯乙編鐘下二・九	文王之渚鑑

小計：共　7 筆

 so b564

7713	郾王職劍	郾王職乍武畢so劍，右攻

小計：共　1 筆

 sp b565

7996	上官登	富子之上之隻之盡sp口鉄十

小計：共　1 筆

 sq b566

7220	喬君鉦	喬君淲虘與朕wL

小計：共　1 筆

 sr b567

6720	來_乍_盤	來p9乍sr盤

小計：共　1 筆

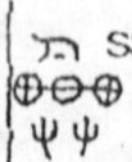 ss b568

0650	_乍寶鼎	ss乍寶鼎

小計：共　1 筆

t b569

4854	__車歔乍公日辛尊	用乍公日辛寶彝[st]
		小計：共 1 筆

u b570

7554	楚王酓璋戈	楚王酓璋嚴龔寅乍su戈
		小計：共 1 筆

v b571

5808	中山王嚳方壺	亡又sv息
		小計：共 1 筆

w b572

2244	__乍父戊寶毁	sw乍父戊寶尊彝
		小計：共 1 筆

b573 b574

0144	𠂤鼎	[𠂤]
4378.	𠂤父丁盉	𠂤父丁
5408	𠂤丞乍文父丁卣	𠂤(追?)丞(承)乍文父丁尊彝[ ]
5645	夾乍彝壺	夾乍彝、𠂤
6459	𠂤父丁觶	[𠂤]父丁
		小計：共 5 筆

b575

2732	曾仲大父蝕毁	曾中大父蝕迺用吉攸𥂴鋚金
		小計：共 1 筆

b576

0528	ム官__鼎	ム官__
0530	國子鼎	大國、ム官、國子
0726	中私官鼎	中ム官曆料
0835	咸陽鼎	咸陽一斗三升、ム官
1152	私官鼎	ム官
1170	信安君鼎	誋(信)安君{ ム官 }、容料
1170	信安君鼎	下官容料(器)誋(信)安君{ ム官 }、容料
M902	韓氏ム官鼎	韓氏ム官、韓__

st
su
sv
sw
𠂤
𥂴
ム官

小計：共 8 筆

sx
sy
sz
隮
陾
s0
s1
s2

sx b577

1101 亞受乍父丁方鼎 戊寅王Jbsx馬彭，易貝

小計：共 1 筆

sy b578

0851 尹弔乍_姞設 尹弔乍sy姞賸鼎

小計：共 1 筆

sz b579

0968 走馬吳買乍雜鼎 sz父之走馬吳買乍雜貞（鼎）用

小計：共 1 筆

隮 b580

2373 始休設 用乍隮寶彝

小計：共 1 筆

陾 b581

6909 遡盂 陾諆各佋右

小計：共 1 筆

s0 b582

2786 縣妃設 肄敢s0于彝曰

小計：共 1 筆

s1 b583

6778 免盤 令乍冊內史易免鹵百s1

小計：共 1 筆

s2 b584

5497 農卣 隹正月甲午王在s2应

		小計：共 1 筆	
3 b585			s3
5803	𠫑嗣好蚉壺	s3㑂(逸)先王	s4
		小計：共 1 筆	參 參分 s5
4 b586			s6 s7
2403	遽白還設	s4白睘乍寶尊彝	s8
		小計：共 1 筆	
b587	參1120號條下		
b588			
0747	梁上官鼎	梁上官㢑參分	
0747	梁上官鼎	宜誚(信)tb宰㢑參分	
0748	上樂床三分鼎	上樂床㢑參分	
		小計：共 3 筆	
5 b589			
1442	王乍贊母鬲	王乍s5䰛贊母寶䰛彝	
		小計：共 1 筆	
6 b590			
6752	取膚__商盤	取膚s6商鑄般(盤)	
6853	取膚__商匜	取膚s6商鑄它(匜)	
		小計：共 2 筆	
7 b591			
1250	曾子斿鼎	s7hm□□	
		小計：共 1 筆	
8 b592			
1250	曾子斿鼎	惠于剌曲，tys8	
		小計：共 1 筆	

s9
ta
tb
取
tc
td
te
tG
=

s9 b593

2929 師麻孝弔旅匿(匿) 師麻s9弔乍旅匿

小計：共 1 筆

ta b594

5807 綴_君鈃 酉，妹，綴 君丌鈃

小計：共 1 筆

tb b595

0474 梁上官鼎 宜誚(信)tb宰曆參分

小計：共 1 筆

取 b596

2843 沈子它設 敢取卲告

小計：共 1 筆

tc b597

2843 沈子它設 休沈子肈斁tc貯嗇乍丝設

小計：共 1 筆

td b598

1013 滔_方鼎 滔td_乍寶鼎
5580 滔__罍 滔td_乍尊罍(罍)

小計：共 2 筆

te b599

2146 新_乍饒設 新te乍饒設

小計：共 1 筆

tG b600

6859 白者君匜 其萬年子孫永寶用亯tG

小計：共 1 筆

= b601

2404	效父毀一	休王易效父▪三
2405	效父毀二	休王易效父▪三
2406	五八六效父毀三	休王易效父▪三
5408	crossed追承乍文父丁卣	追(追?)丞(承)乍文父丁尊彝[▪]
5419	__高卣	王易__高▪、用乍彝
		小計：共 6 筆

.h b602

2803	師酉毀一	西門尸，纍尸，秦尸，京尸，畀th尸
2804	師酉毀二	西門尸，纍尸，秦尸，京尸，畀th尸
2805	師酉毀三	西門尸，纍尸，秦尸，京尸，畀th尸
2806	師酉毀四	西門尸，纍尸，秦尸，京尸，畀th尸
2807	師酉毀五	西門尸，纍尸，秦尸，京尸，畀th尸
		小計：共 5 筆

.i b603

6730	仲蚋盤	中u2臣tiu710目金
		小計：共 1 筆

.j b604

0618	__乍寶鼎	tJ乍寶鼎
6607	丰乍父乙解	tJ乍父乙尊彝
		小計：共 2 筆

b605 參 2188+號條下

.L b606

0640	__乍寶彝鼎	tL乍寶彝
		小計：共 1 筆

.m b607

4128.3	目__且壬爵	目tm且壬
		小計：共 1 筆

.n b608

6214	甲母__觚	甲母[tn]

▪
th
ti
tJ
堯
tL
tm
tn

to
||
tp
tq
tr
tr
ts
觝
tt

小計：共 1 筆

川 to b609

2279 牧共乍父丁食毁 牧共乍父丁to食毁

小計：共 1 筆

|| b610

6562 ||又父乙觶 [||又]父乙

小計：共 1 筆

tp b611

2737 段毁 孫子tp口

小計：共 1 筆

tq b612

1549 __甗 [tq]

小計：共 1 筆

tr b613

1330 曶鼎 非tr五夫則誂

小計：共 1 筆

ts b614

1330 曶鼎 曶曰：ts唯朕口口賞

小計：共 1 筆

觝 b615

1330 曶鼎 觝則卑我賞馬
1330 曶鼎 舀（ 曶 ）母卑成于觝
1330 曶鼎 吏守以告觝
1330 曶鼎 舀（ 曶 ）迺每于觝口
1330 曶鼎 觝則卑復令曰：若

小計：共 5 筆

tt b616

5386 ___乍父辛卣 [uutt]乍父辛尊彝

小計：共 1 筆

u b617

3087 鬲从盨 章㪤Jo夫tu鬲比田
3087 鬲从盨 畀鬲比复㪤小宮tu鬲比田

小計：共 2 筆

v b618

4856 季受尊 vd休于tv季

小計：共 1 筆

b619

1109 師𩰫乍䵼鼎 師𩰫其乍寶齋鼎

小計：共 1 筆

x b620

2787 望設 用乍朕皇且白廿tx父寶設

小計：共 1 筆

y b621

1250 曾子斿鼎 惠于剌曲，tys8

小計：共 1 筆

z b622

1250 曾子斿鼎 t1t0tz

小計：共 1 筆

0 b623

1250 曾子斿鼎 t1t0tz

小計：共 1 筆

1 b624

1250 曾子斿鼎 t1t0tz

tt
tu
tv
𩰫
tx
ty
tz
t0
t1

小計：共 1 筆

仁 b625 參1310號條下

 t2 b626

6630 郤王__義之耑 郤王t2父之耑

小計：共 1 筆

升 b627 參2290號條下

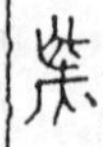 t3 b628

6630 郤王__義之耑 耑溉之t3

小計：共 1 筆

 t4 b629

7870 陳純釜 敦t4曰陳純

小計：共 1 筆

市 b630 參0976號條下

 t5 b631

7687 蔡侯產劍一 蔡侯產乍t5t6
7688 蔡侯產劍二 蔡侯產乍t5t6

小計：共 2 筆

 t6 b632

7687 蔡侯產劍一 蔡侯產乍t5t6
7638 蔡侯產劍二 蔡侯產乍t5t6

小計：共 2 筆

 t7 b633

7519 越王者旨於賜戈一 戉王者旨於賜，我t7t8□t9ua
7520 越王者旨於賜戈二 戉王者旨於賜，我t7t8□t9ua

小計：共 2 筆

 t8 b634

7519 越王者旨於賜戈一 戉王者旨於賜，我t7t8□t9ua

7520 越王者旨於賜戈二 戉王者旨於賜，戣t7t8□t9ua

小計：共 2 筆

0 b635

7519 越王者旨於賜戈一 戉王者旨於賜，戣t7t8□t9ua
7520 越王者旨於賜戈二 戉王者旨於賜，戣t7t8□t9ua

小計：共 2 筆

a b636

7519 越王者旨於賜戈一 戉王者旨於賜，戣t7t8□t9ua
7520 越王者旨於賜戈二 戉王者旨於賜，戣t7t8□t9ua

小計：共 2 筆

b b637

2544 亞𡢁乍父乙毁 [亞]辛己，𡢁ub倉， 才小圃

小計：共 1 筆

b638 參0163號條下

c b639

4409 㚸乍公__艾盉 乍公uc艾(鍪)[㚸]

小計：共 1 筆

d b640

4539 乍旅尊 乍ud

小計：共 1 筆

e b641

2580 羽乍北子毁 用ue畢且父日乙

小計：共 1 筆

f b642

1380 白__鬲 白uf乍尊彝

小計：共 1 筆

t8
t9
ua
ub
毁
uc
uc
ud
ue
uf

uG
uh
ui
uJ
uk
uL
um
un

 uG b643

3110.3	盂__旁豆	盂uG旁乍父旅克豆
4813	周__旁乍父丁尊	[周uG]旁乍父丁宗寶彝

小計：共 2 筆

 uh b644

1600	__北子舟甗	uh北子[舟]

小計：共 1 筆

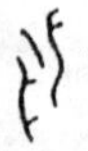 ui b645

1221	井鼎	辛卯，王漁于nqui

小計：共 1 筆

 uJ b646

1276	__季鼎	白俗父右uJ季

小計：共 1 筆

在 uk b647 龍宇純先釋，參龍著中國文字學一七二頁

2598	燮乍宮仲念器	王令燮uk市旂

小計：共 1 筆

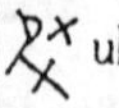 uL b648

2656	師害毁一	麋生智父師害uL中舀
2657	師害毁二	麋生智父師害uL中舀

小計：共 2 筆

 um b649

2311.1	__父毁	um父乍寶尊彝，父壬

小計：共 1 筆

 un b650

2826	師㝨毁一	㝬，𢦏，mm，un，左右虎臣
2827	師㝨毁二	㝬，𢦏，mm，un，左右虎臣

小計：共 2 筆

o b651

2303 　 䣄侯殷 　 䣄侯uo眉季自乍𣪘

小計：共 1 筆

up b652

6856 　 番仲𣵧匜 　 唯番中up自乍寶它(匜)

小計：共 1 筆

uq b653

6920 　 曾大保旅盆 　 曾大保uq𩰫弔亟用其吉金

小計：共 1 筆

ur b654

5773 　 陳喜壺 　 台寺ur巽

小計：共 1 筆

us b655

6606 　 ___乍禦父辛觶 　 [usut]乍禦父辛

小計：共 1 筆

ut b656

6606 　 ___乍禦父辛觶 　 [usut]乍禦父辛

小計：共 1 筆

uu b657

5386 　 ___乍父辛卣 　 [uutt]乍父辛尊彝

小計：共 1 筆

uv b658

5428 　 ___乍父考癸卣 　 uv乍文考癸寶尊彝[ev]

小計：共 1 筆

uw b659

uo
up
uq
ur
us
ut
uu
uv
uw

uw
ux
uy
嗌
豕
彡

2529.1	__生段	uw生乍寶尊段
2529.1	__生段	uw生其壽考萬年子孫永寶用
		小計：共 2 筆

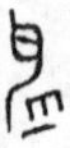 ux b660

0638	雁__乍旅鼎	雁ux乍旅
		小計：共 1 筆

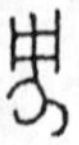 uy b661

4888	盠駒尊一	uy（風）䍃騅子
4889	盠駒尊二	uy（風）䍃駱子
		小計：共 2 筆

嗌 b662

2665	__平段	嗌貝十朋
3037	華季嗌乍寶段（蓋）	華季嗌乍寶段
5348	鼎嗌卣	鼎嗌乍寶尊彝
5510	乍冊嗌卣	乍冊嗌乍父辛尊
5510	乍冊嗌卣	不彔嗌子
5510	乍冊嗌卣	弋勿__嗌鰥寡
		小計：共 7 筆

豕 b663

2812	大段一	王令善夫豕日趣睽日
2812	大段一	睽賓豕章
2812	大段一	睽令豕日天子
2812	大段一	豕目睽履大易里
2812	大段一	大賓豕訊章、馬兩
2813	大段二	王令善夫豕日趣睽日
2813	大段二	睽賓豕章
2813	大段二	睽令豕日天子
2813	大段二	豕目睽履大易里
2813	大段二	大賓、賓豕訊章、馬兩
		小計：共 10 筆

彡 b664

2560	吳彡父段一	吳彡父乍皇且考庚孟尊段
2561	吳彡父段二	吳彡父乍皇且考庚孟尊段
2562	吳彡父段三	吳彡父乍皇且考庚孟尊段

小計：共 3 筆

0 b665

1522 孟辛父乍孟姞鬲一 u0馬孟辛父乍孟姞寶尊鬲
1523 孟辛父乍孟姞鬲二 u0馬孟辛父乍孟姞寶尊鬲

小計：共 2 筆

1 b666

5581 苗甾罍 唯苗甾叀于u1

小計：共 1 筆

2 b667

6730 仲孔盤 中u2臣tiu7i0旨金

小計：共 1 筆

3 b668

0967 奘___乍文父甲鼎 p5u3用乍文父甲寶尊彝[奘]

小計：共 1 筆

4 b669

2665 _弔毀 ki弔u4my于西宮

小計：共 1 筆

5 b670

3087 鬲从盨 u5(其)邑彶眔句商兒眔讎戠

小計：共 1 筆

6 b671

3087 鬲从盨 其邑__，u6，__

小計：共 1 筆

7 b672

6730 仲孔盤 中u2臣tiu7i0旨金

u0
u1
u2
u3
u4
u5
u6
u7

u8
u9
va
vb
㚸
[illegible]
䵼

小計：共 1 筆

 u8 b673

4878 召尊 用u8不杯召多
5496 召卣 用u8不杯召多

小計：共 2 筆

 u9 b674

4202 魯侯爵 魯侯乍La鬯u9

小計：共 1 筆

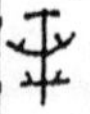 va b675

5423 亞_中_乍父丁卣 va乍父丁尊彝[亞bt中]
5423 亞_中_乍父丁卣 va乍父丁尊彝[亞bt中]

小計：共 2 筆

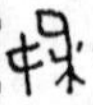vb b676

6830 召樂父匜 召樂父乍vb(婐?)改寶它(匜)

小計：共 1 筆

㚸 b677

1498 龜友父鬲 龜友父媵其子㚸婞(曹)寶鬲

小計：共 1 筆

[illegible] b678

4856 季受尊 [illegible]休于tv季

小計：共 1 筆

䵼 b679

1072 搽乍其䵼鼎 隹正月初搽乍其䵼鬲貞貞(鼎)
1085 曾者子乍䵼鼎 曾者子鑄用乍䵼鼎
1304 王子午鼎 自乍[illegible]彝䵼[illegible]
2227 蔡侯[illegible]之䵼殷 蔡侯[illegible]之䵼殷
2527 東仲寮父殷 東中寮父乍䵼殷
2974 上鄀府匿 鑄其䵼匿

小計：共 6 筆

ve b680

1284	尹姞鼎	彌ve先王
		小計：共 1 筆

vf b681

3121.2	大宰歸父鑪	齊大宰歸父vf為昰(忌)盧盤
6768	大宰歸父盤一	齊大宰歸父vf為昰(忌)顴盤
6769	大宰歸父盤一	齊大宰歸父vf為昰(忌)顴盤
		小計：共 3 筆

b682

1270	小臣荄鼎	令小臣荄先省楚应
1270	小臣荄鼎	小臣荄易鼎、兩
1270	小臣荄鼎	荄拜䭫首
1381	荄姬乍寶鬲	荄姬乍寶鬲
2109	戕荄乍尊彝段	[戕]荄乍尊彝
4810	子荄乍母辛尊	子荄乍母辛尊彝[奘]
6603	荄白觶	荄白乍寶彝
		小計：共 7 筆

vh b683

6849	昶白匜	昶白vh乍寶匜
		小計：共 1 筆

vi b684

6864	番__匜	唯番hhvi用士(吉)金自乍寶匜
		小計：共 1 筆

vj b685

1251	曾子斿鼎	用鑄vj彝
		小計：共 1 筆

vk b686

1156	亳鼎	公侯易亳杞土，v0土，__禾，vk禾
		小計：共 1 筆

 vL b687

0704	__斅乍寶鼎	vL斅乍寶na
		小計：共 1 筆

 vm b688

6860	陳白元匜	陳白vm之子白元乍西孟媯婤母塍(媵)匜
		小計：共 1 筆

 vn b689

4159	__父乍寶彝爵	vn父乍寶彝
		小計：共 1 筆

 vo b690

2331	杸冊__乍丁癸卣	vovp乍丁癸尊彝[杸冊]
		小計：共 1 筆

 vp b691

2331	杸冊__乍丁癸卣	vovp乍丁癸尊彝[杸冊]
		小計：共 1 筆

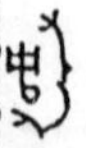 vq b692

4860	魯侯尊	隹王令明公遣三族伐東國，才vq
		小計：共 1 筆

夔 b693

6618	奭緐夔乍且辛觶	[奭緐夔]乍且辛彝
		小計：共 1 筆

夒 b694 b695

4866	小臣艅尊	丁巳、王省夒且
4866	小臣艅尊	王易小臣艅(俞)夒貝
5489	戉箙啟卣	啟從征、堇(謹)不夒
		小計：共 4 筆

u b696

6792	史墻盤	上帝司vu尢保受天子綰令厚福豐年
		小計：共 1 筆

v b697

6877	儼乍旅盨(匜)	自今余敢vv乃小大事
		小計：共 1 筆

w b698

1207	眉__鼎	o0卑師眉vw王為周nr
		小計：共 1 筆

b699 參1421+ 號履字條下

6910	師永盂	卑逹履卑彊宋句
		小計：共 1 筆

y b700

1662	寶甗	王人vy輔歸雚鑄其寶
		小計：共 1 筆

z b701

2604	黃君毁	黃君乍季嬴vz媵毁
		小計：共 1 筆

0 b702

1156	亳鼎	公侯易亳杞土，v0土，__禾，vk禾
		小計：共 1 筆

1 b703

6779	齊侯盤	齊侯乍媵寡v1孟姜盥般(盤)
6873	齊侯乍孟姜盥匜	齊侯乍媵寡v1孟姜盥盘
		小計：共 2 筆

v2
v3
韋
v5
䤬
v7
v8
v9
wa

 v2 b704

4872 古白尊 曰古白子p7v2卑父彝

小計：共 1 筆

 v3 b705

6633 㪨乍文考觶 中易㪨v3

小計：共 1 筆

韋 b706 參0900號條下

 v5 b707

5236 獄父丁卣 [獄v5]父丁

小計：共 1 筆

䤬 b708

1330 曶鼎 曰陪、曰恒、曰䋣、曰䤬、曰眚

6792 史墻盤 左右綬䤬剛鯀

小計：共 2 筆

 v7 b709

0465 乍彝鼎一 v7乍彝

0466 乍彝鼎二 v7乍彝

小計：共 2 筆

 v8 b710

0954 白__乍卑宗方彝 白m0乍卑宗寶尊彝v8

小計：共 1 筆

 v9 b711

4202 魯侯爵 魯侯乍La鬯u9

小計：共 1 筆

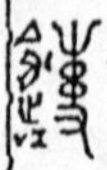 wa b712

4861 敟士卿尊 丁巳，王才新邑初wa

小計：共 1 筆

b b713

6716 京隣仲__盤 [京]隣中wb乍父辛寶尊彝

小計：共 1 筆

c b714

5682 鄭右__盛季壺 鄭右wc盛季壺

小計：共 1 筆

d b715

7217 姑馮勾鑃 姑wd昏同之子羼擇吉金

小計：共 1 筆

b716 參1589號條下

e b717

5717 旻成侯鍾 旻成侯we容料

小計：共 1 筆

b718 參0336號條下

G b719

5491 亞獏二祀切其卣 王令切其兄wG于夆田

小計：共 1 筆

h b721

1323 師𠭰鼎 𠭰敢𠭯王卑天子萬年whwi

小計：共 1 筆

i b721

1323 師𠭰鼎 𠭰敢𠭯王卑天子萬年whwi

小計：共 1 筆

j b722

wb
wc
wd
豚
we
萬
wG
wh
wi
wJ

wk
wL
wm
wn
wo
wp
wq
wr

1128 __白氏鼎 白氏姒(始)氏乍wJrmp8賸鼎
1445 樊君鬲 樊君乍弔qywJ賸器寶j2

小計：共 2 筆

wk b723

4170 __乍且丁爵 wk乍且丁寶彝

小計：共 1 筆

wL b724

7220 喬君鉦 喬君淲虘與朕以wL

小計：共 1 筆

wm b725

7447 羊__亲造箙戈 羊wm亲造散戈

小計：共 1 筆

wn b726

7365 __尚還戈 wn尚還

小計：共 1 筆

wo b727

J3851 __弔子戟 拓本未見

小計：共 1 筆

wp b728

6898 __子敚行盞 wp子敚之行盞

小計：共 1 筆

wq b729

7937 __門鋪 wqwr

小計：共 1 筆

wr b730

7937 __門鋪 wqwr

小計：共 1 筆

s b731

2423 亘__戣設 亘ws戣乍鬻設

小計：共 1 筆

b732 參0645號條下

b733

7403 鄀君戈 艾君鳳寳有

小計：共 1 筆

b734 參0133號條下

b735

1251 中先鼎一 中乎歸生鳳于王
1252 中先鼎二 中乎歸生鳳于王
7403 鄀君戈 艾君鳳寳有
7549 十六年喜令戈 喜命（ 倫 ）韓鳳左庫工帀司馬裕冶何

小計：共 4 筆

b736

7549 十六年喜令戈 喜命（ 倫 ）韓鳳左庫工帀司馬裕冶何

小計：共 1 筆

: b737

J539 鄧子乍鼎 拓本未見

小計：共 1 筆

b738

J3691 邨子竊缶 拓本未見

小計：共 1 筆

ı b739

1323 師訊鼎 乍公上父尊于朕考虢季易父wu宗

小計：共 1 筆

趣卯 趣 b740

6276 㠯趣乍日癸觚 趣乍日癸寶尊彝[㠯]

小計：共 1 筆

卯 b741

7384 陳卯鋯戈 陳卯造戈

小計：共 1 筆

附錄下總計：共 1513 筆

全書總計：共 104300 筆

編後記 季旭昇

民國七十七年，我的指導教授周師一田先生在有感於國內研究古字的人口越來越少，古文字的研究水準有日趨下降之虞，而研究古文字的工具書及資料的缺乏，也是阻礙這一門學門進步的主要原因，於是有意召集門人進行一項較大規模的學術工作。這項工作的主要內容是把近萬件銅器上的銘文翻成楷字，編成以單字檢索的引得，爲了編纂這本書，又必需先蒐集銅器考釋專書及論文，編製研究資料參考目錄，然後大量參閱學者的研究成果，最後才能編製出一本具學術水準的銅器銘文檢索工具書。在已往的銅器工具書裏，銘文字形方面有容庚先生的《金文編》、單句方面有周法高先生的《金文詁林》及《金文詁林補》、研究論文篇目方面時代最近的有孫稚雛的《青銅器論文索引》，隨著時代的更移、銅器的迭出，以上這些書都有增補重編的需要。本書便是適應這個需要而產生的。

本書是在總編纂周師一田先生的主持下進行的，由我和臺南師院的汪中文副教授擔任主編，同時和中正大學的陳韻副教授、工技學院的周聰俊副教授、臺北工專的方炫琛教授、銘傳學院的盧心懋講師各帶領了一批研究生、大學生進行基本材料的處理，經過兩年的釋讀、分類、剪貼後，第三年由汪中文先生負責電腦輸入、電腦造字的工作（爲了方便輸入，汪中文先生和我在電腦中大約造了將近三千個字）。第四年由我負責校訂、轉檔、印製的工作。以下是本書的體例、採用字頭說明及編製時的一些考慮的準則。

本書是以臺北藝文印書館出版的《金文總集》所收的八千零三十四件銅器爲基本依據，另外參考五南圖書公司出版的《商周金文集成》，並加上總集漏收的器、或總集出版以後才新出土的銅器大約五百件，先完成釋讀、隸定的初步工作（這一部份的成果爲了配合銅器銘文行款，需要重新整理後才能出版）。接著以句爲單位輸入電腦，自動排序爲單字引得。單字字頭的排列大體依照四訂金文編，但作了局部的修訂與增補。尤其是附錄上、下，凡是可以隸定的字頭，大都參酌時賢的意見予以隸定，隸定後的字頭中有些可以提到前面正編部份的，本書大都予以提前，但在附錄上、下的部份仍然保留這些字頭，

在附錄上、下的部份仍然保留這些字頭，以方便使用者與金文編互相參照。以下是本書所收字頭數和四訂金文編的對照表，本書比金文編總共增加了一百三十八個字頭（這些新增加的字頭裏，有些只是爲了存異形，如⿰革豕或作剢，金文編都收在⿰革豕字下，本書則分列二字，以方便讀者）。至於各卷所收的實際字頭到底是那些，請參下文。

表一、本書所收字頭數與金文編所收字頭數對照表

	卷次	1	2	3	4	5	6	7	8	9	10	11	12	13	14	附上	附下	合計
字頭數	本書	109	221	276	150	215	183	236	170	135	182	120	213	134	209	616	741	3910
	文編	102	209	258	137	201	174	226	158	131	176	120	201	128	199	611	741	3772
新增字數		7	12	18	13	14	9	10	12	4	6	0	12	6	10	5	0	138

每個字頭下的重文，金文編往往是選擇性的收錄，並不求全。對許多需要全面探討的研究而言，這種收錄法所能提供的材料價值有限。本編則從學術研究著眼，所有材料一律收錄，以期提供研究者最全面的資料。以下是本書各卷所收筆數和金文編各卷所收字數的比較。表中所列金文編的數字是把正文數和重文數加在一起的總和。

表二、本編各卷所收筆數與金文編各卷所收筆數對照表

卷次	1	2	3	4	5	6	7	8
本書	5158	7013	11112	5550	8386	4706	10641	4593
文編	856	1879	2251	1429	2120	1354	2198	1480

9	10	11	12	13	14	附上	附下	合　計
8214	2740	2609	10571	2883	14459	4152	1513	104300
979	858	560	2200	842	2771	1476	1007	24260

據上表，本編所收金文單字引得共爲十萬零四千三百筆，較金文編之二萬四千二百六十筆多出八萬零一百四十筆。又金文詁林及補編於每一字形之後亦附有單句文例，其用與本編同，但未列出總筆數。以該書的編輯體例來看，該書所附的單句文例應是在三訂金文編所收的字形下加上單句文例，在金文字形之後又補上其它的單句文例。至於詁林是依什麼方式補的，詁林在凡例中沒有說明，無從得知。筆者試挑了第一卷前三個字來清點，發現筆數不會比金文編多多少。以下是詁林、詁林補和本書的對照：

一　詁林 74筆　補編 25筆　合計 99筆　（本書 141筆）
元　詁林 53筆　補編 18筆　合計 71筆　（本書 116筆）
天　詁林 136筆　補編 54筆　合計 190筆　（本書 476筆）

新增字頭說明

本書較四訂金文編正編部份增加一三八字，除了有部份字是爲了存異形、方便讀者研究而增的外，其餘眞正的新增字說明如下：

万　0004+　見2294號倗万乍義妣毁。
祐　0020+　金文編0020號祭字條下蔡侯𪇰盤祭字郭沫若釋祐（文

史論集三0一頁），可從，字从示、从右，右从口从甘無別。又總集4887蔡侯𪛟尊、5510作册嗌卣均有祐字，宜立祐字條。

𣆀 0039+ 總集7175號王孫遺者鐘「𣆀𣆀熙熙」，它器作「皇皇」，金文編0039號皇字條下僅收本器「皇且文考」之皇字，未收𣆀字，當補。字从皇、光聲。

璲 0052+ 總集1323號師訊鼎「用乃孔德璲屯」，義同遜。此字形金文編似未收，从玉、孫聲。

茀 0080+ 見金文總集4025號茀父丁爵。字从弗，上似从艸，姑隸定作茀。

𦱤 0083+ 字从艸从又，金文編从唐蘭先生說釋若，唐氏云：「字羅振玉釋𦱤，余昔釋爲艾，漢印有，昔人誤釋爲艾字，艾當从艸又聲，即說文訓「擇菜也，从艸右聲」之若字，詩「薄言有之」，有當作艾或若，擇之也。若說文从若之字並當於說之叒及、甲金文之或，.... 象以手取艸，可訓爲擇菜，亦可解爲𦱤蕘之𦱤。」金文編因釋爲若，而釋爲叒，全書不再立𦱤字。案：唐蘭之說雖與說文釋若爲擇菜之訓合，然徵之文字源流，似未必然。金文之从而見於金文編者有：0333號之諾、1071號之鄀(含从虫之蠚）、2063號之匿，戰國以後則有石鼓之箬，凡此諸字，後世隸定皆以爲从若，不以爲从叒。又甲骨从𦱤之字有雓（甲骨文字集釋1267號），所从𦱤旁與散盤𦱤字全同，古陶文从𦱤之字有駽（漢語古文字字形表三七七頁），所从𦱤旁與《金文總集》7882號公𦱤權之𦱤字全同。雓、駽字後世隸定皆以爲从𦱤，不以爲从若或艾。說文叒字來源可疑，古文字及經傳皆無此字，說文唯一从叒之字爲桑，據甲骨金文，桑字又不从叒。《說文釋例》云：「叒字不足象形，石鼓文有字，蓋本作（師寰敦器蓋若字皆作），象木𠅗字形，若字蓋亦作，即之重文。加口者，如之象根形。是以說文之叒木，它書作若木，並非同音假借也。即其籀文，亦當作，是以玉篇叒下有籀文，若下亦有籀文，足知叒若之爲一字。」此一說也。《說文

		徐箋〉云：「凡說文二篆連屬，其形相承、義亦相近者，皆本一字。全書此類，不可枚舉，多爲後人竄改，歧而二之。叒即桑木之省體，故繫傳云「桑从叒聲」，則叒之本音亦讀息郎切可知矣。」此一說也。說文叒之來源，當不外此二者，而王筠之說似較得之，故漢碑〈斥彰長田君斷碑〉云「養善若春陽」，若字作 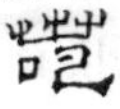，似足證明王筠主張叒若一字確實可信。至於唐蘭釋  爲叒，尤乏確證。字書不見叒字，漢隸艾字或作叒，如〈校官碑〉「即此龜艾」字作 ，〈鮮于璜碑〉「遠字艾安」字作 ，〈石經尚書殘碑〉「艾用三德」字作 ，漢印「艾勝」字作 （唐蘭釋叒，不知相當於後世何姓）。凡此皆有文例可尋，必非叒字也。知此，則知金文編1984號當釋媾，不得釋婼。
荼	0088+	見總集1040號弔荼父鼎，字从茻从余。
蘆	0102+	見總集6785號守宮盤，字从茻从盧。
咨	0134+	从次从口，見總集7434-5號陳侯因咨戈一、二，M867陳侯因咨戟。
𠣝	0162+	見總集0498號長剛𠣝鼎。从亼从呂，疑與宮同字。
趌	0188+	見總集1478號齊不趌鬲。从夭从彳从司。
𨁈	0198+	見總集0137號𨁈鼎。
逌	0237+	金文作䞣，參 1641+䞣字條下。
饋	0258	金文編僅收遺一形。至於从食从貴之饋字首見無㠱之饋鼎，據古錄已釋爲饋，裘錫圭先生以爲可信。裘說於一九九二年十二月二十八日在中央研究院歷史語研究所演講中提出。
𨗨	0264+	見總集5402號𨗨乍且乙卣。从辵从魚从司。
𢔌	0286+	見總集2842號卯𣪕。从彳、从豖。
䶑	0307+	見M743曾侯乙編鐘中三·四。从龠、从音。
孠	0309+	見總集M707-749曾侯乙編鐘下一·三至中三·十。从司、从子。
拘	0317+	見總集3488-9號盠駒尊一、二。从句，金文編0342號釋訊，林澐先生以爲乃拘字或體。見〈新版金文編正文部份釋字商榷〉。
誾	0338+	見總集2817號師𩒨𣪕。从門、从言。

記	0350+	見總集2974號上鄀府匠。辭云「釁壽無記」，用爲期。
誋	0387+	見M545配兒鉤鑃。从言、从奇。
亣	0392+	見總集0073號亣鼎。
弄	0406+	見總集0133號弄鼎。从臣、从廾。
叡	0468+	見總集0074號叡鼎。从貫、从又。
吺	0540+	見總集4066號舟吺父乙爵。字从口、从攴。
敉	0540+	見總集7394號弔孫敉戈。从朱从攴。
敆	0557+	見新出之史密𣪘。从合从攴，李學勤先生逕釋爲會（見〈史密𣪘所記西周重要史實考〉然同銘另有會字，此義近於會，然似不宜逕釋爲會。
敵	0557+	見總集7183-4號叔夷編鐘二、三，7214叔夷鎛，从帝、从攴，讀爲隸。
皕	0594+	見總集1121號唯弔從王南征鼎。从二百，薛尚功隸定爲皕。
閵	0600+	見總集2104閵乍寶尊彝𣪘。从門从隹。
雕	0607+	見總集1486宰駟父鬲。从册、从隹。
窐	0620+	見總集3255號窐爵。从羊在牢中之形。金文編收在0122牢字條下，唯牢窐未必同字，似宜分立。
馻	0626+	見銘文選719-722、728-733號曾乙編鐘。
䫹	0631+	見總集1318號昏姜鼎。从員、从風。
腹	0672+	見總集6792號史墻盤。字作𢔦，通腹，當立此字頭。
脩	0676+	見總集6638號修武府耳杯。从肉、攸聲。
衡	0703+	見總集6852衡邑戈白匜。从角、从行（行當亦聲符），《說文》謂衡字从角大、行聲，疑衡字當从大、衡聲。
觗	0706+	見總集7562號廿一年奠令戈、7572十七年奠令戈。从角、从从、从止。
觿	0706+	見M707-749曾侯乙編鐘下一．三等。从角、贏省聲。
筲	0723+	見總集5693號鑄大口之筲壺、7867郢大府之口筲。从竹、从少，即筲。
巽	0726+	見總集5773號陳喜壺、M719曾侯乙編鐘中一．三等。从二卪，與甲骨文巽字同形，即巽之本字。
虓	0780+	見總集1322號裘衛鼎。从凡、从虎。
盅	0796+	見總集6749號弔高父盤。甲骨文亦有此形，見摭續六

		四，爲盨之或體。
盬	0809+	金文編列在2072號，隸定爲𠤳，注云：「从匚古聲，說文所無。爲侈口長方之稻粱器。」案、此字舊以爲簠，自一九七六年陝西扶風莊白一號窖藏微白器出土，自名爲𥰒，唐蘭先生始指出說文之簠實即𥰒，爲似豆之黍稷圓器，字或作匬、鋪，而歸入豆類。舊名爲簠字作居若𠥊者，則爲瑚之本字。（見〈略論西周微史家族窖藏銅器群的重要意義〉）一九七七年陝西省扶風縣出土白公父盬，器爲方形，而銘文自名爲盬（見文物1982.6 第37頁簡訊），與唐說完全吻合。
盩	0809+	見總集4171號盩乍且辛旅彝爵。从對、从皿。所从對下从二又，字與𤼈𣪕、伯䢅鼎、王臣𣪕、多友鼎等同形（參金文編0398號對字條下）。
㳄	0809+	見總集補3 號㳄鼎。从皿、从水，人橫置皿中。甲骨文亦有此字，唯人形側立，羅振玉釋浴、陳邦懷釋溫，見甲骨文字集釋三二七七頁。
盁	0814+	見總集6404號盁女觶。从爪、从皿。
餔	0852+	見總集4434號餔子旅盉。从食、从巿，巿形稍泐。
啚	0890+	見總集5888號啚觚、7238啚戈。从亩、从口。
韢	0903+	見總集1322號九年裘衛鼎。从韋、从褱。
欉	0958+	見總集2980-1號𦊚太宰𩞁𠤳一、二、7019𨚕太宰鐘。从木、从叢。
枚	0963+	見總集5493號召乍𨛫宮旅彝。从木、从欠。
圜	0988+	見總集0104號圜鼎，作圈形；7879麗山鐘，从口、从睘。
賈	1009+	此字舊釋貯（金文編一００九號），楊樹達於《積微居金文說》中之〈格伯簋跋〉一文中謂「疑讀爲賈」，一九七四年山西聞喜上郭村出土賈子𣪕，李學勤先生指出此銘文有「賈子」，與荀國器同時出土，即文獻荀、賈之賈。（見李學勤〈重新估價中國古代文明〉、劉翔〈賈字考源〉）。
貟	1027+	見M602號蔡貟匜。从貝、从尹。
邘	1035+	見總集7502號非釪戈、7538邘令戈。从心、从于。
鄿	1043+	見M361井伯南𣪕。从婁、从邑。
郄	1061+	見總集1116號晉司徒白郄父鼎。从盇、从邑。

邛	1080+	見總集1484號邛叔鬲。从邛、从邑。
𨷑	1129+	見總集1121號唯弔從王南征鼎、6084𨷑戈觚。从重冋。
毋	1137+	見總集2731小臣宅毁（舊或釋干）、2744五年師旋毁一、2745五年師旋毁二（舊釋十）、金文編附上三六五號，與甲骨文毋字同形，孫詒讓釋毋，參《契文舉例》下三三葉上。
韗	1140+	見總集1323師訊鼎。裘錫圭先生釋韗，參〈說東韗白大師武〉。
𥼶	1172+	見總集2834號誅毁、5544號𥼶父己方罍。从米、从𠂤。甲骨文有此字，唐蘭先生以爲即說文之𥼶字，當讀如稟，即稻。（見甲骨文字集釋二三五五頁）近見《甲骨文與殷商史》第三輯有謝元震先生作〈釋𠂤〉一文，以爲此字釋稻無據，應釋稷。
帬	1290+	見總集5651號公子裙壺。从巾、从君，重文作裙。今公子裙正从衣，不从巾。
幕	1291+	見總集6785號守宮盤。从西、从莫。
僰	1355+	見2791.1號史密毁（一九八六年出土）等。从棘、从人。
㐰	1355+	見總集1265號誅弔毁、3394號亞醜爵。从人、从口。《說文》信字古文从人从口，或即此字。
𠌫	1363+	見總集5663號𠌫媽乍寶壺。从人、从晶、从組。銘云「𠌫媽乍寶壺」，當爲氏名，金文編2018號有嬗字，注云：「說文所無，汗簡以爲姪字。」鮇甫人盤銘云「鮇甫人乍嬗改襄賸盤」（匜銘同）、齊縈姬盤銘云「齊縈姬之嬗乍寶盤」，此三例可釋姪，其餘如嬗妊壺云「嬗妊乍安壺」、虢嬗口盤云「虢嬗口乍寶」、嬗妊盤車軎云「嬗妊乍安車」，均係氏名，與𠌫字相同，二者或爲同字，从人从女通，从組从宜通。
𧛧	1400+	見總集3083-4號瘨𤮊，从衣、𠂆聲，與金文編附下第353號𩏂字接近。𩏂字見於銘文「朱虢𩏂虎冟」、「朱𩫖𠥦𩏂」等賞賜品中，皆與車馬有關，故郭沫若釋爲靳。
求	1401+	說文以求爲裘之古文，不確。甲文裘字爲獨體象形，

金文加又爲聲符（次卣、次尊），其後可能聲化爲从衣有聲（⿴衣又字見金文編1397號，竊以爲即裘字之一體），最後變成从衣求聲。故求字僅爲裘之聲符，至其本義，唐蘭先生釋，見《中國文字學》64頁，裘錫圭先又加以證成（見〈釋裘〉），與裘別字，當予另立。

⿱耂九 1406+ 見總集1265號猷弔鼎，字从老从九，義近於考，然同銘另有考，下从丂，二字結構顯然不同，似不宜逕視爲一字。

履 1421+ 舊釋眉，非。字又見大簋「豖㠯睽履大易里」，吳式芬引許印林說釋履。此外尚見五祀衛鼎「帥履裘衛厲田四田」，各家皆釋履。九年裘衛鼎「矩迺眔𨒌粦令壽商眔啻曰：顜湄〈 履 〉付裘衛林𦿂里」，裘錫圭先生以爲亦履字。永盂「付永氒田，氒逵履氒彊宋句」（ 率領勘定田界的人是宋句 ），吳鎭鋒、戚桂宴皆釋爲履。散盤此字章太炎釋履。格伯簋（ 倗生簋 ）「格白取良馬乘于倗生，氒貯卅田，則析、格白履」，裘錫圭先生釋履。字从頁、从足、（ 或从彳、从止、从水 ）从舟，眉省聲。金文編將散盤此字釋眉，其餘當作不識字收在附下 080、384、699等各條，裘錫圭先生以爲皆當釋履字，參〈西周銅器銘文中的履〉。

⿰彔見 1443+ 見總集2798-9號師𤸫𣪘。从彔、从見。

⿰日欠 1456+ 見總集7555號二年戈。从日、从欠。

⿰𣶒欠 1464+ 見M727、739曾侯乙編鐘中・十一、二・十二。

欠 1464+ 見總集0289號史欠鼎。

旡 1464+ 見總集2875衛子弔旡父旅匿。

⿰菁頁 1483+ 見總集1322、1325號裘衛鼎。从菁、从頁。

𠨘 1500+ 金文編1506號釋切，案：字从必从卪，當釋𠨘。《說文》𠨘有無切，卪部：「𠨘、宰之也。从卪，必聲。」段注：「未聞。蓋謂主宰之也。主宰之制其必然，故从必。按《衛風》「有斐君子」，釋文云：「《韓詩》作𠨘，美皃。」蓋即此字。而今本《釋文》及《廣韻》皆誤从邑作邲。《廣韻・六至》云「邲、好皃。」《五質》云：「邲、地名，在鄭。又美皃。」其誤甚矣。」旭昇案：甲、金文此字當即《說文》𠨘字族氏、地名。又、必字之解釋參裘錫圭先生〈 釋柲 〉

。

庲	1557+	見總集5618號庲__扁壺。从广、从來。
豨	1586+	見總集3989號豨乍車爵。
郻	1621+	見總集4028號后郻母爵、4322號后郻母斝、4636號后郻母尊、5627號后郻母方壺、6180號后郻母觚等。从邑、从丂。
臭	1624+	見總集5182號子自犬卣。雖爲氏族徽號，然从自、从犬，當可隸定爲臭。
犾	1641+	見總集1318晉姜鼎等，从犬埶省聲，典籍作邇。參裘錫圭先生《釋殷虛甲骨文的「遠」、「邇」及有關諸字》。
龖	1662+	說文所無。見總集7136--7149邵龖鐘。
屎	1664+	見總集2894-6號曾子屎行器、7135號逆鐘。从尾、从火。
犀	1694+	見犀𣪘。據《西周青銅器銘文分代史徵》五0二頁引。
憖	1722+	見總集5351號鏊憖卣。从來、从心、从犬。金文編第1172號釋愸，似非。
忓	1772+	見總集7686號勝之丕劍。从心、从牙。
排	1933+	金文編0414號隸定作斐，字書無此字，于省吾先生釋排。
嫞	1984	金文編原从高景成先生釋婼，案、字从女从髙，不从若，當隸定作嫞，參0083髙字條。
奻	2020+	見總集1487-96 號白先父鬲。从大从女，姓氏稱，即大之繁體。甲骨貞人有大。參汪中文〈 徵史族銅器群瑣記 〉。
婛	2020+	見總集3986-7號齊婛爵。
戚	2032+	金文編2032號从舊說釋戟，然實無確證。郭沫若隸定作戚。
戝	2055+	見總集2423號亘区戝𣪘。从目、从夂、从戈。
亘	2073+	見總集7107號曾侯乙甬鐘、M744、M747曾侯乙編鐘。从匚。从亘。
弘	2087+	从弓从口，金文編依形隸定作弫。旭昇案：實即弘字，請參拙作〈說弘〉。
鄣	2087+	見總集4849號鄣啓方尊、4968鄣方彝，三代隸定作鄣

。从弓、从韋。

緉 2124+ 見總集2484號伯緉父𣪘。从糸、从爯 。

蚔 2143+ 見總集7552號𠂆生戈。从蚰、从氏。

𧖴 2146+ 見總集1484號邛叔鬲。从蚰、从欠。

亙 2157+ 恆之初字。詩經「如月之恆」，當爲亙之本義。《說文》列

𣝅之重文。

刦 2218+ 見總集4850號剛刦尊。从去、从刀。

鏷 2270+ 見總集2983號弭仲實匿。

厽 2352+ 見總集7515號二年右貫府戈。

巴 2367+ 見總集6145號巴父丁觚。

醋 2418+ 見總集0872號鑄客爲集醋鼎。

附錄部份，金文編所收字中有許多是可以隸定的。本書爲了方便電腦輸入，也

量照形隸定。除了照形隸定，無義可說的部份外，其餘大多從時賢的說法。以

是附錄部份的隸定說明，爲了節省篇幅，凡是《金文詁林》及補編已經收錄的

法，本書在引用時僅註明首倡者，出處從略。《金文詁林》及補編所未收的說

則詳細註明出處。沒有註明出處的，有一部份是我們的看法。

金文編附錄上

巽巽孟a001 依形隸定，當爲从𠾅、从子、从巺，舊釋析子孫，非是。

天黽 a003 从天从黽，舊从郭沫若釋天黿，非是。

黽 a004 黽之象形。

𡗝 a005 从天从豕。

亦 a007 李孝定先生釋亦。

耷 a010 从大从耳。

𣃚 a012 从㫃从大。

弜 a014 从弓从大。于省吾先生釋夷，證據不足。

奾 a015 李孝定先生疑爲奾之古文。

㓨 a015 从大持刀。

𢦏 a017 从大从屰从戉。

𡘯 a019 从大荷戈，李孝定先生釋爲何之異構。

嬰 a023 李孝定先生釋嬰。

吳 a028 李孝定先生疑爲吳之異構。

竟 a036 柯昌濟疑即古竟字。

奚 a037 李孝定先生謂當爲奚之或體。

大舟 a045 从大从舟。

髭	a052	裘錫圭先生釋髭。見〈讀安陽新出的牛甲骨及其刻辭〉
䯉	a052	从聑从髭。
人	a054	李孝定先生釋人。
企	a054	李孝定先生釋企。
竟	a055	于省吾先生釋竟。
屶	a057	裘錫圭先生釋
臽	a062	象人陷坎中。
配	a063	李孝定先生疑爲配之異構。
丮	a067	李孝定先生疑與丮字同意。
斿	a072	从㫃从子。
重	a076	柯昌濟釋重。
配	a079	李孝定先生疑爲配之異構。
丮戈	a082	合文。
兂	a084	李孝定先生釋何。
伐	a085	唐蘭釋伐。
寐	a089	柯昌濟釋爲寐之古文。
重	a090	柯昌濟釋重。
亞重	a090	李孝定先生釋亞形中重。
侯	a091	从卪从关，姑隸定作侯。
係	a092	李孝定先生釋爲係之古文。
及弓	a093	及弓合文。
干建	a101	干建合文。
兒	a102	方濬益釋兒。
䀠	a103	與甲骨文䀠字同形，而人下增繁爲从止。見于省吾先生《甲骨文字釋林》一三二至一三三頁〈釋䀠〉
令	a105	高田忠周釋爲令字。
丮丮	a109	即丮之複體。
單北	a112	北單合文。
阜北	a114	北阜合文。
北子	a115	北子合文。
令	a126	从 从㐺，當亦令之異體。
亞矣	a129	高田忠周釋亞矣。
亞㚇	a130	亞形中字从害从夫。
亞俞	a132	方濬益釋亞形中俞。
亞弜	a134	方濬益釋亞形中弜。

亞橐 a139 李孝定先生釋亞橐合文。
亞示 a140 李孝定先生疑亞示合文。
亞肱 a141 于省吾釋亞肱，見甲骨文字釋林。
亞聿 a143 亞形中从||从聿，聿从二又。
亞牧 a144 商承祚引羅振玉説釋亞牧。
亞𤼽 a145 亞形中爲𤼽，𤼽字金文多見。
亞保酉a146 李孝定先生釋亞形中保酉二字。
亞𢍏 a148 吳式芬釋亞𢍏。
亞大 a153 方濬益釋亞形中大。
亞𡵂 a157 亞形中𡵂。
亞䞣 a159 亞形中址。
亞址 a160 亞形中字从土从止，姑隸定作址。
亞夒 a164 李孝定先生釋亞形中夒。
亞鹿 a165 李孝定先生釋亞形中鹿。
亞離 a168 李孝定先生釋亞形中離。
亞羌乙a171 高田忠周釋亞形中羌乙。
亞果 a172 亞形中字當釋果。
亞古 a178 亞形中字當釋古，與庚嬴卣姑字所从古同形。
亞苢 a180 亞形中苢
亞示 a181 李孝定先生釋亞形中一文與示字略近。
舟亞舟a185 亞形左右各一舟
亞薦 a185+ 亞形中薦
鳶 a186 甲文从隹，于省吾釋鳶，參甲骨文字釋林 305頁。
鳥 a187 象鳥形。
⿱鳥丙 a188 从鳥从丙。
鳥宁 a189 李孝定先生疑鳥宁合文。
帚隻 a191 李孝定先生釋帚隻合文。
蝠 a192 高田忠周釋蝠，象形。
隻 a193 字可釋隻。从鳥與隹同，从収與又同。
虎 a194 高田忠周釋虎，象形。
⿰木虎 a194 金文編九六O號有⿰木虎字，此从屮，與木通，可釋⿰木虎。
豕 a196 象形。
犬 a198 象形。
羊 a200 象形。
馬 a201 象形。

豕	a202	象形。
龍	a203	象形。
牛	a204	象形。
告	a205	象形。
犬丁	a207	李孝定先生釋犬丁合文。
狽	a208	李孝定先生釋狽。
馭	a211	李孝定先生釋馭。
馭	a212	李孝定先生釋馭。
䍯	a216	从㔾从泉，與金文編一六二一號同字。
狩	a219	李孝定先生釋狩。惟字似从史不从單，疑史犬合文。
狂	a220	李孝定先生釋狂。
漁	a223	甲文漁字如此。
㞢	a224	唐蘭釋㞢。
㞢	a225	同上。
嬋	a226	李孝定先生釋嬋。
雞	a227	李孝定先生釋雞。
雞	a228	方濬益釋馭。
鼀	a230	馬敘倫釋鼀。
弔	a231	容庚釋馭。
㲋羊	a232	㲋羊合文。
㲋	a233	它字之複體。
戰	a236	于省吾釋戰。
刀	a240	柯昌濟釋刀。
刀	a241	同上。
刀	a242	方濬益釋立刀形，請與下條參看。
子刀刀	a243	方濬益釋子立刀形。
刀	a244	象形。
剛	a245	从刀斷网，即剛字。
矛	a248	于省吾釋矛。
辛	a249	李孝定先生疑爲辛字。
戚	a250	金祥恒先生釋戚，見〈甲骨文考釋三則〉.中研院第二屆國際漢學會議論文
耒	a251	甲骨文耒字如此。
彈	a253	王國維釋彈。
𢎪	a253	王國維釋𢎪。

宁	a254	劉心源釋宁。
𡨜	a255	李孝定先生釋从戈宁聲。
美宁	a259	美宁合文。
宁矢	a260	李孝定先生釋矢宁合文。
亯	a261	馬敘倫釋亯。
京	a264	吳大澂釋京。
主	a267	吳式芬釋主。
丁	a277	李孝定先生釋丁之異構。
弓	a281	李孝定先生釋弓之異構。
冂	a282	疑即𢿱字所从之冂，象架形。
兮	a287	當釋兮。
戉	a288	李孝定先生謂或是戉字。
規	a291	與甲文規字同形，郭沫若釋規，見《甲研》二册後記葉一。
个	a295	李孝定先生釋个，即今語箭之古象形文。
丁	a297	吳其昌釋丁，李孝定先生以爲近之。
鍪	a298	象形。
鍪	a299	象形。
亥	a304	于省吾釋亥。
缶	a305	于省吾釋缶，見《釋林》三四四至三四六頁
弜	a310	方濬益釋弜。
不	a312	李孝定先生釋爲不字。
用	a314	與甲文用之初文，參于省吾先生《釋林》三五九頁。又與凡之或體亦，參《金文詁林》附錄六七七頁。
心	a316	與甲骨文心字同形，參于省吾《釋林》三六一頁釋心。
冂	a317	象冂形。
句	a329	徐同柏釋句。
句	a330	徐同柏釋句。
句	a331	李孝定先生釋爲句字。
句須	a332	郭沫若釋爲句須二字合文。
耳	a333	李孝定先生疑爲耳字。
聑	a334	李孝定先生釋爲聑字。
刀	a338	李孝定先生疑爲刀字。
䀠	a340	魯師實先先先生釋䀠，見殷契新詮六·九
皇	a341	與甲骨文皇字同形，王獻唐先生釋皇，參《古文字中所

見之火燭》一〇六頁

中 a343 柯昌濟釋中，讀去聲。

輪 a345 象輪形。

輪 a346 李孝定先生釋爲輪之古象形文。

丯 a348 象刲刻形。

网 a349 象網形。

丰 a350 丰之倒文。

丰 a351 李孝定先生釋爲封之古文異構。案、即丰字。

六六六a356 李孝定先生釋爲三「六」字合文。

舲 a357 李孝定先生疑爲艅之古文。

毌 a365 與甲骨文毌字同形，孫詒讓釋毌，參《契文舉例》下三三葉上

句毌 a366 从二丩、通句，从毌。

戎 a367 从戈从毌，即戎字，與盂鼎戎字同形。

誖 a368 李孝定先生釋爲誖之古文。

會 a372 李孝定先生釋爲會字。

會 a373 李孝定先生釋爲會字。

冎 a374 骨之初文。

甾由 a379 李孝定先生疑爲圃之初文。案、即甾字，从屮从田。

鹵 a383 郭沫若釋鹵。

步 a388 从二止。

八一六a392 唐蘭釋。

八五一a393 同上。

五八六a394 同上。

六一八六一一 a395 同上。

六六一六六一 a396 同上。

七五八a397 同上。

七八六六六六 a396.1 同上。

八七六六六六 a396.2 同上。

戚 a399 金祥恒先生釋戚，見〈甲骨文考釋三則〉中研院第二屆國際漢學會議論文

興 a400 从臼、収、从凡，當釋興。

鼎 a401 孫詒讓釋鼎。

則 a402 从鼎从刀，即則字。

子 a406 子之繁體。

縌	a407	王獻唐釋縌，謂字象佩玉之組綬。
䀠	a411	从二目。
辛亯	a414	李定先生釋辛亯合文。
䜌	a418	劉心源釋从單从㽕。
隻䜌	a419	李孝定先生釋从㽕、从單、从隻。
䜌匿	a420	从㽕、从單、从匿。
罕	a422	唐蘭釋罕。
朿	a426	李孝定先生疑與朿字義近。
关	a428	魯師實先先生从王襄釋关，即弁之古文，參《殷契新詮》之二。
舌	a431	余永梁釋舌。
舌	a432	同上。
夂	a433	李孝定先生釋爲夂字。
征	a434	从行省、从止。
征	a435	同上。
正	a436	从冂、从止。
出	a437	出之倒文。
疋	a438	高田忠周釋疋。
此	a439	于省吾釋此。
㞢	a440	李孝定先生謂當隸定作㞢。
疋	a441	楊樹達釋疋。
丰㞷	a443	舊釋從馬敘倫以爲即契字。裘錫圭先生謂此爲丰 㞷二字，㞷字从刀，特別突出刀背之脁子，與附下b068、附下b416同字（見〈古文字釋讀三則〉）。
㕯	a446	陳夢家釋㕯，即撥亂之撥。
句冊	a454	句冊複體合文。
豆冊	a456	李孝定先生釋豆冊合文。
秝	a465	徐中舒先生以爲字从二耒。
夊(艱)	a468	與甲骨文艱字形近，唯此从二又。參劉釗《古文字構形研究》一二七頁
𠧪	a469	李孝定先生釋疑與𠧪字義近。
公収	a473	从公从収。
亯収	a474	从亯从収。
亞其収	a475	从亞其収。
弅	a475+	从丙从収。

2465

系	a476	于省吾釋系。
叉	a478	周法高先生釋象叉之形。
㕚	a481	馬敘倫釋㕚。
取	a482	从耳从又，當即取字。
耒	a484	徐中舒釋耒。
㪅	a487	从我从又。
㓚	a488	从又持刀。
商㓚	a491	李孝定先生釋从又从刀、商爲聲符。
左	a492	李孝定先生釋爲左字。
㝬	a493	李孝定先生疑爲㝬字。
㪅	a494	李孝定先生釋从史从夊。
㪅	a494	李孝定先生釋从史从攴。
㪅	a495	孫詒讓釋㪅。
㥑	a498	郭沫若以爲即㥑之初文。
㽙	a502	李孝定先生以爲即㝵之古文。
㽙辛	a503	李孝定先生釋㽙辛合文。
羌又	a505	李孝定先生釋从羌从又。
㹭	a507	李孝定先生釋从羊从先。
㣂	a508	李孝定先生釋羌之異構。
爰	a509	羅振玉釋爰。
㓹	a510	从索从刀。李孝定先生疑爲絕之古文。
㸦	a511	疑與㸦同字。參李學勤先生〈試論董家村青銅器群〉《文物》一九七六第六期 又收在氏著《新出青銅器研究》第九十八頁
㸦	a512	晏琬(即李學勤)釋㸦，以爲即孤竹之孤。見〈北京遼寧出土銅器與周初的燕〉、〈試論孤竹〉、〈試論董家村青銅器群〉。
壴	a513	鼓之初文。
壴	a514	疑同上。
飲	a518	李孝定先生釋爲㱃，即飲字。
㿿	a519	李孝定先生釋爲斿皿合文。
㚔	a521	與甲骨文㚔字同形，王襄釋㚔。
㚔	a522	从屮从㚔。
圉	a524	李孝定先生釋爲从口从㚔。周法高先生以爲即䜭字，从口與从言同，从㚔與从執同。

㚔刂	a525	从刂从㚔，依甲骨文从刂與否常爲同字，則此字或即㚔之或體。
敎	a526	李孝定先生釋爲从㚔从夊。周法高先生以爲即執字。
𢍰	a527	朱芳圃釋𢍰。李孝定先生以爲執之異構。
㙯	a528	从執从尹。周法高先生以爲與執同。
制	a536	从木从刀，劉釗先生釋制。見〈金文編附錄存疑字考釋〉。
東	a538	疑東之異構。
旜	a540	从㫃从單。
宔	a545	與金文編正編一二三三號同字。
寱	a547	高景成先生釋寱之異體。
竊奸	a548	唐蘭釋竊奸
帀	a552	徐中舒釋帀。
帀	a553	同上。
般	a554	柯昌濟釋般。
朕	a556	李孝定先生釋朕。
眉	a557	李孝定先生釋眉。
夏	a558	劉釗先生釋夏。見〈金文編附錄存疑字考釋〉
㾓	a559	方濬益釋㾓。
竹	a561	與甲骨文竹字同形。葉玉森釋竹。
髟	a564	李孝先生釋髟。
夙	a567	周法先生釋夙。
守孚	a568	李孝定先生釋守孚合文。
婦	a571	李孝定先生疑婦之異構。
婦旋	a574	李孝定先生釋婦旋合文。
帚姦	a575	李孝定先生謂从姦，另一偏旁不可識。奎：疑帚之異構。
封	a577	王國維釋封。
而丁	a580	李孝定先生疑爲而丁合文。
㢉	a581	吳大澂釋从庚从丙，高田忠周以爲即庚字。
庚	a582	高田忠周以爲即庚字。
辛冂	a585	李孝定先生釋从辛从冂。
戣	a586	吳式芬釋癸、羅振玉釋戣，郭沫若謂癸戣一字。
字	a587	疑即字字。
㫐	a588	唐蘭釋㫐。
㫐	a590	同上。

攻 a595 李孝定先生謂未知爲攻字否。
眗 a598 唐蘭釋眗。
眗 a599 同上。
弆 a600 周法高先生釋弆。
啚 a602 从二亯。
害 a606 疑即害字
北耳 a611 从北从耳。

*

金文編附錄下

䎸 b001 林澐釋䎸。見〈新版金文編正文部份釋字商榷〉第一七六條 一九九0年中國古文字研究會第八屆年會論文
福 b004 郭沫若釋福。
福 b005 李孝定先生以爲與上條同字而結體小變。
琮 b008 劉心源釋琮。
萱 b011 容庚隸定作萱。
舀 b024 从爪从口。
冶 b026 與金文編0686號剛字條下第五至第八字作但形者、附錄下b343號俱當釋冶，參李學勤先生〈戰國題銘概述〉文物一九五九年八期，王人聰〈關於壽縣楚器銘文中但字的新釋〉考古一九七二年六期，黃盛璋〈戰國冶字結構類型與分國研究〉古文字學論集初編四二九至四三一頁
䀉 b028 商承祚釋䀉。
佋 b029 郭沫若隸定作佋。
𥏻 b035 从矢从匕从口，柯昌濟以爲即古智字。
𤟀 b037 从旡从荷。
𠱠 b041 从二、玉从口，王國維以爲豊之初文。
訊 b043 郭沫若釋訊，與金文編正文第三四0號同字。
訊 b044 同上。
嘂 b045 孫詒讓釋嘂。
嘂 b046 同上。
號 b048 出曾侯乙編鐘。
𠷎 b049 何琳儀釋𠷎。見《戰國文字通論》一三八頁釋文。
䍃 b051 徐中舒釋䍃。

夌	b063	與陵字所从夌形近。
迋	b068	裘錫圭先生以爲金文編本條除末二文外，其餘五文皆應釋迋，所从㞷字與附上a443所从同字，請參看。
⿺辶戈	b070	與甲骨文⿺辶戈字形近。
适	b072	李孝定先生釋适。
履	b080	裘錫圭先生釋。見〈西周銅器銘文中的履〉。
微	b084	周法高先生釋微。旭昇案：此字當从㞷省，請參附上a443。
遷	b091	劉釗釋遷。見〈金文編附錄存疑字考釋〉
退	b092	劉心源釋退。劉釗解云：从彳、右所从即"退"字之初文，下从夂，上或从豆、或从段、或从尊，本義爲"撤去"，皆指撤去某種祭祀而言。--劉釗《古文字構形研究》頁75
告	b097	从彳、从告、缶聲，郭沫若釋爲告。
適	b101	孫詒讓疑爲適之異文。
⿰羊業	b115	容庚先生隸定作⿰羊業。
⿱⿰羊丰廾	b116	或逕釋爲易。參徐中舒先生主編《甲骨文大字典》一0六三頁易字條下
[illegible]	b120	與附下 142號⿰开凡當爲同字，請參看。
要	b132	吳大澂釋要。
⿱艹⿱冉皿	b138	郭沫若若釋⿱艹⿱冉皿。
烹	b139	郭沫若釋烹。
蒸	b140	吳闓生釋蒸。
建	b143	當與附錄上建字同。
⿰开凡	b144	高鴻縉先生釋兼，李孝定先生以爲可從。
⿱日又	b145	容庚先生釋⿱日又。
⿰身殳	b151	李孝定先生隸定作⿰身殳。
扷	b157	左从木从ナ，即差字，右从夭。陳夢家隸定作佐，近之。
⿰亻攵	b161	何琳儀釋⿰亻攵，見《戰國文字通論》第五章第五節釋⿰亻攵。
⿱埶金	b164	劉釗釋⿱埶金，見〈金文編附錄存疑字考釋〉
篲	b186	與甲骨文同形，唐蘭釋彗，即篲之本字
⿱臤子	b191	丁山隸定作⿱臤子，以爲當是子隻合文。
⿱艹⿰斤斤	b193	郭沫若釋⿱艹⿰斤斤，今作乖。
帶	b195	吳匡先生謂此即帶字。

聅	b196	劉釗釋聅，見〈金文編附錄存疑字考釋〉
𦚏	b199	从𨸏从刀从肉。吳匡、蔡哲茂先生釋造，與b345𦚏同字。〈釋金文𩴑𠞥𦚏𦚏等字兼解左傳的讒鼎〉史語所集刊五十九本四分。
腘	b201	李孝定先生釋腘。
紉	b203	从糸从刀，劉心源以爲即說文絕字省卪。
腶	b206	何琳儀隸定作膴，見《戰國文字通論》一三八頁。劉釗釋腶，見〈金文編附錄存疑字考釋〉。今從劉釋。
𠷎	b208	與甲骨文同形。金文見盄和鐘（即秦公鐘），呂大臨《考古圖》，薛尚功《歷代鐘鼎彝器款識》都隸定作協，徐中舒先生釋麗，用爲協。郭沫若釋◆，唐蘭釋𤔔，李孝定先生隸定作𠷎，以爲犁耕之初字，金文中讀爲協。（參《甲骨文字集釋》三一三三頁）李零先生以爲當釋諧。（參考古一九七九年第六期五一七〈春秋秦器試探秦公鐘鎛「以康奠諧朕國」〉）
耕	b209	字从二耒，與附上 209號當爲同字。
𦙍	b212	柯昌濟隸定作𦙍。
巨	b216	于省吾先生釋巨。
義	b219	吳大澂釋義。
𩰫	b225	郭沫若隸定爲𩰫，李孝定先生以爲可讀爲穌，周法高先以爲當讀爲蝦。
𥁕	b226	从心从皿。
盤	b228	从关从皿。
㪏厚	b241	唐蘭釋㪏厚二字。
饅	b240	李孝定先生釋饅。
𠉻	b242	李孝定先生隸定作𠉻。
喬	b248	與正編1678喬字下所收𠣞忓鼎喬字同形。
差	b255	劉釗先生釋差。見〈金文編附錄存疑字考釋〉
𠀬	b260	李孝定先生疑爲邦字。
梖	b265	从木从口从貝。
榇	b266	丁山釋榇，謂即榆之本字。
柟枏	b268	从木从冉。
𣂪	b270	孫詒讓謂與毛公鼎𣂪同字，可從。皆从木卂聲，當即祁之本字，甲骨文作（參古文字研究六輯一六七至一六九頁張亞初〈甲骨金文零釋〉），其又从斤、从衣，皆

		後加聲符。祈古音在疑紐脂部，斤在見紐諄部，衣在影紐微部，聲韻俱近。參附下 373號𣂪字條下。
榶	b271	高田忠周釋栝。
巢	b275	甲骨文有漅字，于省吾釋漅（參〈甲骨文字釋林〉四一九頁釋漅），右旁所从與此同字，則此字可釋巢。
圞	b277	李孝定先生謂字當隸定作圞，不可確識。
圛	b278	从口从睪。
䝴	b281	譚弁甫釋从貝㪔聲。
祁	b282	从邑示聲。
鄩	b284	左旁所从與甲骨文同形，唐蘭釋尋。
陰	b286	从阜从侌。
集	b288	朱德熙先生釋集。
斺	b294	李孝定先生釋从㫃从攴
施	b297	朱德熙、裘錫圭先生釋施，讀爲也。（見文物一九七九年第一期四二頁〈平山中山王墓銅器銘文的初步研究〉）
𩝞	b302	吳大澂釋𩚬。
𩛥	b303	孫詒讓釋𩚬。
𩚬	b304	同上。
鑊	b306	與甲骨文鑊字同形，羅振玉釋鑊。
宓	b315	从宀从二弋，弋爲必之初文，字可釋宓。
穽	b316	从宀从廾。于省吾先生釋宓，字不从必，不可从。
密	b321	从宀从二弋，从山，高田忠周釋密。
寶	b324	郭沫若隸定作寶。吳闓生以爲當亦饗祀之義。
㝛	b327	孫詒讓釋亩，郭沫若釋㝛，皆讀爲稟。
寓	b331	从宀从寓。
寇	b343	从穴从元从耳。
𦣻	b345	劉心源釋㒼，郭沫若釋將。吳匡、蔡哲茂先生釋造，以爲與𦣻同字。〈釋金文𦣻𦣻等字兼解左傳的讒鼎〉史語所集刊五十九本四分
仲	b359	何琳儀隸定作仲，見《戰國文字通論》一三八頁
亟	b371	與甲骨文亟同形，唯字首多一短橫繁文。
𣂪	b373	當與附下 270號𣂪同字。郭沫若讀爲靳字。
㞓	b376	于省吾先生隸定作㞓。
肆	b377	李孝定先生謂文似从舟从聿。

觵	b379	金文編謂說文蜩或从舟作蚺。蓋謂蚺即觵。
履	b384	吳式芬引許印林說釋履，可從，請參 1421+履字條下。
頁	b385	字上所从與目形不同，當釋頁，金文偏旁頁字多如此作。
顯	b388	李孝定先生以爲與說文頂字籀文同形，當是頂字。
頣	b395	郭沫若疑爲顯字之異。
炒	b407	郭沫若釋从广炒聲，乃寮之別構。李孝定先生以爲可逕釋爲炒。
𢄊	b412	周法高先生釋从巾从匚哀聲，可能爲裔之本字。
𡷈	b416	裘錫圭先生釋𡷈，與附上a416、附下b068所从同字，請參看。
兔	b420	劉釗先生釋兔。見〈金文編附錄存疑字考釋〉
𣬉	b421	从㲋从匕。
𣬈	b422	吳大澂釋从㲋从毛。
蜼	b430	从虫从隹，當隸定作蜼。
冶	b434	與b026同，請參看。
髭	b445	裘錫圭先生釋髭，見〈讀安陽新出的牛甲骨及其刻辭〉
夷	b446	高田忠周釋夷。
矛	b447	吳匡先生以爲當讀爲矛（未刊稿）。
奔	b454	龍宇純先釋爲拔字，義爲倉卒疾行。旭昇案：此字左从夭，與奔走有關，當無可疑。右从桒，吳式芬、方濬益、劉心源皆讀爲賁，且舉說文餴或作饙爲證，說當可從。然則此字當爲从夭桒（賁）聲，疑爲奔之後起形聲字。
𧸐	b460	左从害，右从矢，當爲夫之訛。請參1700號𧸐字條。
涇	b474	吳大澂釋𨸏，以爲𨸏涇一字。
永	b479	與甲骨文永字同形，請參甲骨文編1352號。
媢	b496	右从女，左所从與班𣪘烏字同形（ 見金文編633），當可隸定作媢，字書所無，金文作人名用，無義可尋。
姅	b500	于省吾先生釋姅。
㚸	b502	右从女，左旁所从即祁之初文之省，（參張亞初〈甲骨金文零釋〉古文字研究六輯一六七至一六九頁），可逕釋嫧，與金文編2014號同字。
姚	b507	商承祚隸定作姚。徐中舒先生漢語古文字字形表從之。旭昇案：中山王墓兆域圖有逃字，用爲兆，其右旁所从與姚字右旁所从接近，則此字或當釋姚。

弜	b532	裘錫圭先生釋爲發之初文，象弓弦被撥後不斷顫動之形。見〈釋勿發〉中國語文研究二期三五至四五頁
𢐗	b537	从弓从魚，或从弓从魚从自，或从弓从雙魚，西周時期畿內重要方國之一，中心區域在渭水以南，清姜河兩岸台地。參《寶雞𢐗國墓地》，一九八八年十月文物出版社。
螇	b539	疑从虫从奚，爾雅釋蟲有螇蚸，形似蜈蚣而細長，飛翅作聲。
堵	b551	孫詒讓釋堵。
堂	b554	唐蘭釋堂。正編2171號堂字重見。
貍	b555	丁佛言釋貍。
鍚	b562	于省吾釋鍚，又从木爲繁文耳。
鐳	b563	參《曾侯乙墓》附錄二、裘錫圭、李家浩撰〈曾侯乙墓鐘磬銘文釋文與考釋〉
𠂤	b573	與甲骨文𠂤字同形，李孝定先生以爲𨸏之異構。見《甲骨文字集釋》四一二七頁
𠂤	b574	同上。
厶官	b576	厶官合文。
隮	b580	李孝定先生隸定作隮。
隥	b581	湯余惠釋隥，見氏著博士論文《戰國文字形體研究》。
叁	b587	馬敘倫釋晶，轉注爲叁，讀爲三。
叁分	b588	楊樹達先生釋叁分。
㕡	b596	郭沫若釋㕡。
堯	b605	劉釗釋堯。見〈金文編附錄存疑字考釋〉
𠂤	b619	疑與甲骨文𠂤字形近，𠂤即帥之初文。
仁	b625	方濬益釋仁。
升	b627	字从斗，似當釋升。
帀	b630	方濬益釋師，李孝定先生釋帀。
䀠	b638	疑亦䀠字。參于省吾先生《甲骨文字釋林》一三二至一三三頁〈釋䀠〉、劉釗〈甲骨文字考釋十篇〉
在	b647	楊樹達釋在，惟謂从土作則非。龍宇純先生釋爲从士从才，即在字。見《中國文字學》第三章第一七二頁。
嗌	b662	方濬益釋嗌。
豕	b663	郭沫若釋豕，从豕，有索以絆之。
敓	b678	湯余惠釋敓，見氏著博士論文《戰國文字形體研究》。

㚖	b682	丁佛言謂疑是㚖字。
㜸	b693	李孝定先生謂當是㜸之古文。
夔	b694	劉心源釋夔。
夔	b695	同上。
履	b699	裘錫圭先生釋履。參 1421+履字條。
莬	b704	疑从艸从兔，或可釋莬。
韋	b706	參《曾侯乙墓》附錄二、裘錫圭、李家浩撰〈曾侯乙墓鐘磬銘文釋文與考釋〉
豚	b716	何琳儀隸定作豚。見《戰國文字通論》一三八頁
啻	b718	黃錫全釋啻。見〈夫啻戈銘新探〉。
幾	b732	从三幺與从二幺同，从女與从人同，釋幾當可從。
艾	b733	何琳儀隸定作艾。見《戰國文字通論》一四0頁
君	b734	何琳儀隸定作君。見《戰國文字通論》一四0頁
颪	b735	何琳儀隸定作颪。見《戰國文字通論》一四0頁
實有	b736	何琳儀隸定作實有合文。見《戰國文字通論》一四0頁
卯	b741	何琳儀釋卯。見《戰國文字通論》第五章第五節〈釋卯〉。

§、參考書目（依作者姓氏筆劃多寡爲次）

01、于省吾　《甲骨文字釋林》 p.132　中華書局1979.6

02、王人聰　〈關於壽縣楚器銘文中佀字的新釋〉　《考古》1972.6

03、王獻唐　《古文字中所見之火燭》 p.106 齊魯書社1979

04、朱德熙、裘錫圭〈平山中山王墓銅器銘文的初步研究〉《文物》1979.1　p.42

05、何琳儀　《戰國文字通論》　北京中華1989.4

06、李孝定　《甲骨文字集釋》　中央研究院歷史語言研究所專刊之五十 1965.7

07、李孝定　《金文詁林讀後記》　中央研究院歷史語言研究所1982.6

08、李學勤　〈戰國題銘概述〉《《文物》》1958.8

09、晏琬（即李學勤）〈北京遼寧出土銅器與周初的燕〉考古一九七五年五期二七六頁　又收在《新出青銅器研究》第四十六頁　文

物出版社1990.6

10、李學勤　〈試論董家村青銅器群〉　《文物》一九七六第六期　又收在氏著《新出青銅器研究》第九十八頁

11、李學勤　〈重新估價中國古代文明〉　人文雜誌1982年五月專號《《先秦史論文集》》、又收在《《李學勤集》》　黑龍江出版社1989.5、《《新出青銅器研究》》

12、李學勤　〈試論孤竹〉　《社會科學戰線》1983年第2期

13、李學勤　〈史密𣪘所記西周重要史實考〉　《《中國社會科學院研究生院學報》》1991.2 p.5

14、汪中文　〈微史族銅器群瑣記〉　第四屆中國文字學國際學術研討會論文1993.3.19

15、周法高　《金文詁林》正續　京都中文出版社 1981

16、周法高　《金文詁林補》　中央研院歷史語言研究所 1982.6

17、金祥恒　〈甲骨文考釋三則〉　中研院第二屆國際漢學會議論文1986

18、吳匡、蔡哲茂〈釋金文𩰫劇𦣻𦣻等字兼解左傳的讒鼎〉史語所集刊五十九本四分。

19、林澐　〈新版金文編正文部份釋字商榷〉　一九九０年十一月中國古文字研究會第八屆年會論文

20、季旭昇　〈說弜〉　慶祝黃天成先生七秩誕辰論文集 p.115-124　臺北．文史哲出版社　1991.6

21、季旭昇　〈說弘〉　大陸雜誌八十四卷四期1992.4

22、唐蘭　《中國文字學》　臺北文光圖書公司再版　1971.3

23、唐蘭　〈略論西周微史家族窖藏銅器群的重要意義〉　《文物》1978.3 p.19

24、徐中舒　《甲骨文大字典》　四川辭書出版社1988

25、張亞初　〈甲骨金文零釋〉《古文字研究》六輯　p.176-169

26、黃盛璋　〈戰國冶字結構類型與分國研究〉《古文字學論集初編》p.429-431 香港中文大學1983

27、黃錫全　〈夫䣄戈銘新釋〉　一九九０年十一月中國古文字研究會第八屆年會論文

28、裘錫圭　〈說𣎆𩎟白大師武〉　《考古》1978.5（《古文字學論》集三五七頁　一九九二年中華書局出版

29、裘錫圭　〈釋殷虛甲骨文的「遠」、「邇」及有關諸字〉　見一九八三年中華書局出版《古文研究第十輯》，又修訂後收入氏著

《古文字學論集》第十一頁
30、裘錫圭、李家浩　〈曾侯乙墓鐘磬銘文釋文與考釋〉見《曾侯乙墓》附錄二　文物出版社1989.7
31、裘錫圭　〈釋柲〉　《古文字研究》三輯　一九九0
32、裘錫圭　〈釋求〉　古文字研究十五輯一九五至二0五頁
33、裘錫圭　〈古文字釋讀三則〉-士、郙、寓㞷　徐中舒先生九十壽辰紀念論文集　p.9-22　巴蜀書社1990.6
34、裘錫圭　〈西周銅器銘文中的履〉　《甲骨文與殷商史》第三輯　四二七至四三五頁　1991.8
35、裘錫圭　〈讀安陽新出的牛甲骨及其刻辭〉　《考古》一九七二年第五期第四十五頁
36、劉釗　〈金文編附錄存疑字考釋〉一九九0年十一月中國古文字研究會第八屆年會論文
37、劉釗　〈甲骨文字考釋十篇〉　殷墟甲骨文發現九十周年紀念活動會議論文
38、劉翔　〈賈字考源〉　甲骨文與殷商史第三輯　上海古籍出版社1991.8
39、盧連成　胡智生　《寶雞𢐗國墓地》　文物出版1988.10
40、謝元震　〈釋㠯〉　《甲骨文與殷商史》第三輯
41、龍宇純　《中國文字學》　臺灣學生書局　1968.10 初版　1972.9再版

《金文單字引得》采用彝器目錄

嚴碼	邱碼	器名	嚴碼	邱碼	器名
0001	0001	天鼎一	0031	0035	鼎鼎
0002	0002	天鼎二	0031.1	0036	鼎鼎
0003	0004	天鼎	0032	0000	丁鼎
0004	0000	宗鼎	0033	0038	戉鼎
0004.1	J0190	宗鼎	0034	0039	戈鼎一
0005	0000	共鼎	0035	0040	戈鼎二
0006	0006	嬰鼎	0036	0041	戈鼎三
0007	0005	嬰鼎	0037	0042	戈鼎四
0008	0007	戉鼎一	0038	0043	戈鼎五
0009	0008	戉鼎二	0039	0044	戈鼎六
0010	0010	竟鼎	0040	0041	戈鼎七
0011	0000	鼬鼎	0041	0046	戈鼎八
0012	0012	保鼎一	0042	0047	戈鼎九
0013	0011	保鼎二	0043	0049	㚸鼎
0014	0017	俁鼎	0044	0050	巛鼎一
0015	0015	重鼎一	0045	0051	巛鼎二
0016	0016	重鼎二	0046	0052	巛鼎三
0017	0014	企鼎	0047	0053	光鼎
0018	0013	岂鼎	0048	0054	__鼎
0019	0018	旅鼎一	0049	0055	叉鼎
0019.1	0019	旅方鼎二	0050	0070	子鼎
0020	0011	牛首形鼎	0051	0037	𠬝鼎
0021	0030	牛鼎	0052	0056	雝鼎
0022	0022	鹿方鼎	0053	0057	史鼎一
補22	0000	鹿方鼎	0054	0068	史鼎一
0023	0024	羊鼎一	0055	0059	史鼎三
0024	0023	羊鼎二	0056	0060	史鼎四
0025	0025	[illegible]鼎	0057	0061	史鼎五
0026	0026	鴸形鼎一	0058	0063	史鼎六
0027	0027	鴸形鼎二	0059	0062	史鼎七
0028	0029	龍鼎	0060	0064	羞鼎一
0029	0030	魚鼎一	0061	0065	羞鼎二
0030	0031	魚鼎二	0062	0067	嬰鼎
補4	0172	魚鼎	0063	0071	妥鼎

0064	0068	㔟鼎
0065	0000	伐鼎
0066	0069	壴鼎
0067	0073	亖鼎
0068	0000	盔鼎
0069	0075	舌鼎二
0070	0074	舌鼎
0071	0077	霝鼎一
0072	0076	霝鼎二
0073	0080	亣鼎
0074	0081	鼰鼎
0075	0079	㾓鼎
0076	0082	㒳鼎一
0077	0083	㒳鼎二
0078	0084	㒳鼎三
0079	0085	㒳鼎四
0080	0087	㒳鼎五
0081	0086	㒳鼎六
補2	0171	㒳鼎
0082	0088	㣺鼎一
0083	0000	㣺鼎
0084	0089	㣺鼎二
0085	0090	㣺鼎三
0086	0092	亼鼎
0087	0000	𦍌鼎
0088	0093	鍪鼎一
0089	0094	鍪鼎二
0090	0095	鍪鼎三
0091	0096	鍪鼎四
0092	0097	會鼎一
0093	0098	會鼎二
0094	0099	會鼎三
0095	0100	會鼎四
0096	0000	會鼎
0097	0101	宁鼎
0098	0000	貯鼎
0099	0102	酙鼎
0100	0105	亞鼎二
0101	0104	亞鼎一
0102	0106	亞鼎三
0103	0108	口鼎
0104	0109	圁鼎
0105	0000	聝鼎
0106	0111	聝鼎
0107	0110	田鼎
0108	0114	皿鼎一
0109	0115	皿鼎二
0110	0116	品鼎
0111	0117	𠱠鼎
0112	0000	鹵鼎一
0113	0118	鹵鼎二
0114	0119	鹵鼎三
0115	0000	般鼎
0116	0121	倉鼎
0117	0122	㽙鼎
0118	0123	□鼎
0119	0124	守雩鼎
0120	0125	輪鼎一
0121	0126	輪鼎二
0122	0127	車鼎
0123	0129	受鼎
0124	0130	舨鼎
0125	0131	戈鼎
0126	0133	制鼎
補126	0000	制鼎
0127	0134	髭鼎
0128	0135	彈鼎
0129	0000	文鼎
0130	0136	㚔鼎
0131	0179	畢鼎

0132	0137	亯鼎
0133	0138	畀鼎
0134	0139	蔿鼎一
0135	0140	蔿鼎二
0136	0143	得鼎
0137	0145	[illegible]鼎
0138	0146	倗鼎
0139	0147	[illegible]鼎
0000	0003	[illegible]鼎
0140	0148	[illegible]鼎
0141	0149	[illegible]鼎
0142	0150	崒鼎
0143	0169	徙方鼎
0144	0000	亘鼎
0145	0153	[illegible]鼎一
0146	0154	[illegible]鼎二
0147	0155	[illegible]鼎
0148	0180	[illegible]方鼎
0149	0000	[illegible]鼎
0150	0000	[illegible]鼎
0151	0157	舟鼎
0152	0159	兒鼎一
0153	0165	亞鼎
0154	0166	守鼎
0155	0167	告鼎
0156	0170	平鼎
0157	0168	[illegible]鼎
0157.1	J0151	[illegible]鼎
0157.2	J0151	矢宁鼎
補1	0174	正鼎
補3	0173	盜鼎
0158	0185	天豕鼎一
0159	0186	天豕鼎二
0160	0184	天豕鼎三
0161	0000	韋方鼎
0162	0187	亞吳鼎一
0163	0188	亞吳鼎二
0164	0000	亞吳鼎三
0165	0190	亞吳鼎四
0166	0191	亞吳鼎五
0167	0192	亞吳鼎
0168	0194	亞天鼎
0169	0196	亞寸方鼎
0170	0197	亞告鼎一
0171	0198	亞告鼎二
0172	0200	亞卯方鼎
0173	0199	亞果鼎
0174	0201	亞明鼎
0175	0000	亞而丁鼎
0176	0000	亞丙鼎
0177	0202	亞[illegible]鼎
0178	0203	亞[illegible]鼎
0179	0204	亞[illegible]鼎一
0180	0205	亞[illegible]鼎二
0181	0206	亞隔鼎一
0182	0207	亞隔鼎二
0182.1	J0146	亞隔鼎
0183	0209	亞寅止鼎
0184	0208	亞寅鼎
0185	0210	亞衛鼎
0186	0211	亞醜鼎一
0187	0212	亞醜鼎二
0188	0214	亞醜鼎三
0189	0213	亞醜鼎四
0190	0215	亞醜鼎五
0191	0216	亞醜鼎六
0192	0217	亞醜鼎七
0193	0218	亞醜鼎八
0193.1	0000	亞牧鼎
補5	0000	亞守鼎
0194	0220	且乙鼎一
0195	0221	且乙鼎二

0196	0222	且戊鼎	0232	0258	癸冄方鼎二
0197	0224	父丁鼎一	0233	0291	冄共鼎一
0198	0225	父丁鼎二	0234	0289	冄共鼎二
0199	0226	父戊鼎一	0235	0290	冄共鼎三
0200	0227	父戊鼎二	0236	0264	己學鼎
0201	0228	父己鼎一	0237	0261	酋乙鼎
0202	0229	父己鼎二	0238	0260	酉乙鼎
0203	0230	父己鼎三	0239	0262	弔丁鼎
0204	0231	父己鼎四	0240	0000	丁[illegible]鼎
0205	0232	父己鼎五	0241	0000	告宁鼎
0206	0233	父辛方鼎一	0242	0000	戈己鼎
0207	0235	父辛方鼎二	0243	0267	角辛鼎
0208	0234	父辛方鼎三	0244	0270	辛丯鼎
0209	0236	父辛方鼎四	0245	0271	[illegible]癸鼎
0210	0237	父壬鼎	0246	0272	長子鼎
0211	0238	父癸方鼎一	0247	0273	卿宁鼎
0212	0239	父癸鼎二	0248	0274	嬰女鼎一
0213	0240	父癸鼎三	0249	0275	嬰女鼎二
0214	0000	父癸鼎四	0250	0279	丁大鼎
0215	0241	父戊鼎	0251	0000	册[illegible]鼎
0216	0243	子乙鼎	0252	0281	弔龜鼎
0217	0251	子[illegible]鼎	0253	0280	天黿鼎
0218	0244	子京鼎	0254	0283	[illegible]册鼎
0219	0245	子壴鼎一	0255	0282	[illegible][illegible]方鼎
0220	0246	子壴鼎二	0256	0284	[illegible]登鼎
0221	0248	子[illegible]鼎	0257	0285	[illegible][illegible]鼎
0222	0249	子妥鼎一	0258	0286	衛鼎
0223	0250	子妥鼎二	0259	0287	魚從鼎
0224	0252	子戊鼎	0260	0288	魚羌鼎
0225	0253	子[illegible]鼎一	0261	0317	[illegible]婦鼎
0226	0254	子[illegible]鼎二	0262	0292	探[illegible]鼎一
0227	0265	己冄鼎	0263	0293	探[illegible]鼎二
0228	0256	己冄鼎	0264	0000	十[illegible]鼎
0229	0255	乙冄鼎	0265	0294	遽從鼎一
0230	0268	冄辛鼎	0266	0295	遽從鼎二
0231	0257	癸冄方鼎一	0267	0296	遽從鼎三

0268	0297	遽從鼎四	0304	0334	帚媽鼎一
0269	0000	遽從鼎五	0305	0335	帚媽鼎二
0270	0298	穀乍鼎	0306	0337	聑擇鼎
0271	0299	亞弜鼎一	0307	0338	䩦鼎
0272	0000	亞弜鼎二	0308	0339	婦旋鼎
0273	0300	亞弜鼎三	0309	0342	婦好鼎一
0274	0301	亞弜鼎四	0310	0343	婦好鼎二
0275	0302	亞弜鼎五	0311	0000	婦好鼎三
0276	0304	亞弜鼎六	0312	0340	婦好鼎四
0277	0303	亞弜鼎七	0313	0000	婦好鼎五
0278	0305	亞豕鼎	0314	0344	婦好鼎六
0279	0307	尹丞鼎	0315	0000	婦好鼎七
0280	0000	竊奷鼎	0316	0000	婦好鼎八
0281	0310	又宵鼎	0317	0345	婦好鼎九
0282	0311	告田鼎	0318	0346	婦好鼎十
0283	0313	辛章鼎	0319	0000	婦好鼎十一
0284	0000	𠦪鼎	0320	0347	婦好鼎十二
0285	0314	桒射女鼎	0321	0348	婦好鳥足鼎十三
0286	0315	桒射女鼎	0322	0000	婦好鳥足鼎十四
0287	0318	𠂇田鼎	0323	0349	婦好鳥足鼎十五
0288	0319	王蔑鼎	0325	0341	婦好鼎
0289	0320	史宪鼎	0326	0350	婦好帶流𥁕鼎
0290	0321	公無鼎	0327	0355	正易鼎
0291	0331	罷戈鼎一	0328	0356	周登鼎
0292	0332	罷戈鼎二	0328.1	0000	子媚鼎
0293	0322	亼斿鼎	0329	0397	卿乙宁鼎
0294	0000	丅貝鼎	0330	0368	䝨且丁鼎
0295	0324	母乙鼎	0331	0000	象且辛鼎
0296	0000	□耳鼎	0332	0361	戈且辛鼎
0297	0326	亞蚊鼎	0333	0362	戈且癸鼎一
0298	0323	涂鼎	0334	0363	戈且癸鼎二
0299	0328	實鼎	0335	0000	得且庚鼎
0300	0327	美宁鼎	0336	0000	䢅父甲鼎
0301	0000	卿宁鼎	0337	0367	戈父甲鼎一
0302	0329	乙戈鼎	0338	0365	咸父甲鼎
0303	0330	乙戰鼎	0339	0369	魚父乙鼎 一

0340	0370	魚父乙鼎 二
0341	0371	𠙶父乙鼎
0342	0372	𠙶父乙鼎一
0343	0373	𠙶父乙鼎二
0344	0375	舟父乙鼎
0345	0376	父乙舟鼎
0346	0377	𡚬父乙鼎
0000	0378	句毋父乙鼎
0347	0000	㰤父乙鼎
0348	0379	㪿父乙鼎
0349	0380	刋父丁方鼎
0350	0381	父乙㝉鼎
0351	0385	㓞父乙鼎一
0352	0383	㓞父乙鼎二
0353	0384	㓞父乙鼎三
0354	0386	㓞父乙鼎四
0355	0000	自父乙鼎
0356	0387	析父乙鼎
0357	0394	箙父乙鼎
0358	0395	乙丁車鼎
0359	0000	句毋父乙鼎
0360	0399	舟父丙鼎
0361	0402	龜父丙鼎
0362	0400	弔父丙鼎
0363	0401	犬父丙鼎
0363.1	J0327	㓞父丙鼎
0364	0410	此父丁鼎
0365	0408	舟父丁鼎一
0366	0407	舟父丁鼎二
0367	0404	魚父丁鼎
0368	0000	㐅父丁鼎
0369	0406	黽父丁鼎一
0370	0405	黽父丁鼎二
0371	0411	壴父丁鼎
0372	0413	弔父丁鼎二
0373	0412	弔父丁鼎一
0374	0414	弔父丁鼎三
0375	0417	咠父丁鼎一
0376	0416	咠父丁鼎二
0377	0415	咠父丁鼎三
0378	0420	般父丁鼎
0379	0422	會父丁鼎
0380	0403	嬰父丁鼎
0381	0419	𣡕父丁鼎
0382	0000	戈父丁鼎
0383	0000	天冊父丁鼎
0384	0421	句父丁鼎
0385	0423	㓞父丁鼎一
0386	0424	㓞父丁鼎二
0387	0426	鍪父戊鼎一
0388	0427	鍪父戊鼎二
0389	0429	戈父己方鼎
0390	0428	戈父己鼎
0391	0430	卿父己鼎
0392	0432	子父己鼎
0393	0431	来父己鼎
0394	0435	高父己鼎一
0395	0434	高父己鼎二
0396	0433	𠙶父己鼎
0397	0438	舌父己鼎
0398	0444	父己車鼎
0399	0436	𡚬父己鼎
0400	0437	乍父己鼎
0401	0439	㓞父己鼎
0402	0450	羊父庚鼎
0403	0451	𩰫父庚鼎
0404	0452	箙父庚鼎
0405	0453	㚔父庚鼎
0406	0448	史父庚鼎一
0407	0449	史父庚鼎二
0408	0000	舟父辛鼎
0409	0455	舟父辛鼎二

0410	0454	冄父辛鼎一
0411	0457	子父辛鼎
0412	0458	需父辛鼎一
0413	0459	需父辛鼎二
0414	0460	[illegible]父辛鼎
0415	0461	戈父辛鼎一
0416	0462	戈父辛鼎二
0417	0463	木父辛鼎
0418	0464	田父辛方鼎
0419	0465	敫父辛鼎
0420	0466	壴父辛鼎
0421	0467	串父辛鼎
0422	0468	[illegible]父辛鼎
0423	0469	聑父辛鼎
0424	0470	𡗜父辛鼎
0425	0471	𠬝豕父辛鼎
0426	0473	句父辛鼎
0427	0472	𩣡父辛鼎
0427.1	0000	斿父辛鼎
0427.2	J0329	䛐父辛鼎
0428	0476	魚父癸方鼎
0429	0475	木父壬鼎
0430	0477	鳥父癸鼎
0431	0479	㫗父癸方鼎
0432	0481	守父癸鼎
0433	0478	酉父癸鼎
0434	0480	串父癸鼎
0435	0482	會父癸鼎
0436	0483	嬰父癸鼎
0437	0484	嬰父癸鼎
0438	0492	[illegible]父癸鼎
0439	0485	㒳父癸鼎
0440	0487	戈父癸鼎
0441	0486	弓父癸鼎
0442	0488	[illegible]父癸鼎
0443	0490	㚇父癸方鼎
0444	0489	子父癸鼎
0445	0491	冄父癸鼎
0446	0493	衍父癸鼎
0447	0494	學父癸鼎
0448	0000	卿宁癸鼎
0449	0000	卿宁癸鼎
0450	0495	戈妣辛鼎
0451	0498	猲盡方鼎
0452	0499	中婦𥂝鼎
0453	0496	𠙹母丁鼎
0454	0497	子雨己鼎
0455	0500	□鼎
0456	0502	成王方鼎
0457	0501	大保方鼎
0458	0000	子[illegible]鼎
0459	0503	子鼎
0460	0505	亞受斿方鼎
0461	0000	弔乍寶鼎
0462	0506	羞乍寶鼎
0463	0508	貞乍鼎
0464	0509	乍旅彝鼎
0465	0510	乍彝鼎一
0466	0511	乍彝鼎二
0467	0512	白乍彝鼎一
0468	0000	白乍彝鼎二
0469	0514	白旅鼎
0470	0515	白乍鼎
0471	0516	白公乍鼎一
0472	0000	白公乍鼎二
0473	0518	乍旅鼎一
0474	0522	乍旅鼎二
0475	0522b	乍旅鼎三
0476	0000	乍旅鼎四
0477	0000	乍旅鼎五
0478	0520	乍肇鼎
0479	0523	乍旅寶鼎

0480	0524	作寶鼎一
0481	0530	作寶鼎二
0482	0528	作寶鼎三
0483	0526	作寶鼎四
0484	0525	作寶鼎五
0485	0527	作寶鼎六
0486	0000	作寶鼎七
0487	0000	作寶鼎八
0488	0000	作寶鼎
0489	0531	仲作齋鼎
0490	0532	□作旅鼎
0491	0533	[illegible]笘笄鼎
0492	0534	客鋳盟鼎一
0493	0535	客鋳盟鼎二
0494	0536	客鋳盟鼎三
0495	0537	客鋳盟鼎四
0496	0538	四分鼎
0497	0540	作父己鼎
0498	0539	長刪啚鼎
0499	0541	文方鼎
0500	0542	尚作盜鼎
0501	0546	亞卒㚇鼎
0502	0543	亞雔魚鼎
0503	0544	亞趄衜鼎一
0504	0000	亞趄衜鼎二
0505	0547	亞辛吳方鼎一
0506	0551	亞犬父鼎
0507	0550	止亞□鼎
0508	0564	臣辰方鼎一
0509	0565	臣辰方鼎二
0510	0553	戈且己鼎
0511	0554	[illegible]父甲鼎
0512	0000	岀父乙鼎
0513	0555	光父乙鼎
0514	0556	父乙　鼎一
0515	0557	父乙鼏鼎二
0516	0558	后母戊方鼎
0517	0559	亞夊兩鼎
0518	0560	[illegible]鼎
0519	0562	亞舟鼎
0520	0566	荓弔鼎
0521	0568	后母辛方鼎二
0522	0567	后母辛方鼎
0523	0000	[illegible]作尊方鼎
0524	0570	[illegible]父乙鼎
0525	0572	[illegible]婦𣪘方鼎
0526	0573	東父辛鼎
0527	0574	北子冈鼎
0528	0575	厶官[illegible]鼎
0528.1	J0330	作户鼎
0529	0576	半斗鼎
0530	0577	國子鼎
0531	0580	亞酗父乙鼎
0532	0000	爻父乙方鼎
0533	0578	亞攸父乙鼎一
0534	0579	亞攸父乙鼎二
0535	0000	亞酗父丙方鼎
0536	0583	亞酗父丁方鼎一
0537	0582	亞酗父丁方鼎二
0538	0000	亞酗父丁方鼎三
0539	0000	朋豕父丁鼎
0540	0000	亞[illegible]父丁鼎
0541	0591	亞從父戊鼎
0542	0592	亞[illegible]父己鼎
0543	0593	亞[illegible]父己鼎一
0544	0000	亞[illegible]父己鼎
0545	0590	父己亞酗鼎
0546	0000	亞虎父己鼎
0547	0595	亞得父庚鼎
0548	0589	亞酗父辛鼎
0549	0000	亞酗父辛鼎
0550	0587	亞酗父辛鼎

0551	0600	[illegible]乍且戊鼎	0587	0636	子刀父辛方鼎
0552	0599	且丁癸□鼎	0588	0639	子探父癸鼎
0553	0601	且己父癸鼎	0589	0640	十止父癸鼎
0554	0602	朋亞且癸鼎	0590	0641	戚乍父癸鼎
0555	0603	陸册父甲鼎	0591	0642	疋父癸甪鼎一
0556	0604	天黿父乙鼎一	0592	0643	疋父癸甪鼎二
0557	0605	天黿父乙鼎二	0593	0644	又敄父癸鼎
0558	0606	天黿父乙鼎三	0594	0645	奘柷父癸鼎
0559	0000	天黿父乙鼎四	0595	0646	亞肘史母子鼎
0560	0609	冉共父乙鼎	0596	0647	彭母彝冉鼎一
0561	0610	宂父乙鼎	0597	0648	彭母彝冉鼎二
0562	0611	矢宁父乙方鼎	0598	0652	弔我乍用鼎
0563	0612	卿宁父乙鼎	0599	0653	戕白乍彝鼎
0564	0613	寧母父丁鼎	0600	0650	朋歔形册鼎一
0565	0614	臤父丁鑊鼎	0601	0649	朋歔形册鼎二
0566	0615	子羊父丁鼎	0602	0651	大柷禽方鼎一
0567	0616	亞獏父丁鼎一	0603	0000	大柷禽方鼎二
0568	0617	亞獏父丁鼎二	0604	0654	北白乍尊鼎
0569	0618	亞獏父丁鼎三	0605	0655	明我乍鼎
0570	0619	亞獏父丁鼎四	0606	0658	興乍寶鼎一
0571	0620	亞獏父丁鼎五	0607	0000	興乍寶鼎二
0572	0621	亞寞父丁鼎	0608	0656	弔乍尊鼎
0573	0627	天豕父丁鼎	0609	0657	老乍寶鼎
0574	0622	衡天父乙鼎一	0610	0659	中乍寶鼎
0575	0623	衡天父乙鼎二	0611	0660	章乍寶鼎
0576	0624	衡天父乙鼎三	0612	0662	竅乍寶鼎
0577	0625	衡天父丁鼎	0613	0661	[illegible]乍寶鼎
0578	0588	亞酉父丁鼎	0614	0663	白乍寶鼎
0579	0629	又敄父己鼎	0615	0664	楣乍寶鼎
0580	0630	亞貫父己鼎	0616	0666	甲乍寶齍鼎
0581	0631	亞戈父己鼎	0617	0665	車乍寶鼎
0582	0632	乍父己冉鼎	0618	0665b	乇乍寶鼎
0583	0634	卬乍父辛鼎	0619	0665c	戈乍寶鼎
0584	0000	[illegible]父辛鼎	0620	0667	寡長乍齍方鼎
0585	0637	天黿父癸鼎一	0621	0668	白乍旅鼎
0586	0638	天黿父癸鼎二	0622	0670	右乍肇鼎

0623	0671	樂作旅鼎一
0624	0672	樂作旅鼎二
0625	0000	□作旅鼎
0626	0000	弔作旅鼎
0627	0678	㪤作肇鼎
0628	0000	爲之行鼎
0629	0680	㳄作寶彝鼎
0630	0681	白作寶彝鼎一
0631	0682	白作寶彝鼎二
0632	0683	白作寶彝鼎三
0633	0684	犨作寶器鼎
0634	0685	作寶尊彝鼎
0635	0000	中作旅鼎
0636	0688	昜兒鼎
0637	0689	今永里者鼎
0638	0686	雁𩾌作旅鼎
0639	0687	䚵禾作肇鼎
0640	0691	𠨍作寶彝鼎
0641	0690	子𩾌君妻鼎
0642	0693	公朱右𠂤鼎
0643	0694	卿宁父乙鼎
0644	0695	疋癸父册鼎
0645	0696	天黿婦于未鼎一
0646	0697	天黿婦于未鼎二
0647	0698	天黿帝𢦔鼎
0648	0699	字角父戊鼎
0649	0700	白作旅彝鼎
0650	0701	𦥑作寶鼎
0651	0000	弔作穌子鼎
0652	0703	父辛長矢鼎
0653	0704	后母巨康方鼎
0654	0705	𠬪父丁册方鼎
0655	0706	弔尹作旅方鼎
0656	0707	子申父己鼎
0657	0708	巨荓十九鼎
0658	0709	巨荓十二鼎
0659	0710	集脰䛀鼎
0660	0711	㒺隻父乙鼎
0661	0000	季作寶彝鼎
0662	0674	父作寶鼎
0663	0676	𨸏作母鼎
0664	0714	亞𠩺方鼎
0665	0715	亞𠩺𦣻鼎
0666	0717	亞白禾𤼷作鼎
0667	0718	哀子鼎
0668	0719	庠北鼎
0669	0720	王且甲方鼎
0670	0721	𥂕且庚父辛鼎
0671	0722	作父甲鼎
0672	0725	父乙臣辰𡿪鼎一
0673	0726	父乙臣辰𡿪鼎二
0674	0727	旁𦅫父乙鼎
0675	0728	𢦚䎽父乙方鼎
0676	0730	弓𦎫父丁方鼎
0677	0723	作父乙鼎
0678	0729	宰𢔶宔寶父丁鼎
0679	0731	弓羊亯父己鼎
0680	0732	父辛册𡿪册方鼎
0681	0733	單父辛鼎
0682	0734	單父辛鼎
0683	0735	□父辛鼎
0684	0796	子册𠬝父辛鼎
0685	0737	句䎽父癸鼎
0686	0738	䎽父癸𢊁鼎
0687	0739	孔作父癸肇鼎
0688	0740	魚父癸鼎
0689	0741	䝭母关父癸鼎
0690	0742	雁公作肇彝鼎一
0691	0743	雁公作肇彝鼎二
0692	0744	閔白作寶鼎
0693	0745	𢦚白作旅鼎
0694	0750	仲𠂤父作𩰫

0695	0749	仲乍旅寶鼎
0696	0765	鼯鼎
0697	0767	遏鼎
0698	0768	丂隻鼎
0699	0761	考姒乍旅鼎
0700	0762	姚乍𣬉餗鼎
0701	0763	散姬方鼎
0702	0764	楀仲乍旅鼎
0703	0760	訴啓乍旅鼎
0704	0757	𢆶鄹乍寶鼎
0705	0759	㝃姜乍旅鼎
0706	0758	𩰫乍寶鼎
0707	0755	㝬乍寶鼎
0708	0751	弔乍鼄宗𥂴方鼎
0709	0752	弔攸乍旅鼎
0710	0754	嬴氏乍寶鼎
0711	0756	匌旨乍寶鼎
0712	0746	白斿乍寶鼎
0713	0766	立鼎
0714	0770	竟乍𡙚寶鼎
0715	0772	𠛱乍寶鼎
0716	0769	小臣鼎
0717	0771	旁𠬝乍尊諆鼎
0718	0776	𡚤母鼎
0719	0778	無臭之餗鼎一
0720	0779	無臭之餗鼎二
0721	0782	鑄脒鼎
0722	0780	右脒鼎
0723	0774	𣎆律乍寶鼎
0724	0775	𦋺乍從旅鼎
0725	0777	□乍𡙚鼎
0726	0781	中私官鼎
0727	0783	三斗鼎
0728	0784	王后鼎
0729	0786	集脰大子鼎一
0730	0787	集脰大子鼎二
0731	0785	鑄客鼎
0732	0788	大𡩜之餗盞
0733	0789	史啚鼎
0734	0792	㦰鼎
0735	0790	叔乍寶尊鼎一
0736	0000	叔乍寶尊鼎二
0737	0793	蔡子鼎
0738	0797	亞共覃父甲鼎
0739	0747	伯□鼎
0740	0748	伯父方鼎
0741	0724	乍□鼎
0742	0803	己方鼎
0743	0798	小子乍父己鼎一
0744	0000	小子乍父乙鼎二
0745	0802	䏍鼎
0746	0804	父己亞𠧞史鼎
0000	M902	韓氏厶官鼎
0747	0808b	梁上官鼎
0748	0809	上樂㡉三分鼎
0749	0810	上支㡉四分鼎
0750	0000	□鼎
0751	0801	𣃔父方鼎
0752	0811	𢦚乍且丁鼎
0753	0812	犬且辛且癸鼎
0754	0813	臣辰𠂤冊父乙鼎
0755	0814	京犬犬魚父乙鼎
0756	0816	𠬪弓𣪘乍父丙鼎
0757	0817	𨸏乍父丁鼎
0758	0818	冊𤖡形父丁鼎
0759	0820	天黿乍父戊方鼎
0760	0821	戣冊乍父己鼎
0761	0819	𨟭章乍父丁鼎
0762	0822	具乍父庚鼎
0763	0823	剌乍父庚鼎
0764	0825	乍父辛方鼎
0765	0827	冉乍父癸鼎

0766	0830	刀糸子　父癸鼎	0802	0869	大万方鼎二
0767	0831	田告乍母辛方鼎	0803	0870	棐𣪊鼎
0768	0834	堇白乍䵼鼎	0804	0871	井季㚸乍旅鼎
0769	0773	[illegible]乍鼎	0805	0872	取它人善鼎
0770	0833	康侯丰鼎	0806	0873	沖子行鼎
0771	0835	夨王方鼎蓋	0807	0874	須丕生飤鼎
0772	0836	白魚鼎	0808	0875	安父鼎
0773	0832	雁公方鼎	0809	0876	木乍父辛鼎
0774	0837	白䢅鼎	0810	0877	匠方乍父癸鼎
0775	0842	陵弔乍衣鼎	0811	0878	田農鼎
0776	0844	遣弔乍旅鼎	0812	0879	虫智乍旅鼎
0777	0846	孟湃父鼎	0813	0880	白遲父乍雜鼎
0778	0847	仲義父鼎一	0814	0881	東陵鼎
0779	0848	仲義父鼎二	0815	0887	㠱且辛禹方鼎一
0780	0849	仲義父鼎三	0816	0886	㠱且辛禹方鼎二
0781	0841	弔旗鼎	0817	0885	王子臺鼎
0782	0843	雁弔乍寶鼎	0818	0888	外弔鼎
0783	0000	鮮父鼎	0819	0000	王乍仲姜鼎
0784	0850	旂父鼎	0820	0889	王乍仲姬方鼎
0785	0851	才䢅父鼎	0821	0890	史逑方鼎一
0786	0852	史盄父鼎	0822	0891	史逑方鼎二
0787	0853	考乍友父鼎	0823	0892	叺乍父癸方鼎
0788	0854	𤝔父鼎	0824	0893	隥白方鼎
0789	0855	朋逦鼎一	0825	0894	虢乍井姬鼎
0790	0856	朋逦鼎二	0826	0895	白䂂乍䵼鼎
0791	0858	事戎鼎	0827	0898	宋公䜌鼎
0792	0859	史昔其乍䵼鼎	0828	0896	徹史鼎
0793	0860	嬴霝德乍小鼎	0829	0897	尹小弔乍鑾鼎
0794	0857	霸姞鼎	0830	0899	蔡侯𨟭飤鼑
0795	0861	大保𢓊鼎一	0831	0900	蔡侯𨟭飤鼑
0796	0862	大保𢓊鼎二	0832	0901	蔡侯𨟭飤鼎
0797	0863	大保𢓊鼎三	0833	0902	中敀鼎
0798	0865	穌還鼎	0834	0903	鳥壬侜鼎
0799	0866	𣪕鈅鼎	0835	0904	咸陽鼎
0800	0867	㠱乍[illegible]婦方鼎	0836	0884	㠱女鼎
0801	0868	大万方鼎一	0837	0905	楚子適之飤鐈

0837.1	J0501	北子鼎
0000	M773	鄧子午鼎
0838	0000	亞吳鼎
0839	0000	㠯冎乍父乙鼎
0840	0909	亞絫曆乍且己鼎
0841	0911	䵼乍且乙鼎
0842	0914	鼎乍父己鼎
0843	0912	𠨘乍父丁鼎
0844	0915	匽侯旨乍父辛鼎
0845	0916	朋乍父癸鼎
0846	0917	臣辰父癸鼎
0847	0919	用貝乍母辛鼎
0848	0918	木工乍妣戊鼎
0849	0920	吹乍㮚妊鼎
0850	0921	王乍垂姬鼎
0851	0922	尹弔乍　姞鼎
0852	0923	㠯乍隁仲方鼎一
0853	0924	㠯乍隁仲方鼎二
0854	0925	㠯乍隁仲方鼎三
0855	0926	㠯乍隁仲方鼎四
0856	0928	大保册鼎
0857	0930	天黿婦姑鼎一
0858	0929	天黿婦姑鼎二
0859	0927	卬小子句鼎
0860	0931	㝭鼎
0861	0933	亞受丁斿若癸鼎
0862	0934	亞受丁斿若癸鼎二
0863	0932	弓䇂乍公尊鼎
0864	0935	䣄侯之孫陳鼎
0865	0936	卲王之諻𩞁鼎
0866	0937	𢆶夜君鼎
0867	0938	㪉公鼎
0868	0939	之左鼎
0869	0940	料鼎
0870	0941	蛸所偖鼎
0871	0942	鑄客爲集醻鼎
0872	0943	鑄客爲集醻鼎
0873	0944	鑄客爲集脰鼎一
0874	0945	鑄客爲集脰鼎二
0875	0946	子陵□之孫鼎
0876	0947	𢍰訶侯鼎
0877	0948	召父鼎
0878	0949	亞㠱吳孶乍母癸鼎
0879	0950	乍父乙鼎
0880	0952	弔乍單公方鼎
0881	0951	嬬乍父庚鼎
0882	0953	王乍康季鬲
0883	0958	曾侯乙鼎
0884	0959	右官鼎
0885	0955	井姬𡚸鼎
0886	0000	亞醜季乍兄己鼎
0000	0957	喬夫人𩞁鼎
0887	0961	这乍且丁鼎
0888	0962	咸妹早乍且丁鼎
0889	0963	伯䢅方鼎
0890	0964	堇臨乍父乙鼎
0891	0965	堇臨乍父乙方鼎
0892	0966	𠬝𡨦弜乍文父丁鼎
0893	0967	亞牧乍父辛鼎
0894	0972	𧎫乍父癸鼎
0895	0974	𣿅父乍姜懿母鼎一
0896	0975	𣿅父乍姜懿母鼎二
0897	0973	䢅𡚸乍父癸鼎
0898	0976	姞曶母鼎
0899	0977	弔具乍𠦝考鼎
0900	0979	季𨛜乍宮白方鼎
0901	0980	白六辥方鼎
0902	0978	弔𦎫䊷乍南宮鼎
0903	0981	朋湝白鼎
0904	0982	旅日戊乍長鼎
0905	0985	解子乍𠦝宄圉宮鼎
0906	0983	魯内小臣𢊁生鼎

0907	0984	小臣氏樊尹鼎	0943	1020	亞父庚且辛鼎
0908	0989	宥乍父辛鼎	0944	1021	至乍寶鼎
0909	0986	㝬𢀜父鼎	0945	1022	鑄客爲大后脰官鼎
0910	0987	亞皃乍父乙方鼎	0946	1023	鑄客爲王后七府鼎
0911	0990	弔虎父乍弔姬鼎	0947	1025	𩁹茲乍旅鼎
0912	0992	北子乍母癸方鼎	0948	1026	胖侯戚乍父乙鼎
0913	0991	大保乍宗室鼎	0949	1027	江小仲鼎
0914	0993	汝乍𡚬姑日辛鼎	0950	1029	羊甚諆臧鼎
0915	0995	亞𠕋弜乍父辛鼎	0951	1028	壽春鼎
0916	0994	𣎆鼎	0952	1030	戈囧𦽍匋父辛鼎
0917	0000	游鼎	0953	1031	婦闟乍文姑日癸鼎
0918	0000	盜叔鼎	0954	1032	白𩰫乍𡚬宗方鼎
0919	0000	盅鼎	0955	1034	霝乍己公鼎
0920	0000	倗鼎	0956	1035	鄭同媿乍旅鼎
0921	0000	余子鼎	0957	1036	弔盂父鼎
0922	0999	𥬠婦方鼎	0958	1037	弔師父鼎
0923	0996	戚𥲤束乍父丁鼎	0959	1039	藥鼎
0000	M548	吳王孫無壬鼎	0960	1040	大𣏟弔姜鼎
0924	0997	𦣞奪乍父丁鼎一	0961	1041	乙未鼎
0925	1000	𡿺乍且壬鼎	0962	1042	亙乍寶鼎
0926	1002	趞乍文父戊鼎	0963	1043	白匍乍尊鼎
0927	1004	若𡚱乍文嫛宗鼎	0964	1033	萬仲鼎
0928	1005	穌衛妃乍旅鼎一	0965	1044	曾侯仲子斿父鼎
0929	1006	穌衛妃乍旅鼎二	0966	1046	匚方乃孫乍且己鼎
0930	1007	穌衛妃乍旅鼎三	0967	1047	㜸㚒𣏟乍文父甲鼎
0931	1008	穌衛妃乍旅鼎四	0968	1048	走馬吳買乍𩀘鼎
0932	1003	木乍母辛鼎	0969	1049	從鼎
0933	1010	遂𠬝諆鼎	0970	1050	蔡侯鼎
0934	1011	中斿父鼎	0971	1051	内大子鼎一
0935	1009	季念乍旅鼎	0972	1052	内大子鼎二
0936	1013	天黿𣪘𨺅乍丁侯鼎	0973	1054	白𠤎乍妣羞鼎一
0938	1018	内公乍鑄從鼎二	0974	1055	白𠤎乍妣羞鼎二
0939	1019	内公乍鑄從鼎三	0975	1056	白𠤎乍妣羞鼎三
0940	1014	乍寶鼎	0976	1057	白𠤎乍妣羞鼎四
0941	1012	義仲方鼎	0977	1058	□子每刃乍寶鼎
0942	1024	亞㝬竹士宦鼎	0978	1063	弔𤜵父鼎

0979	1059	[illegible]君鼎
0980	1060	[illegible]君鼎
0981	1062	德鼎
0982	1064	己華父鼎
0983(1012)	1065	羊庚鼎
0984	1066	䑓婤乍父乙鼎一
0985	1067	䑓婤乍父乙鼎二
0000	M685	曾子伯　鼎
0986	1068	中乍且癸鼎
0987	1071	朋仲鼎
0988	1069	白矩鼎
0989	1070	仲宦父鼎
0990	1072	[illegible]白肆鼎
0991	1073	交鼎
0992	1075	藍討鼎
0993	1074	敝生隺鼎
0994	0000	己華父鼎
0995	1082	内公飤鼎
0996	1077	子邋鼎
0997	1078	[illegible]父鼎一
0998	1079	[illegible]父鼎二
0999	1080	[illegible]父鼎三
1000	1081	邿造鼎
1001	1083	鄭子石鼎
1002	1084	二年寧鼎
1003	1085	楚王酓肯鉈鼎
1004	1087	鑄客鼎
1005	1086	楚王酓肯鐈鼎
1006	1088	鐈鼎
1007	1089	史喜鼎
1008	1090	耑嗣君鼎
1009	1091	邾侯鞀鼎
1010	1092	榮有嗣爯鼎
1011	1098	彥乍父丁鼎
1012 (983)	1093	康幺鼎
1013	1095	滔[illegible]方鼎
1014	1096	乍寶鼎
1015	1097	□大師虎鼎
1016	1094	廟孱鼎
1017	1101	剌䡹鼎
1018	1099	鬻屯乍父己鼎一
1019	1100	[illegible]屯乍父己鼎二
1020	1102	鄭雝原父鼎
1021	1103	虢弔大父鼎
1022	1104	白寍父旅鼎
1023	1106	從乍寶鼎
1024	1105	大師人[illegible]乎鼎
1025	1107	莫姜白寶鼎
1026	1110	奄望鼎
1027	1111	番君召鼎
1028	1109	央[illegible]鼎
1029	1115	㬎乍且乙鼎
1030	1113	鄀子蒷夷鼎
1031	0000	周邾駷鼎
1032	1116	㫚乍父丁鼎
1033	1117	榮子旅乍父戊鼎
1034	1118	仲般父鼎一
1035	1119	仲般父鼎二
1036	1120	史宜父鼎
1037	1122	乍册[illegible]鼎
1038	1121	白䢅父鼎
1039	1123	兼咯父旅鼎
1040	1124	弔荼父鼎
1041	1125	且方鼎
1042	1126	白庙父鼎
1043	1127	卅年鼎
1044	1128	實[illegible]生乍成媿鼎
1045	1129	専車季鼎
1046	1130	圂方鼎
1047	1133	雝白鼎
1048	1134	雝乍母乙鼎

1049	1135	靜弔乍旅鼎	1085	1176	曾者子乍[illegible]鼎
1050	1136	白筍父鼎一	1086	1175	内子仲□鼎
1051	1137	白筍父鼎二	1087	1177	鑄子弔黑臣鼎
1052	1139	褱自乍[illegible]_	1088	1178	師麻斿弔旅鼎
1053	1138	白考父鼎	1089	1179	女[illegible]方鼎
1054	1140	杞白每亡鼎一	1090	1180	十三年梁上官鼎
1055	1141	杞白每亡鼎二	1091	1181	小臣𨑓鼎
1056	1142	曾白從寵鼎	1092	1182	小臣建鼎
1057	1143	會娟鼎	1093	1183	奠登白鼎
1058	1144	復鼎	1094	1184	魯大左司徒元善鼎
1059	1149	旂乍父戊鼎	0000	M816	魯大左司徒元鼎
1060	1150	輔白𤸫父鼎	1095	1185	函皇父鼎
1061	1151	交君子𤆍鼎	1096	1086	弗奴父鼎
1062	1152	𥙊鼎	1097	1187	白庠父乍羊鼎
1063	0000	鄧公乘鼎	1098	1188	善夫白辛父鼎
1064	1153	武生[illegible]弔羞鼎一	1099	1189	仲旳父鼎
1065	1154	武生[illegible]弔羞鼎二	1100	1190	白尚鼎
1066	1155	穌吉妊鼎	0000	M466	鄀男鼎
1067	1156	雁公方鼎一	1101	1194	亞受乍父丁方鼎
1068	1157	雁公方鼎二	1102	1195	無大邑魯生鼎
1069	0000	雁公方鼎三	1103	1196	臣卿乍父乙鼎
1070	1158	鄹孝子鼎	1104	1198	辛中姬皇母鼎
1071	1159	䨻白御戎鼎	1105	1199	䍐季乍嬴氏行鼎
1072	1160	㾮乍其[illegible]鼎	1106	1200	曾孫無朋乍飤鼎
1073	1162	白鼎	1107	1201	番仲吳生鼎
1074	1161	奠祇句父鼒	1108	0000	師賸父鼎
1075	1163	黃季乍季嬴鼎	1109	1202	師[illegible]乍[illegible]鼎
1076	0000	王伯姜鼎	1110	1203	雝白原鼎
1077	0000	曾仲子[illegible]鼎	1111	1204	□魯宰鼎
1078	1169	犀白魚父旅鼎一	1112	1205	十一年庫嗇夫肖不茲鼎
1079	1169	犀白魚父旅鼎二	1113	1206	梁廿七年鼎一
1080	1170	華仲義父鼎一	1114	1207	廿七年大梁司寇肖無智鼎二
1081	1171	華仲義父鼎二	1115	1211	楚王酓肯鼎
1082	1172	華仲義父鼎三	1116	1212	魯司徒白𨛜父鼎
1083	1174	華仲義父鼎四	1117	1213	豊乍父丁鼎
1084	1173	華仲義父鼎五	1118	1214	宋莊公之孫𧾷亥鼎

1119	1215	曆方鼎	1152	1254	私官鼎
1120	1216	滐白鼎	0000	M341	魯中齊鼎
1121	1220	唯弔從王南征鼎	0000	j726	魯中齊鼎
1122	1217	昶白乍石䍃	1153	1256	白頵父鼎
1123	1219	伯夏父鼎	1154	1257	黃孫子蟆君弔單鼎
1123.1	M621	番□伯者鼎	1155	1258	戝者乍旅鼎
	J702		1156	1259	亳鼎
1124	1222	玐乍父庚鼎一	1157	1260	禽鼎
1125	1223	玐乍父庚鼎二	1158	1261	小子[illegible]鼎
0000	M457	鄭虢仲悆鼎	1159	1262	辛鼎一
1126	1226	弔夜鼎	1160	1263	辛鼎二
1127	1229	𤔲鼎	1161	1264	白吉父鼎
1128	1227	登白氏鼎	1162	1265	乃子克鼎
1129	1228	寒姒好鼎	1163	1267	齊陳曼鼎蓋
1130	1230	虢文公子钗鼎一	1164	1268	旂乍文父日乙鼎
1131	1231	虢文公子钗鼎二	1165	1269	大師鐘白乍石䍃
1132	1233	邿白祀乍善鼎	1166	1270	兹太子鼎
1133	1218	邿白乍孟妊善鼎	1167	1271	庢父鼎一
1134	1234	敝侯鼎	1168	1272	庢父鼎二
1135	1236	獻侯乍丁侯鼎	1169	0000	平安邦鼎
1136	1237	獻侯乍丁侯鼎二	1170	0000	信安君鼎
1137	1235	匽侯旨鼎	1171	1273	魯白車鼎
1138	1238	白陶乍父考宮弔鼎	1172	1274	征人乍父丁鼎
1139	1239	寓鼎	1173	1275	羌乍文考鼎
1140	1240	衛鼎	1174	1276	昜乍旅鼎
1141	1241	善夫旅白鼎	1175	1277	白鮮乍旅鼎一
1142	1242	杞白每亡鼎	1176	1278	白鮮乍旅鼎二
1143	1243	曾子仲誨鼎	1177	1279	白鮮乍旅鼎三
1144	1245	㞢歔鼎	1178	1280	宗婦邯嬰鼎一
1145	1247	舍父鼎	1179	1281	宗婦邯嬰鼎二
1146	1248	口者生鼎一	1180	1282	宗婦邯嬰鼎三
1147	1249	□者生鼎二	1181	1283	宗婦邯嬰鼎四
1148	1250	𪓐姜白鼎一	1182	1284	宗婦邯嬰鼎五
1149	1251	𪓐姜白鼎二	1183	0000	宗婦邯嬰鼎六
1150	1252	小臣缶方鼎	1184	1285	德方鼎
1151	1253	㠱侯鼎	1185	1286	虢白乍井姬鼎一

1186	1287	弜白乍井姬鼎二	1220	0000	鄍公鼎
1187	1290	員乍父甲鼎	1221	1326	井鼎
1188	1291	旃弔樊乍易姚鼎	1222	1329	寂鼎一
1189	1292	谌鼎	1223	1329	寂鼎二
1190	1293	内史鼎	0000	M799	卅二年平安君鼎
1191	1294	堇乍大子癸鼎	1224	1330	王子吳鼎
1192	1295	亞[illegible]伐[illegible]乍父乙鼎	1225	1332	廣大史申鼎
1193	1302	新邑鼎	1226	1334	師紷鼎
1194	1299	郐王[illegible]鼎	1227	1333	衛鼎
1195	1296	𢦏弔朕鼎一	1228	1335	歆[illegible]方鼎
1196	1297	𢦏弔朕鼎二	1229	1337	厚趠方鼎
1197	1298	𢦏弔朕鼎三	1230	1338	師器父鼎
1198	1300	姬[illegible]彝鼎	1231	1339	楚王酓忏鼎一
1199	1301	虢宣公子白鼎	1232	1340	楚王酓忏鼎二
1200	1303	敝白車父鼎一	1233	1341	[illegible]鼎
1201	1304	椒白車父鼎二	1234	1336	旅鼎
1202	1305	椒白車父鼎三	1235	1343	不𡢁方鼎一
1203	1306	椒白車父鼎四	1236	1344	不𡢁方鼎甲二
1204	1307	淮白鼎	1237	0000	齊侯鼎(僞)
1205	1310	公朱左𠂤鼎	1238	1345	曾子仲宣鼎
1205.1	J0755	逊鼎	1239	1346	[illegible]鼎一
1206	1313	旗鼎	1240	1347	[illegible]鼎二
1207	1311	眉[illegible]鼎	1241	1348	蔡大師腆鼎
1208	1312	乙亥乍父丁方鼎	1242	1349	𡎸方鼎
1209	1314	𡚬方鼎	1243	1350	仲[illegible]父鼎
1210	1317	嵩[illegible]鼎	1244	1351	㺇鼎
0000	M121	𤔲鼎	1245	1352	仲師父鼎一
1211	1319	庚兒鼎一	1246	1353	仲師父鼎二
1212	1320	庚兒鼎二	0000	M900	梁十九年鼎
1213	0000	師趛鼎一	1247	1356	函皇父鼎
1214	0000	師趛鼎二	1248	1357	庚贏鼎
1215	1318	麥鼎	1249	1359	害鼎
1216	1324	貿鼎	1250	1363	曾子斿鼎
1217	1323	毛公旅方鼎	1251	1360	中先鼎一
1218	1325	㚸兒鼎	1252	1361	中先鼎二
1219	1327	戍嗣子鼎	1253	1362	平安君鼎

1254	1364	𢦚鼎
1255	1365	作册大鼎一
1256	1366	作册大鼎二
1257	1367	作册大鼎三
1258	1368	作册大鼎四
1259	1369	郗公䧅鼎
1260	1370	我方鼎
1261	1371	我方鼎二
1262	1372	𠀠鼎
0000	M798	廿八年平安君鼎
1263	1374	呂方鼎
1264	1375	㪅鼎
1265	1378	𤔲弔鼎
1265.1	j797	帥隹鼎
1266	1376	郗公平侯鼎一
1267	1377	郗公平侯鼎二
1268	1379	梁其鼎一
1269	1380	梁其鼎二
1270	1381	小臣麦鼎
1271	1382	史獸鼎
1272	1383	剌鼎
1273	1384	師湯父鼎
1274	1388	衰成弔鼎
1275	0000	師同鼎
1276	1385	𠂤季鼎
1277	1387	七年趞曹鼎
1278	1389	十五年趞曹鼎
1279	1390	中方鼎
1280	1392	康鼎
1281	1393	史頌鼎一
1282	1394	史頌鼎二
1283	1396	微䜌鼎
1284	0000	尹姞鼎
1285	1397	㦰方鼎一
1286	1398	大夫始鼎
1288	1399	令鼎一
1289	1400	令鼎二
1290	1401	利鼎
1291	1402	善夫克鼎一
1292	1403	善夫克鼎二
1293	1404	善夫克鼎三
1294	1405	善夫克鼎四
1295	1406	善夫克鼎五
1296	1407	善夫克鼎六
1297	1408	善夫克鼎七
1298	1410	師旂鼎
M423	J0824	趩鼎
1299	1411	壼侯鼎
1300	1413	南宮柳鼎
1301	1414	大鼎一
1302	1415	大鼎二
1303	1416	大鼎三
1304	1417	王子午鼎
1305	1418	師奎父鼎
1306	1419	無叀鼎
1307	1420	師望鼎
1308	1422	白晨鼎
1309	1423	寰鼎
1310	1424	鬲攸從鼎
1311	1425	師晨鼎
1312	1426	此鼎一
1313	1427	此鼎二
1314	1428	此鼎三
1315	1429	善鼎
1316	1430	㦰方鼎
1317	1431	善夫山鼎
1318	1432	㸑羛鼎
1319	1433	頌鼎一
1320	1434	頌鼎二
1321	1435	頌鼎三
1322	1436	九年裘衛鼎
1323	1437	師訊鼎

1324	1438	禹鼎
1325	1439	五祀衛鼎
1326	0000	多友鼎
1327	1440	克鼎
1328	1441	盂鼎
1329	1442	小字盂鼎
1330	1443	曶鼎
1331	1444	中山王󠄁嚳鼎
1332	1445	毛公鼎
1333	0000	魚鬲
1334	1447	𢼅鬲
1335	1448	皇鬲
1336	1450	𢀜鬲
1337	1451	史鬲
1338	1452	𠤳鬲
1339	1454	㐆鬲一
1340	1453	㐆鬲二
1341	1455	鬲鬲
1341.1	J0845	[illegible]鬲
1342	1456	亞𡴎鬲
1343	1457	父丁鬲
1344	1458	父辛鬲
1345	1462	史秦鬲
1346	1463	𡚬母鬲
1347	1464	乍医䏧鬲
1348	1465	亞□其鬲
1349	1467	弔父丁鬲
1350	1468	𡚬父丁鬲
1351	0000	重父□鬲
1352	1461	𠕁癸鬲
1353	1469	𠂢父丁鬲
1354	0000	乍尊彝鬲
1355	1474	乍寶彝鬲
1356	1470	𤔲父己鬲
1357	1471	弘乍彝鬲
1358	1473	弔乍彝鬲
1359	1476	[illegible]壬子鬲
1360	1475	𡚬齊婦鬲
1361	1477	亞𢀜母鬲
1362	1466	𠕁父乙鬲
1363	1479	𠕁𠔃父丁鬲
1364	1480	匕系父丁鬲
1365	1481	鍪乍父辛鬲
1366	1482	北白鬲
1367	1483	虢姞乍鬲
1368	1484	兮[illegible]鬲
1369	1485	仲姬乍鬲
1370	1487	同姜尊鬲
1371	1489	𪓐鬲
1372	1500	竟父乙鬲一
1373	1501	竟父乙鬲二
1374	1488	虢弔尊鬲
1375	1493	會始朕鬲
1376	1491	季貞尊鎘
1377	1492	□姞乍寶鼎
1378	1494	䨲人守鬲
1379	1495	𡹗鬲
1380	1496	白𠦪鬲
1381	1497	夌姬乍寶鬲
1382	1502	𢼸白乍䵼鬲一
1383	1503	𢼸伯鬲二
1384	1504	𢼸伯鬲三
1385	1505	𢼸伯鬲四
1386	1506	𢼸伯鬲五
1387	1509	姬莽母䵼
1388	1508	𢼸白乍䵼鼎
1389	1510	仲姞羞鬲一
1390	1513	仲姞羞鬲二
1391	1511	仲姞羞鬲三
1392	1512	仲姞羞鬲四
1393	1514	仲姞羞鬲五
1394	1515	仲姞羞鬲六

1395	1516	仲姞羞鬲七	1431	1551	衛姒乍鬲
1396	1517	仲姞羞鬲八	1432	1552	郳始□母鑄羞鬲
1397	1518	仲姞羞鬲九	1433	1553	召白毛尊鬲
1398	1519	季右父尊鬲	1434	1554	王乍親王姬𣝗鬲一
1399	1520	魯侯乍姬番鬲	1435	1555	王乍親王姬𣝗鬲二
1400	1521	仲𨥨父齍鬲	1436	1559	王白姜尊鬲一
1401	1522	大乍䢅鬲	1437	1561	王白姜尊鬲二
1402	0000	虢仲乍姞鬲一	1438	1558	王白姜尊鬲三
1403	1525	虢仲乍姞鬲二	1439	1560	王白姜尊鬲四
1404	1523	晉姬乍㠱齊鬲	1440	1556	亞俞林𡖊鬲
1405	1524	白邦父乍𩰫鼎	1441	1557	戋弔慶父鼎
1406	1528	梳弔知父鬲	1442	1562	王乍贊母鬲
1407	1526	亞從父丁鬲	1443	1563	宋眉父乍寶子媵鬲
1408	1527	苟鬲	1444	1564	黃虎棆鬲
1409	1530	乍寶彝鬲	1445	1566	樊君鬲
1410	1529	束且辛父甲鬲	1446	1567	白犆父乍井姬鬲
1411	1531	□□母尊鬲	1447	1568	弔𩰪鬲
1412	1532	倗乍義妣鬲	1448	1569	白𡒄父鬲一
1413	1533	戒乍䔿宮鬲	1449	1570	白墉父鬲二
1414	1534	𥂴姬乍姜虎旅鬲	1450	1572	庚姬乍弔娊尊鬲一
1415	1535	扟鬲	1451	1573	庚姬乍弔娊尊鬲二
1416	1539	吾乍滕公鬲	1452	1574	庚姬乍弔娊尊鬲三
1417	1536	弭弔乍犀妊齊鬲一	1453	1576	㝉媯鬲
1418	1537	弭弔乍犀妊齊鬲二	1454	1578	𡐨𦥑家𩰫
1419	1538	弭弔乍犀妊齊鬲三	1455	1577	榮白鬲
1420	1540	寶鬲	1456	1579	京姜鬲
1421	1541	時白鬲一	1457	1580	衛夫人行鬲
1422	1542	時白鬲二	1458	1581	庶鬲
1423	1543	時白鬲三	1459	1582	白上父乍姜氏鬲
1424	1544	榮子鬲	1460	1583	奠羌白乍季姜鬲
1425	1545	鄭弔𦤎父羞鬲	1461	1585	龏來隹鼎
1426	0000	叔皇父鬲	1462	1584	榮有嗣再𩰫鬲
1427	1548	鄭興白乍弔𡢁薦鬲一	1463	1586	呂王尊鬲
1428	1549	鄭興伯乍弔𡢁薦鬲二	1464	1587	王乍姬𡚸母女尊鬲
1429	1550	魯姬乍尊鬲	1465	1589	魯侯獄鬲
1430	1547	奠井弔𢼸父拜鬲	1466	1590	亞𩠐𦐇母辛鬲

1467	1588	呂𩀌姬乍鬲	1502	1628	成白孫父鬲
1468	1592	白家父乍孟姜鬲	1503	1627	御鬲
1469	1593	戲白𩰫鬲一	1504	1629	莫師□父鬲
1470	1594	戲白𩰫鬲二	1505	1630	番君酌白鼎
1471	1595	魯白愈父鬲一	1506	1631	杜白乍弔𡢁鬲
1472	1596	魯白愈父鬲二	1507	1632	善夫吉父乍京姬鬲一
1473	1597	魯白愈父鬲三	1508	1633	善夫吉父乍京姬鬲二
1474	1599	魯白愈父鬲四	1509	1635	虢文公子𠭯乍弔妃鬲
1475	1600	魯白愈父鬲五	1510	1636	内公鑄弔姬鬲一
1476	1603	䕫白乍朕鬲	1511	1637	内公鑄弔姬鬲二
1477	1604	右戲仲夏父豐鬲	1512	1638	虢白乍姬大母鬲
1478	1605	齊不趄鬲	1513	1639	睽土父乍蓼妃鬲
1479	1601	召仲乍生妣莫鬲一	1514	1640	白夏父乍畢姬鬲一
1480	1602	召仲乍生妣莫鬲二	1515	1641	白夏父乍畢姬鬲二
1481	1606	昧仲無龍寶鼎一	1516	1642	白夏父乍畢姬鬲三
1482	1607	昧仲無龍寶鼎二	1517	1643	白夏父乍畢姬鬲四
1483	1608	虢季氏子組鬲	1518	1645	白夏父乍畢姬鬲六
1484	0000	邛叔鬲	1519	1644	白夏父乍畢姬鬲五
1485	1610	白矩鬲	1520	1646	莫白荀父鬲
1486	1609	宰駟父鬲	0000	M379	夆伯鬲
1487	1611	白先父鬲一	1521	1647	單白遷父鬲
1488	1612	白先父鬲二	1522	1648	孟辛父乍孟姞鬲一
1489	1613	白先父鬲三	1523	1649	孟辛父乍孟姞鬲二
1490	1614	白先父鬲四	1524	1650	鄀大嗣攻鬲
1491	1615	白先父鬲五	1525	1651	陪子莫白尊鬲
1492	1616	白先父鬲六	1526	1652	琱生乍宄仲尊鬲
1493	1617	白先父鬲七	1527	1653	𩁹先父鬲
1494	1618	白先父鬲八	1528	1656	公姞𩰫鼎
1495	1619	白先父鬲九	1529	1657	仲枏父鬲一
1496	1620	白先父鬲十	1530	1658	仲枏父鬲二
0000	M695	曾伯宮父鬲	1531	1659	仲枏父鬲三
1497	1622	虢仲乍虢妃鬲	1532	1660	仲枏父鬲四
1498	1623	䕫友父鬲	1533	1661	尹姞寶𩰫一
1499	1624	□季鬲	1534	1662	尹姞寶𩰫二
1500	1625	𠂤白鬲	1535	1663	戈甗一
1501	1626	虢季氏子𠭯鬲	1536	1664	戈甗二

1537	1665	戈甗三	1573	1703	[illegible]父己甗
1538	1666	鼞甗	1574	1700	乍父乙甗
1539	0000	婦好分體甗下體	1575	1701	亥亞父丁甗
1540	0000	婦好分體甗小甑	1576	1704	令父己甗
1541	1667	婦好甑形器	1577	1705	姛父辛甗
1542	1667	婦好甗	1578	1706	[illegible]父辛甗
1543	1668	[illegible]甗	1579	1707	㢸父癸甗
1544	1669	舟甗	1580	0000	臥母癸甗
1545	1670	川甗一	1581	1709	白乍彝甗一
1546	1671	川甗二	1582	1708	見乍甗
1547	1672	[illegible]甗	1583	1710	白乍彝甗二
1548	1673	卬甗	1584	1712	乍寶彝甗一
1549	1676	艸甗	1585	1713	乍寶彝甗二
1550	0000	凷甗	1586	1714	文乍彝甗
1551	1674	萬甗	1587	1715	㕓父己甗
1552	1675	亅甗	1588	1716	𢦏乍旅甗
1553	0000	戈甗	1589	1717	亞姛甗
1554	1677	父己甗	1590	0000	[illegible]父丁甗
1555	1682	寶甗	1590.1	0000	守豕父乙甗
1556	1679	舟辛甗	1590.2	0000	后𩇕母甗
1557	1680	戈网甗	1591	1719	亞䍃父丁甗
1558	1681	㳄甗	1592	1718	㚤父乙甗
1559	1683	遽從甗	1593	1720	亞貘父己甗
1560	1684	[illegible]甗	1594	1721	黽乍父辛甗
1561	1685	大丂甗	1595	1723	始奴寶甗
1562	0000	婦好三聯甗架	1596	1724	命乍寶彝甗
1563	0000	婦好分體甗甑	1597	1722	艅戊父癸甗
1564	0000	婦好三聯甗甑	1598	1725	[illegible]乍寶彝甗
1565	1687	婦好三聯甗	1599	1726	門射乍寶彝甗
1566	1689	婦好分體甗	1600	1733	[illegible]北子舟甗
1567	1688	婦好連體甗	1601	0000	白乍寶甗
1568	1693	亞趄衛甗	1602	1729	仲乍簞彝甗
1569	1697	鼞父乙甗	1603	1728	舟彭女彝甗
1570	1694	且丁旅甗	1604	1730	乍戲尊彝甗
1571	1695	卬父乙甗	1605	1731	白乍旅甗
1572	1702	戈父戊甗	1606	0000	中乍旅甗

1606.1	J0972	㝨乍旅甗	1640	1768	𢦏仲𩁹父方甗
1607	1732	乁射乍尊甗	1641	1769	比甗
1608	1727	䚵乍寶彝甗	1642	1770	尹白乍且辛甗
1609	1734	雷甗	1643	1774	亞䤈諸女甗
1610	1735	井白甗	1644	1773	大史友乍召公甗
1611	1736	䰜妊甗	1645	1775	孚公狖甗
1612	1738	白𤈦甗	1646	1776	乍寶甗
1613	1739	䢅商婦甗	1647	1778	井乍寶甗
1614	1737	白眞乍肇甗	1648	1777	奠白筍父甗
1615	1740	解子乍肇甗	1649	1779	𦉢𠂢乃子乍父辛甗
1616	1741	矢白乍旅甗	1650	1780	榮子旅乍且乙甗
1616.1	J0973	子商亞羌乙甗	1651	1781	仲伐父甗
1617	1744	鼎乍父乙甗	1652	1782	弔碩父旅甗
1618	1743	乍父庚寶甗	1653	1783	𣪕父甗
1619	1745	𣪕乍母庚肇甗	1654	1785	子邦父旅甗
1620	1746	虢白甗	1655	1789	奠氏白高父旅甗
1621	1747	夆白甗	1656	1787	封仲甗
1622	1750	𠧪弗生肇甗	1657	1786	囷甗
1623	1751	𡩜史𡜊肇甗	1658	1788	奠大師小子甗
1624	1748	朋寮白甗	1659	1800	白鮮旅甗
1625	1749	白□肇甗	0000	M342	魯中齊甗
1626	1752	田農甗	1660	0000	曾子仲訁旅甗
1627	1753	𤖼伯甗	1661	0000	乍册般甗
1628	1755	何𨼌安甗	1662	0000	寶甗
1629	1756	應監甗	1663	0000	𩞁五世孫矩甗
1630	1757	伯矩甗	1664	1804	邕子良人甗甗
1631	1759	師𤏸方甗	1665	1805	王孫壽甗甗
1631.1	J0947	六六一六六一甗	1666	1806	𨗬乍旅甗
1632	1760	亞𢈔乍父□甗	1667	1807	陳公子弔遵父甗
1633	1761	戣𢏚乍父乙甗	1668	1808	中甗
1634	1763	倠册𠛱乍母戊甗	1669	0000	𠂤𣪕
1635	1764	天𩁹乍婦姑甗	1670	1810	斿𣪕
1636	1765	弔𢍰寶甗	1671	1812	執𣪕
1637	1766	乍父癸甗	1672	1813	𦍒𣪕
1638	0000	䢅𡿪夫乍且丁甗	1673	1809	弜𣪕
1639	1767	𤖼白乍井姬甗	1674	1811	令𣪕

1675	1816	鳥段一	1711	1857	[illegible]段
1676	1817	鳥段二	1712	1855	韋段
1677	1814	罷段	1713	1858	霝段
1678	1815	兢段	1714	1859	制段
1679	1818	羊段	1715	1860	[illegible]段
1680	1819	龍段	1716	1861	[illegible]段一
1681	1820	魚段	1717	1862	[illegible]段二
1682	1822	罕段	1718	1863	[illegible]段
1683	1823	早段一	1719	1864	母段
1684	1891	牛段	1720	1865	妥段
1685	1821	鼎段	1721	1866	弔段
1686	0000	戈段一	1722	1871	匕段
1687	1826	戈段二	1723	1867	句須段一
1688	1827	戈段三	1724	1868	句須段二
1689	1828	戈段四	1725	1869	个段
1690	0000	章段	1726	1870	九段
1691	1829	弇段	1727	1872	舟段一
1692	1835	服豕段	1728	1873	舟段二
1693	0000	拳段一	1729	1874	舟段三
1694	1830	拳段二	1730	1875	舟段四
1695	1836	敳段	1731	1876	卬段一
1696	1837	耒段	1732	1877	卬段二
1697	1838	般段一	1733	1878	卬段三
1698	1839	般段二	1734	1882	[illegible]段
1699	1840	叔段一	1735	1883	窜段
1700	1841	叔段二	1736	1881	鍪段三
1701	1842	叔段三	1737	1879	鍪段一
1702	1847	史段五	1738	1880	鍪段二
1703	1846	史段四	1739	1884	會段
1704	1843	史段一	1740	1885	[illegible]段
1705	1844	史段二	1741	0000	虎段一
1706	1845	史段三	1742	1887	虎段二
1707	1852	守段	1743	1886	虎段三
1708	1854	正段二	1744	1889	虎段四
1709	1853	品段一	1745	1893	高段
1710	1856	逆段	1746	1895	[illegible]段

1747	1896	𠨘毁一	1781	1939	亞保酉毁
1748	1897	𠨘毁二	1782	1940	亞告毁
1749	1898	𢔶毁	1783	1942	亞醜毁一
1750	1894	中毁	1784	1943	亞醜毁二
1751	1899	网毁	1785	1944	亞醜毁三
1752	1900	舃毁一	1786	1941	亞醜毁四
1753	1903	𢀛毁	1787	1945	亞醜毁五
1754	1906	𢓊毁	1788	0000	亞醜毁六
1755	1907	竟毁	1789	0000	亞醜毁七
1756	1908	𡆥毁	1790	1946	卿宁毁一
1757	1909	重毁	1791	1947	卿宁毁二
1758	1910	輪毁	1792	1949	父乙毁
1759	1912	𠀠毁	1793	1950	父丁毁一
1760	1915	甲毁	1794	1951	父丁毁二毁
1761	1911	𠃨毁	1795	1952	父戊毁一
1762	1913	蔡毁	1796	1953	父戊毁二
1763	1916	山毁	1797	1956	父辛毁二
1764	1917	效毁	1798	1955	父辛毁一
1765	1923	徙毁	1799	1957	父辛毁三
1766	1922	受毁	1800	1954	父己毁
1767	1924	天毁	1801	1958	父癸毁一
1768	1925	尹毁	1802	1959	父癸毁二
1769	1926	𦋺毁	1803	1960	𠕁丁毁
1770	1927	魚毁一	1804	1961	佚丁毁
1771	1928	魚毁二	1805	1963	何戊毁
1772	1929	𣅀毁	1806	1964	戈己毁
1773	1930	𢦏毁	1807	1965	京辛毁
1774	1931	執毁	1808	1987	且辛毁
1774.1	J1073	𠆢毁	1809	1966	癸山毁
1774.2	J1079	𠦝毁	1810	1967	戈酉毁一
1775	1932	婦好毁	1811	1968	戈酉毁二
1776	1933	車□人面紋毁	1812	1970	辛𠨘毁
1777	1936	亞𡗜毁	1813	1971	子刀毁
1778	1934	亞□□毁	1814	1972	子畫毁一
1779	1937	亞登毁	1815	1973	子畫毁二
1780	1938	亞奚毁	1816	1974	子 毁

1817	1975	天黽毁	1852	2015	爻父乙毁
1818	1976	亞弜毁	1853	2090	爻父乙毁
1819	1977	叉宁毁一	1854	2021	[illegible]父乙毁
1820	1978	叉宁毁二	1855	2020	嬰父乙毁
1821	1980	魚從毁	1856	2016	子父乙毁一
1822	1979	守婦毁	1857	2019	父乙子毁
1823	1981	女飞毁	1858	2023	乍父乙毁
1824	1982	[illegible]毁	1859	2022	[illegible]父乙毁
1825	1983	聑冓毁	1860	2024	父乙舟毁
1826	1984	𢍰𢓊毁	1861	2026	𢍰父乙毁二
1827	1986	且乙毁	1862	2089	𢍰父乙毁
1828	1985	乍彝毁	1863	2025	冀父乙毁一
1829	1988	乙舟毁	1864	2027	天父乙毁
1830	1989	父辛毁	1864.1	J1163	[illegible]父乙毁
1831	1990	禾休毁	1865	2029	木父丙毁
1832	1991	鼎∪毁	1866	2030	戈父丁毁一
1833	1992	冀敄毁一	1867	2031	戈父丁毁二
1834	1995	[illegible]子毁	1868	2032	戈父丁毁三
1835	1994	[illegible]女毁	1869	2033	子父丁毁
1836	2000	子[illegible]毁	1870	2034	鍪父甲毁
1837	0000	品侯毁	1871	2037	鍪父丁毁一
1838	2003	己辛毁	1872	2038	鍪父丁毁二
1839	0000	夆毁	1873	2036	鍪父丁毁三
1840	0000	飲异毁	1874	2039	[illegible]父丁毁
1841	1999	[illegible]雨毁	1875	2041	爻父丁毁
1842	2001	□辛嬰毁	1876	2042	[illegible]父丁毁
1843	2002	[illegible]□辛毁	1877	2043	𢍰父丁毁一
1844	2007	亞趄衙毁	1878	2044	𢍰父丁毁二
1845	2008	[illegible]且丁毁	1879	2045	𢍰父丁毁三
1846	2009	門且丁毁	1880	2047	[illegible]父己毁
1847	2010	嬰且丁毁	1881	2048	舟父己毁
1847.1	J1213	[illegible]刀且己毁	1882	2046	子父戊毁
1848	2012	且辛毁	1883	2050	[illegible]父辛毁
1849	0000	象且辛毁	1884	2051	[illegible]父辛毁
1850	2013	田父甲毁	1885	2052	[illegible]父辛毁
1851	2014	山父乙毁	1886	2053	[illegible]父辛毁

1887	2056	串父辛毁一	1921	2094	㩻父己毁
1888	2057	串父辛毁二	1922	2095	臤父癸毁
1889	2055	𠁩父辛毁	1923	0000	㚢父癸毁
1890	2060	析父辛毁	1924	2098	鳥父戊毁
1891	2061	亞父辛毁	1925	2099	䖒母辛毁
1892	2054	雔父辛毁	1926	2100	乍己姜毁
1892.1	J1167	𦣻父辛毁	1927	2101	弜乍旅毁
1893	2063	探父癸毁	1928	0000	白乍彝毁一
1894	2064	𠁩父癸毁	1929	0000	白乍彝毁二
1895	2065	𠁩父癸毁	1930	2103	白乍彝方座毁三
1896	0000	□父辛毁	1931	2104	乍寶彝毁一
1897	2066	冉父癸毁一	1932	2105	乍寶彝毁二
1898	2067	冉父癸毁二	1933	2106	乍寶彝毁三
1898.1	J1158	亞𠙵父□毁	1934	2106	乍寶彝毁四
1899	2070	帚如咸毁	1935	2107	乍寶彝毁
1900	2068	乙戈毋毁一	1936	2111	乍寶毁一
1901	2069	乙戈毋毁二	1937	2114	乍寶毁二
1902	2071	□白陪毁	1938	2108	乍寶毁三
1903	2072	白乍彝毁一	1939	2112	乍寶毁四
1904	2073	白乍彝毁二	1940	2113	乍寶毁五
1905	2074	白乍彝毁三	1941	2115	乍寶毁六
1906	2075	乍寶彝毁一	1942	2109	乍寶毁七
1907	2076	乍寶彝毁二	1943	2117	乍旅毁一
1908	2079	乍寶彝毁五	1944	2116	乍旅毁二
1909	2077	乍寶彝毁三	1945	2118	乍旅毁一
1910	2078	乍寶彝毁四	1946	2119	乍旅毁二
1911	0000	乍隮彝毁一	1947	2122	白八毋毁
1912	2083	乍隮彝毁二	1948	0000	𠬝旅毁
1913	2084	乍隮彝毁三	1949	2120	詧父丁毁
1914	2085	乍旅彝毁一	1950	2124	丁觚𠦪觚父乙毁
1915	2086	乍旅彝毁二	1951	2123	咸父乙毁
1916	0000	乍從彝毁一	1952	2125	父丁𨸏毁
1917	2088	乍從彝毁二	1953	2127	車父己毁
1918	2091	保父丁毁	1954	2128	魚父癸毁
1919	2092	戈父丁毁	1955	2129	弔弔母癸毁
1920	2093	父戊天毁	1956	2130	𢦏登毁

1957	2133	舌父己𣪕	1990	2163	天黽父乙𣪕三
1958	2134	庚午鋳𣪕	1991	2161	弔妶父乙𣪕
1959	2135	酉父癸𣪕	1992	2167	□作父乙𣪕
1959.1	2097	𦉢父癸𣪕	1993	2168	𦊮册父乙𣪕
1960	0000	八毋父癸𣪕	1994	2165	戚亯父乙𣪕
1961	2136	袄𣪕	1995	2166	作父乙𡿨𣪕
1962	2137	庚父戊𣪕	1996	2169	天黽父丁𣪕
1963	2138	父丁□𣪕	1997	2171	𦌾竹父丁𣪕
1964	2139	麗婦姝𣪕	1998	2170	田告父丁𣪕
1965	2140	戈母丁𣪕	1999	2172	㳄作父丁𣪕
1966	2141	史母癸𣪕	2000	2173	安夏父丁𣪕
1967	2142	父癸嬰𣪕	2001	2174	子𦄂父丁𣪕
1968	2143	㚇作𡴀𣪕	2002	2176	又養父己𣪕
1969	2144	作尊彝𣪕	2003	2177	𣄨父己㣎𣪕
1970	2145	聿父戊𣪕	2004	2178	亞𡗜父己𣪕
1971	2147	亞父乙𡗜𣪕	2005	2175	耒作父己𣪕
1972	2146	父乙亞矢𣪕	2006	2179	靑作父辛𣪕
1973	0000	遽父己𣪕	2007	2181	衛天父癸𣪕
1974	0000	朋犀册𣪕	2008	2184	女康丁皿𣪕
1975	0000	倗𣪕	2009	2180	何父癸𣪕
1976	0000	臣辰𣪕	2010	2182	作父癸𡿨𣪕
1976.1	J1165	矢宁𣪕	2011	2183	天豕匕辛𣪕
1972.2	J1171	𡭴父乙𣪕	2012	2235	卿父癸宁𣪕
1977	2148	亞雔父丁𣪕	2013	2187	𨺅作寶彝𣪕
1978	2149	亞㚔父丁𣪕	2014	2188	作䝞寶彝𣪕
1979	2155	弔弔父丁𣪕一	2015	2185	戈㚇作匕𣪕一
1980	2156	弔弔父丁𣪕二	2016	2186	戈㚇作𡴀𣪕二
1981	2150	𦊮父戊𣪕	2017	2189	作母尊彝𣪕
1982	2151	亞戈父己𣪕	2018	2190	用作寶彝𣪕
1983	2159	亞共父癸𣪕	2019	2193	白作寶彝𣪕一
1984	2154	亞醜父辛𣪕一	2020	0000	白作寶彝𣪕二
1985	2153	亞醜父辛𣪕二	2021	2191	匀作寶彝𣪕一
1986	2158	亞弜父癸𣪕	2022	2194	弔作寶彝𣪕
1987	2160	且癸父丁𣪕	2023	2195	𡚬作旅彝𣪕
1988	2164	天黽父乙𣪕一	2024	2197	宵作旅彝𣪕
1989	2162	天黽父乙𣪕二	2025	2196	卬作寶彝𣪕

2026	2198	白乍旅彝𣪕一	2062	2230	乍旅𣪕
2027	2199	白乍旅彝𣪕二	2063	2232	乍旅𣪕
2028	2200	白乍旅彝𣪕三	2064	2233	仲乍寶𣪕
2029	2201	光乍從彝𣪕	2065	2234	白乍寶彝𣪕
2030	2202	豐乍從彝𣪕	2066	2238	戈乍旅彝𣪕一
2031	2204	弔乍姤隮𣪕	2067	2239	戈乍旅彝𣪕二
2032	2205	楕仲乍旅𣪕	2068	2240	中乍旅𣪕
2033	2203	尹乍寶隮𣪕	2069	2241	考母乍医聯𣪕
2034	2207	白乍寶𣪕一	2070	2243	亞囗父乙𣪕
2035	2206	白乍寶𣪕二	2071	2242	吕姜乍𣪕
2036	2209	白乍寶𣪕三	2072	2244	乍寶隮彝𣪕一
2037	2210	白乍寶𣪕四	2073	2245	乍寶隮彝𣪕二
2038	2208	白乍寶𣪕五	2074	2246	乍寶隮𣪕
2039	0000	白乍旅𣪕一	2075	2251	作寶用𣪕
2040	2211	白乍旅𣪕二	2076	2247	亞麂父乙𣪕
2041	2212	騛乍從𣪕一	2077	2248	冉難父丁𣪕
2042	2213	騛乍從𣪕二	2078	2249	匜羊父丁𣪕
2043	2214	乍寶隮彝𣪕	2079	2250	般乍寶彝𣪕
2044	2215	乍寶隮彝𣪕二	2080	2257	亞共單父乙𣪕
2045	2216	乍寶隮彝𣪕三	2081	0000	[illegible]且乙𣪕
2046	2217	乍寶隮彝𣪕四	2082	2258	[illegible]且乙𣪕
2047	2255	作寶隮彝𣪕五	2083	2259	[illegible]父乙𣪕
2048	2218	乍寶隮彝𣪕六	2084	2260	乍父乙𣪕
2049	2221	旂乍寶𣪕	2085	2261	子眉[illegible]父乙𣪕
2050	2222	舟乍寶盤	2086	2262	[illegible]乍父丁𣪕
2051	2227	彭女彝冉𣪕	2087	2263	魚乍父庚𣪕
2052	2223	霝乍寶𣪕	2088	2266	畢□父旅𣪕
2053	2225	舍乍寶𣪕	2089	2267	白魚乍寶彝𣪕
2054	2226	㚔乍寶𣪕	2090	2264	田乍父辛𣪕
2055	2224	𢦏乍寶𣪕一	2091	2265	縺乍父癸𣪕
2056	0000	𢦏乍寶𣪕二	2092	2268	弔呂乍寶𣪕
2057	2236	天黽亞虫𣪕一	2093	2269	弔乍寶隮彝𣪕一
2058	2237	天黽亞虫𣪕二	2094	2270	弔乍寶隮彝𣪕二
2059	2228	閼乍旅𣪕	2095	2271	王乍母癸隮𣪕
2060	2231	白姬乍[illegible]𣪕	2096	2272	王乍又[illegible]彝𣪕
2061	2229	女妦乍𣪕	2097	2274	雁公乍旅彝𣪕一

2098	2273	雁公乍旅彝設二	2134	2311	白乍寶隩彝設一
2099	2275	艏白乍寶彝設	2135	2311	白乍寶隩彝設二
2100	2276	事父乍隩彝設	2136	2312	白乍寶隩彝設三
2101	2277	卬父乍車設	2137	2314	事父乍隩彝設
2102	2278	豰䟽乍寶彝設	2138	2315	冊亳戈父丁設
2103	2280	𦥑禾乍寶彝設	2139	2316	𠁩白乍旅設
2104	2281	闖乍寶隩彝設	2140	2317	𣏟乍尊彝𢻹設
2105	2282	[illegible]乍寶隩彝設	2141	2318	大万乍母彝設
2106	2283	从乍寶隩彝設	2142	2319	白豉乍旅設
2107	2285	戈凡乍旅彝設	2143	2320	□白乍寶設
2108	2284	[illegible]乍寶彝設	2144	2321	乍豕𠧪彝設
2109	2287	𢦏𡕒乍尊彝設	2145	2325	皿屖設
2110	2286	乍姬寶隩彝設	2146	2322	新[illegible]乍餗設
2111	2289	㠯乍寶隩彝設	2147	2326	亞㠱矣乍父乙設
2112	2290	乍任氏从設一	2148	2336	亞㠱侯矣父乙設
2113	2291	乍任氏从般二	2149	0000	□寶彝設
2114	0000	矣乍白旅彝	2150	2330	亞㠱侯父戊矣設
2115	2292	父乙臣辰𡗜設一	2151	2331	亞㠱侯矣父己設
2116	2293	父乙臣辰𡗜設二	2152	2333	𩲃乍且戊寶設一
2117	0000	弔龜乍父丙設一	2153	2332	𩲃乍且戊寶設二
2118	2294	弔龜乍父丙設二	2154	2334	𩂣毋父乙設
2119	2297	白𨞿乍旅設	2155	2335	衍[illegible]乍父乙彝設
2120	2296	白到乍執設	2156	2337	安父乙卯婦□設
2121	2298	弔𨸏乍乍寶設	2157	2338	子乍父乙寶設
2122	2299	季楚乍寶設	2158	2340	𡗜乍父乙寶設一
2123	2301	䧅乍寶設	2159	2341	𡗜乍父乙寶設二
2124	2300	季𡚬乍旅設	2160	2342	冊豕父丁冊設
2125	2302	𠦪白乍旅設	2161	2343	乍父丁寶旅設
2126	2303	𧩓父乍寶設	2162	2344	𠚤乍父丁旅設
2127	2304	[illegible]乍寶設	2163	2345	𡕒乍父戊設
2128	2305	文乍寶隩彝設	2164	2348	𠧪父己設
2129	2306	果乍放旅設	2165	2346	乍父戊旅設
2130	2307	姜婦乍隩彝設	2166	2347	[illegible]乍父己設
2131	2308	乍尊車寶彝設	2167	2349	𣪘乍母庚旅設
2132	2310	白乍寶尊設	2168	2351	宰乍父辛設
2133	2309	御乍寶隩彝設	2169	2350	𠦪乍父辛設

2170	2352	玐作父辛𣪘	2206	2389	弔炏作寶𨺅𣪘一
2171	2353	[illegible]作父辛𣪘	2207	2390	弔虢作寶𨺅𣪘二
2172	2355	女母作婦己𣪘	2208	2391	茀侯作彝寶𣪘
2173	2354	嗷作父癸𣪘	2209	2392	亢白作姬寶𣪘
2174	2357	白魚作寶𨺅𣪘	2210	2393	㞒作楚白寶𣪘
2175	2356	白矩作寶𨺅𣪘	2211	2394	城虢仲作旅𣪘
2176	2358	白自父作𩰫𣪘	2212	2395	榮子旅作寶𣪘
2177	2359	白𦨶作寶𣪘	2213	2397	姜林母作𩰫𣪘
2178	2360	白丙作寶𣪘	2214	2399	師[illegible]其作寶𣪘
2179	2361	仲□父作寶𣪘	2215	2400	嬴霝德作訊𣪘
2180	2363	弔弔仲子日乙𣪘	2216	2396	姞□父作寶𣪘
2181	2364	季保作寶𨺅𣪘	2217	2398	戚姬作寶𨺅𣪘
2182	2367	雕嬰𣪘	2218	2401	密作父辛寶𣪘
2183	2365	嬴季作寶𣪘	2219	2402	弔𠭯父𣪘
2184	2370	霸姞作寶𣪘	2220	2403	卜孟作寶𣪘
2185	2366	安父作寶𣪘	2221	2404	田農作寶𣪘
2186	2368	師高作寶𣪘	2222	2405	季姒作用𣪘
2187	2369	㠯姒作寶𣪘	2223	2406	衛始𣪘一
2188	0000	鄧公𣪘	2224	2407	衛始𣪘二
2189	2371	𤔲向作㽙𨺅𣪘一	2225	2408	長𠙵作寶𣪘一
2190	2372	𤔲向作㽙𨺅𣪘二	2226	2409	長𠙵作寶𣪘二
2191	2373	段金𥎦作旅𣪘一	2227	2410	蔡侯[illegible]之[illegible]𣪘
2192	2374	段金𥎦作旅𣪘二	2228	2411	𤼈弔作寶𣪘
2193	2375	𩵦白作寶𣪘	2229	2412	[illegible]作乙𣪘
2194	2376	亞作父乙寶𣪘	2230	2413	王作姜氏𨺅𣪘
2195	2377	白魚作寶𣪘一	2231	2414	白作南宮𣪘
2196	2378	白魚作寶𣪘二	2232	0000	㯱𣪘
2197	2379	白魚作寶𣪘三	2233	2416	楅仲作寶𣪘
2198	2380	白魚作寶𣪘四	2234	2418	白作乙公𨺅𣪘
2199	2381	白矩作寶𣪘一	2235	2415	𨻰白作寶𣪘
2200	2382	白矩作寶𣪘二	2236	2417	京白作寶𣪘
2201	2383	白要府作寶𣪘	2237	2327	利𣪘
2202	2384	白作寶用𨺅彝𣪘一	2238	2328	魚家𣪘
2203	2385	白作寶用𨺅彝𣪘二	2239	2422	𠈉缶作且癸𣪘
2204	2386	仲㠯父作旅𣪘	2240	0000	用𣪘
2205	2387	仲𩀱父作寶𣪘	2241	2425	天禾作父乙𣪘

2242	2426	㝉豕乍父丁𩟍毁	2278	2463	册亞品册乍父戊毁
2243	2427	◡休乍父丁寶毁	2279	2462	牧共乍父丁食毁
2244	2429	[illegible]乍父戊寶毁	2280	2464	亞高亢乍父癸毁
2245	2430	廣乍父己毁	2281	2468	亞受丁旂若癸毁
2246	2424	山邘乍父乙毁	2282	2469	史某[illegible]乍且辛毁
2247	2428	叀乍父戊寶旅毁	2283	2470	𠙶□乍癸毁
2248	2432	延乍筝廿寶毁	2284	2472	✝◡乍父丁寶毁一
2249	2435	[illegible]乍𤔲考寶毁	2285	2473	✝◡乍父丁寶毁二
2250	2431	八五一／堇白乍旅毁	2286	2474	✝◡乍父丁寶毁三
2251	2433	比乍白婦[illegible]毁	2287	2471	堇臨乍父乙毁
2252	2434	伊生乍公女毁	2288	2475	圍田乍父己毁
2253	0000	畢□毁	2289	2478	弜耳乍父癸宗毁
2254	2436	[illegible]白鼎乍寶毁	2290	2477	[illegible]黃乍父癸毁
2255	2437	[illegible]乍父乙毁	2291	2480	𠙶向乍父癸寶毁
2256	2438	弔乍父丁毁	2292	2476	集偖乍父癸毁一
2257	2439	哦乍父辛毁	2293	2486	集偖乍父癸毁二
2258	2440	臣辰册[illegible]册父癸毁一	2294	2497	倗万乍義妣毁
2259	2441	臣辰册[illegible]册父癸毁二	2295	2481	𢦏者乍宮白毁
2260	2442	杯[illegible]乍父□毁	2296	2479	子令乍父癸寶毁
2261	2443	義白乍究婦陸姑毁	2297	2482	莫饕原父户寶毁
2262	2444	𠧍乍寶毁	2298	2487	戈厚乍兄日辛毁
2263	2445	寧[illegible]乍甲始毁	2299	2483	白乍𤔲𧭹子毁
2264	2446	婦仲乍乙白毁	2300	2484	史述乍父乙毁
2265	2447	[illegible]乍寶毁	2301	2485	□乍父癸寶毁
2266	2453	𠂤乍隱仲寶毁	2302	2494	蚉季奞父毁
2267	2450	卲王之諻[illegible]毁一	2303	0000	蚉侯毁
2268	2451	卲王之諻[illegible]毁二	2304	2488	㑂[illegible]土□毁
2269	2452	仲義昌乍食[illegible]	2305	2489	弔蚉父乍[illegible]姬旅毁一
2270	2455	伬乍父戊寶毁	2306	2490	弔蚉父乍[illegible]姬旅毁二
2271	2456	陸婦乍高姑毁	2307	2491	㖊毁
2272	2454	𡒊乍且丁寶毁	2308	2492	子阳乍父己毁
2273	2457	衛乍父庚毁	2309	2493	[illegible]乍𤔲母毁
2274	2458	㵒白乍自爲鼎毁	2310	2495	旅乍寶毁
2275	2459	㵒白乍旅用鼎毁一	2311	2496	白[illegible]父毁
2276	2460	㵒白乍旅用鼎毁二	2311.1	J1368	邦父毁
2277	2423	弔單毁	2312	2505	剮[illegible]乍且癸毁

2313	2507	鷊辡乍父己𣪕一	2349	2547	巽乍氒且𣪕
2314	2508	鷊辡乍父己𣪕二	2350	2548	稃乍父甲𣪕
2315	2509	鷊辡乍父己𣪕三	2351	2549	仲𠂤父乍好旅𣪕一
2316	2506	宦父丁𣪕	2352	2550	仲𠂤父乍好旅𣪕二
2317	2510	趙子冉乍父庚𣪕	2353	2554	保侃母𣪕
2318	2512	刊幽冀乍父癸𣪕	2354	2553	仲网父𣪕一
2319	2511	嗣土嗣乍氒考𣪕	2355	2551	仲网父𣪕二
2320	2513	虢乍尊𣪕一	2356	2552	仲网父𣪕三
2321	2514	虢乍尊𣪕二	2357	2555	𢈇冊𢆶𢄼敒𣪕
2322	2515	庚姬乍鼎女𣪕	2358	2557	陈侯爲季姬𣪕
2323	2518	彔乍文考乙公𣪕	2359	2556	欶乍氒𣪕
2324	2519	孟芯父𣪕	2360	2559	白乍寶𣪕
2325	2521	同𠂤乍旅𣪕	2361	2560	乍寶尊𣪕
2326	2522	師奐父乍弔姑𣪕	2362	2558	[illegible]𣪕
2327	2520	弔寵乍日壬𣪕	2363	2565	保攸母旅𣪕
2328	2523	師奐父乍季姑𣪕	2364	2563	徆𣪕
2329	2525	內公𣪕	2365	2582	中白𣪕
2330	2524	史𧺝般	2366	2564	白者父𣪕
2331	2526	杴冊𢆉乍丁癸𣪕	2367	2566	散白乍夨姬𣪕一
2332	2527	白嶅乍媿氏旅𣪕	2368	2567	散白乍夨姬𣪕二
2333	2528	妹弔昏𣪕	2369	2568	散白乍夨姬𣪕三
2334	0000	頌𣪕	2370	2569	散白乍夨姬𣪕四
2335	2530	告田乍且乙鷍侯弔尊𣪕	2371	2570	散白乍夨姬𣪕五
2336	2532	冊戈罷郘乍父辛𣪕	2372	2572	𠓷乍豐融𣪕
2337	2531	卬乍寶𣪕	2373	2571	始休𣪕
2338	2533	乍寶𣪕	2374	2575	白庶父𣪕
2339	2534	敺鳥乍且癸𣪕	2375	2573	旂𣪕
2340	2537	弔綦父𣪕	2376	2574	□□𣪕
2341	2535	仲乍寶𣪕	2377	2576	晉人吏寓乍寶𣪕
2342	2536	弔宝乍寶𣪕	2378	2581	辰乍饙𣪕
2343	2541	莤乍寶𣪕	2379	2577	中友父𣪕一
2344	2538	季假乍旅𣪕	2380	2578	中友父𣪕二
2345	2539	穌公乍王妃羞𣪕	2381	2579	友父𣪕一
2346	2540	鼎乍饙𣪕	2382	2580	友父𣪕二
2347	2545	鞅殘頁駒乍父乙𣪕	2383	0000	侯氏𣪕
2348	2546	仲爯𣪕	2384	0000	鄧公𣪕一

2385	0000	鄧公𣪘二	2420.1	2620	改[illegible]𣪘一
2386	2584	白[illegible]作白幽𣪘一	2420.2	2621	改[illegible]𣪘二
2387	2583	白[illegible]作白幽𣪘二	2420.3	2622	雁侯𣪘
2388	2585	大保作父丁𣪘	2421	2623	[illegible]共[illegible]作父乙𣪘
2389	2586	叡[illegible]妊作寶𣪘	2422	2624	舟洹秦作且乙𣪘
2390	2588	吹作寶𣪘二	2423	2619	[illegible]𣪘
2391	2587	[illegible]作寶𣪘一	2424	2625	白[illegible]寶𣪘
2392	2589	[illegible]白𣪘	2425	2627	兮仲寶𣪘一
2393	2590	白喬父飤𣪘	2426	2628	兮仲寶𣪘二
2394	2591	己侯作姜縈𣪘一	2427	2629	兮仲寶𣪘三
2395	2593	丂保子達𣪘	2428	2630	兮仲寶𣪘四
2396	2594	仲競𣪘	2429	2631	兮仲寶𣪘五
2397	2595	[illegible]作父辛𣪘	2430	2626	倗白[illegible]尊𣪘
2398	2596	歸弔山父𣪘一	2431	2632	[illegible]弔侯父作尊𣪘一
2399	2598	歸弔山父𣪘二	2432	2633	[illegible]弔侯父作尊𣪘二
2400	2597	歸弔山父𣪘三	2433	2634	害弔作尊𣪘一
2401	2599	陳侯作王嬀媵𣪘	2434	2635	害弔作尊𣪘二
2402	2600	敔𣪘	2435	2648	散車父𣪘一
2403	2601	遽白還𣪘	2436	2649	散車父𣪘二
2404	2603	效父𣪘一	2437	2650	散車父𣪘三
2405	2604	效父𣪘二	2438	2651	散車父𣪘四
2406	2602	五八六效父𣪘三	2438.1	2652	散車父𣪘五
2407	2605	白[illegible]作尊𣪘一	2438.2	2682	[illegible]車父作[illegible]姑餴𣪘一
2408	2606	白[illegible]作尊𣪘二	2438.3	2683	[illegible]車父作[illegible]姑餴𣪘二
2409	2607	[illegible]父丁𣪘	2439	2636	寺季故公𣪘一
2410	2608	遣小子[illegible]𣪘	2440	2637	寺季故公𣪘二
2411	2609	史[illegible]𣪘	2441	2638	拈衍𣪘
2412	2610	滕虎作氒皇考𣪘一	2442	2639	[illegible]虢遣生旅𣪘
2413	2611	滕虎作氒皇考𣪘二	2443	2640	孟弢父𣪘一
2414	2612	滕虎作氒皇考𣪘三	2444	2641	孟[illegible]父𣪘二
2415	2613	降人[illegible]寶𣪘	2445	2642	孟[illegible]父𣪘三
2416	0000	降人[illegible]寶𣪘	2446	2643	亞古作父己𣪘
2417	2615	齊嬀姬寶𣪘	2447	2644	白[illegible]父作[illegible]姑𣪘一
2418	2614	乎作姑氏𣪘	2448	2645	白[illegible]父作[illegible]姑𣪘二
2419	2616	白喜父作洹餴𣪘一	2449	2646	白[illegible]父作[illegible]姑𣪘三
2420	2618	白喜父作洹餴𣪘二	0000	M487	魯司徒伯吳𣪘

2450	2653	禾乍皇母孟姬𣪘	2485	2687	陵仲孝𣪘
2451	2654	過白𣪘	2486	2688	□□且辛𣪘
2452	2655	女𩰫𣪘	2487	2689	白𥁕乍文考幽仲𣪘
2453	2656	亞𩙿乍且丁𣪘	2488	2690	杞白每亡𣪘一
2454	2657	亢僕乍父己𣪘	2489	2691	杞白每亡𣪘二
2455	2658	彔乍文考乙公𣪘	2490	2692	杞白每亡𣪘三
2456	2659	㫃白迹𣪘一	2491	2693	杞白每亡𣪘四
2457	2660	㫃白迹𣪘二	2492	2694	杞白每亡𣪘五
2458	2661	孟奠父𣪘一	2493	2696	鄦其肇乍𣪘一
2459	2662	孟奠父𣪘二	2494	2697	鄦其肇乍𣪘二
2460	2663	孟奠父𣪘三	2495	2698	季𢀈父徹𣪘
2461	2664	白家父乍孟姜𣪘	2496	2695	廣乍弔彭父𣪘
2462	2665	弔向父乍婞娟𣪘一	2497	2700	䣄侯乍王姞𣪘一
2463	2666	弔向父乍婞娟𣪘二	2498	2699	䣄侯乍王姞𣪘二
2464	2667	弔向父乍婞娟𣪘三	2499	2701	䣄侯乍王姞𣪘三
2465	2668	弔向父乍婞娟𣪘四	2500	0000	䣄侯乍王姞𣪘四
2466	2669	弔向父乍婞娟𣪘五	2501	2702	𪇰嫼乍尊𣪘一
2467	2670	姺𨷕母乍南旁𣪘	2502	2703	𪇰嫼乍尊𣪘二
2468	2671	齊癸姜尊𣪘	2503	2704	𪇰嫼乍尊𣪘三
2469	2672	𦏵乍王母媿氏𩜍𣪘一	0000	M177	𢦏𣪘
2470	2673	𦏵乍王母媿氏𩜍𣪘二		J1507	
2471	2674	𦏵乍王母媿氏𩜍𣪘三	0000	M478	大宰巳𣪘
2472	2675	𦏵乍王母媿氏𩜍𣪘四	2504	2705	𪇰滕𣪘
2473	2676	𧧻乍皇母尊𣪘一	2505	2706	白疑父乍嫚𣪘
2474	2677	𧧻乍皇母尊𣪘二	2505.1	2707	井姜大宰𣪘
2475	2678	衛始𣪘	2506	2708	奠牧馬受𣪘一
2476	2679	革𣪘	2507	2709	尊牧馬受𣪘二
2477	2712	革父丁𣪘	2508	2710	攸𣪘
2478	2681	白賓父𣪘(器)一	2509	2711	旅仲𣪘
2479	2680	白賓父𣪘二	2510	2715	臣卿乍父乙𣪘
2480	0000	是要𣪘	2511	0000	夨王𣪘
2481	2684	是要𣪘	2512	2716	乙自乍歆彝
2482	2685	陬侯乍嘉姬𣪘	2513	2717	再乍季日乙妻𣪘一
2483	2686	量侯𣪘	2514	2718	再乍季日乙妻𣪘二
2484	2713	伯緘父𣪘	2515	2719	小子野乍父丁𣪘
2484.1	2714	夨王𣪘	2516	2722	鄧公𩜍𣪘

2517	2720	是□作乙公𣪘	2548	2757	仲惠父[illegible]𣪘一
2518	2721	白田父𣪘	2549	2756	仲惠父[illegible]𣪘二
2519	2723	周[illegible]生媵𣪘	2550	2758	兑作弔氏𣪘
2520	2725	大𠂤事良父𣪘	2551	2759	弔角父作宕公𣪘一
2521	2724	姞氏自忟𣪘	2552	2760	弔角父作宕公𣪘二
2522	2726	孟弢父𣪘	2553	2761	虢季氏子組𣪘一
2523	2727	孟弢父𣪘	2554	2762	虢季氏子組𣪘二
2524	2728	仲幾父𣪘	2555	2763	虢季氏子組𣪘三
2525	2729	[illegible]敄𣪘	2556	2764	復公子白舍𣪘一
2526	2730	弔[illegible]𣪘	2557	2765	復公子白舍𣪘二
2527	2731	朿仲[illegible]父𣪘	2558	2766	復公子白舍𣪘三
2528	2732	魯白大父作媵𣪘	2559	2768	白中父𣪘
2529	2733	豐井弔作白姬𣪘	2560	2769	吳彭父𣪘一
2529.1	J1520	[illegible]生𣪘	2561	2770	吳彭父𣪘二
2530	2734	[illegible]姬作父辛𣪘	2562	2771	吳彭父𣪘三
2531	2735	魯白大父作孟□姜𣪘	2563	2772	德克作文且考𣪘
2532	2736	魯白大父作仲姬俞𣪘	2564	2773	[illegible]且日庚乃孫𣪘一
2533	2737	己侯貉子𣪘	2565	2774	且日庚乃孫𣪘二
2534	2738	魯大宰邍父𣪘一	2566	2775	[illegible]𣪘一
2534.1	2739	魯大宰邍父𣪘二	2567	2776	[illegible]𣪘二
2535	2740	仲般父𣪘一	2567.1	2777	戊寅𣪘
2536	2741	仲般父𣪘二	2568	2778	[illegible][illegible]作父辛𣪘
2537	2742	仲般父𣪘三	2569	2786	鼎卓林父𣪘
2537	2744	仲般父𣪘四	2570	2779	榮𣪘
2538	2743	仲般父𣪘五	2571	2780	穌公子癸父甲𣪘
2539	2745	仲般父𣪘六	0000	2781	穌公子癸父甲𣪘二
2540	2748	仲般父𣪘六	2572	2782	毛白嚨父𣪘
2541	2749	仲般父𣪘七	2573	2783	沃白寺𣪘
2541.1	2746	仲𣪘父𣪘七	2574	2784	豐兮𣪘一
2541.2	2747	仲𣪘父𣪘八	2575	2785	豐兮𣪘二
2542	2750	辰才寅□□𣪘	2576	2787	白[illegible]□寶𣪘
2543	2751	[illegible]駁𣪘	2577	2788	[illegible]客𣪘
2544	2752	亞[illegible]作父乙𣪘	2578	2789	兮吉父作仲姜𣪘
2545	2753	季[illegible]作井弔𣪘	2579	2790	白喜作文考剌公𣪘
2546	2754	聖𣪘	2580	2791	[illegible]作北子𣪘
2547	2755	格白作晉姬𣪘	2581	2792	曹伯狄𣪘

2582	0000	內弔𠂤殷	2616	2826	宗婦鄁嫛殷三
2583	0000	鄜公殷	2617	2827	宗婦鄁嫛殷四
2584	2793	卬正衛殷	2618	2828	宗婦鄁嫛殷五
2585	2794	禽殷	2619	2829	宗婦鄁嫛殷六
2586	2795	史䀇殷一	2620	2830	宗婦鄁嫛殷七
2587	2796	史䀇殷二	2621	2831	雁侯殷
2588	2797	毛关殷	2622	2832	琱伐父殷一
2589	2799	孫弔多父乍孟姜殷一	2623	2833	琱伐父殷二
2590	2798	孫弔多父乍孟姜殷二	2623.1	2834	琱伐父殷
2591	2800	孫弔多父乍孟姜殷三	2623.2	2835	琱伐父殷
2592	2801	鄧公殷	2624	0000	琱伐父殷三
2593	2802	弔霝父乍旅殷一	2625	2836	曾白文殷
2594	2803	弔霝父乍旅殷二	2626	2837	𡨦乍父乙殷
0000	2804	弔霝父乍旅殷三	2627	2838	伊殷
2595	2805	奠虢仲殷一	2628	2839	畢鮮殷
2596	2806	奠虢仲殷二	2629	2840	牧師父殷一
2597	2807	奠虢仲殷三	2630	2841	牧師父殷二
2598	2809	樊乍宮仲念器	2631	2842	牧師父殷三
2599	2808	宰𤰔殷	2632	2843	陳逆殷
2600	2810	白䂓父殷	2633	2844	相侯殷
2601	2811	向䁹乍旅殷一	2633.1	2845	食生走馬谷殷
2602	2812	向䁹乍旅殷二	2634	0000	誅叔殷
2603	2813	白吉父殷	2635	2846	賢殷一
0000	M160	□貯殷	2636	2847	賢殷二
2604	2815	黃君殷	2637	2848	賢殷三
2605	2814	郜遣殷	2638	2849	賢殷四
2606	2816	昜𠀠乍父丁殷一	2639	2850	𨑫殷
2607	2817	昜𠀠乍父丁殷二	2640	2851	弔皮父殷
2608	2820	官差父殷	2641	0000	伯椃虘殷一
2609	2818	䈞小子殷一	2642	0000	伯椃虘殷二
2610	2819	䈞小子殷二	2643	2852	史族殷
2611	2821	𠕁浯𤔲土吳殷	2644	2853	命殷
2612	2822	不壽殷	2644.1	2854	伯椃虘殷
2613	2823	白椃乍宄寶殷	2645	2855	周客殷
2614	2824	宗婦鄁嫛殷一	2646	2856	仲辛父殷
2615	2825	宗婦鄁嫛殷二	2647	2857	魯士商𠭯殷

2648	2858	仲叡父𣪘一	2677	2892	居𨑳叡𣪘一
2649	2859	仲叡父𣪘二	0000	2893	居𨑳叡𣪘二
2650	2860	仲叡父𣪘三	2678	2894	函皇父𣪘一
2651	2862	内白多父𣪘	2679	2895	函皇父𣪘二
2652	2861	𡗜𣪘	2680	2896	函皇父𣪘三
2653	2864	敳𣪘	2680.1	2897	圅皇父般四
2653.1	2865	弔烓孫父𣪘	2681	2899	鄦侯𣪘
2653.2	2867	甯弔𣪘	2682	2898	陳侯午𣪘
0000	M361	井伯南𣪘	2683	2900	白家父𣪘
2653.3	2868	尹𣪘	2684	2901	[illegible]竉乎𣪘
2654	2863	𡚬乍文父丁𣪘	2685	2902	仲枏父𣪘一
2655	2869	小臣靜𣪘	2686	2904	仲枏父𣪘二
2656	2870	師害𣪘一	2687	2905	敔𣪘
2657	2871	師害𣪘二		3066	
2658	2872	白戜𣪘	2688	2906	大𣪘
2658.1	2873	大𣪘	2689	2907	白康𣪘一
2659	2874	郋侯庫𣪘	2690	2908	白康𣪘二
2660	2875	彔乍辛公𣪘	2690.1	2909	相侯𣪘
2661	2876	姚𣪘一	2691	2911	善夫梁其𣪘一
2662	2877	姚𣪘二	2692	2912	善找梁其𣪘二
2662.1	2878	宴𣪘一	2693	2910	屇𣪘
2662.2	2879	宴𣪘二	2694	2913	虘乍且考𣪘
2663	0000	宴𣪘一	2695	2914	𤔲兄𣪘
2664	0000	宴𣪘二	2696	2915	孟𣪘一
2665	2880	𢦒弔𣪘	2697	2916	孟𣪘二
2666	2881	鑄弔皮父𣪘	2698	2917	陳䝿𣪘
2667	2882	封仲𣪘	2699	2918	公臣𣪘一
2668	2883	散季𣪘	2700	2919	公臣𣪘二
2669	2884	亻妊小𣪘	2701	2920	公臣𣪘三
2670	2888	幘侯𣪘	2702	2921	公臣𣪘四
2671	2885	利𣪘	2703	2922	免乍旅𣪘
2672	2889	伯芳父𣪘	2704	0000	穆公𣪘
2673	2886	□弔買𣪘	2705	2924	君夫𣪘
2674	2887	弔𡛗𣪘	2706	2923	鄀公孜人𣪘
2675	2890	大保𣪘	2707	2925	小臣守𣪘一
2676	2891	旅辥乍父乙𣪘	2708	2926	小臣守𣪘二

2709	2927	小臣守𣪘三	2742.1	2963	無㠱𣪘五
2710	2928	𦁎自作寶器一	2743	2964	𧇊𣪘
2711	2929	𦁎自作寶器二	2744	2965	五年師旋𣪘一
2711.1	2930	作册般𣪘	2745	2966	五年師旋𣪘二
2712	2931	虢姜𣪘	2746	2967	追𣪘一
2713	2932	𤠇𣪘一	2747	2968	追𣪘二
2714	2933	𤠇𣪘二	2748	2969	追𣪘三
2715	2934	𤠇𣪘三	2749	2970	追𣪘四
2716	2935	𤠇𣪘四	2750	2971	追𣪘五
2717	2936	𤠇𣪘五	2751	2972	追𣪘六
2718	2937	𤠇𣪘六	2752	2973	史頌𣪘一
2719	2938	𤠇𣪘七	2753	2974	史頌𣪘二
2720	2939	𤠇𣪘八	2754	2975	史頌𣪘三
2721	2940	兩𣪘	2755	2976	史頌𣪘四
2722	2942	窒弔作豐姑旅𣪘	2756	2977	史頌𣪘五
2723	2943	沓𣪘	2757	2978	史頌𣪘六
2724	2941	章白𠭰𣪘	2758	2979	史頌𣪘七
2725	2944	師毛父𣪘	2759	2980	史頌𣪘八
2725.1	2945	茉星𣪘	2759.1	2981	史頌𣪘
2726	2947	召𣪘	2760	2982	小臣謎𣪘一
2727	2946	蔡姞作尹弔𣪘	2761	2983	小臣謎𣪘二
2728	2948	恆𣪘一	2762	2984	免𣪘
2729	2949	恆𣪘二	2763	2985	弔向父禹𣪘
2730	2950	獻𣪘	2764	2986	艾𣪘
2731	2951	小臣宅𣪘	2765	2987	殺𣪘
2732	2952	曾仲大父蛕蚑𣪘	2766	2988	三兒𣪘
2733	2953	何𣪘	2767	2989	虘𣪘一
2734	2954	適𣪘	2768	0000	楚𣪘
2735	2955	屖敖𣪘	2769	2991	師耤𣪘
2736	2956	師遽𣪘	2770	2992	𢦏𣪘
2737	2957	段𣪘	2771	2994	弭弔師𠦪𣪘一
2738	2958	衛𣪘	2772	2995	弭弔師𠦪𣪘二
2739	2959	無㠱𣪘一	2773	2996	即𣪘
2740	2960	無㠱𣪘二	2774	2997	臣諫𣪘
2741	2961	無㠱𣪘三	2774.1	2998	南宮弔𣪘
2742	2962	無㠱𣪘四	2775	2999	裘衛𣪘

2775.1	3000	害毁一	2808	0000	鄂毁二
2775.2	3001	害毁二	2809	3037	鄂毁三
2776	3002	走毁	2810	3038	揚毁一
2777	3003	天亡毁	2811	3039	揚毁二
2778	3004	格白毁一	2812	3040	大毁一
2779	3005	格白毁二	2813	3041	大毁二
2780	3006	格白毁三	2814	3042	爲册夨令毁一
2781	3007	格白毁四	2814.1	3043	夨令毁二
2782	3008	格白毁五	2815	3044	師毁毁
2782.1	3009	格白毁六	2816	3045	彔白𢦚毁
2783	3010	𧽊毁	2817	3088	師頮毁
2784	0000	申毁	2818	3046	此毁一
2785	3011	王臣毁	2819	3047	此毁二
2786	3012	緐妃毁	2820	3048	此毁三
2787	3014	望毁	2821	3049	此毁四
2788	3015	靜毁	2822	3050	此毁五
2789	3016	同毁一	2823	3051	此毁六
2790	3017	同毁二	2824	3052	此毁七
2791	3018	豆閉毁	2825	3053	此毁八
2792	3020	師俞毁	2826	3054	師寰毁一
2793	3021	元年師旋毁一	2827	3055	師寰毁二
2794	3022	元年師旋毁二	2828	3056	宜侯夨毁
2795	3023	元年師旋毁三	2829	3057	師虎毁
2796	3024	諫毁	2830	3058	三年師兑毁
2797	3025	輔師𠩺毁	2831	3059	元年師兑毁一
2798	3026	師㾓毁一	2832	3060	元年師兑毁二
2799	3027	師㾓毁二	2833	3061	秦公毁
2800	3028	伊毁	2834	3062	㝬毁
2801	3029	五年召白虎毁	2835	3063	訇毁
2802	3030	六年召白虎毁	2836	3064	𢦚毁
2803	3031	師酉毁一	2837	3065	敔毁一
2804	3032	師酉毁二	2838	3067	師𠩺毁一
2805	3033	師酉毁三	2839	3068	師𠩺毁二
2806	3034	師酉毁四	2840	3069	番生毁
0000	3035	師酉毁五	2841	3070	𦬁白毁
2807	3036	鄂毁一	2842	3071	卯毁

2843	3072	沈子它毁	2875	3110	衛子弔旡父旅匠
2844	3073	頌毁一	2876	3111	慶孫之子峠𨌲匠
2845	3074	頌毁二	2877	3112	函交仲旅匠
2846	3075	頌毁三	0000	M599	蔡公子義工簠
2847	3076	頌毁四	2878	3113	西替鈷
2848	3077	頌毁五	2878.1	3114	蔡公子義工飤匠
2849	3078	頌毁六	2879	3115	大嗣馬飤匠
2850	3079	頌毁七	2880	3116	鋳客匠一
2852	3081	不嬰毁一	2881	3117	鋳客匠二
2853	3082	不嬰毁二	2882	3118	鋳客匠三
2854	3083	蔡毁	2883	3119	鋳客匠四
2855	3084	班毁一	2884	3120	鋳客匠五
2855.1	3085	班毁二	2885	3121	鋳客匠六
2856	3086	師訇毁	2886	3122	鋳客匠七
2857	3087	牧毁	2887	3124	虢弔旅匠一
2858	3089	鋳匠	2888	3123	虢弔旅匠二
2859	0000	倗之匠	2889	3125	魯士浮父飤匠一
2860	3090	大賡匠	2890	3127	魯士浮父飤匠二
2861	3091	𢼸之行匠	2891	3128	魯士浮父飤匠三
2861.1	3092	亞其父辛匠	2892	3126	魯士浮父飤匠四
2862	3093	剮白鋁	2893	3129	隱侯𨾴逆匠
2863	3094	史頌匠	2894	3131	曾子㡿行器一
2864	3095	曾子遡行匠	2895	3132	曾子㡿行器二
2865	3096	曾匠二	2896	3133	曾子㡿行器三
2866	3097	樊君飛飤匠	2897	3135	白彊行器
2867	3099	蔡侯𨛭飤匠	2898	3134	白旅魚父旅匠
2867.1	3100	蔡侯𨛭飤匠二	2899	3136	尹氏弔緐旅匡
2867.2	3101	蔡侯𨛭飤匠三	2900	3137	史𡚁簠
2868	3103	射南匠二	2901	3138	白□父匡
2869	3102	射南匠一	2902	3139	白矩食匠
2870	3098	𨾴朿匠	2903	3140	弭匠
2871	3104	仲其父乍旅匼一	2904	3141	善夫吉父旅匠
2872	3105	仲其父乍旅匼二	2905	3142	吉𢓊匽
2873	3106	曾侯乙匠	2906	0000	白萬父匠
2874	3108	虢弔匠一	2907	3143	王子申匠
2874.1	3109	虢弔匠二	2908	3144	楚王酓肯匠一

2909	3145	楚王酓肯𠤭二
2910	3146	楚王酓肯𠤭三
2911	3147	奢虎𠤭一
2912	3148	奢虎𠤭二
2913	3149	旅虎𠤭一
2914	3150	旅虎𠤭二
2915	3151	旅虎𠤭三
2916	3152	[illegible]姒旅𠤭
2917	3154	冑乍[illegible]𠤭
2918	3153	內大子白𠤭
2919	3155	鑄弔乍嬴氏𠤭
2920	3156	[illegible]子仲安旅𠤭
2920.1	3157	白多父𠤭
2921	3158	[illegible]弔乍吳姬𠤭
2922	3159	魯白俞父𠤭一
2923	3160	魯白俞父𠤭二
2924	3161	魯白俞父𠤭三
2925	3162	交君子__𠤭一
2926	3163	交君子__𠤭二
2927	3164	商丘弔旅𠤭一
2928	3165	商丘弔旅𠤭一二
2929	3167	師麻孝弔旅𠤭(匡)
2930	3166	尹氏貯良旅𠤭(匡)
2931	3168	鑄子弔黑臣𠤭一
2932	3169	鑄子弔黑臣𠤭二
2933	3170	鑄子弔黑臣𠤭三
2934	0000	曾子遠彝𠤭
2935	3171	𡨦侯乍弔姬寺男賸𠤭
2936	3172	走馬[illegible]仲赤𠤭
2937	3173	仲義昱乍縣妃[illegible]一
2938	3174	仲義昙乍縣妃[illegible]二
2939	3175	季良父乍宗娟賸𠤭一
2940	3176	季良父乍宗娟賸𠤭二
2941	3177	季良父乍宗娟賸𠤭三
2942	3178	楚子　飤𠤭一
2943	3179	楚子　飤𠤭二
2944	3180	楚子賤飤𠤭三
2945	3181	□仲虎𠤭
2946	3182	曾子□𠤭
2947	3183	季宮父乍賸𠤭
0000	M792	宋公䜌簠
2948	3186	番君召[illegible]𠤭一
2949	3187	番君召[illegible]𠤭二
2950	3188	番君召[illegible]𠤭三
2951	3189	番君召[illegible]𠤭四
2952	3190	番君召[illegible]𠤭五
2953	3191	白其父麐旅祜
2954	3192	史免旅𠤭
2955	3193	齊陳曼𠤭一
2956	3194	齊陳曼𠤭二
2957	0000	子季𠤭
2958	3195	陳公子𠤭
2959	3184	鑄公乍朕𠤭一
2960	3185	鑄公乍朕𠤭二
0000	M581	陳公子中慶簠蓋
2961	3197	敶侯乍賸𠤭一
2962	3198	敶侯乍賸𠤭二
2963	0000	陳侯𠤭
2964	3199	曾□□[illegible]𠤭
2964.1	3200	弔邦父𠤭
2965	3196	曾侯乍弔姬賸器[illegible]彝
2966	3201	蛣公[illegible]旅𠤭
2967	3202	敶侯乍盂姜朕𠤭
2968	3203	莫白大嗣工召弔山父旅𠤭一
2969	3204	莫白大嗣工召弔山父旅𠤭二
2970	3205	考弔[illegible]父尊𠤭一
2971	3206	考弔[illegible]父尊𠤭二
2972	3207	弔家父乍仲姬𠤭
2973	0000	楚屈子𠤭
2974	0000	上鄀府𠤭

2975	3208	鄦子妝𠤳	2998	0000	彔盨四
2976	0000	盟公𠤳	2999	3239	史𦖞旅盨一
2977	3209	□孫弔左𨥓𠤳	3000	3240	史𦖞旅盨二
2978	3210	樂子敬豧飤𠤳	3001	3241	白鮮旅𣪘(盨)一
2979	3211	弔朕自乍𩰫𠤳	3002	3244	白鮮旅𣪘(盨)二
2979.1	3212	弔朕自乍𩰫𠤳二	3003	3243	白鮮旅𣪘(盨)三
2980	3213	𪓐大宰𨥓𠤳一	3004	3242	白鮮旅𣪘(盨)
2981	3214	𪓐大宰𨥓𠤳二	3005	3245	弔謀父旅盨𣪘一
2982	3215	長子□臣乍媵𠤳	3005.1	3246	弔謀父旅盨𣪘二
2982.1	3217	甲午𠤳	3006	3247	白多父旅盨一
0000	M252	免簠	3007	3248	白多父旅盨二
2983	3218	弭仲寶𠤳	3008	3249	白多父旅盨三
2984	3216	伯公父盬	3009	3250	白多父旅盨四
2985	3223	陳逆𠤳一	3010	3251	立爲旅須
2985.1	3219	陳逆𠤳二	3011	3252	弔姞旅鎮
2985.2	3220	陳逆𠤳三	3012	3253	仲義父旅盨一
2985.3	3221	陳逆𠤳四	3013	3254	仲義父旅盨二
2985.4	3222	陳逆𠤳五	3014	3255	弭弔旅盨
2985.5	3224	陳逆𠤳六	3015	3264	仲彤盨一
2985.6	3225	陳逆𠤳七	3016	3265	仲彤盨二
2985.7	3226	陳逆𠤳八	3017	3256	白大師旅盨一
2985.8	3227	陳逆𠤳九	3018	3257	白大師旅盨(器)二
2985.9	3228	陳逆𠤳十	3019	3258	弔賓父盨
2986	3229	曾白霥旅𠤳一	3020	3259	剴弔旅盨
2987	3230	曾白霥旅𠤳二	3021	3260	乍遣盨
2988	3231	攸鬲旅鎮	3022	3261	白車父旅盨(器)一
2989	3232	白筍父旅盨	3023	3262	白車父旅盨(器)二
2990	3233	登白盨	3024	3263	仲大師旅盨
2991	3234	弔倉父寶盨	3025	3270	白公父旅盨(蓋)
2991.2	3235	弔倉父寶盨二	3026	3266	□□爲甫人行盨
2992	3236	白敨父盨	3027	3267	仲𠍾旅盨
2993	3237	中白乍㜈姬旅盨一	3028	3268	虢弔行盨
2994	3238	中白乍㜈姬旅盨二	3029	3269	周𩰬旅盨
2995	0000	彔盨一	3030	3271	奠義白旅盨(器)
2996	0000	彔盨二	3031	3272	奠義羌父旅盨一
2997	0000	彔盨三	3032	3273	奠義羌父旅盨二

3032.1	3274	莫登弔旅盨
0000	M299	白大師釐盨
3033	3275	昜弔旅盨
3034	3277	白孝𠃬旅盨
3035	3278	魯嗣徒旅段(盨)
3036	3279	莫井弔康旅盨
3036.1	3280	莫井弔康旅盨二
3037	3281	華季嗌乍寶段(盨)
3038	3276	咼弔興父旅盨
3039	3284	白多父盨
3040	3283	白庶父盨段(蓋)
3041	3285	諫季獻旅須
3042	3286	項燮旅盨
3043	3287	遣弔吉父旅須一
3044	3288	遣弔吉父旅須二
3045	3289	遣弔吉父旅須三
3046	3291	筍白大父寶盨
3047	3290	攺乍乙公旅盨(蓋)
3048	3292	鑄子弔黑臣盨
3049	3293	單子白旅盨
3050	3294	皃弔乍旅盨
3051	3297	兮白吉父旅盨(蓋)
3052	3295	走亞𤅴孟延盨一
3053	3296	走亞𤅴孟延盨二
3054	3298	賸侯蘇乍旅段
3055	3299	虢仲旅盨
3056	3300	師趛乍楕姬旅盨
3057	3301	仲臼父鐘(盨)
3058	3302	曼龏父盨一
3059	3304	曼龏父盨三
3060	3303	曼龏父盨二
3061	3305	弭弔旅盨
3062	3307	乘父段(盨)
3063	3306	遲乍姜淠盨
3064	3308	曩白子宼父征盨一
3065	3309	曩白子宼父征盨二
3066	3310	曩白子宼父征盨三
3067	3311	曩白子宼父征盨四
3068	3312	白寬父盨一
3069	3313	白寬父盨二
0000	M343	魯司徒中齊盨
3070	3314	杜白盨一
3071	3315	杜白盨二
3072	3316	杜白盨三
3073	3317	杜白盨四
3074	3318	杜白盨五
3075	3319	白沠其旅盨一
3076	3320	白沠其旅盨二
0000	M340	魯伯悆盨
3077	3321	弔專父乍莫季盨一
3078	3322	弔專父乍莫季盨二
3079	3323	弔專父乍莫季盨三
3080	3324	弔專父乍莫季盨四
3081	3325	翏生旅盨一
3082	3326	翏生旅盨二
3083	3327	瘨段(盨)一
3084	3328	瘨段(盨)二
3085	3329	駒父旅盨(蓋)
3086	3330	善夫克旅盨
3087	3331	咼从盨
3088	3332	師克旅盨一(蓋)
3089	3333	師克旅盨二
3090	3334	畢盨(器)
3091	0000	楚子敦
3092	3337	齊侯乍飤𦎫一
3093.0	3335	台(以)喜敦
3093	3336	齊侯乍飤𦎫二
3094	3338	□公克錞
3094.1	3340	又子敦
3095	3341	拍乍祀彝(蓋)
3096	3342	齊侯乍孟姜善𦎫
3097	3343	陳侯午錞錞一

3098	3344	陳侯午鎛錞二	3126	3377	嵬白旟匕一
3099	3345	十年陳侯午埠(器)	3127	3379	仲枏父匕
3100	3346	陳侯因資錞	3128	3380	魚鼎匕
3101	3347	亞㠱豆一	0000	3648	矢爵
3102	3348	亞㠱豆二	補12	0000	矢爵
3103	3349	車雛父丁豆	0000	3649	示皿爵
3104	3350	哀成弔豆	0000	3650	冂爵
0000	M236	單昊生豆	0000	3653	亯爵
3105	3351	鑄客豆一	0000	3654	正爵
3106	3352	鑄客豆二	0000	3655	正爵二
3107	3353	鑄客豆三	0000	3659	木爵
3108	3354	鑄客豆四	補8	0000	木爵
3109	3355	周生豆一	0000	3660	守戈爵
3110	3356	周生豆二	3129	3381	子爵一
3110.1	3357	元祀豆	3130	3382	子爵二
3110.2	3358	弔賓父豆	3131	3384	子爵四
3110.3	3359	盂𢆶旁豆	3132	3383	子爵三
3111	3360	大師虘豆	3133	3385	子爵五
3112	3369	掷陵君王子申豆一	3134	0000	自爵
3113	3370	掷陵君王子申豆二	3135	3390	田爵
3114	3361	穌貉簠	3136	3391	竝爵
3115	3362	曾仲斿父甫	3137	0000	天爵
3115.1	3363	曾仲斿父甫二	3138	0000	弜爵
3116	3364	劉公鋪	3139	3392	天爵
3117	3365.313	微伯瘨簠	3140	3393	㚇爵
3118	3366	魯大嗣徒厚氏元善匿一	3141	3394	奚爵
3119	3367	魯大嗣徒厚氏元善匿二	3142	3395	屮爵
3120	3368	魯大嗣徒厚氏元善匿三	3143	3396	屮爵一
3121	3371	王子嬰次盧	3144	3483	屮爵二
3121.1	3372	鑄客鑪	3145	3418	門爵
3121.2	3373	大宰歸父鑪	3146	3398	犾爵
3121.3	3374	義子鑪	3147	3399	伐爵
3122	0000	𤸫君之孫盧(者旨習盤)	3148	3400	奾爵
3123	3375	塈氏善鎗	3149	3402	龏爵
3124	3376	昶仲無龍匕	3150	3403	䪢爵
3125	3378	嵬白旟匕二	3151	3404	䪢爵

3152	3405	保爵
3153	3406	重爵
3154	3407	重爵
3155	3408	重爵
3156	3409	係爵
3157	3410	斿爵
3158	3413	旅爵
3159	3411	斿爵
3160	3412	旅爵
3161	3414	罷爵
3162	3416	戈爵
3163	3417	卿爵
3164	3419	[illegible]爵
3165	3421	羊爵一
3166	3420	羊爵二
3167	3422	豕形爵
3168	3423	取爵
3169	3424	犬爵
3170	3426	屠豕形爵二
3171	3425	屠豕形爵一
3172	3427	[illegible]爵
3173	3428	隹爵
3174	3429	隹爵
3175	3431	龍爵
3176	3430	鳥爵
3177	3432	龍爵
3178	3433	[illegible]爵
3179	3434	魚爵一
3180	3435	魚爵二
3181	3436	魚爵三
3182	3437	魚爵四
3183	3438	魚爵五
3184	3439	魚爵六
3185	3441	[illegible]爵一
3186	3442	[illegible]爵二
3187	3443	[illegible]爵三
3188	3444	萬爵一
3189	3445	萬爵二
3190	3447	黽爵
3191	3448	它爵
3192	3449	它爵
3193	3450	又爵
3194	3451	聿爵一
3195	3452	聿爵二
3196	3453	聿爵三
3197	3455	史爵一
3198	3456	史爵二
3199	3457	[illegible]爵一
3200	3458	[illegible]爵二
3201	3459	[illegible]爵
3202	3460	[illegible]爵
3203	3461	关爵一
3204	3463	爰爵
3205	3464	受爵
3206	3466	興爵二
3207	3465	興爵一
3208	3467	[illegible]爵
3209	3468	册爵一
3210	3469	册爵二
3211	3470	册爵三
3212	3472	[illegible]爵
3213	3473	跡爵
3214	3475	衛爵二
3215	3474	衛爵一
3216	3476	步爵
3217	3478	亯爵二
3218	3477	亯爵一
3219	3479	亯爵三
3220	3480	邑爵
3221	3481	邑爵
3222	3482	[illegible]爵一
3223	3489	[illegible]爵

3224	3487	[illegible]爵一	3260	3525	弔爵二
3225	3488	[illegible]爵二	3261	3526	弔爵三
3226	3484	[illegible]爵	3262	3523	弔爵
3227	3485	觥爵一	3263	0000	罷爵
3228	3486	觥爵二	3264	3578	安爵
3229	3491	旱爵二	3265	3527	[illegible]爵一
3230	3490	旱爵一	3266	3528	[illegible]爵二
3231	3492	旱爵三	3267	3529	[illegible]爵三
3232	3494	皿爵	3268	3530	[illegible]爵四
3233	3495	刀爵	3269	3531	[illegible]爵五
3234	3493	豆爵	3270	3532	[illegible]爵六
3235	3496	戈爵一	3271	3533	[illegible]爵七
3236	3498	戈爵三	3272	0000	[illegible]爵八
3237	3499	戈爵四	3273	3536	亞爵
3238	3497	戈爵二	3274	3537	庚爵
3239	3500	戈爵五	3275	3539	癸爵
3240	3501	聝爵一	3276	3538	辛爵
3241	3506	咸爵	3277	3540	克爵
3242	3503	[illegible]爵一	3278	3541	田爵
3243	3504	[illegible]爵二	3279	3542	舌爵一
3244	3505	[illegible]爵	3280	3543	舌爵二
3245	3507	母爵	3281	3544	舌爵三
3246	3508	母爵	3282	3545	[illegible]爵一
3247	3509	射爵	3283	3546	[illegible]爵二
3248	3510	㫃爵一	3284	3547	[illegible]爵
3249	3511	㫃爵二	3285	3548	工爵
3250	3512	旜爵	3286	3549	求爵
3251	3513	旜爵二	3287	3550	[illegible]爵
3252	3515	罕爵	3288	3551	[illegible]爵
3253	3516	[illegible]爵一	3289	3552	㚔爵
3254	3517	[illegible]爵二	3290	3553	[illegible]爵
3255	3520	宰爵	3291	3554	[illegible]爵一
3256	3521	黍爵	3292	3555	[illegible]爵二
3257	3522	旅爵	3293	3556	[illegible]爵一
3258	3519	[illegible]爵	3294	3557	[illegible]爵二
3259	3524	弔爵一	3295	3559	[illegible]爵三

3296	3558	冉爵四
3297	3560	冉爵五
3298	3561	冉爵六
補9	0000	冉爵
3299	3564	朋爵
3300	0000	目爵
3301	3566	鍪爵一
3302	3565	鍪爵二
3303	3567	鍪爵三
3304	3568	鍪爵四
3305	3569	鍪爵五
3306	3570	鍪爵六
3307	3571	[illegible]爵
3308	3572	[illegible]爵
3309	3573	[illegible]爵
3310	3574	[illegible]爵
3311	3581	攻爵
3312	3575	兮爵
3313	3582	串爵
3314	3583	中爵
3315	3584	輪爵
3316	3585	[illegible]爵
3317	3586	[illegible]爵
3318	3587	[illegible]爵
3319	3588	鳶爵一
3320	3589	鳶爵二
3321	3590	眗爵一
3322	0000	鍪爵一
3323	3593	鍪爵二
3324	3595	[illegible]爵一
3325	3594	[illegible]爵二
3326	3597	[illegible]爵
3327	3598	矢宁爵
3328	3599	[illegible]爵
3329	3600	[illegible]爵
3330	3601	弜爵
3331	3602	[illegible]爵
3332	3603	眗爵
3333	3604	得爵
3334	3605	匽爵
3335	3606	羞爵
3336	3607	[illegible]爵
3337	3608	示皿爵
3338	3609	探爵
3339	3610	取爵
3340	3611	[illegible]爵
3341	3612	女爵一
3342	3613	女爵二
3343	0000	女爵三
3344	3614	由爵
3345	3615	亢爵
3346	0000	天爵
3347	3616	僩爵
3348	3617	[illegible]爵
3349	3618	[illegible]爵
3350	3619	孚爵
3351	3620	[illegible]爵
3352	3621	買爵
3353	3622	[illegible]爵
3354	3623	棒爵
3355	3627	㗊爵一
3356	3628	㗊爵二
3357	3624	品爵一
3358	3625	品爵二
3359	0000	丙爵
3360	3667	嬰爵
3361	3633	雩爵
3362	3668	鼂爵一
3363	3669	鼂爵二
3364	3635	守爵
3365	3592	[illegible]爵
3366	3636	[illegible]爵

3367	3629	网爵	3397	3687	亞酗爵六
3368	3637	印爵	3398	0000	亞鳥爵
3369	3665	爻爵	3399	3688	亞戈爵
3370	3638	攸爵	3400	3689	亞[illegible]爵
3371	3639	徙爵一	3401	3690	亞[illegible]爵
3372	3640	徙爵二	3402	3691	亞沚爵
3373	0000	山爵	3403	3692	亞沚爵
3374	3641	[illegible]爵	3404	3693	亞子爵
3375	3642	[illegible]爵	3405	3698	且甲爵一
3376	3596	弴爵	3406	3699	且甲爵二
3377	3645	射爵	3407	3700	且乙爵一
3378	3646	酉爵	3408	3701	且乙爵二
3379	0000	好爵一	3409	3702	且乙爵三
3380	0000	好爵二	3410	3703	且乙爵四
3381	0000	好爵三	3411	3705	且丁爵
3381.1	J1929	[illegible]爵	3412	3706	且戊爵一
3381.2	J1933	[illegible]爵	3413	3707	且戊爵二
3381.3	J4018	[illegible]爵	3414	3708	且戊爵三
補6	0000	□爵	3415	3709	且戊爵四
補7	0000	高爵	3416	3710	且己爵一
補13	0000	盟爵	3417	3711	且己爵二
3382	3671	父□爵	3418	3715	且庚爵
3383	3681	亞吴爵一	3419	3716	且辛爵
3384	3672	亞吴爵二	3420	3717	且辛爵
3385	3673	亞吴爵三	3421	3718	且壬爵
3386	3674	亞吴爵四	3422	3720	且癸爵一
3387	3675	亞吴爵五	3423	3719	且癸爵二
3388	3676	亞吴爵六	3424	3721	且癸爵三
3389	3677	亞吴爵七	3425	3722	且癸爵
3390	3678	亞吴爵八	3426	3723	父甲爵一
3391	3679	亞吴爵九	3427	3724	父甲爵二
3392	3683	亞酗爵一	3428	3725	父甲爵三
3393	3684	亞酗爵二	3429	3726	父甲爵四
3394	3685	亞酗爵三	3430	3727	父甲爵五
3395	3686	亞酗爵四	3431	3728	父乙爵一
3396	3682	亞酗爵五	3432	3730	父乙爵二

3433	3732	父乙爵三
3434	3729	父乙爵四
3435	3731	父乙爵五
3436	3734	父乙爵六
3437	0000	父乙爵七
3438	3736	父乙爵八
3439	3737	父乙爵九
3440	3738	父丙爵
3441	3739	父丁爵一
3442	3743	父丁爵二
3443	3744	父丁爵三
3444	3745	父丁爵四
3445	3746	父丁爵五
3446	3753	父丁爵六
3447	3740	父丁爵七
3448	3741	父丁爵八
3449	3742	父丁爵九
3450	3752	父丁爵十
3451	3747	父丁爵十一
3452	3748	父丁爵十二
3453	3749	父丁爵十三
3454	3750	父丁爵十四
3455	3751	父丁爵十五
3456	3754	父戊爵一
3457	3755	父戊爵二
3458	3756	父戊爵
3459	3758	父己爵一
3460	3759	父己爵二
3461	3763	父己爵三
3462	3760	父己爵四
3463	3761	父己爵五
3464	3762	父己爵六
3465	3765	父己爵七
3466	3764	父己爵八
3467	3768	父己爵九
3468	3766	父己爵十
3469	3767	父己爵十一
3470	3770	父辛爵一
3471	3771	父辛爵二
3472	3772	父辛爵三
3473	3773	父辛爵四
3474	3774	父辛爵五
3475	3776	父辛爵六
3476	3775	父辛爵七
3477	3777	父辛爵八
3478	3781	父辛爵九
3479	3778	父辛爵十
3480	3779	父辛爵十一
3481	3782	父壬爵一
3482	3783	父壬爵二
3483	3784	父壬爵三
3484	3785	父壬爵四
3485	3786	父壬爵五
3486	3787	父癸爵一
3487	3789	父癸爵二
3488	3788	父癸爵三
3489	3790	父癸爵四
3490	3791	父癸爵五
3491	3792	父癸爵六
3492	3793	父癸爵七
3493	3794	父癸爵八
3494	3795	父癸爵九
3495	3796	父癸爵十
3496	3797	母癸爵一
3497	3798	母癸爵二
3498	3799	甲爵
3499	3800	甲虫爵
3500	3801	甲拳爵
3501	3802	癸乙爵
3502	3803	乙冎爵
3503	3804	冎乙爵一
3504	3805	冎乙爵二

3505	3806	用乙爵
3506	3807	[illegible]乙爵一
3507	3808	[illegible]乙爵二
3508	3809	何乙爵
3508.1	3966	元乙爵
3508.2	4038	守乙爵
3509	3810	冉丙爵
3509.1	4033	戣乙爵
3510	3811	亞丙爵
3511	0000	亞辛爵
3512	3812	山丁爵
3513	3813	丁羞爵
3514	3814	丁冉爵
3515	3943	單冉爵
3516	3816	己[illegible]爵
3517	3818	己殀爵
3518	3820	冉己爵
3519	3821	[illegible]己爵
3519.1	4032	共䖒爵
3520	3815	南戊爵
3521	3817	己重爵
3522	3823	主庚爵二
3523	3822	主庚爵一
3524	3819	己甾爵
3525	3824	冉辛爵
3526	3825	癸[illegible]爵
3527	3827	癸冉爵
3528	3826	癸企爵
3529	3828	衛癸爵
3530	3829	冉癸爵
3531	3831	豊癸爵
3532	3830	[illegible]癸爵
3533	3832	高癸爵
3534	3833	仔戣爵
3535	3834	子守爵
3536	3835	子雨爵一
3537	3836	子雨爵二
3538	3837	子㬎爵
3539	3838	子蝠形爵一
3540	3839	子蝠形爵二
3541	3840	子蝠形爵三
3542	3841	子蝠形爵四
3543	3842	子蝠形爵五
3544	3843	子蝠形爵六
3545	3844	子□爵
0000	3845	子圍爵
3546	3846	子配爵
3547	3847	子媚爵一
3548	3848	子媚爵二
3549	3849	子媚爵三
3550	3850	子媚爵四
3551	3851	子媚爵五
3552	3852	子媚爵六
3553	3853	子媚爵七
3554	3854	子媚爵八
3555	3856	糸去爵
3556	3855	子糸爵
3557	3857	子禾爵
3558	3858	子左爵
3559	3859	子[illegible]爵
3560	3860	子[illegible]爵
3561	3861	子[illegible]爵
3562	3861	子不爵
3563	3863	子何爵
3564	3864	子母爵
3565	0000	子母爵二
3566	0000	子母爵三
3567	0000	子母爵四
3568	0000	子母爵五
3569	3865	子[illegible]爵
3570	3866	子[illegible]爵
3571	3867	子[illegible]爵

3572	3868	庚子爵
3573	3871	戈天爵
3574	3869	羌子爵
3575	3870	箙[illegible]爵
3576	3872	㣇天爵
3576.1	4037	㣇止爵
3577	3873	竹天爵
3578	3875	丁羌爵
3578.1	3987	鍪羌爵
3579	3876	大行爵
3580	3877?	羌幸爵
3581	3874	天黿爵
3582	0000	天王爵
3583	3878	工兑爵
3584	3879	工兑爵
3585	3880	口工爵
3586	3881	亞兑爵
3587	3882	亞弜爵一
3588	3883	亞弜爵二
0000	3884	亞弜爵三
3589	0000	亞虎皿矛爵一
3590	0000	亞虎皿矛爵二
3590.1	4014	亞隻爵
3591	3885	亞舟爵
3592	3890	家戈爵
3593	3891	冂戈爵
3594	3892	齒戈爵
3595	3893	戉木爵
3595.1	4031	木且爵
3596	3894	亡豕爵
3597	3895	从豕爵
3598	3896	亯羊爵
3599	3897	亯皿爵
3600	3898	子京爵
3601	3899	寢幺爵
3602	3900	飲爵

3603	3901	羇爵
3604	3902	叉宁爵
3605	3903	探丁爵一
3606	3904	探丁爵二
0000	3905	探丁爵三
3607	3906	蚑工爵
3608	3907	工執爵
3609	3908	自出爵
3610	3909	㕛正爵
3611	3910	鳥卯爵
3612	3911	鴸豕爵
3612.1	4015	亞鳥爵
3613	3912	弔黽爵一
3614	3913	弔黽爵二
3615	3914	弔黽爵三
3616	3915	弔黽爵四
3617	3916	弔黽爵五
3618	3917	朋渣爵一
3619	3918	朋渣爵二
3620	3919	朋渣爵三
3621	3922	丁冉先爵一
3622	3923	丁冉先爵二
3623	3926	戈罷
3624	3921	㞢父爵一
3625	3920	㞢父爵二
3626	3924	夸爵一
3627	3925	夸爵二
3628	3927	康侯爵
3629	3928	庚俎爵
3630	3929	㣇㠯爵
3631	3930	刀口爵
3632	3932	聑竹爵一
3633	3933	聑竹爵二
3634	3931	且𠆧爵
3635	3934	嚻婦爵
3636	3935	敄叉爵

3637	3936	俎矢爵
3638	3937	辭冊爵
3639	3938	冎卩爵
3640	3939	□女爵
3641	3940	貝幸爵
3642	3941	𢆶爵
3643	3942	□箙爵
3644	3945	乍寶爵
3645	0000	𣎆妊爵
3646	3946	乍障爵一
3647	3944	乍彝爵
3648	3955	毋得爵一
3649	3956	毋得爵二
3650	3954	咼奞爵
3651	3957	弔車爵
3651.1	3950	弔車爵
3652	3958	止𠙵爵
3653	3959	丁□爵
3654	3964	白卣爵
3655	3965	㫃冊爵
3656	4000	亼曲爵
3657	0000	㲋犬爵
3658	3960	𢻱天爵
3659	3967	乇子爵
3660	3968	婦好爵一
3661	3970	婦好爵二
3662	3971	婦好爵三
3663	3974	婦好爵四
3664	3975	婦好爵五
3665	3976	婦好爵六
3666	3977	婦好爵七
3666.1	3969	婦好爵八
3666.2	3972	婦好爵九
3666.3	3973	婦好爵十
3666.4	3978	婦好爵十一
3667	3989	亞其爵一
3668	3990	亞其爵二
3669	3991	亞其爵三
3670	3992	亞其爵四
3671	3993	亞其爵五
3672	3994	亞其爵六
3673	3995	亞其爵七
3674	3888	亞其爵八
3675	3986	束泉爵一
3676	3981	束泉爵二
3677	3982	束泉爵三
3678	0000	束泉爵四
3679	3984	束泉爵五
3680	3985	束泉爵六
3681	3979	束泉爵七
3682	3980	束泉爵八
3683	4006	戈曳爵
3684	4005	㚔爵
3685	4007	十𡴞箙爵
3686	3988	白乍爵
3687	3996	○父□爵
3687.1	4030	㐆父爵
3688	3997	守戈爵
3689	4003	車買爵一
3690	4004	車買爵二
3691	4008	冂龍爵
0000	4009	田爵
3692	0000	丁共爵
3693	4010	毋徙爵
3694	4011	子衛爵一
3695	4012	子衛爵二
3696	4013	子爵三
3697	4016	亞豕爵
3698	4017	㠯𣲖爵
3699	4018	七妥爵
3699.1	4379	冊京保爵
3700	4019	内耳爵

3700.1	3948	耳髭爵
3701	4020	子幸爵
3702	4021	告宁爵一
3703	0000	告宁爵二
3703.1	4034	告宁爵三
3704	4022	𪓐丁爵
3705	4023	萬庚爵
3706	4024	乙戈爵
3707	4025	卿宁爵一
3708	4027	卿宁爵二
3709	4026	卿宁爵三
3710	4028	虍己爵
3711	4036	辛且爵
3712	4035	卩貝爵
3712.1	3949	貝車爵
3713	3998	辛戈爵一
3714	3999	辛戈爵二
3715	4029	單㞢爵
3716	3961	大中爵
3717	3962	史癸爵
3717.1	J2027	㽗乙爵
3717.2	J2037	戕系爵
3717.3	J2038	幸󠄀䝨爵
3718	4041	亞𠫤爵
3718.1	3889	隹壺爵
3719	4040	亞乙羌爵
3720	4042	亞𧻓乙爵一
3721	4043	亞𧻓乙爵二
3722	4045	亞女方爵
3722.1	4320	齊女□爵三
3723	4046	亞寠夭爵
3724	4047	亞夂𤰔爵
3725	4048	禹天鳥爵
3726	4050	𠂔且乙爵
3727	4052	舟且乙爵一
3728	4051	舟且乙爵二
3729	4049	𠈇且乙爵
3730	4053	舟且乙爵
3730.1	J2157	心且乙爵
3731	4054	舟且丙爵
3732	4056	鍪且丙爵
3733	4055	邛且丙爵
3734	4057	車且丁爵
3735	4058	亞且丁爵
3736	4059	㫃且丁爵
3737	4060	山且丁爵
3738	4061	嬰且丁爵
3738.1	J2158	旻且丁爵
3739	4062	戈且戊爵
3740	4063	𠂇且己爵一
3741	4064	𠂇且己爵二
3742	4065	𥎦且己爵
3743	4066	鍪且己爵
3744	4067	戈且己爵一
3745	4068	戈且己爵二
補3742	0000	𥎦且己爵
3746	4069	㞢且戊爵
3747	4070	子且辛爵
3748	4071	齊且辛爵
3749	4072	句且辛爵
4050	4073	卬且辛爵
3751	4075	且辛𤔲爵一
3752	4074	且辛𤔲爵二
3752.1	4076	人且辛爵
3753	4078	山且壬爵
3754	4077	木且辛爵
3755	0000	且辛直爵
3756	4079	罵且壬爵
3757	4080	鍪且癸爵
3758	4081	止且癸爵
3759	4082	𠂔且癸爵
3760	4083	卬且癸爵

3761	4084	田父甲爵
3762	0000	鳳父甲爵
3763	4086	車父甲爵
3764	4085	串父甲爵
3765	4087	犾父乙爵
3766	4088	令父乙爵
3767	4089	先父乙爵
3768	4090	[illegible]父乙爵一
3769	4092	[illegible]父乙爵二
3769.1	4091	[illegible]父乙爵三
3770	4093	戈父乙爵一
3771	4094	戈父乙爵二
3772	4095	戈父乙爵三
3773	4096	戈父乙爵四
3774	4097	亞父乙爵一
3775	4098	亞父乙爵二
3776	4099	亞父乙爵三
3777	4100	突父乙爵
3778	4101	中父乙爵
3779	4102	酉父乙爵
3780	4104	探父乙爵
3781	4103	弜父乙爵
3782	4108	鼎父乙爵
3783	4105	𠬝父乙爵一
3784	4106	𠬝父乙爵二
3785	4107	鍪父乙爵
3786	4109	冉父乙爵
3787	4110	耒父乙爵
3788	4111	乍父乙爵
3789	0000	乍父乙爵
3790	4112	庚父乙爵
3791	4113	[illegible]父乙爵
3792	4114	□父乙爵
3793	4118	父乙□爵
3794	4119	冉乙父爵
3794.1	4116	句毌父乙爵
3794.2	4115	啟父乙爵
3794.3	4342	魚父乙爵
3795	4123	鼎父乙爵
3796	0000	魚父乙爵
3797	4120	魚父丙爵
3798	4121	重父丙爵
3799	4122	齳父丙爵
3977.1	4324	乍父丙爵
3800	4124	子父丁爵
3801	4125	子八父丁爵
3802	4126	欠父丁爵
3803	4127	卩父丁爵
3804	4128	魚父丁爵一
3805	4129	魚父丁爵二
3806	4130	豢父丁爵
3807	4131	館父丁爵
3808	4132	館父丁爵
3809	4134	覍父丁爵
3810	4133	麔豕形父丁爵
3811	4135	般父丁爵
3812	4137	禾父丁爵
3813	4139	癸父丁爵一
3814	4138	癸父丁爵二
3815	4140	皿父丁爵
3816	4136	矧父丁爵
3817	4141	冉父丁爵一
3818	4142	冉父丁爵二
3819	4143	冉父丁爵三
3820	4144	冉父丁爵四
3821	0000	冉父丁爵五
3822	4145	父丁冉爵六
3823	4148	[illegible]父丁爵
3824	4147	[illegible]父丁爵
3825	4146	[illegible]父丁爵
3826	4149	亯父丁爵
3827	4150	車父丁爵

3828	4152	曲父丁爵
3829	4151	安父丁爵
3830	0000	旅父丁爵
3831	4153	木父丁爵一
3832	4154	木父丁爵二
3833	4158	[illegible]父丁爵
3834	4157	丩父丁爵
3835	4159	鍪父丁爵
3836	4160	[illegible]父丁爵一
3837	4161	[illegible]父丁爵二
3838	4162	[illegible]父丁爵三
3839	4164	鍪父丁爵一
3840	4165	鍪父丁爵二
3841	4166	[illegible]父丁爵
3842	4163	[illegible]父丁爵
3843	4167	[illegible]父丁爵
3843.2	J2154	啚奴父丁爵
補3802	0000	欠父丁尊
補3806	0000	豖父丁尊
3843.2	4381	父辛[illegible]爵
3844	4168	子父戊爵一
3845	4169	子父戊爵二
3846	0000	冉父戊爵
3847	4178	[illegible]父戊爵
3848	4170	舌父戊爵
3849	4177	[illegible]父戊爵
3850	4173	[illegible]父戊爵
3851	4171	從父戊爵
3852	4172	[illegible]父戊爵
3853	4175	[illegible]父戊爵
3854	4176	才父戊爵
3855	4174	吉父戊爵
3856	4179	冉戊父爵
3857	4180	[illegible]父己爵
3858	4181	[illegible]父己爵
3859	4186	[illegible]父己爵
3860	4187	止父己爵
3861	4183	[illegible]父己爵一
3862	4182	[illegible]父己爵二
3863	4184	[illegible]父己爵
3864	4185	斿父己爵
3865	4188	屠豕形父己爵
3866	4190	[illegible]父己爵一
3867	4191	[illegible]父己爵二
3867.1	4366	父己[illegible]爵
3868	4193	[illegible]父己爵
3869	4189	萬父己爵
3870	4192	冉父己爵
3871	4194	單父己爵
3872	0000	[illegible]父己爵
3873	4195	若父己爵
3874	4196	亞若父己爵
3875	4198	戈父己爵一
3876	4197	戈父己爵二
3877	4199	戈父己爵三
3878	4201	舌父己爵
3879	4203	田父己爵
3880	4202	凵父己爵
3881	4204	丁父己爵
3882	4205	幺父己爵
3883	4206	幸父己爵
3884	4207	[illegible]父己爵
3885	4208	心父己爵
3886	4209	父己爵
3887	4210	般父己爵
3888	4212	子父己爵
3889	4211	[illegible]父己爵
3890	4214	O父庚爵
3891	4215	子父庚爵
3892	4218	鍪父庚爵
3893	4216	[illegible]父庚爵一
3894	4217	[illegible]父庚爵二

3895	4219	[illegible]父庚爵
3896	4220	亞父辛爵
3897	4223	子父辛爵一
3898	4221	子父辛爵二
3899	4222	子父辛爵三
3900	4224	囝父辛爵
3901	4227	木父辛爵
3902	4225	嬰父辛爵一
3092.1	4226	嬰父辛爵二
3903	4234	中父辛爵
3904	4228	[illegible]父辛爵
3905	4229	[illegible]父辛爵
3906	4230	[illegible]辛父爵
3906.1	4256	父辛[illegible]爵
3907	4231	[illegible]父辛爵
3908	4233	史父辛爵
3909	0000	興父辛爵
3910	4236	冉父辛爵
3911	4237	冉父辛爵二
3912	4238	酉父辛爵
3913	4239	酉父辛爵
3914	4235	鼎父辛爵一
3915	4242	鼎父辛爵二
3916	4240	旱父辛爵
3917	4243	責父辛爵一
3918	4244	責父辛爵二
3919	4245	責父辛爵三
3920	4246	弔父辛爵
3921	0000	[illegible]乍父癸爵
3922	4248	[illegible]父辛爵
3923	4247	[illegible]父辛爵
3924	4249	[illegible]父辛爵
3925	4250	网父辛爵
3926	4252	黽父辛爵
3927	4251	[illegible]父辛爵
3928	4254	鍪父辛爵
3929	4253	鍪父辛爵
3930	4255	東父辛爵
3931	4258	乍父辛爵
3932	4259	[illegible]父辛爵
3933	4260	父辛爵
3933.1	4241	興父辛爵
3933.2	4257	戈父辛爵
3934	4261	糸父壬爵
3935	4263	天父癸爵一
3936	4262	天父癸爵二
3937	4264	[illegible]父癸爵
3938	4266	子父癸爵
3939	4267	[illegible]父癸爵
3940	4265	[illegible]父癸爵
3941	4268	隹父癸爵
3942	4269	鳥父癸爵
3943	4272	雔父癸爵
3944	4270	集父癸爵
3945	4271	隻父癸爵
3946	4273	探父癸爵
3947	4274	戈父癸爵一
3948	4275	戈父癸爵二
3949	4276	矢父癸爵一
3950	4277	矢父癸爵二
3951	4278	缶父癸爵
3952	4280	幺父癸爵
3953	4279	[illegible]父癸爵
3953.1	4213	[illegible]父己爵
3954	4281	[illegible]父癸爵
3955	4283	冉父癸爵一
3956	4284	冉父癸爵二
3957	4282	冉父癸爵
3958	4286	父癸冉爵
3959	4285	冉父癸爵
3960	4287	幸父癸爵一
3961	4288	幸父癸爵二

3962	4293	䢅父癸爵一	3990	4327	右乍彝爵
3963	4292	䢅父癸爵二	3991	4323	乍乙公爵
3964	4289	㝱父癸爵	3992	4326	亞䵼凡爵
3965	4294	䢅父癸爵	3993	4329	戥刀爵
3966	4295	䢅父癸爵	3994	4328	爵寶彝爵
3966.1	4291	䢅父癸爵一	3995	4330	[illegible]乍彝爵
3967	4296	[illegible]父癸爵一	3996	4338	且辛直爵
3967.1	4297	[illegible]父癸爵二	3997	4380	日辛爵
3968	4298	戚父癸爵	3998	4332	長隹壺爵一
3969	4301	丫父癸爵	3999	4333	長隹壺爵二
3970	4299	[illegible]父癸爵	3999.1	4334	長隹壺爵三
3971	4300	[illegible]父癸爵	3999.2	4335	長隹壺爵四
3972	4302	父癸一爵	4000	4339	㲋且壬爵
3973	4303	[illegible]父癸爵	4001	4340	囚且癸爵
3974	4304	亯父癸爵	4002	4341	魚父乙爵一
3974.1	4290	䢅父癸爵	4003	4343	戈父丁爵
3974.2	4305	學父癸爵	4003.1	4200	戈父己爵四
3974.3	4306	亯父癸爵	4004	4345	㝃父戊爵
3975	4307	劚匕乙爵	4005	4346	㝃父辛爵
3976	4308	䢅匕己爵	4006	4347	永父辛爵
3977	4312	嗣工丁爵	4007	4348	䢅父辛爵
3977.1	4378	丁大中爵	4008	4349	[illegible]父癸爵
3978	4309	爻匕辛爵	4009	4350	皿父癸爵
3978.1	4232	𠬝匕辛爵	4010	4351	㢑兄癸爵
3979	4310	趞母壬爵	4011	4352	亞爵
3980	0000	趞母壬爵	4012	4353	亞爵
3981	4313	觑戊[illegible]爵一	4013	4354	子[illegible][illegible]爵
3982	4314	觑戊[illegible]爵二	4014	4355	羊[illegible]車爵
3983	4315	羊己[illegible]爵	4015	4356	[illegible][illegible]耒爵
3984	4316	子[illegible]爵	4016	4357	亞[illegible]爵
3985	4317	䢅每爵	4017	4358	仲乍公爵
3986	4319	齊婛爵一	4018	4359	[illegible]丁乙爵
3987	4318	齊婛爵二	4019	4362	亞夫毁爵
3988	4321	册[illegible]册爵一	4020	4363	父乙[illegible]爵
3988.1	4322	册[illegible]册爵二	4021	4364	爻父丁爵
3989	4325	㛚乍車爵	4022	4365	子父乙爵

4023	4361	則爵	4053	4400	亞[illegible]父辛爵
4024	4367	龜父丁爵	4054	4404	父癸亞血爵
4025	4368	苐父丁爵	4055	4399	亞址父己爵
4025.1	4155	旅父丁爵	4056	4403	亞[illegible]父壬爵
4025.2	4156	口父丁爵	4057	4405	唐子且乙爵一
4026	0000	臤父乙爵	4058	4406	唐子且乙爵二
4027	4369	天父辛爵	4059	4407	唐子且乙爵三
4028	4370	后咢母爵一	4060	4408	唐子且乙爵四
4029	4371	后咢母爵二	4061	4409	丙丁且丁爵
4030	4372	后咢母爵三	4062	4410	弓衛且己爵
4031	4373	后咢母爵四	4063	4411	[illegible]作父乙爵
4032	4374	后咢母爵五	4064	4412	子刀父乙爵
4033	0000	后咢母爵六	4065	4413	亞魔皿矛父乙爵
4034	4375	后咢母爵七	4066	4414	[illegible]收父乙爵
4035	4376	后咢母爵八	4067	4415	秉毌父乙爵
4036	4377	后咢母爵九	4068	4416	慢作父乙爵
4037	4331	孟爵	4069	4418	鹵獸形父丁爵
4038	4383	[illegible]庚父爵	4070	4419	卿作父乙爵
4039	4384	[illegible]亞稆爵一	4071	4417	馬作父乙爵
4040	4385	[illegible]亞稆爵二	4072	4420	作父乙彝爵
4041	4386	[illegible]亞稆爵三	4073	4421	[illegible]作父乙爵
4042	4387	[illegible]亞稆爵四	4074	4425	[illegible]册父丁爵
4042.1	4044	亞干示爵	4075	4424	[illegible]亘父丁爵
4043	4388	[illegible]京比爵	4076	4426	東册父丁爵
4044	4389	卜戈女爵	4077	4427	弓𦎫父丁爵
4044.1	4390	則作寶爵	4078	4428	父丁困册爵
補14	0000	□孔竹爵	4079	4429	亞獏父丁爵
4044.2	J2193	倗戈父乙爵	4080	4432	□夊父戊爵一
4045	4394	亞戈父乙爵	4081	4433	□夊父戊爵二
4046	4396	[illegible]父丁爵	4082	4434	加作父戊爵一
4047	4395	父乙爵	4083	4435	加作父戊爵二
4048	4398	亞豖父戊爵	4084	4436	冐册父己爵
4049	4391	亞木且己爵	4085	4438	毌倗父己爵
4050	4397	亞畢父丁爵	4086	4439	弓衛父庚爵
4051	4402	亞卪父辛爵一	4087	0000	𠦪册作父辛爵
4052	4401	亞卪父辛爵二	4088	4440	[illegible]父辛爵

4089	4441	大辛父辛爵
4089.1	4423	亞天父辛爵
4090	4443	父癸[illegible]宁爵
4091	4444	天黽父癸爵
4092	4445	天[illegible]父癸爵
4093	4448	[illegible]目父癸爵三
4094	4446	[illegible]目父癸爵一
4095	4447	[illegible]目父癸爵二
4096	4449	白乍父癸爵
4097	4450	庚壴父癸爵
4098	4451	步乛父癸爵
4099	4452	[illegible]父癸爵
4100	4453	[illegible]畫父癸爵
4101	4454	□父癸爵
4102	4455	毌脩父癸爵
4103	4456	[illegible]母丙逐爵
4104	4457	天黽母庚爵
4105	4460	走馬乍彝爵
4106	4462	子工父丁爵
4106.1	4478	己矨父丁爵
4107	4458	戈[illegible]乍[illegible]爵
4108	4459	孔申乍寶爵
4109	0000	禾子父癸爵
4110	4461	子工乙酉爵
4111	4463	過白乍彝爵
4112	4464	戈孔亞毌爵
4113	4466	矢且[illegible]爵一
4114	4465	矢且[illegible]爵二
4115	4467	仌句毌且辛爵
4116	4468	王册父丁爵
4117	4469	亞向[illegible]父戊爵
4118	4470	子刀父壬爵
4119	4471	般父癸爵
4120	4472	舌乍妣丁爵一
4121	4473	舌乍妣丁爵二
4121.1	4479	舌乍婦丁爵
4122	4475	[illegible]婦敹爵一
4123	4476	[illegible]婦敹爵二
4123.1	4477	[illegible]婦敹爵三
4124	4474	天豕父丁爵
4125	4485	亞醜父丙爵
4126	4481	[illegible]乍父丁爵一
4127	4482	[illegible]乍父丁爵二
4128	4484	虘爵
4128.1	4392	䀀公爵
4128.2	4483	登爵
4128.3	J2199	目[illegible]且壬爵
4129	4486	目乍且乙彝爵
4130	4489	矣亞父乙爵一
4131	4490	矣亞父乙爵二
4132	4487	丙且丁父乙爵
4133	4492	臣辰[illegible]父乙爵一
4134	4493	臣辰[illegible]父乙爵二
4135	4491	臣辰[illegible]父乙爵三
4136	4494	臣辰[illegible]父乙爵四
4137	4496	臣乍父乙寶爵一
4138	4497	臣乍父乙寶爵二
4139	4498	羊馬[illegible]父丁爵
4140	4499	[illegible]父丙冊爵
4141	4500	𢦏乍父丁寶爵
4142	4501	父戊舟乍[illegible]爵一
4143	4502	父戊舟乍[illegible]爵二
4144	4503	癸[illegible]乍者戊爵
4145	4504	□父乍父辛爵
4145.1	4442	子東壬父辛爵
4146	4505	□父癸尊彝爵一
4147	4506	□父癸尊彝爵二
4148	4507	[illegible]乍父癸爵
4149	4508	罒冊父癸爵一
4150	4509	罒冊父癸爵二
4151	4525	[illegible]爵
4152	4510	子木工父癸爵

4152.1	4531	庚寅父癸爵	4185	4546	𤔲𤔲徣乍父庚爵
4153	4511	閩乍寶隣彝爵	4186	4549	攸乍上父爵
4154	4512	白䛐乍寶彝爵	4187	4553	效爵
4155	4513	白限乍寶彝爵	4188	4548	又乍𢀛父爵
4156	4514	剛乍寶隣彝爵	4189	4550	旟乍父丁爵
4157	0000	𨼮黽婦𠂤爵一	4190	4551	牆乍父乙爵一
4158	4516	𨼮黽婦𠂤爵二	4191	4552	牆乍父乙爵二
4159	4515	[illegible]父乍寶彝爵	4191.1	4547	父丁爵
4160	4519	□公乍䵼彝爵	4191.1	4554	亞戣[illegible]父癸爵
4161	4520	川隻乍䵼彝爵	4192	4555	美乍𢀛且可公爵一
4162	4518	車乍父寶彝爵	4193	4556	美乍𢀛且可公爵二
4163	4521	立乍寶隣彝爵	4194	4558	册壺／乍父丁爵
4164	4522	史𦥑乍寶彝爵	4195	4559	𢍏乍父辛爵
4165	4523	𠬝宁父戊爵	4196	4560	子䌛爵
4166	4524	亞[illegible]父己卜爵	4197	4561	亞䤈方爵
4166.1	4517	黽婦𠂤爵	0000	4557	相爵
4167	4526	[illegible]乍且乙爵	4198	4563	聖乍父甲爵
4168	4527	□乍且乙爵	4199	4562	穌乍白父辛爵
4168.1	4532	師遽爵	4200	4564	呂仲僕乍毓子爵
4169	4533	乍甫丁爵	4201	4566	盟舟恵爵
4170	4528	[illegible]乍且丁爵	4202	4565	魯侯爵
4171	4529	𡊄乍且辛旅彝爵	4202.1	4567	𩣡[illegible]爵
4172	4530	𢼄中乍且辛爵	4203	4568	御正良爵
4173	4534	歠乍父戊爵	4204	4569	盂爵
4174	4535	歠乍父戊爵二	4205	4571	亞𡨦角一
4175	4536	能乍父庚爵	4206	4570	亞𡨦角二
4175.1	4480	幸冊乍父辛爵	4206.1	4572	亞𡨦角三
4176	4537	友𢦏父癸爵一	4207	4573	父甲角
4177	4538	友𢦏父癸爵二	4208	4574	父丁角
4178	4539	幸冊豊乍父辛爵一	4209	4576	亞聿角
4179	4540	幸冊豊乍父辛爵二	4210	4577	遽從角一
4180	4541	幸冊豊乍父辛爵三	4211	4578	遽從角二
4181	4542	[illegible]乍且己爵	4212	4579	𠧪且己角
4182	4543	父乙庚辰𢊁爵	4212.1	4580	[illegible]且庚角
4183	4544	貝隹易爵一	4213	4575	白御角
4184	4545	貝隹易爵二	4214	4581	嬰且癸角一

4215	4582	嬰且癸角二
4216	4583	陸父甲角
4217	4584	冀父乙角
4218	4585	冀父乙角
4219	4586	子父乙角
4220	4587	大父戊角
4221	4588	冀父戊角
4222	4590	冀父辛角
4223	4591	亞弜父丁角一
4224	4592	亞弜父丁角二
4225	4593	亞醜父丁角
4226	4594	[illegible]丁且乙角
4227	4589	父己冊角
4228	4595	□竹且癸角
4229	4597	天黽父乙角一
4230	4596	天黽父乙角二
4231	4598	陸冊父乙角
4232	4601	麗婦敹角
4233	4602	[illegible]父丁角
4234	4603	亞共[illegible]父丁角
4234.1	4599	亞古父己角
4234.2	4600	亞古父癸角
4234.3	J2257	作[illegible]女角
4235	4604	肘史父乙爻角
4236	4605	王乍母癸角
4237	4606	史逨角
4238	4607	索諆角(爵)
4239	4609	天黿坐乍父癸角
4240	4608	亞未乍父辛角
4241	4610	箙亞[illegible]乍父癸角
4242	4611	腐冊宰椃乍父丁角
4243	4612	戈斝
4244	4613	竝斝
4245	4615	岂斝
4246	4616	奚斝
4247	4614	人斝
4248	4617	奠斝
4249	4618	髡斝
4250	4620	兒斝
4251	4621	頫斝
4252	4625	串斝
4253	4626	[illegible]斝
4254	4632	嬰斝
4255	4633	孔斝
4255.1	4634	孔斝二
4256	4635	匿斝
4257	4636	[illegible]斝一
4258	4638	[illegible]斝
4259	4639	光斝
4259.1	4640	戈斝
4260	4641	[illegible]斝
4261	4642	[illegible]斝
4262	4622	鴸斝
4263	4623	聿斝
4264	4624	冄斝
4265	4631	咼斝
4266	4643	輪斝
4267	4644	興斝
4267.1	4645	正斝
4268	4646	箙斝
4268.1	4647	囧斝
4269	4648	[illegible]斝
4270	4649	廿斝
4270.1	4650	亞斝
4271	0000	盟斝
4272	4655	[illegible]斝
4273	4652	爰斝一
4274	4651	爰斝二
4274.1	4653	爰斝三
4275	4654	徙斝
4276	4619	鄉斝
4276.1	4627	飲斝

4276.2	4628	卣斝
4276.3	4629	會斝
4276.4	4630	會斝
4277	4684	父己斝
4278	4657	亞𣪕斝
4279	4660	卿宁斝
4280	4658	亞吳斝一
4281	4659	亞吳斝二
4282	4656	亞酉斝
4283	4661	父癸斝
4284	4662	父庚斝
4284+	4668	□亂斝
4285	4669	宊田斝
4286	4663	翌乙斝
4287	0000	嬰斝
4288	4664	音乙斝一
4289	4665	音乙斝二
4290	4666	音乙斝三
4291	4670	隹亂斝
4292	4671	子媚斝
4292.1	4672	子蝠斝
4292.2	4673	朋寤斝
4293	0000	子漁斝
4294	4667	乙魚斝
4295	4674	冰屮斝
4296	4675	弔龜斝
4297	4676	冉父斝
4298	4677	車[illegible]斝
4299	4678	婦好方斝一
4300	4679	婦好方斝二
4301	4680	婦好方斝三
4302	4681	婦好圓斝
4303	4686	亞趄衜斝
4304	4682	亞其圓斝一
4305	4683	亞其圓斝二
4305.1	4685	女亞斝
4306	4691	丫且己斝
4307	4688	顯且丁斝
4308	4690	爻且丁斝
4308.1	4689	冊且丁斝
4309	4692	天豕父甲斝
4310	4693	田父甲斝
4311	4694	冉父乙斝
4312	4695	山父乙斝
4313	4696	晶父乙斝
4314	4698	保父己斝
4314.1	4699	封父庚斝
4315	4697	聿父戊斝
4316	4701	周攴父癸斝
4317	4703	冎父□斝
4318	4700	酉父辛斝
4319	4702	𡗗父癸斝
4320	4704	𡗗鍪鍪斝
4321	4705	卒田干斝
4322	4706	司粤母斝一
4323	4707	司粤母斝二
4323.1	4708	子束泉爵
4324	4710	𦍌父辛斝
4324.1	4709	乍父辛斝
4324.1	4687	亞次斝
4325	4713	亞獏父丁斝
4326	4712	天黽父乙斝
4327	4714	亞弜父丁斝
4328	0000	封父庚斝
4329	4715	荷戈形父癸斝
4330	4716	光乍從彝斝
4331	4717	[illegible]斝
4331.1	4718	乍伯弔乙斝
4332	4719	辛亞中畢斝
4333	4720	母乍父戊斝
4333.1	4721	登乍尊彝斝
4334	4722	菁斝

4334.1	4723	孔𡿨父癸斝	4363	4753	亞趠盉
4335	4724	棘闌乍父丁斝	4364	4760	亞醜母盉
4336	4725	宁狽乍父丁斝	4365	4761	子且壬盉
4337	4726	般乍兄癸斝	4366	4766	光父乙盉
4338	4727	般兄癸乍斝	4366.1	4767	𠆢母乙盉
4339	4728	乍婦姑黽斝	4367	4763	子父乙盉一
4340	4729	亞㠱𡥈乍母癸斝	4368	4764	子父乙盉二
4340.1	4730	虎白斝	4368.1	4765	子父乙盉三
4340.2	4731	𡗜斝	4369	4762	子父乙盉四
4341	4732	冊㚔折乍父乙斝	4370	4769	㚇父乙盉
4342	4733	𢍰婦闌斝	4371	4768	旬母父乙盉
4343	4734	亞㠱小臣邑斝	4372	4774	畀乙父乙盉
4344	4735	嘉仲父斝	4373	4770	𠁁父乙盉
4345	4736	𡗕盉	4374	4775	嬰父丁盉
4346	4737	文盉	4375	4771	父乙𩚵盉
4347	4738	鍪盉	4376	4772	父乙皿盉
4348	4739	㐭盉	4376.1	4773	父乙𤔲盉
4349	4740	㐭盉	4377	4776	㐭父丁盉
4350	4745	單盉	4378	4777	㚸父丁盉
4351	4742	㝔盉	4378.1	J2324	𠂤父丁盉
4351.1	4743	𢍰盉	4379	4778	父丁子盉
4351.2	4744	卤盉	4379.1	4780	𢍰父丁盉
4352	4741	左盉	4380	4779	亞醜父丁方盉
4353	4747	亞醜盉一	4381	4784	戚父己盉
4354	4746	亞醜盉二	4382	4781	音父戊盉
4355	4748	天黽盉	4382.1	4788	茜父戊盉
4356	4749	子蝠形盉	4383	4782	亞古父己盉
4357	4750	魚從盉	4384	4783	鍪父己盉
4358	4755	婦好盉一	4385	4785	亞芈父辛盉
4359	4754	婦好盉二	4386	4786	鍪父辛盉
4360	4756	婦好盉三	4387	4791	鍪父癸盉
4360.1	4757	之鎜盉	4388	4787	戈父戊盉
4360.2	4758	樂斿盉	4389	4789	史父癸盉
4360.2	4759	乙㐭盉	4390	4794	亞夫乍從彝盉
4361	4751	㐭𦉢盉	4391	4795	員乍盉
4362	4752	彝戈盉	4392	4796	白彭乍盉

4393	4790	句父癸盉	4424	4827	白䎽乍旅盉
4394	4793	𢀛乍彝盉	4425	4828	季嬴霝德盉
4395	4792	臣辰𢀛冊盉	4426	4829	㐭父盉
4396	4803	冎乍宗彝盉	4427	4830	㭉冊湀乍父乙盉一
4397	4798	天黽父戊盉	4428	4831	㭉冊湀乍父乙盉二
4398	4797	𣄨㕘父乙盉	4429	4832	朋㕦乍𡰥考盉
4399	4800	此乍寶彝盉	4430	4833	白百父乍孟姬朕鎣
4400	4799	戈𦉭乍𡰥盉	4431	4836	史孔盉
4401	4801	𡰥乍從彝盉一	4432	4835	白害乍召白父辛盉
4402	4802	𡰥乍從彝盉二	4432.1	4837	𢧜盉
4403	4804	亞鳥宁从父丁盉	4433	4838	甲盉
4404	4805	子✦𠙵父甲盉	4434	4839	師子旅盉
4405	4806	宁未父乙冊盉	4435	4840	㐭君盉
4406	4809	父癸臣辰𢀛盉	4435.1	4841	靈終盉
4406.1	4810	𦬇侯盉	4436	4842	堯盉
4406.1	4495	臣辰𢀛父乙爵五	4437	4843	王乍豐妊盉
4407	4807	榮子乍父戊盉一	4438	4844	亞㠱侯㕦盉
4408	4808	榮子乍父戊盉二	4439	4845	白衛父盉
4409	4813	㚸乍公日㸚盉	4440	4846	白章父盉
4410	4814	䎽父盉	4441	4849	卅五年㡀盉
4411	4811	白定盉	4442	4847	季良父盉
4412	4812	白舂盉	4443	4848	王仲皇父盉
4413	4815	吳盉	4444	4850	卲宮盉
4414	4816	卿乍父乙盉	4444.1	4851	卅五年盉
4415	4817	戈𠂤乍父丁盉	4445	4852	長陵盉
4416	4818	戉中乍父丁盉	4446	4853	麥盉
4417	4819	䜌王盉	4447	4854	臣辰冊冊𢀛乍冊父癸盉
4418	4820	白矩盉	4448	4855	長田盉
4419	4823	仲𠂤父乍旅盉	4449	4856	裘衛盉
4420	4821	白㢑自乍用盉	4450	4897	𡘊尊
4421	4822	徙遽㢑乍父己盉	4451	4896	㚸尊
4422	4825	亞𣪘乍仲子辛盉	4452	4857	斿尊
4423	4826	㔻白盉	4453	4858	史尊一
0000	4824	㔻白鎣	4454	4859	史尊二
0000	M339	魯侯盉蓋	4455	4860	史尊三
0000	M360	𩵦伯鎣	4456	4861	史尊四

4457	4862	史尊五	4490.1	4901	會尊
4458	4863	史尊六	4491	4903	匿尊
4459	4864	史尊七	4492	4904	鹵尊
4460	4865	史尊八	4493	4905	天尊
4461	4866	史尊九	4494	4906	[illegible]尊
4461.1	4867	史尊十	4495	4907	[illegible]尊
4462	4872	[illegible]尊	4495.1	4908	[illegible]尊
4463	4873	徙尊	4496	4909	又尊一
4464	4871	鼎尊	4497	4910	又尊二
4465	0000	鼎尊	4498	4911	椃尊一
4466	4874	戈尊一	4498.1	4912	椃尊二
4467	4875	戈尊二	4499	4915	幷尊
4468	4876	戈尊三	4500	4913	亯尊一
4469	4877	戈尊四	4500.1	4914	亯尊二
4470	4878	戈尊五	4501	4916	旅尊一
4471	4879	戈尊六	4502	4917	旅尊二
4472	4880	戈尊七	4503	4918	衛尊
4473	4881	戈尊八	4504	4919	[illegible]尊
4474	4882	戉尊	4505	4920	句尊
4475	4884	弔尊	4506	4921	魚尊
4476	4883	[illegible]尊	4506.1	4922	亞□尊
4477	4885	受尊	4506.2	4923	戈尊
4478	4886	[illegible]尊一	4507	4868	亞[illegible]尊
4479	4888	[illegible]尊二	4508	4925	亞此中犢形尊
4479.1	4887	[illegible]尊三	4509	4924	亞[illegible]尊
4480	4889	[illegible]尊一	4510	4979	[illegible]飲尊
4481	4890	[illegible]尊二	4511	4926	亞[illegible]尊
4482	4891	[illegible]尊三	4512	4927	亞醜尊一
4483	4869	[illegible]尊	4513	4928	亞醜尊二
4484	4893	口尊	4514	4929	亞醜尊三
4485	4892	繸尊	4514.1	4930	亞醜尊四
4486	4894	鍪尊	4514.2	4931	亞醜尊五
4487	4895	[illegible]尊	4514.3	4932	亞醜尊六
4488	4899	[illegible]方尊	4514.4	4933	亞醜尊七
4489	4900	會尊	4514.5	4934	亞醜尊八
4490	4902	會尊	4515	4937	父甲尊

4516	4977	父丙尊
4517	4935	且戊尊
4518	4938	父乙尊
4518.1	4939	父乙尊二
4519	4942	父戊尊
4520	4943	父己尊一
4521	4944	父己尊二
4522	4945	父己尊三
4522.1	4946	父己尊四
4523	4947	父辛尊
4524	0000	父辛尊
4524.1	4948	父癸尊
4525	4941	㝁丁尊
4526	4939	丁㝁尊
4527	4949	㝁己尊
4528	4952	魚從尊
4529	4953	亞𠂤尊
4530	4950	己學尊
4531	4951	癸鳥尊
4532	0000	卿𡚬尊
4533	4954	亞弜尊
4534	4955	亞守尊
4535	4956	亞亥尊
4536	4957	大于尊
4537	4958	𢍰弔尊
4538	4959	危耳尊
4539	4960	乍旅尊
4540	4961	刀形尊
4541	4962	乍肇尊
4542	4963	子京尊
4543	0000	子漁尊
4544	4967	幷尊
4545	4968	買車尊
4546	4969	㝁冊尊
4547	4964	子㠱尊
4547.1	4966	尹辛尊
4548	4970	卿宁尊
4549	4971	且壬尊
4550	4972	婦好尊一
4551	4973	婦好尊二
4552	4974	婦好尊三
4553	4978	牧圍尊
4554	4936	且辛尊
4555	0000	𨸏肖尊
4556	4975	乀射尊
4556.1	4976	尊彝尊
4556.2	4981	鳥且𣪕尊
4556.3	J2505	仲弔尊
4557	4982	亞趄衜尊
4558	4985	𢦏且丁尊
4559	4983	己且乙尊
4560	4984	㝁且丁尊
4561	0000	亅且丁尊
4562	4987	乍且庚尊一
4563	4988	乍且庚尊二
4564	4990	𡔷且癸尊
4565	0000	㝁父丁尊
4566	5000	幸乙父尊
4566.1	4999	戈父乙尊
4567	4989	㝁且辛尊
4568	4991	㝁父乙尊
4569	4992	㞷父乙尊
4570	4997	𡔷父乙尊
4571	4993	㥁父乙尊
4572	5012	山父丁尊
4573	0000	𠙷父乙尊
4574	4996	難形父乙尊
4575	4994	東父乙尊
4576	5001	壴父丁尊
4577	5003	衛父丁尊
4578	4995	父乙鍪尊
4579	4998	鍪父乙尊

4580	5004	旱父丁尊	4616	5044	探父癸尊
4581	5005	母父丁尊一	4617	5047	𠕁父癸尊
4582	5006	母父丁尊二	4618	5045	𦧈父癸尊
4583	5007	尹父丁尊	4620	5046	執爵形父癸尊
4584	5008	鍪父丁尊一	4621	5050	明尊
4585	5010	㠱父丁尊一	4622	5049	員乍旅尊
4586	5011	㠱父丁尊二	4623	5051	天乍从尊
4587	5013	父丁會尊	4624	5052	乍旅彝尊
4588	5014	嬰兄丁尊	4625	5053	從乍彝尊
4589	5015	天父戊尊一	4626	5054	乍寶彝尊一
4590	5018	𠂤父戊尊	4627	5055	乍寶彝尊二
4591	5019	山父戊尊	4628	5056	乍寶彝尊三
4592	5020	𢍰父己尊	4629	5057	乍寶彝尊四
4593	5060	𠬝父己尊	4630	5058	乍寶彝尊五
4594	5021	𠄁父己尊	4631	5061	𦣻尊
4595	5022	亯父己尊	4632	5062	長隹壺尊
4596	5064	衛父己尊	4633	5063	𠃬冊亯尊
4597	5023	般父己尊	4634	5065	司㝬母尊一
4598	5024	鼎父己尊	4635	5066	司㝬母尊二
4599	5025	遽父己象形尊	4636	5073	子束泉尊一
4600	5026	乍父己尊	4637	5072	子束泉尊二
4601	5029	䧹父辛尊	4638	5071	爵且丙尊
4602	5027	𢦏父庚尊	4639	0000	饕餮鳥紋尊
4603	5030	𠂤父辛尊	4640	5074	亞𠂇𠕁尊
4604	5032	舟父壬尊	4640.1	J2446	天𦎫卯尊
4605	5033	山父壬尊	4641	0000	后㝬母方尊一
4606	5034	史父壬尊	4642	0000	后㝬母方尊二
4607	5036	𣎵父癸尊	4643	5076	亞雔父乙尊
4608	5037	㠱父癸尊	4644	5078	亞父辛𠕁尊
4609	5038	夆父癸尊	4645	5079	亞㠱父辛尊
4610	5017	特戈父癸尊	4646	5077	亞䰜父丁尊
4611	5039	鳥父癸尊	4647	5080	亞天父癸尊
4612	5040	酉父癸尊	4648	5081	天豕父丁尊
4613	5041	父癸魚尊	4649	5083	子且辛步尊
4614	5042	豕父癸尊	4650	5082	𠙵受且丁尊
4615	5043	𠂤父癸尊	4651	5084	乍父乙子尊

4652	5085	乍父乙旅尊	4690	5134	戈乍旅彝尊二
4653	5086	𠂤[illegible]父乙尊一	4691	5136	子乍弄鳥鳥形尊
4654	5087	𠂤[illegible]父乙尊二	4692	5137	䨻父癸尊
4655	5089	天黽父乙尊	4693	5138	車父辛尊
4656	5088	[illegible]鼎父乙尊	4694	5140	㲋古乍旅方尊
4657	5092	亞獏父丁尊一	4695	5139	女子匕丁尊
4658	5090	𡘇文父丁尊一	4696	5103	天黽乍從彝尊
4659	5094	[illegible]父己尊	4697	5142	䴡婦𣪘尊
4660	5095	又敉父己尊	4698	5107	衛箙父辛尊
4661	0000	[illegible]幸父辛尊	4699	5144	乍且丁尊
4662	5102	天黽父辛尊	4700	5145	兢乍父乙旅尊
4663	5097	[illegible]父庚毋尊	4701	5147	魚乍父庚尊
4664	5101	𩣡乍父辛尊	4702	5148	㸚乍父辛尊
4665	5106	亞𩇯父辛尊	4703	5146	永乍旅父丁尊
4666	5109	天黽父癸尊	4704	5149	[illegible]父辛主雞尊
4667	5110	父癸告𠀠尊	4705	5150	乍父辛尊
4668	5111	弓幸父癸尊	4706	5151	受父辛尊
4669	5112	荷戈形父癸尊一	4707	5152	亞[illegible]子父辛尊
4670	5113	荷戈形父癸尊二	4708	5153	夨王尊
4671	5114	天黽父□尊	4709	5154	乍龍母彝各尊
4672	5115	辛乍寶彝尊	4710	5155	乍彭史從尊
4673	5116	莫乍旅彝尊	4711	5156	登乍從尊
4675	5117	𡨄乍旅彝尊	4712	5157	大史尊
4676	5118	[illegible]乍旅彝尊	4713	5158	矩尊一
4677	5120	𤟩乍旅彝尊	4714	5159	矩尊二
4678	5121	白乍旅彝尊一	4715	5165	事白尊
4679	5122	白乍旅彝尊二	4716	5162	𨑕尊一
4680	5123	白乍寶彝尊	4717	5163	𨑕尊二
4682	5124	乍寶尊彝尊一	4718	5166	戈□乍父丙尊
4683	5125	乍寶尊彝尊二	4719	5167	鋬赤尊
4684	5126	乍寶尊彝尊三	4720	5168	見尊
4685	5127	乍寶尊彝尊四	4721	5170	史乍小旅彝尊
4686	5129	乍寶尊彝尊六	4722	0000	册□宁父辛方尊
4687	5130	乍寶尊彝尊七	4723	5172	服䵼乍尊彝尊
4688	5131	乍寶尊彝尊八	4724	5173	舀尊
4689	5133	戈乍旅彝尊一	4725	5175	乍父乙尊

4726	5176	商乍父丁吾尊	4762	5213	竟乍且癸尊
4727	5174	乍且乙尊	4763	5214	、丨柬乍父乙尊
4728	5178	𠀠乍父丁旅尊	4764	5215	[illegible]白乍父乙尊
4729	5177	乍父丁尊	4765	5216	對乍父乙尊
4730	5181	乍父丁尊	4766	5217	乍父丁尊
4731	5182	乍父戊尊	4767	5224	乍父丁尊
4732	5184	乍父辛尊	4768	5221	戈車乍父己尊
4733	5183	乍父己尊	4769	5222	逆乍父丁尊
4734	5185	小臣𢀛辰父辛尊	4770	0000	□子乍父丁尊
4735	5186	㫃乍父辛尊	4771	5223	乍父丁尊
4736	5187	朕乍父癸尊	4772	5225	[illegible]乍乍父丁尊
4737	5188	□乍父辛尊	4773	5227	魚乍父己尊
4738	0000	艅白尊	4774	5226	䲜乍文父日丁尊
4739	5190	白矩尊一	4775	5238	史見尊
4740	5191	白矩尊二	4776	5220	此尊
4741	5192	白矩尊三	4777	5228	[illegible]乍父辛尊
4742	5193	白駱尊	4778	5229	昔乍父辛尊
4743	5197	戒弔尊	4779	5230	詠乍夙尊彝日戊尊
4744	5194	白膴尊一	4780	5231	北白滅尊一
4745	5195	白膴尊二	4781	5232	北白滅尊二
4746	5196	白膴尊三	4782	5233	北白滅尊三
4747	5198	嬴季尊	4783	5245	亞共尊一
4748	5199	邢季[illegible]旅尊	4784	5246	亞共尊二
4749	5200	員父尊	4785	5234	卿乍[illegible]考尊
4750	5202	雁公旅尊	4786	5235	亞㠱　乍母癸尊
4751	5201	雁公尊	4787	5240	烏夊乍辛尊
4752	5203	攸盘[illegible]旅尊	4788	5242	亞[illegible]酉乍父乙尊
4753	5204	傳冋乍從宗彝尊	4789	5243	亞受丁旃若癸尊一
4754	5205	魯侯乍姜鴞形尊	4790	5244	亞受丁旃若癸尊二
4755	5206	榮子尊	4791	5268	屯乍兄辛尊
4756	5207	仲徽尊	4792	5251	史伏乍父乙旅尊
4757	5208	陵乍父乙旅尊	4793	5253	隹乍父己尊
4758	5209	濕白尊	4794	5247	[illegible]乍且乙尊
4759	5210	隧白尊	4795	5252	[illegible]乍父戊尊
4760	5211	亞耳乍且丁尊	4796	5254	[illegible]乍父庚尊
4761	5212	乍且己尊	4797	5255	□□乍父庚尊

4798	5256	厥子作父辛尊	4831	5291	倗作卒考尊
4799	5257	單野作父癸尊	4832	5293	朋涾白遗尊一
4800	5259	宿父作父癸尊	4833	5294	朋涾白遗尊二
4801	5258	單異作父癸尊	4834	5296	白作卒文考尊
4802	5248	[illegible]尊	4835	5299	鄁仲尊
4803	5260	虢弔尊	4836	5300	犾䍐作父乙尊
4804	5261	衛作季衛父尊	4837	5301	鬲作父甲尊
4805	5262	□作卒皇考尊	4838？	0000	執作父□尊
4806	5263	亞醜方尊	4839	J2563	史喪尊
4807	5264	王子啓疆尊	4840	5298	弔䑹方尊
0000	M158	曆季尊	4841	5303	守宮作父辛雞形尊
4808	0000	亞㠱吳𦤎作母辛尊	4842	5307	啓作文父辛尊
4809	5269	㢸白匄井姬羊形尊	4843	5309	𠕁員父壬尊
4810	5270	子麦作母辛尊	4844	5308	□作父癸尊
4811	5271	盤嗣土幽作且辛旅尊	4845	5311	服方尊
4812	5272	冊𠟭作父乙尊	4846	5313	蔡尊
4813	5273	周𡚬旁作父丁尊	4847	5316	小子夫尊
4814	5275	㑹作父癸尊	4848	5315	𠕁共𢦚作父乙尊
4815	5276	白乀薛作日癸尊	4849	5312	郭啓方尊
4816	5274	亞㧊傳作父戊尊	4850	5317	㓝劫尊
4817	5282	曶尊	4851	5319	黃尊
4818	5281	季盄尊	4852	5318	□□作其爲卒考尊
4819	5277	述作兄日乙尊	4853	5321	復尊
4820	5279	𠃑何作兄日壬尊	4854	5322	𠬝車鬼作公日辛尊
4821	5280	蔡侯𦅫作大孟姬尊	4855	5320	弔㚔父作𤔲白尊
4822	5278	㕘尊	4856	5324	季受尊
4822.1	J2541	𢔶㑹尊	4857	5325	作文考日己尊
4822.2	J2551	𢦏尊	4858	5326	𡴀朋尊
4823	5287	懐季遽父尊	4859	5327	戉箙啓尊
4824	5283	引爲𩲡庯尊	4860	5328	魯侯尊（明公毀）
4825	5285	弅者君作父乙尊	4861	5330	𡂩士卿尊
4826	5286	呂仲僕尊	4862	5331	𧣾能匋尊
4827	5295	兀作高𣅀日乙__尊	4863	5332	𡨦作父乙尊
4828	5288	𡿪𣬈作父丁尊一	4864	5333	作冊𥃝尊
4829	5289	𡿪𣬈作父丁尊二	4865	5335	卒方尊
4830	5290	屖𤔲其作父己尊	4866	5336	小臣艅尊

4867	5336	鍪睘尊	4902	5372	𠕋己觥
4868	5337	趞乍姞尊	4903	5369	高戚觥
4869	5338	次尊	4904	5370	句庚觥
4870	5339	㠱商尊	4905	5377	𡗕父乙觥
4871	5340	幸冊豐尊	4906	5374	癸萬觥
4872	5341	古白尊	4907	5380	后母辛四足觥一
4873	5342	臣辰册𢆶册乍父癸尊	4908	5381	后母辛四足觥二
4874	5343	萬諆尊	4909	5378	𦋺𠂤觥
4875	5344	𣃔 尊	4910	5379	父戊竟觥
4876	5346	保尊	4911	5384	㠱文父丁觥
4877	5345	小子生尊	4912	5383	亞父辛 觥
4878	5347	召尊	4912.1	J3305	王生女觥
4879	5348	𠂔𢦏尊	4913	5386	𨔶乍父丁觥
4880	5349	免尊	4914	5385	書引觥
4881	5300	𦋺方尊	4915	5387	𠂤父辛觥
4882	5351	匽乍文考日丁尊	4916	5388	乍母戊觥(蓋)
4883	5352	耳尊	4917	5300	旃觥
4884	5353	𣪘尊	4918	5389	幸𠥜乍父辛觥
4885	5354	效尊	4919	5390	亞醜者姛觥一
4886	5355	𧼈尊	4920	5391	亞醜者姛觥二
4887	5356	蔡侯𦅻尊	4921	5393	子𥫃乍父乙觥
4888	5357	盠駒尊一	4922	5394	亞它孔觥
4889	5358	盠駒尊二	4923	5395	守宮乍父辛觥
4890	5359	盠方尊	4924	5396	㠱婦闔乍文姑日癸觥
4891	5360	何尊	4925	5398	𣪘仲子引觥
4892	5361	麥尊	4926	5400	吳𤞷取觥(蓋)
4893	5362	夨令尊	4927	5401	乍文考日己觥
4894	5300	册觥	4928	5402	折觥
4895	0000	執觥	4929	5412	史方彝
4896	0000	𠷎方觥	4930	0000	公方彝
4897	5365	婦觥	4931	5403	𤤷方彝
4897.1	J3299	𨺅觥	4932	5408	鼎方彝
4898	5366	幸旅觥	4933	5413	聿方彝
4899	5371	𠆢雨觥	4934	5410	夘封方彝
4900	5367	婦好圈足觥	4935	5416	鹵方彝
4901	5368	婦好觥	4936	0000	𡧊方彝

4937	5418	車方彝	4973	5517	天／乍文考日己方彝
4938	5419	目方彝	4974	5522	㠱方彝
4939	5422	卿宁方彝一	4975	5524	夌方彝
4940	5423	卿宁方彝二	4976	5525	折方彝
4941	5427	大亞方彝	4977	5527	師遽方彝
4942	5430	子蝠形方彝	4978	5528	吳方彝
4943	5442	亞吴方彝	4979	5529	盠方彝一
4944	5444	亞醜方彝一	4980	5530	盠方彝二
4945	5445	亞醜方彝二	4981	5531	㫃册令方彝
4946	5447	亞又方彝	4982	5546	立卣
4947	5450	冉共方彝	4983	5532	並卣
4948	5451	婦好偶方彝	4984	5533	奚卣
4949	5452	婦好有蓋方彝	4985	5534	子疾卣
4950	5453	婦好小方彝	4986	5535	子卣
4951	5454	亞啓方彝	4987	5536	夆卣
4952	5464	鸝父丁方彝	4988	5585	禾卣
4953	5467	吳父乙方彝	4989	5537	爰卣
4954	5468	般缶彝方彝	4990	5540	弇卣
4955	5465	𠂤𥃩来方彝	4991	5542	㸚卣
4956	5485	白豐乍旅方彝一	4992	5543	史卣一
4957	5486	白豐乍旅方彝二	4993	5544	史卣二
4958	5488	母㝃朩帚方彝一	4994	5545	史卣三
4959	5489	母㝃朩帚方彝二	4995	5547	辰卣（蓋）
4960	5495	仲追父乍宗彝	4996	5549	㐭卣
4961	5496	榮子方彝	4997	5550	衛卣
4962	5498	竹宦父戊方彝一	4998	5551	衛卣
4963	5499	竹宦父戊方彝二	4999	0000	稟卣一
4964	0000	亞受丁斿若癸方彝	5000	0000	稟卣二
4965	5504	幸匽乍父辛方彝一	5001	5552	鼎卣一
4966	0000	幸匽乍父辛方彝二（器）	5002	5553	鼎卣二
4967	5511	弔䶈方彝	5003	5554	戈卣一
4968	5513	𦉢方彝一	5004	5555	戈卣二
4969	5514	𦉢方彝二	5005	5556	戈卣三
4970	0000	乍册宅方彝	5006	5557	戈卣四
4971	5516	㝬乍父癸方彝（蓋）	5007	5558	戈卣五
4972	5515	過从父彝	5008	5559	戈卣六

5009	5567	萬卣	5045	5607	受卣
5010	5565	共卣	5046	0000	函卣
5011	0000	日卣	5047	0000	㞢卣
5012	0000	日卣	5048	5608	天卣
5013	0000	禾卣	5049	5539	隻卣
5014	5566	弔卣	5050	0000	孔卣
5015	5570	養卣	5050.1	J2995	隻䰞卣
5016	5571	嫂卣一	5050.2	J3005	叉卣
5017	5572	嫂卣二	5050.3	J2996	丁卣
5018	5588	良卣	5051	0000	亞𠂤卣
5019	0000	音卣一	5052	5612	亞醜卣一
5020	0000	音卣二	5053	5613	亞醜卣二
5021	5575	卬卣一	5054	5614	亞醜卣三（蓋）
5022	5576	卬卣二	5055	5615	亞醜卣四
5023	5577	卬卣三	5056	5616	亞醜卣五
5024	5578	卬卣四	5057	5620	父乙卣
5025	0000	卬卣五	5058	5618	亞矣卣
5026	0000	卬卣六	5059	5623	冉丙卣
5027	5587	儷卣	5060	5621	冉乙卣
5028	5590	冉卣一	5061	5622	乙魚卣
5029	5591	冉卣二	5062	5624	丁犬卣
5030	0000	咢卣一	5063	5625	丁卬卣
5031	0000	咢卣二	5064	5626	丁丰卣
5032	5581	興卣	5065	5627	己學卣
5033	5586	鳶卣	5066	5628	學己卣
5034	5592	牛（首形）卣	5067	5629	𠂔己卣
5035	5593	恍卣	5068	5630	癸飲卣
5036	5594	艘卣	5069	5631	癸飲卣二
5037	5595	徙卣	5070	5633	子工卣
5038	5596	函卣	5071	5634	天黿卣一
5039	5597	古卣	5072	5635	大黿卣二
5040	5599	鍪卣一	5073	5632	父癸卣
5041	5603	鍪卣二	5074	5637	魚從卣
5042	5541	冀卣	5075	0000	竹斿卣
5043	5605	龍卣	5076	5638	亞𠂤卣
5044	5604	罷卣	5077	0000	亞方卣

5078	5666	用征卣	5113	5681	子且壬卣
5079	5641	亞趠衜卣	5114	5684	鳥父甲卣
5080	5644	舌亞卣	5115	5683	且癸[illegible]卣
5081	5645	亞其吳卣	5116	5683	[illegible]且癸卣
5082	5646	舟兴卣一	5117	5685	田父甲卣
5083	5647	舟兴卣二	5118	5686	[illegible]父甲卣
5084	5650	[illegible]卣	5119	5688	天父乙卣
5085	5651	非友卣	5120	5689	光父乙卣
5086	5648	戊木卣	5121	5690	冊父乙卣
5087	5652	羆竹卣	5122	0000	亯父乙卣
5088	5654	[illegible]耳卣	5123	5691	戣父乙卣
5089	5653	[illegible]皿卣	5124	5693	[illegible]父乙卣
5090	5655	一一六八一六召卣	5125	5694	旅父乙卣
5091	5656	缶戈卣	5126	5695	弜父乙卣
5092	5657	[illegible]刀卣	5127	5697	[illegible]父乙卣
5093	5658	旅彝卣	5128	5692	魚父乙卣一
5094	5659	[illegible]婦卣	5129	0000	魚父乙卣二
5095	5662	冊徙卣	5130	5696	[illegible]父乙卣
5096	5664	買車卣	5131	5698	亞單父乙卣
5097	5665	[illegible]夨卣	5132	5699	句毌父乙卣一
5098	5663	冊告卣	5133	5700	句毌父乙卣二
5099	5671	戈网卣	5134	0000	鍪父乙卣
5100	5669	戉箙卣一	5135	5700	鍪父丁卣
5101	5670	戉箙卣二	5136	5701	析父丙卣
5102	5673	亞女卣	5137	5704	史父丁卣
5103	0000	辛舟卣	5138	5705	[illegible]父丁卣一
5104	5672	癸舟卣	5139	5706	[illegible]父丁卣二
5104.1	J3029	朋封卣	5140	5708	觶中中父丁卣
5105	5661	[illegible]卣	5141	5811	[illegible]父丁卣
5106	5674	鳥且甲卣	5142	5709	嬰兄丁卣一
5107	5679	竟且辛卣	5143	5710	嬰兄丁卣二
5108	5675	族且乙卣	5144	5711	嬰父己卣
5109	5676	子且丁卣(蓋)	5145	5712	[illegible]父己卣
5110	5677	[illegible]且戊卣	5146	5713	受父己卣
5111	5678	子且己卣	5147	5714	遽父己卣
5112	5680	鳶且辛卣	5148	5715	[illegible]父己卣

5149	5717	酉父己卣一	5185	5755	庚婦聿卣
5150	5718	酉父己卣二	5186	5754	𠂤乍彝卣(器蓋各三字)
5151	5716	戈父己卣	5187	5756	刲母彝卣
5152	5719	𠇯父己卣	5188	5757	帚女彝卣一
5153	5721	𠂤父己卣	5189	5758	帚女彝卣二
5154	5722	㠱父己卣	5190	5759	乍寶彝卣一
5155	5724	弓父庚卣	5191	5760	乍寶彝卣二
5156	5725	子父庚卣	5192	5761	乍宗彝卣
5157	5727	子刀子父庚卣	5193	5762	乍旅彝卣一
5158	5723	帚隻父庚卣	5194	5763	乍旅彝卣二
5159	5726	㠱父庚卣	5195	5764	乍車彝卣
5160	5735	弔父辛卣	5196	0000	乍旅彝卣
5161	5734	旅父辛卣	5197	5765	乍從彝卣
5162	5730	𨟻父辛卣	5198	5767	酉乍旅卣
5163	5731	𠇯父辛卣一	5199	5769	大保鳥形卣
5164	5732	𠇯父辛卣二(蓋)	5200	5768	從乍彝卣
5165	5732	𠂤父辛卣一	5201	5770	養父甲卣
5166	0000	𠂤父辛卣二	5202	5775	員乍央卣
5167	5729	𠧟父辛卣	5203	5771	養父乙卣
5168	5733	天父辛卣	5204	0000	伕父乙卣
5169	5728	刀父辛卣	5205	0000	魚父癸卣
5170	5738	父辛黽卣	5206	5781	𢊁父乙卣
5171	5739	㠱父辛卣(蓋)	5207	5777	力田舌卣
5172	5741	爵父癸卣(蓋)	5208	5778	㠱亞𣏟卣
5173	5742	令父癸卣	5209	5779	爻父丁卣
5174	5743	史父癸卣	5210	5780	萬父己卣
5175	0000	取父癸卣	5211	5782	蓺父辛卣
5176	5740	㠱父癸卣	5212	5776	公乍彝卣
5177	5747	丁𠂤㠱卣	5213	5785	天父乙卣(器)
5178	5746	㠱母己卣	5214	5776	公卣
5179	5748	秉母丁卣	5215	5783	舟父甲卣
5180	5749	子辛𠦪卣	5216	5784	𠂤烏父丁卣(蓋)
5181	5750	癸衛册卣	5217	0000	冊猷形冊卣
5182	5751	子自犬卣	5218	5786	𪓐婦𢀛卣
5183	5752	子廟圖卣一	5218.1	J3083	亞貫父甲卣
5184	5753	子廟圖卣二	5219	5089	亞艅父乙卣

5220	5790	亞醜父辛卣
5221	5795	田告父乙卣
5222	5792	亞醜杞婦卣
5223	5791	亞得父癸卣
5224	5794	戚箙且乙卣
5225	5796	箙戚父乙卣
5226	5803	牧父丙卣
5227	5797	天黿父乙卣一
5228	5798	天黿父乙卣二
5229	5790	天黿父乙卣三
5230	5800	陸册父乙卣
5231	5802	父乙衛册卣
5232	0000	冎共父丁卣
5233	5804	䂓䂓父丁卣
5234	5805	立关父丁卣一
5235	5806	立关父丁卣二
5236	5807	獄父丁卣
5237	5809	浩乍父丁卣
5238	5808	舟亥父丁卣
5239	5810	夏父丁卣
5240	5813	又養父己卣
5241	5812	天黿父戊卣
5242	5814	家戈父庚卣
5243	5815	令皿父辛卣
5244	4816	学冎父辛卣
5245	5817	刀网父癸卣
5246	0000	光父癸卣
5247	5819	天黿父癸卣
5248	5821	白壴父乍卣
5249	5827	弔乍寶彝卣
5250	5820	闌乍尊彝卣
5251	5822	乍戲尊彝卣
5252	5826	戈罒卣
5253	5828	弔乍旅卣
5254	5829	𠀠□從彝卣
5255	5830	䧹卣一
5256	5831	䧹卣二
5257	5832	乍車寶彝卣一
5258	5833	乍車寶彝卣二
5259	5835	戈乍旅彝卣
5260	5834	冎乍旅彝卣
5261	0000	乍從彝卣
5262	5836	戈乍從卣
5263	5838	乍寶尊彝卣一
5264	5839	乍寶尊彝卣二
5265	5840	乍寶尊彝卣三
5266	5841	乍寶尊彝卣四
5267	5842	乍寶尊彝卣五
5268	5843	乍寶尊彝卣六
5269	5844	乍寶尊彝卣七
5270	5845	乍寶尊彝卣八
5271	5846	乍寶尊彝卣九
5272	5847	乍寶尊彝卣十
5273	5848	乍寶尊彝卣十一
5274	5849	乍寶尊彝卣十二
5275	0000	乍寶尊彝卣十三
5276	5851	王乍娘弄卣
5277	5852	中六六六父戊卣
5278	5853	天黿父辛卣
5279	5854	乍父癸屰卣
5280	5855	帚子卣
5281	5865	且丁父己卣
5282	5859	冎共父丁卣
5283	5856	䮠乍旅彝卣
5284	5857	遣册子鬻卣
5285	5858	乍宗寶彝卣
5286	5860	白乍尊彝卣
5287	0000	白乍尊彝卣
5288	5862	登乍尊彝卣
5288.1	0000	林卣
5289	0000	會且己父辛卣
5290	5867	父乙臣辰屰卣一

5291	5868	父乙臣辰𡧊卣二	5327	5900	𦅫作父丁卣
5292	5869	𠔺作父乙卣	5328	5915	仲𢔶卣
5293	5870	䜴作父乙旅卣	5329	5907	汪白卣
5294	5872	关作父己彝卣	5330	5908	龠白卣
5295	5893	亞雀父己卣	5331	5909	白魚卣
5296	5871	烏作旅父丁卣（蓋）	5332	5927	竟卣
5297	5873	𠔺父己母癸卣（蓋）	5333	5910	白矩卣一（蓋）
5298	5874	𠕁陸父庚卣	5334	5911	白矩卣二
5299	5876	𠔺𠭯父辛卣	5335	5912	白矩卣三
5300	5877	守宮作父辛卣	5336	5913	白矩卣四
5301	5883	仲卣（蓋）	5337	5914	白貉卣
5302	5878	𠬝木父辛冊卣	5338	5916	仲𢔶卣
5303	0000	𠔺父癸母关卣	5339	5917	弔𣪘卣
5304	5880	𡿧父癸卣	5340	5918	井季𡌯旅卣
5305	5881	𨑓作寶尊彝卣	5341	5919	𣎆季卣
5306	5882	頵卣	5342	5920	衛父卣
5307	5884	𣝐卣	5343	5921	𠙴𩲡父作旅卣
5308	5886	𣏂𡛷作從彝卣	5344	5922	卿作𠂤考卣一
5309	5885	豐作從寶彝卣	5345	5923	卿作𠂤考卣二
5310	5887	皇𠨬作尊彝卣（蓋）	5346	5924	𠔺向卣
5311	5888	弔作寶尊彝卣	5347	5925	𤞷卣
5312	5892	師隻卣（蓋）	5348	5926	𤔲嗌卣
5313	5889	小子作母己卣一	5349	5928	𢦏作從彝卣
5314	5890	小子作母己卣二	5350	5929	買王罘尊彝卣
5315	5891	㫚卣（蓋）	5351	5300	𨩲𣅀卣
5316	0000	𧊒季卣	0000	M282	師𩛥尊
5317	5895	大舟作父乙卣	5352	6932	𦕈子旅卣
5318	5894	亞共且乙父己卣	5353	5933	作公尊彝卣
5319	5896	𢍰父乙母告田卣	5354	5934	仲𠂤父作旅彝卣
5320	5897	亞宜父乙卣	5355	5935	犬且辛且癸享卣
5321	5899	𠔺作父乙卣	5356	5937	作父庚卣
5322	5901	𠌼作父戊旅卣	5357	5936	作父丁寶旅彝卣
5323	5903	考作父辛卣	5358	5939	亞𦥑𠔺且辛禹卣
5324	5906	𩛥白卣	5359	5940	夆莫父卣
5325	0000	𩁹作父辛卣	5360	5941	亞古作父己卣
5326	5905	作父癸卣	5361	5942	𨼈白卣一

5362	5944	濦白卣一	5398	5981	亞㠱吴孪作母癸卣
5363	5945	濦白卣二	5399	5982	子[illegible]作父丁卣
5364	5946	亞吴禺作車彝卣	5400	5984	[illegible]輦作匕癸卣
5365	5948	亞寠宜䀠竹父丁卣	5401	5985	[illegible]作父丁卣
5366	5947	齊作父乙尊彝卣	5402	5986	逈作且乙卣
5367	5951	亞其吴作母辛卣一	5403	5989	[illegible]解作父乙卣
5368	5949	亞其吴作母辛卣二	5404	5988	小臣作父乙卣
5369	5950	亞其吴作母辛卣三	5405	5987	[illegible]夨作父辛卣
5370	5952	遣作且乙卣	5406	5995	衛卣
5371	5955	[illegible]作且丁卣	5407	5991	單盄作父甲卣
5372	5956	盜且丁父癸卣	5408	5992	𠂤丞作文父丁卣
5373	5957	史見作父甲卣	5409	5990	㗊[illegible]作且癸卣
5374	5958	羊作父乙卣	5410	5994	枚家作父戊卣
5375	5959	天作父乙卣	5411	5993	[illegible]覎作父戊卣
5376	5961	亞束無憂作父丁卣	5412	5997	騽乇作兄辛卣
5377	5960	車作父丁卣	5413	5998	魚狣白罰卣
5378	5964	叀作父戊旅卣二	5414	6005	肤作父戊卣
5379	5963	叀作父戊旅卣一	5415	5999	白作文公旅卣
5380	5962	狽人作父戊卣	5416	6006	鬭卣
5381	5965	與人作父己卣	5417	6000	白睘卣一
5382	5966	[illegible]作父己卣	5418	6001	白睘卣二
5383	5967	獎父己卣	5419	6002	[illegible]高卣
5384	5968	書作父辛卣	5420	6003	[illegible]侯弟曆季旅卣
5385	5970	[illegible]作父辛卣	5421	6010	亞朿對作父乙卣
5386	5971	[illegible]作父辛卣	5422	6014	盩嗣土幽旅卣
5387	5973	亞㞷夫作父辛卣	5423	6011	亞心中[illegible]作父丁卣
5388	5972	亞艅窾作父辛卣	5424	6017	束作父辛卣
5389	5974	矢白隻作父癸卣	5425	6018	何作兄日壬卣
5390	5975	北白殁卣	5426	6020	亞[illegible]剌作兄日辛卣
5391	5976	閔作宄白卣	5427	6019	偕作父癸卣
5392	5978	散白作[illegible]父卣一	5428	6021	[illegible]作父考癸卣
5393	5979	散白作[illegible]父卣二	5429	6022	仲作好旅卣一
5394	5983	史戍作父壬卣	5430	6023	仲作好旅卣二
5395	5969	戣弔卣	5431	6024	白匽作西宮白卣
5396	0000	季卣	5432	6025	㐱作甲考宗彝卣
5397	5980	弔夫册卣	5433	6027	獎亞束[illegible]作父癸卣

5434	6026	亞集𠦪作文考父丁卣	5468	6070	子寡子卣
5435	6028	婦闟作文姑日癸卣一	5469	6071	白𠕋卣
5436	6029	婦闟作文姑日癸卣二	5470	6072	丫孟作父丁卣
5437	6032	㠱女子小臣兒作己卣	5471	6073	㠱小子省作父己卣
5438	6033	敫作旅彝卣	5472	6074	作毓且丁卣
5439	6034	小臣豐作父乙卣	5473	6075	同作父戊卣
5440	6035	吕白日切作父丙卣	5474	6076	翊卣
5441	6038	懷季遽父卣一	5475	6077	六祀切其卣
5442	6039	懷季遽父卣二	5476	6078	趞作姑寶卣
5443	6042	亞㠱侯吳𡛷卣	5477	6079	單光亶作父癸𦥑卣
5444	6031	守宮卣	5478	6080	次卣
5445	6037	𢊁寓卣	5479	6081	㠱商作文辟日丁卣
5446	6044	朋涾白逘旅卣一	5480	6082	㚔冊豐卣
5447	0000	王凸卣	5481	6083	叔卣一
5448	6040	天黿𩁹作父癸卣	5482	6084	叔卣二
5449	6041	倗作毕考卣	0000	M171	小臣靜卣
5450	6043	天黿盟作父辛卣	5483	6085	周乎卣
5451	6047	鄁仲奔作文考日辛卣	5484	6086	作冊睘卣
5452	6051	豚作父庚卣	5485	6087	貉子卣一
5453	6050	𠕋卣	5486	6088	貉子卣二
5454	0000	孛卣	5487	6089	靜卣
5455	0000	叡作丁師卣	5488	6090	靜卣二
5456	6054	貫子作婦㛸卣	5489	6091	戉箙啓卣
5457	6057	小臣系作且乙卣一	5490	6092	戉𥡴卣
5458	6058	小臣系作且乙卣二	5491	6093	亞獏二祀切其卣
0000	M126	圞卣	5492	6094	亞獏四祀切其卣
5459	6062	菓弔卣	5493	6095	召作歐宮旅卣
5460	6059	戠御作父己卣	5494	6096	㠱𡩋作母辛卣
5461	6060	寓作幽尹卣	5495	6097	保卣
5462	6063	宗白作父乙卣一	5496	6098	召卣
5463	6064	宗白作父乙卣二	5497	6099	晨卣
5464	6065	刀耳作父乙卣	5498	6100	彔𢦚卣
5465	6066	員卣	5499	6101	彔𢦚卣二
5466	6067	顯作母辛卣一	5500	6102	免卣
5467	6068	顯作母辛卣二	5501	6103	臣辰冊冊彡卣一
0000	M030	剛劫卣	5502	6104	臣辰冊冊彡卣二

5503	6105	兟卣	5538	6148	亞𠀠罍
5504	6106	庚贏卣一	5539	6149	䮂罍
5505	6107	庚贏卣二	5540	6151	田父甲罍
5506	6108	小臣傳卣	5541	6150	户姦罍
5507	6109	乍册䰧卣	5542	6152	父乙鍪罍
5508	6110	弔䟧父卣一	5543	6153	鍪父丁罍
0000	M191	綮卣	5544	6154	䒞父己方罍
5509	6112	焚卣	5545	6156	䮂父丁罍
5510	6113	乍册嗌卣	5546	6157	𣎵見册罍
5511	6114	效卣	5547	6158	聿貝甲罍
5512	6116	得罍	5548	6159	祀白亶罍
5513	0000	且方彝	5549	6160	母㑥父乙方罍
5514	6117	𠦝罍	5550	6162	朿朋罍
5515	6118	戈罍一	5551	6161	荷戈父癸罍
5516	6120	罍一	5552	6163	亞吳玄婦方罍一
5517	6121	𠙵罍二	5553	6164	亞吳玄婦方罍二
5518	6122	女罍	5554	6166	亞㝬𦉢竹罍
5519	6123	攸罍	5555	6165	竟乍𠂤彝罍
5520	6131	卬罍	5556	6169	亞高𢼸父丁罍
5521	6124	舃罍	5557	6170	𢍜且辛禹罍
5522	6132	史方罍	5558	6171	母壴罍
5523	6125	冋罍	5559	6174	亞㠯父丁𦉢竹罍
5524	6135	亞䣢罍一	5560	6172	𠙵乍父丁方罍
5525	6134	亞䣢罍二	5561	6173	白罍
5526	6136	亞䣢罍三	5562	6175	皿父己罍
5527	6137	亞雔罍	5563	6176	再乍日父丁罍
5528	6144	敎方罍	5564	6179	單陵乍父日乙方罍
5529	6138	亞吳罍一	5565	6178	乍父乙罍
5530	6139	亞吳罍二	5566	6180	楚高罍一
5531	6141	丁癸罍	5567	6181	楚高罍二
5532	6140	亞旁罍	5568	6182	亞䣢者姛方罍一
5533	6142	田告罍	5569	6183	亞䣢者姛方罍二
5534	6143	中得方罍	5570	6184	𠂤淵罍
5535	6145	婦好方罍一	5571	6185	鑄客罍一
5536	6146	婦好方罍二	5572	6186	鑄客罍二
5537	6147	車 罍	5573	6187	㿿丫己且丁方罍

5574	6188	女姬罍
5575	6189	[illegible]婦闢乍文姑日癸罍
5576	6192	重金方罍
5577	6193	[illegible]焱乍父丁罍
5578	6195	戈蘇乍且乙罍
5579	6196	乃孫乍且甲罍
5580	6197	淊[illegible][illegible]罍
5581	6198	出朋罍
5582	6200	對罍
5583	6201	不白夏子罍一
5584	6202	不白夏子罍二
5585	6203	侯瓿
5586	6204	[illegible]瓿
5587	6205	鹵瓿
5588	6206	戈瓿
5589	6211	亞吳瓿
5590	6207	[illegible]興瓿
5591	6208	婦好瓿一
5592	6209	婦好瓿二
5593	6210	羞父瓿
5594	6214	亞[illegible][illegible]瓿
5595	6215	冊冊[illegible]瓿
5596	6216	句毋父戊瓿
5597	6218	次瓿
5598	0000	寅壺
5599	6223	先壺
5600	6225	[illegible]壺
5601	6226	旅壺
5602	6222	專壺
5603	6224	[illegible]壺
5604	6227	[illegible]壺
5605	6229	[illegible]壺一
5606	6230	[illegible]壺二
5607	6232	耳壺
5608	6233	興壺一
5609	6234	興壺二
5610	6242	亞弜壺一
5611	6240	卿宁壺一
5612	6241	卿宁壺二
5613	0000	亞醜壺
5614	6244	亞倗壺一
5615	6246	孛[illegible]壺
5616	6247	公乘方壺
5617	6248	心守壺
5618	6251	庲[illegible]扁壺
5619	6249	婦好扁壺一
5620	6250	婦好扁壺二
5621	6253	子媚壺
5622	6255	左征壺
5623	6254	[illegible]戈壺
5624	0000	嬰父女壺
5625	6252	弔姜壺
5626	6259	[illegible]父□壺
5627	6256	司[illegible]母方壺一
5628	6257	司[illegible]母方壺二
5629	6258	[illegible]且己壺蓋
5630	6260	子父乙壺
5631	6261	重父乙壺
5632	6262	[illegible]父乙壺
5633	6267	魚父癸壺
5634	6263	弔父丁壺
5635	6265	酉父己壺
5636	6266	[illegible]父辛壺
5637	6270	乍從彝壺
5638	6269	才乍壺
5639	6271	乍旅彝壺
5640	6272	乍旅壺一
5641	6278	員乍旅壺
5642	6276	羽壺
5643	6277	辰乍父己壺
5644	6279	友乍尊壺
5645	6280	央乍彝壺

5646	6281	犅作寶壺	5681	0000	土匀錍壺
5647	6282	朋子弓箙壺	5682	6323	鄭右𡨦盛季壺
5648	6283	梁作寶彝壺	5683	6320	孟𢦏父鬱壺
5649	6284	亞作旅彝壺	5684	6326	棜𥁐洪父乙壺
5650	6285	𨑐君壺	5685	6327	㝬匕作父已壺
5651	6286	公子裙壺	5686	0000	𩰫白壺
5652	6288	𠔁作寶彝壺	5687	6321	孟姬嬪壺
5653	6287	莊君壺	5688	6329	蔡侯𬈘飤壺一
5654	6289	享从作壺	5689	6330	蔡侯𬈘飤壺二
5655	6290	𠂤一父丁壺	5690	6331	白到方壺
5656	6291	周𡜊句父癸壺	5691	6332	甚父作父壬壺
5657	6292	白作寶壺一	5692	6324	谷子𠂤壺
5658	6293	白作寶壺二	5693	6334	鑄大□之貿壺
5659	6294	考母壺	5694	6333	魯侯作尹弔姬壺
5660	6295	䍙竹父丁壺	5695	6338	內白𠭯作䕺公壺
5661	6297	㚸季父乙壺	5696	6339	𢊁册册𠭯作父辛壺
5662	6298	亞𣚒𣚛父乙壺	5697	6340	右走馬嘉行壺
5663	6303	𠑹嫣作寶壺	5698	6341	鬼作父丙壺
5664	6305	亞0作尊彝壺	5699	6342	𦘰𡘋作父丁壺
5665	6304	臣辰𦘰𡰥壺	5700	6343	𠈣壺
5666	6306	白作姬	5701	0000	右征尹壺
5667	6307	𡢃妊作安壺	5702	6344	𨙸侯壺
5668	6308	天姬自作壺	5703	6346	內公鑄從壺一
5669	6309	子㛸迺子壺	5704	6347	內公鑄從壺二
5670	6310	遅子壺	5705	6348	內公鑄從壺三
5671	6311	㯂侯旅壺	5706	6351	子弔作弔姜壺一
5672	6312	白㦰壺	5707	6350	子弔作弔姜壺二
5673	6313	白㦰作旅彝壺	5708	6349	曰何作兄日壬壺
5674	6314	王七祀王鑄壺蓋	5709	6352	白魚父旅壺
0000	M148	夨王壺	5710	6354	𡨦車父壺一
5675	6315	癕公壺	5711	6355	𡨦車父壺二
5676	6318	伯矩壺一	5712	6356	白山父方壺
5677	6319	伯矩壺二	5713	6359	孟上父尊壺
5678	6316	𦩍仲多醴壺	5714	6357	同白邦父壺
5679	6317	白㳿父旅壺	5715	6358	白多父行壺
5680	6325	恆作且辛壺	5716	6360	安白异生旅壺

5717	6361	旻成侯鍾	0000	M143	鼎頁壺
5718	6367	曾仲斿父壺	5752	6398	陳侯壺
5719	0000	盜弔壺一	5753	6399	大師小子師聖壺
5720	0000	盜弔壺二	5754	6400	原氏扁壺
5721	6366	蔡侯壺	5755	6401	散氏車父壺一
5722	6363	白庶父醴壺	5756	6402	中白乍䑂壺一
5723	6364	王白姜壺一	5757	6403	中白乍䑂壺二
5724	6365	王白姜壺二	5758	6404	匹君壺
5725	6369	吕王𢍰乍内姬壺	5759	6405	趙孟壺
5726	6371	華母薦壺	5760	6407	蓮花壺蓋
5727	6370	廿九年東周左𠂤歙壺	5761	6408	分熬壺
5728	0000	樊夫人壺	5762	6410	吕行壺
5729	6372	陳侯乍嬀穌䑂壺	5763	6409	般句壺
0000	M349	己侯壺	5764	6411	杞白每亡壺一
5730	6374	保𢓊母壺	5765	6412	杞白每亡壺二
5731	6375	邛君婦龢壺	5766	6413	周𥎦壺一
5732	6376	鄧孟乍監曼壺	5767	6414	周𥎦壺二
5733	6377	㠱中乍倗生歙壺	5768	6417	虞𤔲寇白吹壺一
5734	6379	冋乍旅壺	5769	6418	虞𤔲寇白吹壺二
5735	6378	内大子白壺	0000	M508	虞侯政壺
5736	6380	□𠂤父壺	5770	6419	宗婦𨛭嬰壺一
5737	6381	左𠕁壺	5771	6420	宗婦𨛭嬰壺二
5738	6382	𠭯𡢁壺	5772	6421	陳璋方壺
5739	6385	鄭楙弔賓父醴壺	5773	6422	陳喜壺
5740	6386	𤔲寇良父壺	5774	6423	𢾅車父壺
5741	6387	左歙壺一	5775	6424	蔡公子壺
5742	6388	左歙壺二	5776	6425	㠱公壺
5743	6383	齊良壺	5777	6426	孫弔師父行具
5744	6389	仲南父壺一	5778	6427	番匊生鑄賸壺
5745	6390	仲南父壺二	5779	6428	安邑下官鍾
5746	6393	史僕壺一	5780	6434	公孫窹壺
5747	6394	史僕壺二	5781	6432	曾姬無卹壺一
5748	6392	虢季子組壺	5782	6433	曾姬無卹壺二
5749	6395	矩弔乍仲姜壺一	5783	6435	曾白陭壺
5750	6396	矩弔乍仲姜壺二	5784	6436	林氏壺
5751	6397	白公父乍弔姬醴壺	5785	6437	史懋壺

5786	6438	㝬季良父壺
5787	6439	汈其壺一
5788	6440	汈其壺二
5789	6442	命瓜君厚子壺一
5790	6443	命瓜君厚子壺二
5791	6445	十三年㾓壺一
5792	6444	十三年㾓壺一
5793	6446	幾父壺一
5794	6447	幾父壺二
5795	6448	白克壺
5796	6450	三年㾓壺一
5797	6449	三年㾓壺二
5798	6451	曶壺
5800	6453	頌壺二
5801	6454	洹子孟姜壺一
5802	6455	洹子孟姜壺二
5803	6456	胤嗣好䖵壺
5804	6457	齊侯壺
5805	6458	中山王譽方壺
5806	6460	蔡侯[illegible]鈃
0000	M898	魏公㼚
5807	6461	緻　君鈃
0000	M582	陳公孫𢉩父㼚
5808	6462	孟城行鈃
5809	6463	弘乍旅鈃
5810	6464	喪鈃
5811	6465	曾白文櫺
5812	6467	仲義父櫺一
5813	6468	仲義父櫺二
5814	6469	白夏父櫺一
5815	6470	白夏父櫺二
5816	6471	奠義白櫺
5816.1	M628.J37	伯亞臣櫺
5817	0000	口缶
5818	0000	倗缶
5819	6473	蔡侯朱之缶
5820	6474	蔡侯[illegible]尊缶
5821	6475	蔡侯[illegible]尊缶
5822	6476	蔡侯[illegible]之盥缶
5823	6477	蔡侯[illegible]乍大孟姬盥缶
5824	0000	孟縢姬賸缶
5825	6478	緣書缶
5826	6480	國差𦉜
5827	6481	廿七年寧[illegible]
5828	6482	天觚
5829	6484	[illegible]觚
5830	6485	[illegible]觚
5831	6486	[illegible]觚
5832	0000	保觚
5833	6487	企觚
5834	6488	㞋觚
5835	6489	𢦏觚一
5836	6490	𢦏觚二
5837	6491	𢦏觚三
5838	6493	𨨏觚一
5839	6494	𨨏觚二
5840	6496	斿觚
5841	6495	斿觚
5842	6497	斿觚
5843	6498	斿亞斿觚
5844	6499	旅觚
5845	6500	盥觚
5846	6501	㞢觚
5847	6502	㞢觚
5848	6505	[illegible]觚
5849	6509	[illegible]觚
5850	6507	重觚一
5851	6508	重觚二
5852	S6506	䞌觚
5853	6510	車觚一
5854	6511	車觚二
5855	6512	車觚三

5856	6513	秉觚	5892	6560	戈觚三
5857	6514	史觚一	5893	6561	戈觚四
5858	6515	史觚二	5894	6564	學觚
5859	6516	史觚三	5895	6565	伐觚
5860	6517	史觚四	5896	6566	[illegible]觚
5861	6518	史觚五	5897	6567	[illegible]觚
5862	6519	史觚六	5898	6568	[illegible]觚一
5863	6520	史觚七	5899	6569	[illegible]觚二
5864	6521	史觚八	5900	6571	戈罷觚
5865	6534	冎觚一	5901	6573	歔觚
5866	6535	冎觚二	5902	6572	呂觚
5867	6524	叔觚	5903	6580	舌觚一
5868	6525	來觚	5904	6581	舌觚二
5869	6530	典觚	5905	6583	舌觚三
5870	6532	关觚	5906	6575	弔觚
5871	6529	弆觚	5907	0000	[illegible]觚
5872	6538	卤觚	5908	6574	弔觚
5873	6541	徙觚	5909	6576	朋辛觚
5874	6540	足觚一	5910	6577	[illegible]觚
5875	6539	足觚二	5911	6578	[illegible]觚
5876	6542	豕觚	5912	6579	告觚
5877	6543	圉觚一	5913	0000	音觚
5878	6544	圉觚二	5914	6584	卤觚
5879	6546	[illegible]觚	5915	6585	守觚一
5880	6547	取觚	5916	6587	[illegible]觚
5881	6548	鳥觚一	5917	6588	句毋觚
5882	6550	魚觚	5918	6590	[illegible]觚
5883	6551	高觚一	5919	6589	[illegible]觚
5884	6552	高觚二	5920	6591	庚觚
5885	6553	高觚三	5921	6592	[illegible]觚
5886	6554	高觚四	5922	6595	[illegible]觚
5887	6555	高觚五	5923	6593	鍪觚
5888	6556	亶觚	5924	6594	鍪觚
5889	6557	由觚	5925	6601	[illegible]觚
5890	6558	戈觚一	5926	0000	[illegible]觚一
5891	6559	戈觚二	5927	0000	[illegible]觚二

5928	0000	[illegible]觚三
5929	0000	[illegible]觚四
5930	6603	奚觚
5931	6604	子觚一
5932	6605	子觚二
5933	6606	子觚三
5934	6607	子觚四
5935	6614	旱觚
5936	6615	[illegible]觚
5937	0000	羍觚一
5937	0000	羍觚二
5939	6616	文觚
5940	6617	獸觚
5941	6618	輪觚
5942	6619	吳觚
5943	6620	赤觚
5944	6621	飲觚
5945	6622	旅觚一
5946	6623	旅觚二
5947	6624	婦觚
5948	6625	弁觚
5949	6626	媓觚
5950	6628	從觚
5951	6627	爰觚
5952	6629	囷觚
5953	6630	[illegible]觚
5954	6631	單光單觚
5955	6632	兴觚一
5956	6634	牧觚
5957	6636	得觚一
5958	6635	得觚二
5959	6637	得觚三
5960	6639	鳥觚
5961	0000	鳥觚
5962	6640	鳶觚一
5963	6641	鳶觚二
5964	6642	取觚
5965	6643	倗觚
5966	6638	㱿觚
5967	6644	[illegible]觚
5968	6645	[illegible]觚
5969	6646	孪觚
5970	6647	聝觚一
5971	6648	聝觚二
5972	6649	聝觚三
5973	6650	聝觚四
5974	6651	聝觚五
5975	0000	大觚
5976	6653	遽觚一
5977	6654	遽觚二
5978	6655	[illegible]觚
5979	6656	寅觚
5980	6657	[illegible]觚一
5981	6658	[illegible]觚二
5982	6659	受觚
5983	6660	啓觚一
5983.1	J2675	敄觚一
5983.2	J2678	[illegible]觚
5983.3	J4016	壴觚
補16	6671	示觚
補17	6670	十觚
補18	6665	享觚
補19	6666	享觚二
補20	6667	享觚三
補21	6669	冂觚
補22	6668	冂觚
補23	6663	守觚一
補24	6664	守觚二
5984	0000	屠豕形觚
5984.1	J2679	及弓觚
5984.2	J2644	邜束觚
5985	6662	荷獸形觚

5986	6675	亞告觚	6022	6714	羊己觚
5987	6745	舌偵觚	6023	6716	口己觚
5988	6674	亞酉觚	6024	6715	[illegible]己觚
5989	6682	亞弔觚	6025	6718	癸重觚
5990	6678	亞寅觚	6026	6719	父史觚
5991	6676	亞刀觚	6027	6721	子媚觚
5992	6679	亞隻觚	6028	6722	子__觚
5993	6680	亞弜觚	6029	6730	子糸觚
5994	6681	亞其觚	6030	6720	子㬎觚
5995	6743	矢宁觚一	6031	6723	子衛觚一
5996	6744	矢宁觚二	6032	6724	子衛觚二
5997	6684	卿宁觚	6033	6726	子規觚一
5998	0000	卿宁觚	6034	6727	子規觚二
5999	0000	亞奚觚	6035	6728	子蝠形觚 一
6000	6687	亞矣觚一	6036	6725	子雨觚
6001	6688	亞矣觚二	6036.1	J2700	子[illegible]觚
6002	6689	亞矣觚三	6037	6731	天黿觚
6003	6690	亞矣觚四	6038	6732	干建觚
6004	6691	亞醜觚一	6039	6733	婦甲觚
6005	6692	亞醜觚二	6040	6734	亞豕觚
6006	6693	亞醜觚三	6041	6735	享羊觚
6007	6694	亞醜觚四	6042	6737	弔龜觚
6008	6695	且辛觚一	6043	6738	征鼎觚
6009	6696	且辛觚二	6044	6736	魚從觚
6610	6697	且壬觚	6045	6739	朋中觚
6011	6698	父乙觚	6046	6740	告宁觚
6012	6704	付乙觚	6047	6741	宁貫觚
6013	6705	丯乙觚	6048	6742	宁戈觚
6014	6703	丰乙觚	6049	6746	[illegible]觚
6015	6700	父己觚一	6050	6747	聑竹觚
6016	6701	父己觚二	6051	6753	[illegible]刀觚
6017	6706	乙足觚一	6052	6748	[illegible]光觚一
6018	6707	乙足觚二	6053	6749	[illegible]岀觚二
6019	6711	弔丁觚	6054	6750	[illegible]岀觚三
6020	6712	戊木觚	6055	6751	丑宂觚一
6021	6713	玉己觚	6056	6752	丑宂觚二

6057	6754	亞牧觚
6058	6755	樂文觚
6059	6756	妹𢀛觚一
6060	6757	妹𢀛觚二
6061	6758	弔車觚
6062	6759	涉車觚
6063	6760	癸𠔉觚
6064	6761	中得觚一
6065	6762	中得觚二
6066	0000	車㔾觚
6067	6763	叙父□觚
6068	6767	亞丮丮觚
6069	6768	賓女觚
6070	6769	䍙觚
6071	6770	聑擭觚
6072	6771	𠆢豕觚
6073	6772	婦鳥形觚
6074	6774	冎盥觚一
6075	6775	冎盥觚二
6076	6776	弔車觚
6077	6777	買車觚
6078	6778	鳥肙觚
6079	6779	丩享觚
6080	6780	朕女觚
6081	6781	目羋觚
6082	6782	取癸觚
6083	6783	𦍒𦉓觚
6084	6784	㗊戈觚
6085	6785	𢍏冂觚
6086	6786	𢍏女觚
6087	6787	子龍觚
6088	0000	鳥𠙵觚
6089	0000	𠃊畀觚
6090	6709	乙戈觚
6091	6788	子保觚
6092	6789	婦好觚一
6093	6790	婦好觚二
6094	6791	婦好觚三
6095	6792	婦好觚四
6096	6793	婦好觚五
6097	6794	婦好觚六
6098	6795	婦好觚七
6099	6796	婦好觚八
6100	6797	婦好觚九
6101	6798	婦好觚十
6102	6799	婦好觚十一
6103	6800	婦好觚十二
6104	6801	婦好觚十三
6105	6802	婦好觚十四
6106	6803	婦好觚十五
6107	0000	婦好觚十六
6108	6811	亞其觚一
6109	6812	亞其觚二
6110	6813	亞其觚三
6111	6814	亞其觚四
6112	6815	亞其觚五
6113	6804	朿泉爵一
6114	6805	朿泉爵二
6115	6806	朿泉爵三
6116	0000	𨸏宗觚
6117	0000	㡚册觚
6118	6818	己卿宁觚
6119	6819	亞豈衜觚一
6120	6820	亞豈衜觚二
6121	6821	亞守吳觚
6122	6822	喪亞次觚
6123	6823	龜且乙觚
6124	6824	戈且丁觚
6125	6825	𠂭且己觚
6126	6826	山且庚觚
6127	6829	得父乙觚
6128	6831	鳥父乙觚

6129	6830	[illegible]父乙觚	6165	6875	犬未父辛觚
6130	6832	[illegible]父乙觚	6166	6878	[illegible]父癸觚
6131	6833	[illegible]父乙觚	6167	6877	戈父癸觚
6132	6834	[illegible]父乙觚一	6168	6879	[illegible]父癸觚
6133	6835	[illegible]父乙觚二	6169	6880	□父癸觚
6134	6836	[illegible]父乙觚	6170	6881	父癸㚔箙㚔觚
6135	6840	子父丙觚	6171	6882	庚子父觚
6136	6842	鳥父丁觚	6172	6883	子蝠形何觚一
6137	6844	山父丁觚一	6173	6884	子蝠形何觚二
6138	6845	山父丁觚二	6174	6916	子束爵一
6139	6847	木父丁觚	6175	6917	子束爵二
6140	6848	[illegible]父丁觚一	6176	6885	亞木守觚
6141	6851	父丁魚觚	6177	6886	[illegible]乙冊亯觚一
6142	6852	[illegible]父丁觚	6178	6887	[illegible]乙冊亯觚二
6143	6843	亯父丁觚	6179	6888	兄辛亞觚
6144	6846	文父丁觚	6180	6918	司[illegible]母觚一
6145	6850	巴父丁觚	6181	6919	司[illegible]母觚二
6146	6854	臽父戊觚	6182	6920	司[illegible]母觚三
6147	6855	[illegible]父戊觚	6183	6921	司[illegible]母觚四
6148	6857	[illegible]父己觚	6184	6922	司[illegible]母觚五
6149	6858	[illegible]父己觚	6185	6923	司[illegible]母觚六
6150	6859	[illegible]父己觚	6186	6924	司[illegible]母觚七
6151	6860	舌父己觚	6187	6889	[illegible]觚一
6152	6861	戈父己觚	6188	6890	[illegible]觚二
6153	6862	鏊父己觚	6189	6891	弔乍彝觚
6154	6864	[illegible]父己觚	6190	6892	天乍彝觚一
6155	6863	[illegible]父己觚	6191	6893	天乍彝觚二
6156	6866	[illegible]父庚觚	6192	6895	乍從彝觚一
6157	6867	[illegible]父庚觚	6193	6896	乍從彝觚二
6158	6868	[illegible]父辛觚	6194	6897	[illegible]午觚
6159	6869	旅父辛觚	6195	6898	[illegible]且内觚
6160	6870	[illegible]父辛觚	6196	6899	戈且辛觚
6161	6872	弔父辛觚	6197	6900	句母父乙觚
6162	6873	口父辛觚	6198	6901	[illegible]父戊觚
6163	6876	[illegible]父辛觚	6199	6902	[illegible]父戊觚
6164	6874	[illegible]父辛觚	6200	6903	竝父辛觚

6201	6904	芺父辛觚	6237	6948	[illegible]父癸觚一
6202	6905	隻父癸觚	6238	6949	[illegible]父癸觚二
6203	6906	羊貝車觚	6239	6950	天黿父癸觚
6204	6909	爪亞豕觚	6240	6955	亞貫父己觚
6205	6910	辛卿宁觚	6241	6956	亞戉□癸方觚
6206	6911	爻父丁觚	6242	6951	戈罟乍卒觚一
6207	6912	旅父乙觚	6243	6952	戈罟乍卒觚二
6208	6913	付父丁觚	6244	6957	辛乍從彝觚
6209	6914	史父丙觚	6245	6958	子妹壬心觚
6210	6915	乍父乙觚	6246	6959	子工冊木觚
6211	6925	且丁父乙觚	6247	6960	冊[illegible]冊幾觚
6212	6926	[illegible]戉且戊觚	6248	6961	[illegible]婦殼觚
6213	6928	且辛戉刀觚	6249	6962	登觚
6214	0000	甲母[illegible]觚	6250	6966	天黿且丁觚
6215	0000	戈罷觚	6251	6969	医王眔尊彝觚一
6216	6930	龜且癸觚	6252	6970	医王眔尊彝觚二
6217	6931	冊关父甲觚	6253	6967	冊[illegible]冊父乙觚
6218	6932	冊正父乙觚	6254	6968	[illegible]冊父庚正觚
6219	6933	天黿父乙觚一	6255	6971	大且乙觚
6220	6934	天黿父乙觚二	6256	6972	京戈冊父乙觚
6221	6929	[illegible]己且觚	6257	6974	亞父乙光英觚
6222	6927	且己觚	6258	6973	吉引乍尊彝觚
6223	6945	冊大父己觚	6259	6976	亞夫乍寶從彝觚一
6224	6935	父乙天豕觚	6260	0000	亞夫乍寶從彝觚一
6225	6936	省乍父丁觚	6261	6978	亞醜婦[illegible]觚
6226	6937	奘乍父丁觚	6262	6977	亞[illegible]妏[illegible]觚
6227	0000	干父丁觚	6263	6984	亞[illegible]皿觚
6228	6938	亞萬父丁觚	6264	6985	卿乍父乙觚
6229	0000	亞畋父丁觚	6265	6982	亞吳乍父辛尊觚
6230	6941	力冊父丁觚	6266	6983	史見乍父甲觚
6231	6940	亞醜父丁觚	6267	6988	王子耶乍父丁觚
6232	6943	戉未父己觚	6268	6986	亞乍父乙觚一
6233	6942	[illegible]父丁觚	6269	6987	亞乍父乙觚二
6234	6944	亞斿父己觚	6270	0000	[illegible]乍父戊觚一
6235	6946	天黿父辛觚	6271	6989	[illegible]乍父戊觚二
6236	6947	奘子父辛觚	6272	6991	[illegible]妏乍乙公觚

6273	6992	吠作且己觚	6309	7029	聿解
6274	6993	㚖亥召作父辛觚	6310	7031	𢍏解
6275	6994	䰠䰠戉作且癸句觚	6311	7032	徙解
6276	6995	𢦏趣作日癸觚	6312	7034	叟解
6277	6999	貝隹作父乙觚	6313	7033	辰解
6278	7002	攸䰠用辟日乙觚	6314	7035	婦解
6279	6996	亞受丁若癸觚一	6315	7036	弔解
6280	6997	亞受丁若癸觚二	6316	7037	癸解一
6281	7000	天□逐攸宁觚	6317	7038	癸解二
6282	7003	召作父戊觚	6318	7039	癸解三
6283	7004	水[illegible]觚	6319	7042	旬解
6284	7005	旅解	6320	7044	光解
6285	7008	𡘰解	6321	7040	[illegible]解
6286	7009	𡘰解	6322	7041	攵解
6287	7010	𡘰解二	6323	7043	㳣解
6288	7006	𠙶解	補25	7045	正解
6289	7007	㗊解	6324	7050	車解
6290	7012	取解	6325	7051	[illegible]解
6291	0000	[illegible]解	6326	7054	舨解
6292	7011	弜解	6327	7055	丂解
6293	7013	鳶解	6328	7056	鹵解
6294	7048	鳥解	6329	7057	辭[illegible]解
6295	7014	萬解	6330	7058	文解
6296	7015	戈解一	6331	0000	中解
6297	7016	戈解二	6332	7059	㫃解
6298	7017	戈解三	6333	7060	[illegible]解
6299	7018	戈解四	6334	7061	[illegible]解
6300	7019	戈解五	6334.1	J2796	[illegible]解
6301	7020	戈解六	6334.2	J2797	[illegible]解
6302	7021	戈解七	6335	7046	弔龜解一
6303	7022	戈解八	6336	7063	[illegible]解
6304	7023	戈解九	6336.1	J2799	[illegible]解
6305	7027	戈解十三	6337	7064	亞重解
6306	7024	戈解十	6338	7066	亞矣解
6307	7025	戈解十一	6339	7065	亞牧解
6308	7030	鼓解	6340	7067	亞橐解

6341	7068	亞酗解	6377	7104	子𦘔解一
6342	7069	亞𠙵解	6378	7105	子𦘔解二
6343	0000	亞離解	6379	7107	子刀解
6344	7070	且甲解	6380	7106	子弓解
6345	7071	且丁解	6381	7108	守婦解一
6346	7072	且辛解	6382	7109	守婦解二
6347	7074	父乙解二	6383	7110	㗊婦解
6348	7080	父丁解一	6384	7111	帚嫡解
6349	7078	父丁解二	6385	7112	雚母解
6350	7079	父丁解三	6386	7113	帚姦解
6351	7075	父丁解四	6387	7114	耳䶴解
6352	7076	父丁解五	6388	7115	白憂解
6353	7077	父丁解六	6389	7118	㸚乍解
6354	7081	父丁解七	6390	7117	告田解二
6355	7082	父戊解一	6391	7116	告田解一
6356	7083	父戊解二	6392	7119	乍旅解
6357	7084	父戊解三	6393	7120	乍侯解
6358	7085	父己解一	6394	7124	旅彝解
6359	7086	父己解二	6395	7121	乍㓁解
6360	7087	父己解三	6396	7122	乍尊解
6361	7088	父庚解	6397	7133	羊册解
6362	7090	父辛解一	6398	7134	作仲解
6363	7091	父辛解二	6399	7123	文羊解
6364	7089	父辛解三	6400	7125	亞井解
6365	7092	父辛解四	6401	7126	䶂𡴀解
6366	7093	父癸解一	6402	7127	山婦解
6367	7094	父癸解二	6403	7128	𡨦己解
6368	7098	冄戊解	6404	7129	𥁑女解
6369	7095	冄丁解	6405	7130	雁公解
6370	7096	丁母解	6406	7135	婦好解
6371	7097	母戊解	6407	7132	史農解
6372	7099	冄辛解	6407.1	J2817	大䇆解
6373	7100	冄𩰫解	6408	7136	亞皿解
6374	7101	冄𡵂解	6409	7137	且乙封解
6375	7102	戈辛解	6410	7138	史且乙解
6376	7103	戈母解	6411	7140	安且丙解

6412	7139	鍪且丙解	6448	7182	子父丙解
6413	7141	冉且丁解	6449	7183	重父丙解
6414	7142	戉且丁解	6450	7185	戈父丙解一
6415	7143	[illegible]且丁解	6451	7184	戈父丙解二
6416	7144	[illegible]且戊解	6452	7186	般父丙解
6417	7146	戈且己解	6453	7188	乍父丙解
6418	7148	亞且辛解	6454	7190	子父丁解
6419	7151	冉父甲解一	6455	7187	[illegible]父丙解
6420	7152	冉父甲解二	6456	7191	雔父丁解
6421	7153	[illegible]父甲解一	6457	7192	[illegible]父丁解
6422	7154	[illegible]父甲解二	6458	7193	幸父丁解
6423	0000	般父甲解	6459	7196	[illegible]父丁解
6424	7155	萬父甲解	6460	7194	舌父丁解
6425	7158	[illegible]父乙解	6461	7195	山父丁解
6426	7157	天父乙解	6462	7197	[illegible]父戊解
6427	7159	[illegible]父乙解	6463	0000	史父丁解
6428	7160	戈父乙解	6464	7209	[illegible]父己解
6429	7180	會父乙解	6465	7200	冉父己解
6430	7162	[illegible]父乙解	6466	7199	未父己解
6431	7161	戈父乙解	6467	7198	字父己解
6432	7163	養父乙解	6468	7201	[illegible]父己解
6433	7164	受父乙解	6469	7202	黽父己解
6434	7165	[illegible]父乙解	6470	7204	[illegible]父己解
6435	7166	[illegible]父乙解	6471	7203	[illegible]父己解
6436	7167	守豕父乙解	6472	7205	鳥父己解
6437	7168	[illegible]父乙解	6473	7207	父己[illegible]解
6438	7169	幸父乙解	6474	7233	[illegible]父辛解
6439	7171	父乙遽解	6475	7206	[illegible]父己解
6440	7170	父乙歆解	6476	7208	舀父己解
6441	7172	父乙[illegible]解	6477	7210	執戈父庚解
6442	7173	父乙寶解	6478	7211	子父庚解
6443	7174	[illegible]父乙解一	6479	7189	乍父庚解
6444	7175	[illegible]父乙解二	6480	7212	子父辛解
6445	7176	[illegible]父乙解三	6481	7213	立父辛解
6446	7177	辰父乙解	6482	7214	竟父辛解
6447	7179	萬父乙解	6483	7215	[illegible]父辛解

6484	7216	早父辛解
6485	7219	周𠬝父辛解
6486	7220	子父辛解
6487	7221	䢅父辛解
6488	7217	𠧟父辛解
6489	7218	𠮷父辛解
6490	7223	䢅父辛解
6491	7224	倠父辛解
6492	7225	鍪父辛解一
6493	7227	冉父辛解
6494	7228	卬父辛解
6495	7229	父辛卬解
6496	7230	羊父辛解
6497	7231	𡵂父辛解
6498	7232	麻父辛解
6499	7234	□父壬解
6500	7237	𡚬父癸解一
6501	7236	𡚬父癸解二
6502	7238	𥎦父癸解一
6503	7239	𥎦父癸解二
6504	7235	重父癸解
6505	7241	爰父癸解
6506	7243	弓父癸解
6507	7245	戈父癸解
6508	7240	史父癸解
6509	7242	教父癸解
6510	7244	矢父癸解
6511	7246	冉父癸解
6512	7247	□父癸解
6513	7249	䢅父癸解一
6514	7250	䢅父癸解二
6515	7248	亞父癸解
6516	7251	魚父癸解
6517	7254	臤父癸解
6518	7252	𥎦父癸解一
6518.1	J2885	般父癸解
6519	7256	䢅母辛解
6520	7257	□兄丁解
6521	7261	䢅解
6522	7258	秉母戊解
6523	7259	子癸□解
6524	7255	早父庚解
6525	7262	天尊彝解
6526	7263	征中且解
6527	7264	母朱戈解
6528	7265	乍姑彝解
6529	7266	□乍彝解一
6530	7267	□乍彝解二
6531	7268	白乍彝解
6532	7269	冊冊月解
6533	7270	衜大解
6534	7271	早父癸解
6535	7272	文父丁解
6536	7273	衛父己解
6537	7274	畐父己解
6538	0000	鍪父己解
6539	7275	□父丁解
6540	7276	白乍彝解
6541	7277	犾父癸解
6542	7279	非母子解
6543	7280	帚亞弜解
6544	7281	唐子且乙解
6545	7282	且戊共□解
6546	7283	口言且乙解
6547	7284	鳥兀且乙解
6548	7286	弔龜且癸解
6549	7287	亞貫父甲解
6550	7289	子廟父乙解
6551	7290	冂□乍父乙解
6552	7294	天黽父乙解一
6553	7293	天黽父乙解二
6554	7291	□天父乙解

6555	7292	光母父乙解
6556	7300	亞其聿父乙解
6557	7295	亞吳父乙解
6558	7296	亞大父乙解一
6559	7297	亞大父乙解二
6560	7298	亞聑父乙解
6561	7301	告田父丁解
6562	7299	川又父乙解
6563	7302	羉竹父丁解一
6564	7303	羉竹父丁解二
6565	7304	母光父丙解
6566	7306	母父丁解
6567	7307	典弜父丁解
6568	7308	亞父丁解
6569	7309	亞趄父丁解
6570	7311	子冉父己解
6571	7312	亞𣎆父己解
6572	7310	母乍父己解
6573	7314	亞若父己解
6574	7315	逆䀠父辛解
6575	7316	𠆢罙父辛解
6576	7317	六乍父辛解
6577	7318	亞俞父辛解
6578	7319	𠆢乍父癸解
6579	7320	光乍母辛解
6580	7321	何兄日壬解
6581	7326	逑乍寶彝解
6582	7322	戈罖乍𠬝解
6583	7324	員乍旅彝解一
6584	7325	員乍旅彝解二
6585	7323	刃乍旅彝解
6586	7327	耒乍寶彝解
6587	7328	䢦父甲解
6588	7331	亞孳父辛解
6589	7332	㡭册父乙解
6590	7333	告宁父戊解
6591	7335	牧正父己解解
6592	7336	晶小𩁹母乙解
6593	7338	亞吳𠭯父乙解
6594	7337	高乍父乙解
6595	7339	雝步登父丁解
6596	7340	𦕼子乍父丁解
6597	7341	㡴父丁乍丙解
6598	7342	姞亘母解
6599	7343	亘解
6600	7345	邑解
6601	7346	帚子每解
6602	7344	義楚之祭耑
6603	0000	夌白解
6604	7348	尚乍父乙解
6605	7349	亞聿豕父乙解
6606	7351	𠤎𣲙乍䰜父辛解
6607	7347	丰乍父乙解
6608	7352	舟敄乍父癸解
6609	7353	𠕁疑　解
6610	7350	乍父丙解
6611	7354	㡭𠕁婦女解
6612	7355	亞㠱侯匕辛吳解
6613	7357	𠕁豕册册父丁解
6614	7358	句乍父丁解
6615	7359	父己庚禾解
6616	7360	者兒解
6617	7362	中亚址乍匕己解
6618	7363	䢅𩁹𢀛乍且辛解
6619	7365	子徙乍兄日辛解
6620	7361	亞示乍父己解
6621	7364	册木工乍母甲解
6622	7366	吉𢓊乍𠬝解
6623	7367	白乍𠬝且解
6624	7370	亞𠕁𨖍仲乍父丁解
6625	7368	弔𢓊乍𣞤公解
6626	0000	犬山刀子乍父戊解

6627	7372	鼓𦎫乍父辛觶
6628	7377	鳥册何般貝宁父乙觶
6629	7373	齊史疑乍且辛觶
6630	7376	郐王𠂤義之耑
6631	7379	小臣單觶一
6632	7378	白乍蔡姬觶
6633	7381	𣃔乍文考觶
6634	7382	郐王義楚祭耑
6635	7383	中觶
6636	7384	甘斿杯
6637	7385	泱都杯
6638	7386	修武府耳杯
6639	7387	淵十六□杯
6640	0000	尹勺
6641	7388	𦥑勺
6642	7389	鳶勺
6643	7390	史勺
6644	7391	又勺
6645	7393	會勺
6646	7394	大亞勺
6647	7395	翡子勺
6648	7396	婦好勺一
6649	7398	婦好勺二
6650	7399	婦好勺三
6651	7400	婦好勺四
6652	7402	婦好勺五
6653	7397	婦好勺六
6654	7403	婦好勺七
6655	7401	婦好勺八
6656	7405	舟亞舟勺
6657	7406	𠂇吏勺一
6658	7407	𠂇吏勺二
6659	7408	𠂇盤勺一
6660	7410	𠂇□夆勺一
6661	7411	𠂇□夆勺二
6662	7409	𠂇盤勺
6663	7412	白公父金勺一
6664	7423	旅盤
6665	7414	魚盤
6666	7415	呂盤
6667	7417	輪盤
6668	7418	束盤
6669	7416	舟盤
6670	7419	𤰈盤
6671	7421	㝉盤
6672	7420	敎盤
6673	7422	八一六盤
6674	7426	亞吴盤
6675	7427	父辛盤
6676	7428	丁𠕋盤
6677	7429	丁𠕋盤二
6678	7432	寑止盤
6679	7433	罷戈盤
6680	7431	魚從盤
6681	7430	子刀盤
6682	7434	鵌舌盤
6683	7444	朋兕册盤
6684	7440	嬰父乙盤
6685	7441	父戊𠬝盤
6686	7442	𠫑父己盤
6687	7447	乍從彝盤
6688	7443	𡚬父己盤
6689	0000	季乍寶盤
6689.1	J3485	射女盤
6690	7449	天黿父乙盤
6691	7450	乍𡛜從彝盤
6692	7448	□乍從彝盤
6693	7452	𩠡乍父戊盤
6694	7454	亞吴母己盤
6695	7451	轉乍寶盤
6696	7456	曆盤
6697	7455	册册豆父丁盤

6698	7458	亞鮽吳盤	6732	7489	陶子盤
6699	7460	[illegible]父盤	6733	7488	史頌盤
6700	7461	蔡侯[illegible]盤	6734	7490	才盤
6701	7464	宗仲作尹姞盤	6735	7491	虢金氏孫盤
6702	7462	[illegible]白盤一	6736	7493	魯白愈父盤一
6703	7463	[illegible]白盤二	6737	7494	魯白愈父盤二
6704	7459	栄子盤	6738	7495	魯白愈父盤三
6705	7465	征作周公盤	6739	7496	中友父盤
0000	M098	令盤	6740	7497	白駟父盤
6706	7466	㐭父作𢆶女盤	0000	M344	魯司徒中齊盤
6707	7467	鑄客爲集脰盤	6741	7498	祀盤
6708	7468	白雝父作用器盤	6742	7499	弔五父盤
6709	7469	癸白矩盤	6743	7500	[illegible]盤
6710	7470	白百父作孟姬盤	6744	7501	穌吉妊盤
6711	7471	朋遣作氏考盤	6745	7502	白考父盤
6712	0000	樊夫人盤	6746	7503	齊侯作孟姬盤
6713	7472	亞㠱侯作父丁盤	6747	7504	師寏父盤
6714	7473	穌甫人槃	6748	7505	德盤
6715	7474	㠱白娗父盤	6749	7508	弔高父盤
6716	7475	京陵仲[illegible]盤	6750	7506	白侯父盤
6717	7477	魯白厚父作仲姬俞盤一	6751	7507	祀白章盤
6718	7476	魯白厚父作仲姬俞盤二	6752	7509	取膚子商盤
0000	M151	北子宋盤	6753	7510	仲𠭯父盤
6719	7478	京弔盤	6754	7511	楚季苟盤
6720	7481	來[illegible]作[illegible]盤	6754.1	M575.J35	徐令尹者旨[illegible]爐盤
6721	0000	曾中盤	6755	7512	毛叔盤
6722	7479	彭生盤	6756	7513	番君白[illegible]盤
6723	7482	楚王酓肯盤	6757	7516	干氏弔子盤
6724	7483	周棘生盤	6758	7517	般穀盤一
6725	7480	[illegible]王義楚盤	6759	7518	般穀盤二
6726	7484	筍侯作弔姬盤	6760	7519	中子化盤
6727	0000	眞盤	6761	7521	白者君盤
6728	7485	虢[illegible]□盤	6762	7520	薛侯盤
6729	0000	奠登弔旅盤	6763	7524	句它盤
6730	7486	仲孔盤	0000	M616	番休伯者君盤
6731	7487	奠白盤	6764	7526	般仲　盤

6765	7525	齊弔姬盤	6801	7566	天黿父乙匜
6766	7527	黃韋艅父盤	6802	7567	天黿父癸匜
6767	7528	齊縈姬之嬗盤	6803	7572	自乍吳姬賸匜
6768	7529	齊大宰歸父盤一	6804	7568	乍中姬匜
6769	7530	齊大宰歸父盤二	6805	7570	毳弔乍旅匜
6770	7531	𦋺白盤	6806	7571	王子𢓊之遹盥匜
6771	7532	宗婦𨛜嬰盤	6807	7574	乍子□匜
6772	7533	魯少司寇封孫宅盤	6808	7575	蔡侯𤕌盥匜
6773	7534	𡈼湯弔盤	6809	7576	姞母匜
6774	0000	炽右盤	6810	7577	宗仲乍尹姞匜
6775	7536	𠂤仲乍父丁盤	0000	M596	蔡侯匜
6776	7537	楚王酓忎盤	6811	7580	乍父乙匜
6777	7538	邛仲之孫白戋盤	6812	7581	蔡侯乍姬單匜
6778	7540	免盤	6813	7582	蔡子□自乍會匜
6779	7541	齊侯盤	6814	7583	鑄客爲御銍匜
6780	7542	黃大子白克盤	6815	0000	亞醜者姛匜
6781	7543	夆弔盤	6816	7584	白庶父乍肙匜
6782	7544	者尚余卑盤	6817	7587	匽白聖匜
6783	7545	㡀皇父盤	6818	7585	弔侯父匜
6784	7539	三十四祀盤（裸盤）	6819	7586	𠧪匜
6785	7547	守宮盤	6820	7588	冊㓚匜
6786	7548	㔷弔多父盤	6821	0000	樊夫人匜
6787	7549	走馬休盤	6822	7589	奠義白乍季姜匜
6788	7550	蔡侯𤕌盤	6823	7590	長湯匜
6789	7551	寰盤	6824	7591	曾子白匜
6790	7553	虢季子白盤	6825	7592	穌甫人匜
6791	7554	兮甲盤	6826	7593	㠱白庭父匜
6792	7556	史墻盤	6827	7594	甫人父乍旅匜一
6793	7557	夨人盤	6828	7595	甫人父乍旅匜二
6794	7559	𩰫匜	6829	7596	黃仲匜
6795	7560	亞若匜	6830	7597	召樂父匜
6796	7561	㚸父乙匜	6831	7598	杞白每亡匜
6797	7562	父丁尊匜	6832	7599	保弔黑臣匜
6798	7564	探父癸匜	6833	7600	□弔䝨匜
6799	7563	戈父辛匜	6834	7602	𤰇周匜
6800	7565	冊姢匜	6835	7603	匽公匜

6836	7604	史頌�	6870	7643	算公孫𢟹父匜
6837	7605	虢金氏孫匜	6871	7644	敶子匜
6838	0000	筍侯匜	6872	7645	魯大𤔲徒子仲白匜
6839	7606	函皇父乍周𡠀匜	6873	7646	齊侯乍孟姜盥匜
6840	7607	㝬子匜	6874	7648	鄭大內史弔上匜
6841	7608	魯白愈父匜	6875	7649	慶弔匜
6842	7609	王婦𩁹孟姜旅匜	6876	7650	夆弔乍季妃盥盤(匜)
6843	7610	白吉父乍京姬匜	0000	M602	蔡𤔲匜
6844	7611	中友父匜	6877	7652	𠈇乍旅盉(匜)
6845	7614	弔𠂤父乍師姬匜	6878	7653	𣌭射女鑑
6846	7613	白正父旅它	6879	7655	册册𠦝鑑
6847	7615	蚰𠂤匜	6880	7656	智君子之弄鑑一
6848	7616	𣪘乍王母媿氏匜	6881	7657	智君子之弄鑑二
6849	7617	䢅白匜	6882	7658	大右鑑
6850	7618	弔高父匜一	6883	7659	蔡侯尊鉈(方鑑)
6851	7619	弔高父匜二	6884	0000	鑄客鑑
6852	7620	衛邑𢦏白匜	6885	7660	吳王夫差御鑑一
6853	7621	取膚𠂤商匜	6886	7661	吳王夫差御鑑二
6854	7622	辭馬南弔匜	6887	7662	𨛜陵君王子申鑑
0000	M617	番白享匜	6888	7663	吳王光鑑一
6855	0000	貯子匜	6889	7664	吳王光鑑二
6856	7625	番仲榮匜	6890	7667	婦好盂
6857	7626	𢑚白𠂤匜	6891	7666	𡨦小室盂
6858	7627	樊君首匜	6892	7668	虢弔乍旅盂一
6859	7630	白者君匜一	6893	7669	虢叔乍旅盂二
6860	7629	敶白元匜	6894	7670	匽侯𩠓盂
6861	7632	𩁹甫人匜	6895	7671	匽侯旅盂一
6862	7633	薛侯乍弔妊𡢁匜	6896	7672	匽侯旅盂二
6863	7634	白君黃生匜	6897	7674	永盂
6864	7636	番𠂤匜	6898	0000	𠨍子𢾊行盞
6865	7637	楚嬴匜	6899	7675	□乍康公盂
6866	7639	齊侯乍虢孟姬匜	6900	7676	乍父丁盂
6867	7640	弔男父乍爲霍姬匜	6901	7677	白盂
6868	7641	大師子大孟姜匜	6902	7678	白公父旅盂
0000	M345	魯司徒中齊匜	6903	7679	魯大𤔲徒元𣪘盂
6869	7642	浮公之孫公父宅匜	6904	7680	善夫吉父盂

6905	7682	要君𩜁盂
6906	7681	王子申盞盂
6907	7683	齊侯乍朕子仲姜盂
6908	7684	郤宜同歙盂
6909	7685	䢦盂
6910	7686	師永盂
6911	7688	昊盆
6912	7689	微𤞷盆一
6913	7690	微𤞷盆二
6914	7691	𨷇料盆一
6915	7692	𨷇料盆二
6916	0000	樊君夔盆
6917	7694	郳子行𩚓盆
6918	7696	曾孟嬭諫盆
6919	7695	子弔嬴内君實器
6920	7697	曾大保旅盆
6921	7698	鄧子仲盆
6922	7699	立戈𥂁
6923	7704	庚午𥂁
6924	7705	江仲之孫白戔𩜁𥂁
6925	7707	昝邦𥂁
6926	7708	杞白每亡𥁰
6927	7710	中鐃一
6928	7711	中鐃二
6929	7712	中鐃三
6930	7709	中鐃四
6931	7713	𦤎鐃
6932	7714	專鐃一
6933	7715	專鐃二
6934	7716	專鐃三
6935	7717	𡨦鐃一
6936	7718	𡨦鐃二
6937	7719	𡨦鐃三
6938	7720	受鐃
6939	7723	盥鐃
6940	7721	子鐃
6941	7726	亞𡖊鐃
6942	7722	雔鐃
6943	7727	亞𡚱鐃
6944	7728	亞䣉鐃
6945	7729	貫鐃
6946	7730	亞䣉媧鐃
6947	7731	亞𦙶鐃
6948	7736	亞弜𦄎鐃一
6949	7735	亞弜𦄎鐃二
6950	7732	矛鐃
6951	7733	𡴆𢿦鐃一
6952	7734	𡴆𢿦鐃二
6953	7737	𠂤鐃一
6954	7738	𠂤鐃二
6955	7739	𠂤鐃三
6956	7740	魚乙正鐃一
6957	7741	魚乙正鐃二
6958	7742	魚乙正鐃三
6959	7746	亞萬父己鐃
6960	7743	亞𠘨母朋鐃一
6961	7744	亞𠘨母朋鐃二
6962	7745	亞𠘨母朋鐃三
6963	7747	越王殘鐘
6964	7751	用享鐘
6965	7750	其台鐘
6966	7754	永寶用編鐘
6967	7755	亞𠘨朋女鐘一
6968	7759	自乍其走鐘
6969	7760	天尹乍元弄鐘
6970	7761	紀侯鐘
6971	0000	留鐘
6972	7762	宋公鐘
6973	7764	益公鐘
6974	7765	㢊侯鐘
6975	7766	魯遵鐘
6976	7767	倗鐘

6977	7768	旨賞鐘
6978	7769	鄭井弔鐘
6979	7770	鄭井弔鐘二
6980	7771	内公鐘
6981	7772	中義鐘一
6982	7773	中義鐘二
6983	7774	中義鐘三
6984	7775	中義鐘四
6985	7776	中義鐘五
6986	7777	中義鐘六
6987	7778	中義鐘七
6988	7779	中義鐘八
6989	7780	[illegible]鐘
6990	7781	[illegible]鐘
6990.1	J0031	秦王鐘
6991	7783	眉壽鐘一
6992	7784	眉壽鐘二
6993	7785	弔旅魚父鐘
6994	7786	楚公豪鐘一
6995	7787	楚公豪鐘二
6996	7788	楚公豪鐘三
6997	7789	楚公豪鐘四
6998	7790	楚公豪鐘五
6999	7795	昆疕王鐘
7000	7796	邾君鐘
7001	7797	嘉賓鐘
7002	7798	鑄侯求鐘
7003	7799	舍武編鐘
7004	7800	楚王領鐘
7005	7801	䢼公鐘
7006	7803	戰狄鐘
7007	7805	梁其鐘
7008	7806	通彔鐘
7009	7809	兮仲鐘一
7010	7810	兮仲鐘二
7011	7811	兮仲鐘三
7012	7812	兮仲鐘四
7013	7813	兮仲鐘五
7014	7814	兮仲鐘六
7015	7815	兮仲鐘七
7016	7816	楚王鐘
7017	7818	楚王酓章鐘一
7018	7819	楚王酓章鐘二
7019	7821	邾太宰鐘
7020	7822	單伯鐘
7021	7823	虘鐘一
7022	7824	虘鐘二
7023	7825	虘鐘三
7024	7826	虘鐘四
7025	7827	虘鐘五
7026	7828	邾弔鐘
7027	7829	邾公釛鐘
7028	7831	臧孫鐘
7029	7832	臧孫鐘二
7030	7833	臧孫鐘三
7031	7834	臧孫鐘四
7032	7835	臧孫鐘五
7033	7836	臧孫鐘六
7034	7837	臧孫鐘七
7035	7838	臧孫鐘八
7036	7839	臧孫鐘九
7037	7840	遲父鐘
7038	7842	應侯見工鐘一
7039	7843	應侯見工鐘二
7040	7844	克鐘一
7041	7845	克鐘二
7042	7846	克鐘三
7043	7847	克鐘四
7044	7848	克鐘五
7045	0000	□□自乍鐘一
7046	0000	□□自乍鐘二
7047	7849	井人鐘

7048	7850	井人鐘二	7084	7891	邾公牼鐘一
7049	7851	井人鐘三	7085	7892	邾公牼鐘二
7050	7852	井人鐘四	7086	7893	邾公牼鐘三
7051	7853	子璋鐘一	7087	7894	邾公牼鐘四
7052	7854	子璋鐘二	7088	7896	士父鐘一
7053	7855	子璋鐘三	7089	7897	士父鐘二
7054	7856	子璋鐘四	7090	7898	士父鐘三
7055	7857	子璋鐘五	7091	7899	士父鐘四
7056	7858	子璋鐘六	7092	7900	𠫑羌鐘一
7057	7860	子璋鐘八	7093	7901	𠫑羌鐘二
7058	7861	邾公孫班鐘	7094	7902	𠫑羌鐘三
7059	7862	師臾鐘	7095	7903	𠫑羌鐘四
7060	7863	吳生鐘一	7096	7904	𠫑羌鐘五
7061	0000	能原鐘	7098	7905	𠫑氏鐘一
7062	7866	柞鐘	7099	7906	𠫑氏鐘二
7063	7867	柞鐘二	7100	7907	𠫑氏鐘三
7064	7868	柞鐘三	7101	7908	𠫑氏鐘四
7065	7869	柞鐘四	7102	7909	𠫑氏鐘五
7066	7870	柞鐘五	7103	7910	𠫑氏鐘六
7067	7871	柞鐘六	7104	7911	𠫑氏鐘七
7068	7872	柞鐘七	7105	7912	𠫑氏鐘八
7069	7874	者汈鐘一	7106	7913	𠫑氏鐘九
7071	7875	者汈鐘三	0000	M612	鄦子鐘
7072	7876	者汈鐘四	7107	7914	曾侯乙甬鐘
7073	7878	者汈鐘五	7108	7916	厲弔之仲子平編鐘一
7074	7879	者汈鐘六	7109	7917	厲弔之仲子平編鐘二
7075	7880	者汈鐘七	7110	7918	厲弔之仲子平編鐘三
7076	7881	者汈鐘八	7111	7919	厲弔之仲子平編鐘四
7077	7882	者汈鐘九	7112	7920	者減鐘一
7078	7883	者汈鐘十	7113	7921	者減鐘二
7079	7884	者汈鐘十一	7114	7923	者減鐘三
7080	7885	者汈鐘十二	7115	7922	者減鐘四
7081	7886	者汈鐘十三	7116	7915	南宮乎鐘
7082	7889	齊鞄氏鐘	7117	7924	𨛭儆兒鐘一
0000	M553	越王者旨於暘鐘	7118	7925	𨛭儆兒鐘二
7083	7890	鮮鐘	7119	7926	𨛭儆兒鐘三

7120	7927	𨙻儌兒鐘四	7156	7962	虢叔旅鐘七
7121	7928	𨙻王子旃鐘	0000	M705	曾侯乙編鐘下一・一
7122	7929	梁其鐘一	0000	M706	曾侯乙編鐘下一・二
7123	7930	梁其鐘二	0000	M707	曾侯乙編鐘下一・三
7124	7931	沇兒鐘	0000	M708	曾侯乙編鐘下二・一
7125	7932	蔡侯䜌紐鐘一	0000	M709	曾侯乙編鐘下二・二
7126	7933	蔡侯䜌紐鐘二	0000	M710	曾侯乙編鐘下二・三
7127	7934	蔡侯䜌紐鐘三	0000	M711	曾侯乙編鐘下二・四
7128	7935	蔡侯䜌紐鐘四	0000	M712	曾侯乙編鐘下二・五
7129	7936	蔡侯䜌紐鐘五	0000	M713	曾侯乙編鐘下二・七
7130	7937	蔡侯䜌紐鐘六	0000	M714	曾侯乙編鐘下二・八
7131	7938	蔡侯䜌紐鐘七	0000	M715	曾侯乙編鐘下二・九
7132	7939	蔡侯䜌紐鐘八	0000	M716	曾侯乙編鐘下二・十
7133	7940	蔡侯䜌紐鐘九	0000	M717	曾侯乙編鐘中一・一
7134	7941	蔡侯䜌甬鐘	0000	M718	曾侯乙編鐘中一・二
7135	0000	逆鐘	0000	M719	曾侯乙編鐘中一・三
7136	7942	郘鐘一	0000	M720	曾侯乙編鐘中一・四
7137	7943	郘鐘二	0000	M721	曾侯乙編鐘中一・五
7138	7944	郘鐘三	0000	M722	曾侯乙編鐘中一・六
7139	7945	郘鐘四	0000	M723	曾侯乙編鐘中一・七
7140	7946	郘鐘五	0000	M724	曾侯乙編鐘中一・八
7141	7947	郘鐘六	0000	M725	曾侯乙編鐘中一・九
7142	7948	郘鐘七	0000	M726	曾侯乙編鐘中一・十
7143	7949	郘鐘八	0000	M727	曾侯乙編鐘中一・十一
7144	7950	郘鐘九	0000	M728	曾侯乙編鐘中二・一
7145	7951	郘鐘十	0000	M729	曾侯乙編鐘中二・二
7146	7952	郘鐘十一	0000	M730	曾侯乙編鐘中二・三
7147	7953	郘鐘十二	0000	M731	曾侯乙編鐘中二・四
7148	7954	郘鐘十三	0000	M732	曾侯乙編鐘中二・五
7149	7955	郘鐘十四	0000	M733	曾侯乙編鐘中二・六
7150	7956	虢叔旅鐘一	0000	M734	曾侯乙編鐘中二・七
7151	7957	虢叔旅鐘二	0000	M735	曾侯乙編鐘中二・八
7152	7958	虢叔旅鐘三	0000	M736	曾侯乙編鐘中二・九
7153	7959	虢叔旅鐘四	0000	M737	曾侯乙編鐘中二・十
7154	7960	虢叔旅鐘五	0000	M738	曾侯乙編鐘中二・十一
7155	7961	虢叔旅鐘六	0000	M739	曾侯乙編鐘中二・十二

0000	M740	曾侯乙編鐘中三・一	7164	7972	𤼷鐘七
0000	M741	曾侯乙編鐘中三・二	7165	7973	𤼷鐘八
0000	M742	曾侯乙編鐘中三・三	7166	7974	𤼷鐘九
0000	M743	曾侯乙編鐘中三・四	7167	7975	𤼷鐘十
0000	M744	曾侯乙編鐘中三・五	7168	7976	𤼷鐘十一
0000	M745	曾侯乙編鐘中三・六	7169	7977	𤼷鐘十二
0000	M746	曾侯乙編鐘中三・七	7170	7978	𤼷鐘十三
0000	M747	曾侯乙編鐘中三・八	7171	7979	𤼷鐘十四
0000	M748	曾侯乙編鐘中三・九	7172	0000	𤼷鐘十五
0000	M749	曾侯乙編鐘中三・十	7173	7979	𤼷鐘十六
0000	M750	曾侯乙編鐘上一・一	7174	0000	秦公鐘
0000	M751	曾侯乙編鐘上一・二	7175	7984	王孫遺者鐘
0000	M752	曾侯乙編鐘上一・三	7176	7985	㝬鐘
0000	M753	曾侯乙編鐘上一・四	7177	7987	秦公及王姬編鐘一
0000	M754	曾侯乙編鐘上一・五	7178	7988	秦公及王姬編鐘二
0000	M755	曾侯乙編鐘上一・六	7179	7989	秦公及王姬編鐘四
0000	M756	曾侯乙編鐘上二・一	7180	7990	秦公及王姬編鐘五
0000	M757	曾侯乙編鐘上二・二	7181	7991	秦公及王姬編鐘六
0000	M758	曾侯乙編鐘上二・三	7182	7992	叔夷編鐘一
0000	M759	曾侯乙編鐘上二・四	7183	7993	叔夷編鐘二
0000	M760	曾侯乙編鐘上二・五	7184	7994	叔夷編鐘三
0000	M761	曾侯乙編鐘上二・六	7185	7995	叔夷編鐘四
0000	M762	曾侯乙編鐘上三・一	7186	7996	叔夷編鐘五
0000	M763	曾侯乙編鐘上三・二	7187	7997	叔夷編鐘六
0000	M764	曾侯乙編鐘上三・三	7188	7998	叔夷編鐘七
0000	M765	曾侯乙編鐘上三・四	7189	7999	叔夷編鐘八
0000	M766	曾侯乙編鐘上三・五	7190	8000	叔夷編鐘九
0000	M767	曾侯乙編鐘上三・六	7191	8001	叔夷編鐘十
0000	M768	曾侯乙編鐘上三・七	7192	8002	叔夷編鐘十一
7157	7964	邾公華鐘	7193	8003	叔夷編鐘十二
7158	7970	𤼷鐘一	7194	8004	叔夷編鐘十三
7159	7966	𤼷鐘二	7195	8007	宋公戌鎛一
7160	7967	𤼷鐘三	7196	8008	宋公戌鎛二
7161	7968	𤼷鐘四	7197	8009	宋公戌鎛三
7162	7969	𤼷鐘五	7198	8010	宋公戌鎛四
7163	7971	𤼷鐘六	7199	8011	宋公戌鎛五

7200	8012	宋公戌鎛六	7235	8052	艆戈
7201	8013	楚王酓章乍曾侯乙鎛	7236	8053	系戈
7202	8014	楚公逆鎛	7237	8054	亯戈
7203	0000	能原鎛	7238	8055	亯戈
7204	8016	克鎛	7239	8056	弁戈
7205	8017	蔡侯[illegible]編鎛一	7240	8057	交戈
7206	8018	蔡侯[illegible]編鎛二	7241	8058	弔戈一
7207	8019	蔡侯[illegible]編鎛三	7242	8059	弔戈二
7208	8020	蔡侯[illegible]編鎛四	7243	8060	乘戈
7209	8021	秦公及王姬鎛	7244	8060	乘戈
7210	8022	秦公及王姬鎛二	7245	8060	乘戈
7211	8023	秦公及王姬鎛三	7246	8063	聿戈
7212	8024	秦公鎛	7247	8062	[illegible]戈
7213	8025	[illegible]鎛	7248	8064	[illegible]戈
7214	8026	叔夷鎛	7249	8065	衛戈
7215	8027	其次勾鑃一	7250	8066	戈戈一
7216	8028	其次勾鑃二	7251	8067	戈戈二
7217	8029	姑馮勾鑃	7252	8069	見戈
0000	M545	配兒勾鑃	7253	8070	田戈一
7218	8030	郘䜌尹征城	7254	8071	田戈二
7219	8031	冉鉦鋮(南疆征)	7255	8072	史戈
7220	8032	喬君鉦	7256	8073	探戈
7221	8033	吅鄂鐸	7257	8074	斿[illegible]戈
7222	8034	□外卒鐸	7258	8075	矢戈
7223	8035	迷阮鐸	7259	8076	辛戈一
7224	8036	亞㠱鈴	7260	8077	辛戈二
7225	8039	康侯鈴	7261	8080	辛戈三
7226	8041	王成周鈴一	7262	8080	辛戈四
7227	8043	內公鐘一	7263	8090	馬戈戈
7228	8044	內公鐘二	7264	8091	告戈戈
7229	8046	伐甗戈	7265	8092	[illegible]戈
7230	8047	州戈	7266	8093	天戈
7231	8048	商𠬝戈	7267	0000	爰戈
7232	8049	萬戈	7268	8095	羊戈
7233	8050	嬰戈一	7269	8096	[illegible]戈
7234	8051	嬰戈二	7270	8097	虎戈

7271	8098	㐰戈	7307	8128	涉戈
7272	8099	亦戈	7308	8129	右戈
7273	8100	矛从戈	7309	8132	郢戈
7274	8101	[illegible]戈	7310	8131	鄆戈
7275	8102	北耳戈一	7310.1	J3750	[illegible]戈
7276	8103	北耳戈二	7310.2	J3749	关戈
7277	8104	取戈	7310.3	J3761	夘橐戈
7278	8105	斿戈	7310.5	J3762	宗戈
7279	8106	[illegible]戈	7311	8144	亞吴戈
7280	8107	祭鳥篆戈	7312	8145	夸戈一
7281	8108	[illegible]戈	7313	8146	夸戈
7282	0000	豕形戈	7314	8147	夸戈三
7283	8109	刀戈	7315	8148	秉戈
7284	8110	敄戈	7316	8149	酉癸戈
7285	8112	日戈	7317	8152	己戈
7286	8113	[illegible]戈	7318	8150	己戈
7287	0000	[illegible]戈	7319	8153	天黿戈
7288	0000	亯戈	7320	8154	弔龜戈
7289	0000	牛戈	7321	8155	朋獸形戈
7290	8114	[illegible]戈	7322	8156	鼎林戈
7291	8115	元戈	7323	8158	玄翏戈
7292	8116	戈戈	7324	8157	陽斧戈
7293	8117	竝斐戈	7325	8159	成周戈一
7294	8118	臣戈	7326	8160	成周戈二
7295	8119	羍戈	7327	8161	成周戈三
7296	8120	夭戈	7328	8162	[illegible]戈
7297	0000	[illegible]戈	7329	8163	中都戈
7298	8121	竟戈	7330	8164	□哉戈
7299	8122	用戈	7331	8165	守昜戈
7300	8123	脽戈	7332	0000	夭仲戈
7301	8124	埅戈	7333	0000	夭仲戈
7302	8125	薛戈	7334	8166	吳啚戈
7303	8126	朿戈	7335	8167	賓夙戈
7304	8127	期戈	7336	8168	滕子戈
7305	0000	[illegible]戈	7337	8169	白析戈
7306	0000	丌戈	7338	8170	亞 戈

7339	8173	武城戈	7375	8221	鄭左庫戈
7340	8174	玄鏐戈	7376	8222	奠右庫戈
7341	8175	大保𦢊戈	7377	8223	奠武庫戈
7342	8176	蜀堊戈	7378	8224	奠𡉚庫戈
7343	8177	陽右戈	7379	8226	甘丹上戈
7344	8178	造子戈一	7380	0000	郳右𡱂戈
7345	8179	造戈二	7381	8228	齊戈
7346	8180	用戈	7382	8229	皇宮左戈一
7347	8181	右卯戈	7383	8230	皇宮左戈二
7348	8182	右庫戈	7384	8231	陳[illegible]鋯戈
7349	8183	吾宜戈	7385	8232	陳[illegible]散戈
7350	8184	冶瘍戈	7386	8233	陳貣𦙍戈一
7351	8185	鑞鑄戈	7387	8234	陳貣𦙍戈二
7352	8188	[illegible]害戈	7388	8235	乍御司馬戈
7353	0000	王其戈	7389	8236	高密造戈
7354	8189	□嗣馬戈	7390	8237	易㠯腹戈
7355	8193	戟亞又戈一	7391	8238	子備造戈
7356	8194	戟亞又戈二	7392	8239	王卒㦰之戈
7357	8195	戟亞又戈三	7393	8240	□大長畫戈
7358	8196	戟亞又戈四	7394	8241	弔孫𢾊戈
7359	8197	戟亞又戈五	7395	8242	自乍用戈
7360	8198	戟亞又戈六	7396	8243	鳥篆戈一
7361	8199	亞若癸亞𡋲乙戈	7397	8244	鳥篆戈二
7362	8200	亞又攸辛戈	7398	8246	鳥篆戈
7363	8201	陳𦙍戈	7399	8248	陳金造戈
7364	8202	乍潭右戈	7400	8249	平阿戈
7365	8203	[illegible]尚還戈	7401	8250	雝之田戈
7366	8204	奠武庫戈	7402	8251	邦之新部戈
7367	8205	右濯戈	7403	8252	郜君戈
7368	8206	䜌左庫戈	7404	8254	白之□執戈
7369	8207	陳□戈	7405	8255	[illegible]戈
7370	8212	乙癸丁戈	7406	8256	弔侯乍戈
7371	8213	左陰戈	7407	8259	仕斤徒戈
7372	8214	高暘左戈一	7408	8260	陵右戈
7373	8217	大公戈	7409	8261	去戈
7374	8218	子惕子戈	7410	8262	子鑄戈

7411	8263	平陸戈
7412	8265	陳戈
7413	8264	陳子戈
7414	8266	陳子戈
7415	8267	□子戈
7415.1	J3790	宜戈
7416	8272	閭丘戈
7417	8273	平□□戈
7418	8274	陳麗子造戈
7419	8275	滕侯耆之造戈一
7420	8276	滕侯耆之造戈二
7421	8277	𣎆淠侯散戈
7422	8278	羊子之造戈
7423	8280	陳子翼徒戈
7424	8281	□屖戈
7425	8282	事孫戈
7426	8283	吁□□造戈
7427	8284	子朋之用戈
7428	8285	陳皮之告戈
7429	8286	楚公冡秉戈
7430	8288	徐子戈
7431	8289	右買之用戈
7432	0000	盜叔戈
7433	8290	陳子戈
7434	8291	陳侯因咨戈一
7435	8292	陳侯因咨戈二
7436	0000	敚作戈
7437	8294	童□戈
7438	8295	雝王戈
7439	8297	且乙戈
7440	8298	郾王職乍王萃戈一
7441	8299	郾王職乍王萃戈二
7442	8300	郾王職乍王萃戈三
7443	8302	攻敔王光戈一
7444	8303	攻敔王光戈二
7445	8304	平陽高馬里戈
7446	8305	成陽辛城里戈
7447	8306	羊𨛭𡭞戈造服
7448	8307	蔡侯▇之行戈
7449	8308	蔡侯▇之用戈
7450	8309	蔡公子果之用戈一
7451	8310	蔡公子果之用戈二
7452	8311	蔡公子果之用戈三
7453	8313	蔡公子加戈
7454	8314	蔡加子之用戈
7455	8315	宋公䜌之造戈
7456	8316	宋公得之造戈
7457	8317	虢大子元徒戈一
7458	8318	虢大子元徒戈二
7459	8319	宮氏白子戈一
7460	8320	宮氏自子戈二
7461	8321	邶並果戈
7462	8322	楚王孫漁戈
7463	8325	新弨戈
7464	8328	曾侯乙之用戈
7465	8330	曾侯乙寢戈
7466	8333	鄦侯脮殘戈
7467	8334	滕侯昃戈
7468	8335	辜于公戈
7469	8336	王子□戈
7470	8337	君子友戈
7471	8338	鳥篆戈
7472	8339	朝訶右庫戈
7473	8340	郹戈
7474	8341	郢侯戈
7475	8343	衛公孫呂戈
7476	8344	周王叚戈
7477	8345	王子孜戈
7478	8346	郾王職乍御司馬
7479	8349	郾王職乍𠩺萃鋸一
7480	8350	郾王職乍𠩺萃鋸二
7481	8351	郾王職乍攸鋸

7482	8352	郾王職乍巨玨鋸	7513	8387	宋公差戈
7483	8353	王職乍萃鋸	7514	8385	宋公差戈
7484	8354	郾侯職乍巾萃句	7515	8389	二年右貫府戈
7485	8355	郾王詈乍巨牧鋸一	7516	8390	攻敔王夫差戈
7486	8356	郾王詈乍巨牧鋸二	7517	8391	六年上郡守戈
7487	8357	郾王詈乍巨牧鋸三	7518	8392	四年呂不韋戈
7488	8358	郾王詈乍巨牧鋸四	7519	8393	越王者旨於賜戈一
7489	8359	郾王喜乍巨牧鋸一	7520	8394	越王者旨於賜戈二
7490	8360	郾王喜乍巨牧鋸二	7521	8395	廿二年臨汾守戈
7491	8361	郫大嗣馬之造戈	7522	8396	卅三年大梁左庫戈
7492	8362	滕司徒戈	7523	8397	四年戈
0000	M782	曹公子池戈	7524	8398	三年脩余令戈
0000	M790	宋公差戈	7525	0000	廿四年左軍戈
7493	8363	十四年戈	7526	8400	卅四年屯丘令戈
7494	8364	方寅戈一	7527	8401	久白戈
7495	8365	方寅戈二	7528	8402	王二年奠令戈
7496	8366	是氏事歲戈	7529	8403	十四年相邦冉戈
0000	M541	大王光戈	7530	8404	三年上郡守戈
7497	8367	郾侯脮乍師巾萃鍨鉘	7531	8405	廿九年高都令陳愈戈
7498	8368	郾王詈戈	7532	8407	九年我□令痽戈
7499	8369	邛季之孫戈	7533	8408	卅二年帶令戈
7500	8370	邗王是埜戈	7534	8409	□旨戈
7501	8371	齊成右戈	7535	8409	三年汪匋令戈
7502	8372	非釪戈	7536	8410	郾王詈戈一
7503	8373	七年戈	7537	8412	泈白戈
7504	8374	廿三年□陽令戈	7538	8413	邗令戈
7505	8375	陳旺戈	7539	0000	伺戈
0000	M622	番仲戈	7540	8414	卅一年相邦冉戈
0000	M697	曾桒戲戈	7541	8415	四年咎奴戈
7506	8379	郐王之子戈	7542	8416	廿四年右馬令戈
7507	8380	二年寺工壟戈	7543	8417	四年相邦摎斿戈
7508	8381	十四年屬邦戈	7544	8418	八年桒城大令戈
7509	8382	丞相觸戈	7545	8421	秦子戈
7510	8384	□公戈	7546	8423	王三年奠令韓熙戈
7511	8383	□克戈	7547	8424	廿六年蜀守武戈
7512	8386	六年奠令韓熙戈	7548	8425	元年鄒令戈

7549	8426	十六年喜令戈
0000	M693	曾大工尹戈
7550	8427	十二年少令邯鄲戈
7551	8430	十二年肖令邯鄲戈
7552	8433	[illegible]生戈
7553	8434	廿年莫令戈
7554	8435	楚王酓璋戈
7555	8436	二年戈
7556	8437	大兄日乙戈
7557	8438	楚屈弔沱戈
7558	8439	十四年莫令戈
7559	8440	十五年莫令戈
7560	8441	十六年莫令戈
7561	8442	十七年莫令戈
7562	8443	廿一年莫令戈
7563	8444	卅一年莫令戈
7564	8445	五年相邦呂不韋戈
7565	8446	八年相邦呂不韋戈
7566	8447	十三年相邦義戈
7567	8448	廿九年相邦肖□戈
7568	8449	四年莫令戈
7569	8450	五年莫令戈
7570	8451	六年莫令戈
7571	8452	八年莫令戈
7572	8453	十七年彘令戈
7573	8455	大且日己戈
7574	8456	左軍戈
7575	8457	且日乙戈
7576	8466	夨戟
7577	8467	析戟
7578	8468	侯戟一
7579	8469	侯戟二
7580	8470	侯戟三
7581	8471	侯戟四
7582	8472	侯戟五
7583	8473	[illegible]戟
7584	8474	射戟
7585	8475	[illegible]戟
7586	8476	丌戟
7587	8477	白夨戟
7588	8480	医石倗鈎戟
7589	8479	大保黹勾戟
0000	M807	滕侯吳戟二
7590	8481	犢共畋戟
7591	8482	宜乘之棗戟
0000	M808	滕侯 戟
7592	8484	元阿左造徒戟
0000	M806	滕侯吳戟一
0000	M876	郾王職戟二
0000	M867	陳侯因咨戟
0000	M873	郾侯載戟
0000	M875	郾王職戟一
0000	M877	郾王戎人戟
7593	8485	大良造鞅戟
7594	8487	[illegible]矛
7595	8488	[illegible]矛
7596	8492	元矛
7597	8494	亞醜矛一
7598	8495	亞醜矛二
7599	8496	亞醜矛三
7600	8497	亞醜矛四
7601	8498	亞醜矛五
7602	8499	亞醜矛六
7603	8500	亞醜矛七
7604	8501	亞醜矛八
7605	8502	亞醜矛九
7606	8504	关左矛
7607	8505	大于矛一
7608	8506	大于矛二
7609	8507	右宮矛
7610	8508	律鑄矛
7611	8509	□嵒矛

7612	0000	亦車矛	7648	8549	郾王職矛四
7613	8516	亦車矛	7649	8551	帝降矛
7614	8510	武敢矛一	7650	8553	越王州勾矛
7615	8511	武敢矛二	7651	8554	秦子矛
7616	8512	高奴矛	7652	8555	五年鄭令韓□矛
7617	8514	河南矛	7653	8556	十年邦司寇富無矛
7618	8513	日矛	7654	8557	十二年邦司寇野矛
7619	8517	康侯矛	0000	M561	越王大子□[illegible]矛
7620	0000	辛邑陕矛	7655	8558	中央勇矛
7621	8518	右[illegible][illegible]矛	7656	8559	七年宅陽令矛
7622	8519	行[illegible]鍨	7657	8560	九年鄭令向甸矛
7623	8520	郾右軍矛	7658	0000	五年春平侯矛
7624	8521	越王矛	7659	0000	元年春平侯矛
7625	8522	莫右庫矛	7660	8563	十□年相邦春平侯矛
7626	8525	格式矛	7661	0000	三年建躬君矛
7627	8526	東周矛	7662	0000	八年建躬君矛
7628	8527	安□右矛一	7663	8566	卅二年莫令槍□矛
7629	8528	安□右矛二	7664	8567	元年莫命槍□矛
7630	8529	郾王戎人矛	7665	8568	三年莫令槍□矛
7631	8531	廿二年左斿矛	7666	8569	七年莫令□幽矛
7632	8532	莫坣庫矛	7667	8570	卅四年莫令槍□矛
7633	8533	郾侯庫乍軍矛	7668	8571	二年莫令槍□矛
7634	8534	越王者旨於賜矛	7669	8572	四年□雍令矛
7635	8535	郾王喜矛	7670	8573	六年安陽令斷矛
7636	8536	郾王戎人矛一	7671	8575	五劍
7637	8537	郾王戎人矛二	7672	8577	□劍
7638	8538	郾王職矛一	7673	8578	[illegible]丁劍
7639	8539	郾王職矛二	7674	8580	大攻[illegible]劍
7640	8540	郾王職矛三	7675	8582	從金劍
7641	8541	郾王職矛四	7676	8587	陳劍
7642	8542	郾王詈矛一	7677	8688	富鄭劍
7643	8543	郾王詈矛二	7678	8583	亯于公劍
7644	8545	郾王喜矛	7679	8584	右軍劍
7645	8546	郾王職矛一	7680	8585	郜侯劍
7646	8547	郾王職矛二	7681	8596	高都侯劍
7647	8548	郾王職矛三	7682	0000	繁陽之金劍

7683	8595	陰平左軍劍
7684	8593	□命劍
7685	8594	蔡侯武弔之用劍
7686	8598	滕之丕劍
7687	8599	蔡侯產劍一
7688	8600	蔡侯產劍二
7689	0000	蔡侯產劍
7690	8601	蔡公子永之用劍
7691	8603	衛司馬劍
7692	8602	郾王喜劍一
7693	8604	郾王喜劍二
7694	8605	郾王喜劍三
7695	8606	郾王喜劍四
7696	8608	[illegible]劍
7697	8609	越王勾踐劍
7698	8611	越王勾踐之子劍一
7699	8614	越王者旨於賜劍一
7700	8615	越王者旨於賜劍二
7701	8616	越王者旨於賜劍三
0000	M555	越王者旨於賜劍
7702	8620	越王州勾劍一
7703	8621	越王州勾劍二
7704	8622	越王州勾劍三
7705	8623	越王州勾劍四
7706	8624	越王州勾劍五
7707	8625	越王州勾劍六
7708	8628	越王劍
7709	8629	攻敔王光劍
7710	0000	郾王職劍
7711	8632	楚王酓章劍
7712	8633	十二年右庫劍
7713	8634	郾王職劍
7714	8635	攻敔王劍
7715	8636	攻敔王夫差劍一
7716	8637	攻敔王夫差劍二
7717	8639	吳季子之子劍
7718	8631	脽公劍
7719	8640	廿九年高都令劍
7720	8643	越劍
7721	8641	[illegible]劍
7722	8644	吳王光劍
7723	8645	[illegible]公劍
7724	8646	二年春平侯劍
7725	8647	元年劍
0000	M897	六年安平守劍
7726	8648	八年相邦建躬君劍一
7727	8649	八年相邦建躬君劍二
7728	0000	八年相邦建躬君劍三
7729	8650	守相杜波劍
7730	8651	十五年守相杜波劍一
7731	8653	王立事劍一
7732	0000	王立事劍二
7733	0000	王立事劍三
7734	0000	四年春平侯劍
7735	8655	少虡劍一
7736	8656	少虡劍二
7737	8657	十五年劍
7738	8658	十七年相邦春平侯劍
7739	8659	卅三年莫令□□劍
7740	0000	四年春平相邦劍
7741	8660	越王劍
7742	8661	十三年劍
7743	8662	越王丌北古劍
7744	8663	工獻太子劍
7745	8666	[illegible]刀
7746	8667	告丁刀
7747	8668	康侯刀
7748	8669	[illegible]匕首
7749	8673	[illegible]斧
7750	8674	癸斧
7751	8675	王斧
7752	8676	矢斧

7753	8677	巾斧	7788	8717	左昱矢鏃三
7754	8678	賈斧	7789	8718	左昱矢鏃四
7755	8679	耒囧兮斧	7790	0000	左昱矢鏃五
7756	8680	亞吳斧	7791	8720	右昱矢鏃一
7757	8681	弔黽形斧	7792	8721	右昱矢鏃二
7758	8682	康侯斧一	7793	8722	右昱矢鏃三
7759	8683	康侯斧二	7794	8723	右昱矢鏃四
7760	8685	甬川斧	7795	8724	右昱矢鏃五
7761	8686	郘大叔斧一	7796	8725	右昱矢鏃六
7762	8687	郘大叔斧二	7797	8726	右昱矢鏃七
7763	8688	郘大叔斧三	7798	8727	右昱矢鏃八
7764	8693	戉鉞	7799	8728	右昱矢鏃九
7765	8690	魚鉞	7800	8729	右昱矢鏃十
7766	8691	卿鉞	7801	8730	右昱矢鏃十一
7767	8695	婦好鉞二	7802	8731	右昱矢鏃十二
7768	8694	婦好鉞一	7803	8732	右昱矢鏃十三
7769	8697	亞啓鉞二	7804	8733	右昱矢鏃十四
7770	8698	亞醜鉞	7805	8734	右昱矢鏃十五
7770.1	M883	中山侯鉞	7806	8735	右昱矢鏃十六
7771	8699	大武戚	7807	8736	右昱矢鏃十七
7772	8700	陳侯因鋈	7808	8737	右昱矢鏃十八
7773	8702	公矢鏃	7809	8738	右昱矢鏃十九
7774	8703	貝矢鏃	7810	8740	左矢括一
7775	8704	左矢鏃	7811	8741	左矢括二
7776	8705	亦北鏃一	7812	8742	左矢括三
7777	8706	亦北鏃二	7813	8743	十年矢括
7778	8707	亦北鏃三	7814	8744	赤右□弩機
7779	8708	亦北鏃四	7815	8745	□昜公殘弩機
7780	8709	亦北鏃五	7816	8746	左攻君弩牙一
7781	8710	亦北鏃六	7817	8747	左攻君弩牙二
7782	8711	左坐矢鏃一	7818	8748	右攻君弩牙一
7783	8712	左坐矢鏃二	7819	8749	右攻君弩牙二
7784	8713	左坐矢鏃三	7820	8750	左周弩牙
7785	8714	左坐矢鏃四	7821	8752	耳七府距末
7786	8715	左昱矢鏃一	7822	8754	距末一
7787	8716	左昱矢鏃二	7823	8755	距末二

7824	8756	距末三	7860	0000	凡盤
7825	8757	[illegible]戈	7861	0000	八盤
7826	8758	[illegible]鎛	7862	8773	配量
7827	8759	中富戈	7863	8774	戲参量
7828	8760	[illegible]庫戈	7864	8776	半斗小量
7829	8761	右内戈鐓	7865	8775	衛量
7830	8764	十六年大良造鞅戈	7866	8777	少府小器
7831	8765	廿四年銅梃	7867	8779	郢大[illegible]之□筲
7832	8766	左鍾[illegible]銅器	7867.1	江漢1978.2	龍__
7833	8767	[illegible]干首	7868	8780	商鞅方升
7834	8768	卒干	7869	8781	廿五年銅量器
7835	8769	匽侯盾錫	7870	8782	陳純釜
7836	8770	衛臼揚盾錫	7871	8783	子禾子釜
7837	8771	衛臼盾錫	7872	8785	左關之鉚
7838	0000	賈盤一	7873	8786	哀成弔鉚
7839	0000	賈盤二	7874	0000	蔡太史鉚
7840	0000	合盤一	7875	8795	右里啓鉚一
7841	0000	合盤二	7876	8796	右里啓鉚二
7842	0000	合盤三	7877	8797	鬲工鉚
7843	0000	合盤四	7878	0000	安邑下關鍾
7844	0000	合盤五	7879	0000	麗山鍾
7845	0000	鼎盤	7880	8800	郜權
7846	0000	品盤	7881	8801	白君權
7847	0000	兮盤一	7882	8802	公芻權
7848	0000	兮盤二	7883	8803	三侯權
7849	0000	[illegible]盤	7884	8804	五年司馬權
7850	0000	旋盤	7885	8812	[illegible]虎符
7851	0000	矢盤	7886	8813	新郪虎符
7852	0000	五盤	7887	8814	杜虎符
7853	0000	五盤一	7888	8815	騎傳馬節
7854	0000	五盤二	7889	8816	[illegible]縱熊節
7855	0000	[illegible]盤	7890	8817	王命傳賃節一
7856	0000	甲盤	7891	8819	齊馬節
7857	0000	甲盤一	7892	8820	雁節
7858	0000	甲盤二	7893	8821	鷹節一
7859	0000	卜盤	7894	8822	鷹節二

7895	8823	王命傳節一	7930	8869	祖用乍寶缶一
7896	8824	王命傳節二	7931	8870	祖□乍寶缶二
7897	8825	王命傳節三	7932	8871	集脰大子鎬
7898	8826	王命傳節四	7933	8872	大府鎬
7899	8828	鄂君啓車節	7934	8873	豐王鋪一
7900	8829	鄂君啓舟節	7935	8874	豐王門鋪二
7901	0000	夨當盧	7936	8875	豐王門鋪三
7902	8830	下宮車軎	7937	8876	[illegible]門鋪
7903	8831	左宮車軎一	7938	8877	司正門鋪
7904	8832	左宮車軎二	7939	8878	公□帶鉤
7905	8835	嬗妊車軎	7940	8879	中信帶鉤
7906	8836	陳[illegible]節車鍵一	7941	8880	共鉤
7907	8837	陳[illegible]節車鍵二	7942	8881	生鉤
7908	0000	天馬鑾	7943	8882	史農器
7909	8838	侯車鑾一	7944	8883	亞吳農器一
7910	8839	侯車鑾二	7945	8884	亞吳農器二
7911	8840	子車鑾一	7946	8885	亞[illegible]鋳
7912	8841	子車鑾二	7947	8886	鋳客銅器一
7913	8842	朋史車鑾	7948	8887	鋳客銅器二
7914	8843	夨車鑾	7949	8888	鋳客銅器三
7915	8845	右馬銜	7950	8889	亞吳銅器
7916	8846	□弔馬銜	7951	8890	册关册銅器
7917	8848	右輚車器	7952	8891	鄭武庫銅器
7918	8849	西年車器	7953	8892	三年錯銀鳩杖首
7919	8850	晉公車器一	7954	8893	皮氏銅牌
7920	8851	晉公車器二	7955	8894	雩十命銅牌
7921	8853	廿一年寺工獻車軎	7956	8895	洵城小器
7922	8854	关車飾	7957	8896	亞吳小器一
7922.1	J3724	[illegible]軛飾	7958	8897	亞吳小器二
7923	8863	[illegible]鑵蓋	7959	8898	夨銅器
7924	8864	共鑵	7960	0099	褱小器一
7925	0000	婦好鑵	7961	0000	寰小器一
7926	8865	亞鳥鑵	7962	8900	寰小器二
7927	8867	[illegible]羊錡	7963	8902	寰小器四
7928	8866	仲乍旅鑵	7964	0000	寰小器五
7929	8868	[illegible]鍑	7966	8903	寰小器六

7967	8904	襄小器七
7968	0000	襄小器八
7969	8908	襄小器九
7970	0000	襄小器十
7971	8909	襄小器十一
7973	8910	襄小器十二
7974	8914	王乍姬弄器䀇
7975	8913	中山王墓兆域圖
7976	8915	之利殘片
7977	8916	大廈銅牛
7978	8917	㝱弓形器
7979	8918	示皿弓形器
7980	8919	旅圓筩器
7981	8920	亞三柄器
7981.1	J3718	父癸器
7982	0000	官鍰
7983	8922	睘鍵
7984	0000	谷鍵
7985	0000	郾王殘器
7986	0000	大司馬鏄
7987	8938	受斿容器
7988	8939	𩾜乍寶器
7989	0000	女封□
7990	8927	季老□
7991	8948	婦好共
7992	8947	后母辛方形高圈足器
7993	0000	婦好甗形器
7994	8934	家父辛
7995	0000	陶範一
7996	0000	陶範二
7996.1	J3719	上官登

《青銅器銘文檢索》索引

**卷一

𢓊	0278	0265	享	0309	0284	謀	0339	0307
徣	0278	0265	𡆥	0310	0284	論	0340	0308
㣔	0279	0265	𠶷	0310	0284	識	0341	0308
𢓚	0280	0265	龢	0311	0285	訊	0342	0308
𢔇	0281	0265				諶	0343	0309
俛	0282	0265	** 卷三			認	0344	0309
復	0283	0266				諱	0345	0309
𢕹	0284	0266	㗊	0312	0286	誓	0346	0309
𢖍	0285	0266	器	0313	0286	諫	0347	0309
儂	0286	0266	干	0314	0287	諫	0348	0310
𢕊	0286+	0266	屰	0315	0288	誠	0349	0310
廷	0287	0266	商	0316	0288	訢	0350	0310
律	0288	0268	句	0317	0291	記	0350+	0311
建	0288	0268	拘	0317+	0292	諧	0351	0311
延	0289	0269	鉤	0318	0292	詠	0352	0311
延	0290	0269	古	0319	0292	評	0353	0311
行	0291	0270	嘏	0320	0292	詒	0354	0311
衛	0292	0272	十	0321	0292	䜌	0355	0311
衙	0293	0273	千	0322	0300	訇	0356	0313
衒	0294	0274	博	0323	0300	誊	0357	0314
齒	0295	0274	廿	0324	0300	謄	0357	0314
牙	0296	0274	卅	0325	0302	誕	0358	0314
足	0297	0275	世	0326	0304	諆	0359	0314
躋	0298	0275	卌	0327	0305	詐	0360	0315
距	0299	0275	言	0328	0305	訟	0361	0315
路	0300	0275	語	0329	0305	訶	0362	0315
跃	0301	0275	調	0330	0306	誎	0363	0315
品	0302	0276	請	0331	0306	𧬐	0364	0316
喿	0303	0276	許	0332	0306	詆	0365	0316
龠	0304	0276	諾	0333	0306	誰	0366	0316
龢	0305	0276	讎	0334	0306	譋	0367	0316
𠞋	0306	0279	諸	0335	0306	誅	0368	0316
𠛾	0306	0279	啻	0336	0307	訊	0369	0317
籥	0307	0279	意	0336	0307	詨	0370	0317
龤	0307+	0279	誨	0337	0307	訊	0371	0317
册	0308	0279	路	0338	0307	訛	0372	0317
嗣	0309	0284	閣	0338+	0307	訴	0373	0317

詉	0374	0317	关	0407	0339	爲	0440	0352
詠	0375	0317	弅	0408	0339	豙	0441	0358
誒	0376	0317	弇	0409	0339	𦋻	0442	0359
戠	0377	0318	弇	0410	0339	丮	0443	0359
訾	0378	0318	龏	0411	0339	埶	0444	0359
訽	0379	0318	𢍜	0412	0340	執	0445	0360
誶	0380	0318	樊	0413	0340	𩰫	0446	0360
詳	0381	0318	𤔲	0414	0340	𩰬	0446	0360
諔	0382	0318	樊	0415	0340	巩	0447	0360
謚	0383	0318	共	0416	0341	𡚵	0448	0361
謏	0384	0319	龔	0417	0342	𡐓	0449	0362
謫	0385	0319	異	0418	0342	玑	0450	0362
譻	0386	0319	與	0419	0342	𩰲	0451	0362
謋	0387	0319	興	0420	0342	又	0452	0363
諦	0387+	0319	𢍛	0421	0343	父	0453	0369
善	0388	0320	要	0422	0343	燮	0454	0421
競	0389	0321	𦥑	0423	0343	曼	0455	0421
音	0390	0321	䢅	0424	0343	尹	0456	0421
章	0391	0323	晨	0424	0344	君	0456	0425
韹	0392	0324	農	0425	0344	𢼄	0457	0425
辛	0392+		革	0426	0344	𤼷	0458	0426
童	0393	0324	鞄	0427	0345	及	0459	0427
妾	0394	0325	鞏	0428	0345	秉	0460	0428
業	0395	0325	鞞	0429	0345	反	0461	0429
對	0396	0325	鞲	0430	0346	𠬝	0462	0430
僕	0397	0331	勒	0431	0346	叔	0463	0430
収	0398	0332	鞭	0432	0347	取	0464	0431
奉	0399	0332	㝵	0432	0347	叚	0465	0432
𢍁	0400	0332	鞣	0433	0347	友	0466	0432
𢍏	0401	0335	𧇭	0433	0347	𠬪	0466	0432
弄	0402	0335	鬲	0434	0347	𠭥	0467	0435
戒	0403	0335	鬲	0434	0351	𣪕	0468	0435
兵	0404	0335	鬴	0435	0351	𢽴	0468+	0435
𢍏	0405	0336	鬳	0436	0351	𠬶	0468+	0435
具	0406	0337	鬻	0437	0351	𠂇	0469	0435
鼎	0406	0338	爪	0438	0351	卑	0470	0436
畀	0406+	0338	孚	0439	0351	史	0471	0436

事	0472	0442	敃	0508	0462	敉	0540+	0476
聿	0473	0443	孜	0509	0463	弢	0541	0476
肄	0474	0443	整	0510	0463	肞	0542	0476
肅	0475	0446	效	0511	0464	啟	0543	0477
聿	0476	0446	故	0512	0464	敺	0544	0477
書	0477	0447	政	0513	0464	𢽎	0545	0477
叏	0478	0448	𢼸	0514	0465	敞	0546	0477
肄	0479	0448	敭	0515	0466	散	0547	0477
畫	0480	0450	攼	0515	0466	敫	0548	0477
晝	0481	0451	徹	0516	0466	𢿦	0549	0477
隶	0482	0451	變	0517	0466	鼓	0550	0478
隸	0482+	0451	更	0518	0467	陖	0551	0478
臤	0483	0451	敕	0519	0467	敷	0552	0478
臣	0484	0451	敢	0520	0467	𢾌	0553	0478
臧	0485	0455	斂	0521	0467	𢿆	0554	0478
𦣞	0486	0455	敹	0522	0467	𢽾	0555	0478
𠈃	0487	0455	敶	0523	0468	敝	0556	0478
𦣠	0488	0455	敵	0524	0468	數	0557	0479
䑄	0489	0455	救	0525	0468	伇	0557+	0479
殳	0490	0457	敚	0526	0468	敆	0557+	0479
毆	0491	0457	斁	0527	0469	敝	0557+	0480
殹	0492	0457	赦	0528	0469	教	0558	0480
段	0493	0457	攸	0529	0469	斅	0559	0480
毅	0494	0457	敉	0530	0471	學	0559+	0480
𣪊	0495	0457	敦	0531	0471	嫴	0559+	0480
殁	0496	0457	敗	0532	0471	敨	0559+	0480
毀	0497	0458	寇	0533	0471	殴	0559	0480
殺	0498	0458	聝	0534	0472	卜	0560	0481
鳧	0499	0458	鼓	0535	0472	卟	0561	0481
寺	0500	0458	攻	0536	0472	貞	0562	0481
將	0501	0459	𢽤	0537	0474	用	0563	0482
專	0502	0459	敔	0538	0474	甫	0564	0538
皮	0503	0460	改	0539	0475	庸	0565	0538
啓	0504	0460	牧	0540	0475	𣓤	0566	0538
徹	0505	0461	𠰉	0540+	0475	爻	0567	0539
肇	0506	0461	敎	0540+	0476	爾	0568	0539
敏	0507	0462	敎	0540+	0476	爽	0569	0540

**卷四

歾	0663	0644
殃	0664	0644
死	0665	0644
薨	0666	0645
體	0667	0645
臚	0668	0645
脰	0669	0646
胃	0670	0646
膺	0671	0646
膂	0672	0646
腹	0672+	0646
脽	0673	0647
肖	0674	0647
胤	0675	0647
腤	0676	0647
脩	0676+	0647
胾	0677	0648
散	0678	0648
肯	0679	0649
胅	0680	0649
膚	0681	0649
膜	0682	0650
利	0683	0650
初	0684	0650
則	0685	0657
剛	0686	0659
辨	0687	0659
割	0688	0660
荊	0689	0662
制	0690	0662
罰	0691	0662
剝	0692	0662
刑	0693	0662
剳	0694	0663
剴	0695	0663
劊	0696	0663
劉	0696+	0663
刃	0697	0663
劍	0698	0664
刲	0699	0664
丰	0700	0664
耤	0701	0664
角	0702	0664
觴	0703	0667
衡	0703+	0667
衡	0704	0667
解	0705	0667
觴	0706	0668
觥	0706+	0668
觶	0706+	0668

**卷五

竹	0707	0669
箭	0708	0669
筍	0709	0669
節	0710	0669
筮	0711	0670
箄	0712	0670
筥	0713	0670
簠	0713	0670
簋	0714	0670
毁	0714	0670
簠	0715	0683
笑	0715	0683
籃	0716	0683
筝	0717	0684
箙	0718	0684
簧	0719	0684
笲	0720	0685
箭	0721	0685
簹	0722	0685
箕	0723	0685
朋	0723	0685
其	0723	0686
㚷	0723	0686
筲	0723+	
丌	0724	0719
典	0725	0719
畀	0726	0720
巽	0726+	0720
奠	0727	0720
左	0728	0722
差	0729	0725
工	0730	0726
巨	0731	0729
矩	0731	0729
茸	0732	0730
塞	0732	0730
巫	0733	0730
曆	0734	0731
猒	0735	0732
猒	0735	0732
甚	0736	0732
晢	0737	0732
暇	0738	0733
曰	0739	0733
曶	0740	0742
朁	0741	0742
曹	0742	0742
曆	0742+	0743
乃	0743	0743
卣	0744	0748
迺	0744	0748
卤	0745	0749
丂	0746	0749
甹	0747	0750
潸	0748	0750
寧	0749	0751
可	0750	0751
兮	0751	0752

乎	0752	0752	齍	0787	0788	青	0818	0800
于	0753	0755	盧	0788	0789	靜	0819	0801
粤	0754	0770	盄	0789	0790	井	0820	0801
平	0755	0770	盆	0790	0790	刑	0821	0803
旨	0756	0771	盨	0791	0790	荆	0821	0804
嘗	0757	0772	盉	0792	0792	刱	0822	0804
喜	0758	0773	益	0793	0793	阱	0823	0804
壴	0759	0774	盡	0794	0794	弇	0824	0804
封	0760	0774	盅	0795	0794	腂	0825	0804
彭	0761	0775	盥	0796	0794	皀	0826	0804
嘉	0762	0775	盟	0796+	0794	即	0827	0804
鼓	0763	0776	盈	0797	0795	既	0828	0807
豆	0764	0777	蓋	0798	0795	㝗	0829	0812
菐	0765	0777	盤	0799	0795	鬯	0830	0812
登	0765	0777	盝	0800	0795	鬱	0831	0813
豊	0766	0777	盜	0801	0795	爵	0832	0813
豐	0767	0777	盦	0802	0795	𩱵	0833	0814
虡	0768	0779	盨	0803	0795	𣪕	0833	0814
虔	0769	0779	監	0804	0795	食	0834	0814
䖒	0770	0780	𥃝	0805	0796	餗	0835	0814
虖	0771	0781	鹽	0806	0796	饔	0836	0816
虞	0772	0781	鑑	0807	0796	飴	0837	0816
虎	0773	0782	盧	0808	0796	饎	0838	0816
彪	0774	0783	對	0809	0796	養	0839	0816
虢	0775	0784	盨	0809+	0797	羧	0839	0816
虢	0776	0784	䀇	0809+	0797	飯	0840	0817
虒	0777	0785	盩	0809+	0798	飤	0841	0817
虓	0778	0786	㿽	0809+	0798	饋	0842	0818
䖑	0779	0786	去	0810	0798	餯	0843	0818
虩	0780	0786	鬰	0811	0798	餳	0843	0818
虩	0780+	0786	卹	0812	0798	饋	0843+	0818
虢	0781	0786	蠱	0813	0799	饗	0844	0819
贙	0782	0786	盍	0814	0799	饔	0845	0819
皿	0783	0787	盌	0814+	0799	饉	0846	0819
盂	0784	0787	丶	0815	0799	飠	0847	0819
盌	0785	0788	丹	0816	0800	飫	0848	0819
盛	0786	0788	彤	0817	0800	餘	0849	0819

䬩	0850	0820
寶	0851	0820
餜	0852	0820
飾	0852+	0820
合	0853	0820
僉	0854	0821
侖	0855	0821
今	0856	0821
舍	0857	0823
會	0858	0823
倉	0859	0824
入	0860	0825
內	0861	0825
缶	0862	0830
匋	0863	0831
缾	0864	0831
阰	0864	0831
𦉈	0865	0831
𦉥	0866	0831
矢	0867	0832
射	0868	0832
侯	0869	0833
知	0870	0841
矣	0871	0841
矦	0872	0841
臬	0873	0841
高	0874	0842
亳	0875	0843
冂	0876	0843
同	0876	0843
市	0877	0843
央	0878	0844
亶	0879	0844
庸	0879	0844
郭	0879	0845
京	0880	0845
嵩	0881	0846
亯	0882	0847
享	0882	0856
𦎫	0883	0856
覃	0884	0856
厚	0885	0856
畐	0886	0857
良	0887	0857
稟	0888	0858
啚	0889	0858
亩	0890	0858
亶	0890+	0858
嗇	0891	0859
牆	0892	0859
來	0893	0859
麳	0894	0860
麥	0895	0860
复	0896	0860
憂	0897	0860
夏	0898	0860
舞	0899	0861
韋	0900	0861
韓	0901	0862
韍	0902	0862
韔	0903	0863
韣	0903+	0863
弟	0904	0863
夅	0905	0863
备	0906	0864
乘	0907	0864
**卷六		
木	0908	0866
梅	0909	0866
李	0910	0866
柰	0911	0867
杜	0912	0867
械	0913	0867
杙	0914	0867
柞	0915	0867
楀	0916	0868
楊	0917	0868
柳	0918	0868
欒	0919	0868
杞	0920	0868
櫟	0921	0869
榮	0922	0869
熒	0922	0870
桐	0923	0870
松	0924	0870
某	0925	0870
本	0926	0871
朱	0927	0871
末	0928	0872
果	0929	0873
枚	0930	0873
根	0931	0873
樛	0932	0873
杕	0933	0873
格	0934	0873
栽	0935	0874
築	0936	0874
榦	0937	0874
桴	0938	0875
柖	0939	0875
檐	0940	0875
杠	0941	0875
栗	0942	0875
槃	0943	0876
盤	0943	0876
楅	0944	0877
椑	0945	0878
檜	0946	0878
樂	0947	0878
梁	0948	0879

采	0949	0880
析	0950	0880
枼	0951	0880
休	0952	0881
棺	0953	0889
榭	0954	0890
余	0955	0890
栫	0956	0890
杴	0957	0890
柜	0958	0890
欉	0958+	0890
桿	0959	0891
桄	0960	0891
楻	0961	0891
榍	0962	0891
東	0963	0891
杕	0963+	0893
殸	0963+	0893
棘	0964	0893
林	0965	0894
無	0966	0894
楚	0967	0901
楙	0968	0903
麓	0969	0904
菉	0969	0904
替	0970	0904
𣡕	0971	0904
才	0972	0905
叒	0973	0913
之	0974	0913
㞷	0975	0937
巿	0976	0937
師	0977	0939
出	0978	0945
南	0979	0946
生	0980	0946
丰	0981	0951
產	0982	0951
華	0983	0951
束	0984	0952
東	0985	0953
剌	0986	0953
粟	0987	0955
卣	0988	0955
圂	0988+	0955
回	0989	0965
圖	0990	0956
國	0991	0956
圃	0992	0957
圉	0993	0957
圛	0993	0957
因	0994	0957
固	0995	0958
圍	0996	0958
圅	0997	0958
寓	0997	0958
田	0998	0958
員	0999	0958
貝	1000	0959
賢	1001	0962
賀	1002	0963
賁	1003	0963
貣	1004	0963
賸	1005	0964
媵	1005	0965
賞	1006	0966
賜	1007	0967
贏	1008	0968
貯	1009	0968
賈	1009+	0968
貳	1010	0969
賓	1011	0970
貿	1012	0971
贖	1013	0972
費	1014	0972
責	1015	0972
賫	1016	0972
買	1017	0972
賦	1018	0973
賃	1019	0973
賣	1020	0973
䝑	1021	0973
貭	1022	0973
貧	1023	0973
貟	1024	0974
責	1025	0974
罰	1026	0974
賡	1027	0974
貫	1027+	0974
朋	1028	0974
邑	1029	0976
邦	1030	0978
都	1031	0982
鄙	1032	0982
酆	1033	0982
鄭	1034	0982
鄩	1035	0983
邗	1035+	0983
邵	1036	0983
邶	1037	0983
邢	1037	0983
鄉	1038	0984
鄦	1039	0984
郾	1040	0984
鄎	1041	0985
鄧	1042	0985
鄴	1043	0986
鄚	1043+	0986
郢	1044	0986
鄂	1045	0986
郲	1046	0987

鄜	1047	0987
邡	1048	0987
郜	1049	0987
邛	1050	0988
鄃	1051	0988
郐	1052	0988
邦	1053	0988
郰	1054	0988
邳	1055	0989
邢	1056	0989
郑	1057	0989
鄫	1058	0989
鄰	1059	0989
郳	1060	0989
戠	1061	0989
郜	1061+	0990
鄞	1062	0990
鄘	1063	0990
鄄	1064	0990
邑	1065	0990
郱	1066	0990
郷	1067	0991
邲	1068	0991
郛	1069	0991
鄙	1070	0991
郗	1071	0992
郲	1072	0992
鄂	1073	0992
郯	1074	0992
郢	1075	0993
鄦	1076	0993
郙	1077	0993
鄺	1078	0993
鄀	1079	0993
鄣	1080	0993
邛	1080+	0994
壁	1081	0994

**卷七

日	1082	0995
時	1083	0998
早	1084	0998
昧	1085	0998
晉	1086	0999
昃	1087	0999
昏	1088	0999
昌	1089	1000
昱	1090	1000
昔	1091	1000
昆	1092	1001
昊	1093	1001
昶	1094	1001
㬎	1095	1001
㫚	1096	1001
旦	1097	1001
倝	1098	1002
朝	1099	1003
㫃	1100	1003
旂	1101	1003
旜	1102	1005
旃	1103	1005
旗	1103	1006
游	1104	1006
斿	1104	1006
遊	1104	1007
旋	1105	1007
旐	1106	1007
旋	1107	1007
旅	1108	1007
旟	1108	1017
旟	1108	1017
族	1109	1018
旌	1110	1018
旃	1111	1019
旋	1112	1019
旓	1113	1019
旃	1114	1019
旝	1115	1020
旛	1116	1020
旜	1117	1020
旝	1118	1021
星	1119	1021
参	1120	1022
月	1121	1022
朔	1122	1035
朏	1123	1035
肯	1123	1035
霸	1124	1036
期	1125	1038
朕	1126	1039
有	1127	1039
明	1128	1041
囧	1129	1043
𡈼	1129+	1043
盟	1130	1043
盟	1130	1044
夕	1131	1045
夜	1132	1046
夤	1133	1046
外	1134	1046
夙	1135	1047
夙	1135	1047
多	1136	1049
夢	1137	1052
毌	1137+	1052
圅	1138	1053
函	1138	1054
甬	1139	1054
東	1140	1054
韖	1140+	1054
卣	1141	1054

宝	1243	1190
寇	1244	1190
寵	1245	1191
寡	1246	1191
絲	1247	1191
[illegible]	1248	1191
[illegible]	1249	1191
宮	1250	1191
營	1251	1198
呂	1252	1198
窋	1253	1199
[illegible]	1254	1199
竂	1255	1199
寮	1255	1199
空	1256	1200
[illegible]	1257	1200
窆	1258	1200
穻	1259	1200
穸	1260	1200
窀	1261	1200
[illegible]	1262	1201
[illegible]	1263	1201
[illegible]	1264	1201
[illegible]	1264+	1201
[illegible]	1265	1201
[illegible]	1266	1201
[illegible]	1267	1201
[illegible]	1268	1202
疾	1269	1202
[illegible]	1270	1202
疕	1271	1202
[illegible]	1272	1202
瘵	1273	1203
痟	1274	1203
[illegible]	1275	1203
瘨	1276	1203
同	1277	1205
冑	1278	1205
冒	1279	1205
㒳	1280	1206
兩	1281	1206
㒼	1282	1207
网	1283	1207
[illegible]	1284	1207
[illegible]	1285	1207
[illegible]	1286	1207
覆	1287	1207
巾	1288	1208
帥	1289	1208
常	1290	1209
帬	1290+	1209
[illegible]	1291	1209
幕	1291+	1209
幃	1292	1209
希	1293	1209
布	1294	1210
芾	1295	1210
[illegible]	1296	1210
市	1297	1210
帢	1298	1212
韐	1298	1212
帛	1299	1213
白	1300	1213
[illegible]	1301	1230
[illegible]	1302	1230
[illegible]	1303	1230
㡀	1304	1230
[illegible]	1305	1231
黼	1306	1231
[illegible]	1307	1231

** 卷八

人	1308	1233
保	1309	1237
[illegible]	1309	1237
仁	1310	1242
仕	1311	1243
佩	1312	1243
伯	1313	1244
仲	1314	1244
伊	1315	1244
[illegible]	1316	1245
[illegible]	1316	1245
仜	1317	1245
儼	1318	1245
倗	1319	1245
微	1320	1246
僟	1321	1246
何	1322	1246
備	1323	1247
位	1324	1247
儐	1325	1247
儕	1326	1247
俱	1327	1247
傅	1328	1247
依	1329	1248
側	1330	1248
付	1331	1248
偁	1332	1248
[illegible]	1333	1248
作	1334	1249
侵	1335	1250
債	1336	1250
儥	1337	1250
儀	1338	1250
佀	1339	1250
似	1339	1250
[illegible]	1339	1250
便	1340	1251
任	1341	1251

俗	1342	1251	丘	1374	1273	孝	1407	1310
俾	1343	1251	㐺	1375	1274	毛	1408	1314
億	1344	1251	眔	1376	1274	毳	1409	1315
使	1345	1251	徵	1377	1274	尸	1410	1315
傳	1346	1252	聖	1378	1277	居	1411	1317
仔	1347	1252	重	1379	1278	屒	1412	1317
佚	1348	1252	量	1380	1279	侲	1412	1317
佃	1349	1252	監	1381	1280	屖	1413	1317
侮	1350	1253	臨	1382	1280	屛	1414	1318
伏	1351	1253	身	1383	1280	⿸尸司	1415	1318
伐	1352	1253	殷	1384	1282	⿸尸示	1416	1318
俘	1353	1255	衣	1385	1283	⿸尸白	1417	1319
弔	1354	1255	衮	1386	1284	⿸尸足	1418	1319
佋	1355	1264	裹	1387	1285	⿸尸貝	1419	1319
僰	1355+	1264	裣	1388	1285	尺	1420	1319
⿰亻凵	1355+	1264	襲	1389	1285	屈	1421	1319
兇	1356	1264	䜌	1389	1285	履	1421+	1319
佫	1356+	1265	裛	1390	1285	舟	1422	1320
伎	1357	1265	裔	1391	1286	俞	1423	1320
侜	1358	1265	褻	1392	1286	艅	1423	1321
倫	1359	1265	襄	1393	1286	船	1424	1321
俯	1360	1265	褘	1394	1286	肜	1425	1322
偕	1361	1266	裕	1395	1286	朕	1426	1322
僑	1362	1266	卒	1396	1287	般	1427	1324
俱	1363	1266	⿳亠自衣	1397	1287	服	1428	1326
儠	1363+	1266	⿱龍衣	1398	1287	舿	1429	1327
眞	1364	1266	⿱罒衣	1399	1287	艁	1430	1327
化	1365	1266	⿸厂衣	1400	1287	方	1431	1327
匕	1366	1266	⿳口口衣	1400+	1287	兀	1432	1329
卓	1367	1267	裘	1401	1288	皃	1433	1329
从	1368	1267	求	1401+	1288	允	1434	1330
從	1369	1268	老	1402	1288	兒	1435	1330
⿱卯丌	1369+	1271	耆	1403	1289	兄	1436	1331
幷	1370	1271	耇	1404	1289	兟	1437	1333
比	1371	1271	壽	1405	1290	⿰尸非	1438	1333
北	1372	1272	考	1406	1299	⿰足光	1439	1333
冀	1373	1273	⿱耂几	1406+	1310	抏	1439+	1333

兓	1440	1333
先	1441	1333
見	1442	1336
視	1443	1337
覢	1443+	1337
覾	1444	1338
親	1445	1338
覲	1446	1338
覷	1447	1338
覍	1448	1338
覩	1449	1338
覗	1450	1339
䚕	1451	1339
靦	1452	1339
覰	1453	1340
欽	1454	1340
吹	1455	1340
歌	1456	1340
吹	1456+	1340
次	1457	1340
欶	1458	1341
㰯	1459	1341
放	1460	1341
欿	1461	1341
歍	1462	1341
歖	1463	1341
歆	1464	1341
歑	1464+	1342
旡	1464+	1342
琼	1465	1342

**卷九

頁	1466	1343
頭	1467	1343
顏	1468	1343
頌	1469	1343
頂	1470	1345
傾	1471	1346
顈	1472	1346
碩	1473	1346
顯	1474	1346
顆	1474	1346
領	1475	1346
顺	1476	1347
順	1477	1347
項	1478	1347
頡	1479	1347
顯	1480	1348
頞	1481	1350
頤	1482	1351
顛	1483	1351
顛	1483+	1351
首	1484	1352
䭫	1485	1356
縣	1486	1359
須	1487	1359
彡	1488	1360
文	1489	1360
叜	1490	1367
鄰	1490	1367
散	1491	1367
效	1492	1367
斉	1493	1368
産	1494	1368
斋	1495	1368
髮	1496	1368
猶	1496	1368
后	1497	1368
司	1498	1370
匯	1499	1373
令	1500	1373
卯	1500+	1384
卲	1501	1385
弇	1502	1386
卬	1503	1386
印	1504	1386
卭	1505	1386
切	1506	1387
卻	1507	1387
廏	1508	1387
鄭	1509	1387
抑	1509+	1387
印	1510	1387
卿	1511	1387
卿	1512	1390
卿	1513	1390
辟	1514	1390
匍	1515	1392
匊	1516	1393
勻	1517	1393
旬	1518	1393
匋	1519	1393
匋	1520	1393
匍	1521	1394
冢	1522	1394
甸	1523	1394
匔	1524	1394
苟	1525	1395
敬	1526	1395
鬼	1527	1396
䰡	1527	1396
魄	1528	1397
魁	1529	1397
䰰	1530	1397
鬾	1530	1397
由	1531	1397
畏	1532	1397
禺	1533	1398
崥	1534	1398
山	1535	1398

岡	1536	1399
密	1537	1399
嵍	1538	1400
𡶒	1539	1400
岧	1540	1400
𡺳	1541	1400
府	1542	1400
廬	1543	1401
庭	1544	1401
庫	1545	1401
廏	1546	1402
廣	1547	1403
庶	1548	1403
廙	1549	1404
廟	1550	1405
庠	1551	1405
庎	1552	1406
庲	1553	1406
庰	1554	1406
㡯	1555	1406
廚	1556	1406
廅	1557	1406
庲	1557+	1406
厂	1558	1407
廠	1559	1407
厲	1560	1407
厤	1561	1407
居	1562	1408
㕇	1563	1408
厭	1564	1408
厉	1565	1408
㞣	1566	1408
厚	1567	1408
㕓	1568	1409
㕡	1569	1409
㕎	1570	1409
㕐	1571	1409
𠩺	1572	1409
𠪚	1573	1410
𠩻	1574	1410
石	1575	1410
長	1576	1410
肆	1577	1411
勿	1578	1412
易	1579	1413
冉	1580	1414
而	1581	1414
豕	1582	1415
豧	1583	1415
豩	1584	1416
豦	1585	1416
豢	1586	1416
希	1586+	1416
豨	1587	1416
彘	1588	1416
豚	1589	1417
豸	1590	1417
貙	1591	1417
貘	1592	1417
貉	1593	1417
易	1594	1418
豁	1595	1428
象	1596	1428

** 卷十

馬	1597	1430
駒	1598	1433
駱	1599	1434
驕	1600	1434
駭	1601	1434
駟	1602	1434
驫	1603	1434
駐	1604	1434
𩡧	1605	1435
騌	1606	1435
䮈	1607	1435
騳	1608	1435
鷉	1609	1435
薦	1610	1435
灋	1611	1436
法	1611	1436
廢	1611	1436
鹿	1612	1437
麋	1613	1437
麃	1614	1437
麗	1615	1437
麀	1616	1438
麐	1617	1438
㲋	1618	1438
𠨉	1619	1438
𢀇	1620	1438
𦣞	1621	1438
㲋	1621+	1439
逸	1622	1440
犬	1623	1440
獵	1624	1441
臭	1624+	1441
獲	1625	1441
獻	1626	1441
狄	1627	1443
猶	1628	1443
狐	1629	1443
猋	1630	1443
狖	1631	1443
狣	1632	1443
狟	1633	1444
狽	1634	1444
猪	1635	1444
狺	1636	1444
獃	1637	1444

猲	1638	1444
𤞤	1639	1444
𤢖	1640	1445
𡙁	1641	1445
㹜	1641+	1445
獄	1642	1445
獄	1643	1445
能	1644	1445
熊	1645	1446
𤏳	1645	1446
㶽	1646	1447
然	1647	1447
烝	1648	1447
羨	1649	1447
熬	1650	1447
焚	1651	1447
燕	1652	1447
焦	1652	1447
照	1653	1447
光	1654	1448
熙	1655	1449
熒	1656	1449
戜	1657	1449
煬	1658	1449
炎	1659	1450
燮	1660	1450
粦	1661	1450
黑	1662	1450
𪏽	1662+	1450
恖	1663	1450
赤	1664	1451
熜	1664+	1453
𥘅	1664+	1453
大	1665	1453
奎	1666	1466
夾	1667	1466
奄	1668	1467
夸	1669	1467
奭	1670	1467
𡘋	1671	1468
𡚐	1672	1468
桼	1673	1468
亦	1674	1468
夨	1675	1469
吳	1676	1470
夭	1677	1472
喬	1678	1472
奔	1679	1473
𧿒	1680	1473
交	1681	1473
尢	1682	1474
壺	1683	1474
懿	1684	1476
㚔	1685	1477
執	1686	1477
圉	1687	1479
盩	1688	1479
報	1689	1479
奢	1690	1479
亢	1691	1480
桒	1692	1480
粇	1693	1481
奚	1694	1481
屖	1694+	1481
哭	1695	1482
𡚁	1696	1482
𡗜	1697	1482
𡘆	1697	1482
夫	1698	1482
𡗢	1699	1485
㚘	1700	1485
立	1701	1485
竚	1702	1489
𥪡	1703	1489
竣	1704	1490
竝	1705	1490
並	1705	1490
替	1706	1490
𥫃	1707	1490
𡷊	1708	1491
慮	1709	1491
心	1710	1491
息	1711	1492
性	1712	1492
志	1713	1492
𢖻	1714	1492
𢙴	1715	1492
慎	1716	1492
忠	1717	1493
念	1718	1493
憲	1719	1493
害	1719	1493
憼	1720	1494
怨	1721	1494
慈	1722	1494
愁	1722+	1494
慶	1723	1494
懇	1724	1495
惟	1725	1495
懷	1726	1495
意	1727	1495
慢	1728	1495
懼	1729	1496
恃	1730	1496
忝	1731	1496
懋	1732	1496
慕	1733	1497
忓	1734	1497
㤈	1735	1497
恁	1736	1497
念	1737	1497

愉	1738	1497
愚	1739	1498
惷	1740	1498
息	1741	1498
懈	1742	1498
忽	1743	1498
忘	1744	1498
忼	1745	1499
惄	1746	1499
惑	1747	1499
忌	1748	1499
您	1749	1500
忓	1750	1500
恒	1751	1500
懌	1752	1500
恐	1753	1500
惕	1754	1500
忍	1755	1501
忤	1756	1501
忑	1757	1501
怨	1758	1501
忝	1759	1501
盅	1760	1501
恚	1761	1502
怊	1762	1502
悠	1763	1502
恩	1764	1502
憲	1765	1502
憍	1766	1502
恙	1767	1502
寍	1768	1502
慠	1769	1502
懷	1770	1503
慵	1771	1503
懟	1772	1503
忬	1772+	1503

**卷十一

水	1773	1504
河	1774	1504
江	1775	1504
沱	1776	1504
池	1776	1504
沮	1777	1504
涂	1778	1505
淦	1778	1505
沅	1779	1505
涇	1780	1505
漾	1781	1505
漢	1782	1505
洛	1783	1505
沇	1784	1506
滭	1785	1506
渒	1785	1506
湘	1786	1506
深	1787	1506
潭	1788	1506
淮	1789	1506
澧	1790	1507
洴	1791	1507
濼	1792	1507
洹	1793	1507
濁	1794	1508
溉	1795	1510
湡	1796	1510
濟	1797	1510
沽	1798	1510
洀	1799	1510
泈	1800	1510
海	1801	1511
衍	1802	1511
淳	1803	1511
滔	1804	1511
淲	1805	1511
淢	1806	1511
汪	1807	1512
沖	1808	1512
滕	1809	1512
淪	1810	1512
浮	1811	1512
漳	1812	1513
測	1813	1513
淑	1814	1513
淵	1815	1513
澹	1816	1513
淺	1817	1513
沙	1818	1513
湖	1819	1514
津	1820	1514
湛	1821	1514
沒	1822	1514
汋	1822	1514
濱	1823	1514
沈	1824	1514
淊	1825	1515
漾	1826	1515
渴	1827	1515
淫	1828	1515
瀞	1829	1515
湯	1830	1515
滰	1831	1516
潘	1832	1516
濯	1833	1516
潸	1834	1516
涕	1835	1516
減	1836	1516
瀘	1837	1516
沪	1838	1517

汈	1838	1517
汸	1839	1517
泆	1840	1517
洀	1841	1517
河	1842	1517
淉	1843	1517
浸	1844	1517
豫	1845	1517
濡	1846	1518
㬎	1847	1518
滔	1848	1518
潘	1849	1518
流	1850	1518
涉	1851	1518
瀕	1852	1519
川	1853	1519
巠	1854	1519
巟	1855	1519
邕	1856	1519
侃	1857	1520
州	1858	1520
繁	1859	1521
原	1860	1521
永	1861	1521
羕	1862	1552
𠂢	1863	1553
谷	1864	1553
谸	1865	1553
仌	1866	1553
冰	1867	1554
冬	1868	1554
冶	1868+	1556
雨	1869	1558
靁	1870	1558
電	1871	1558
需	1872	1559
雲	1873	1560

雩	1874	1560
雫	1874	1560
霝	1875	1561
雩	1876	1561
雯	1877	1562
魚	1878	1562
穌	1879	1563
鄦	1880	1564
鮮	1881	1564
鮑	1882	1564
魯	1883	1564
罵	1884	1564
䲆	1885	1565
𩻐	1885	1565
漁	1886	1565
龍	1887	1566
龕	1888	1566
櫳	1889	1566
龏	1890	1567
翼	1890	1567
非	1891	1567
卂	1892	1568

**卷十二

孔	1893	1569
不	1894	1569
否	1895	1577
𠀚	1896	1577
至	1897	1579
到	1898	1579
侄	1898	1579
臸	1899	1579
臺	1899+	1579
西	1900	1579
鹵	1901	1580
鹹	1902	1581

戹	1903	1581
厄	1903	1581
扉	1904	1581
𢨋	1905	1581
門	1906	1581
閈	1907	1583
閟	1908	1583
闈	1909	1583
開	1909	1583
閑	1910	1584
闌	1911	1584
閒	1912	1584
閉	1913	1584
關	1914	1584
閘	1915	1585
閔	1916	1585
閃	1917	1585
閱	1918	1585
闢	1919	1585
閾	1920	1585
耳	1921	1586
耿	1922	1586
聖	1923	1586
聽	1924	1587
聑	1924+	1587
職	1925	1587
聞	1926	1588
聾	1927	1588
聝	1928	1589
聯	1929	1589
臣	1930	1589
巸	1931	1589
手	1932	1590
拜	1933	1590
排	1933+	1594
扶	1934	1594
持	1935	1594

搏	1936	1594	娒	1969	1637	㚼	2002	1649
擇	1937	1595	媾	1970	1637	婝	2003	1649
承	1938	1595	奴	1971	1637	媓	2004	1649
招	1939	1595	妋	1972	1637	嫂	2005	1649
擾	1940	1595	婤	1973	1637	嫁	2006	1649
揚	1941	1595	改	1974	1637	婡	2007	1649
舉	1942	1602	姒	1975	1638	嫡	2008	1650
播	1943	1602	始	1975	1639	嗷	2009	1650
撲	1944	1602	姛	1975	1640	嫙	2010	1650
戳	1944	1602	姛	1975	1640	嬰	2011	1650
捷	1945	1602	媚	1976	1641	㘘	2012	1651
拍	1946	1602	好	1977	1641	𡣍	2013	1651
女	1947	1603	媅	1978	1643	嫆	2014	1651
妄	1947+	1611	如	1979	1644	娐	2015	1651
姓	1948	1611	嬰	1980	1644	嫺	2016	1651
姜	1949	1611	妝	1981	1644	龔	2017	1651
姬	1950	1614	孌	1982	1644	嬉	2018	1652
姑	1951	1619	妄	1983	1645	媥	2019	1652
嬴	1952	1620	婼	1984	1645	嬭	2020	1652
嬀	1953	1621	媧	1984	1645	嫣	2020+	1652
妘	1954	1622	嫼	1985	1645	坄	2020+	1652
媜	1954	1622	嫿	1986	1645	敔	2020+	1653
婚	1955	1622	媿	1987	1645	敉	2020+	1653
妻	1956	1622	妏	1988	1646	婛	2020+	1653
要	1956	1622	姦	1989	1646	毋	2021	1653
婦	1957	1623	妥	1990	1646	民	2022	1654
妃	1958	1626	㚬	1991	1647	弗	2023	1655
妊	1959	1627	㚢	1992	1647	弋	2024	1656
婜	1960	1627	妶	1993	1648	也	2025	1657
母	1961	1627	㚤	1994	1648	氏	2026	1657
妁	1962	1634	姁	1995	1648	卯	2027	1661
姑	1963	1634	娊	1996	1648	氐	2028	1662
威	1964	1635	㛮	1997	1648	戈	2029	1662
妣	1965	1636	㛂	1998	1648	𢦔	2030	1675
姊	1966	1636	嬰	1999	1648	戎	2031	1676
妹	1967	1636	婄	2000	1649	戟	2032	1677
姪	1968	1637	嬰	2001	1649	㦸	2032	1677

戫	2032	1678
戝	2033	1678
戍	2034	1678
戰	2035	1679
戲	2036	1679
或	2037	1679
域	2037	1680
戩	2038	1680
𢦏	2039	1681
武	2040	1681
戠	2041	1683
咸	2042	1684
䛩	2043	1684
𢦶	2044	1684
𢦤	2044	1684
𢧁	2045	1685
𢦽	2046	1685
𢧂	2047	1685
𢦟	2048	1685
戕	2049	1686
戣	2050	1686
戜	2051	1686
戊	2052	1686
戚	2053	1687
我	2054	1687
義	2055	1690
𢧀	2055+	1692
直	2056	1692
亡	2057	1692
乍	2058	1695
钗	2058	1765.1
望	2059	1766
𥂝	2060	1766
匄	2061	1766
買	2061	1766
丐	2061	1766
區	2062	1768

匿	2063	1768
匽	2064	1768
匹	2065	1769
匚	2066	1770
匩	2067	1770
𨰹	2067	1770
匜	2068	1771
𠥫	2069	1772
医	2070	1772
𠥁	2071	1772
𠥐	2072	1772
𠥱	2072	1775
𠥲	2073	1775
𠥕	2073+	1775
曲	2074	1775
甾	2075	1775
𠙹	2076	1775
𧇁	2077	1776
甗	2078	1776
弓	2079	1777
弙	2080	1777
弨	2081	1778
張	2082	1778
彊	2083	1778
引	2084	1782
𢐗	2085	1783
彌	2085	1783
發	2086	1784
𢎘	2087	1784
弘	2087+	1784
𣀣鄂	2087+	1784
鄂𣀣	2087+	1784
弜	2088	1784
彌	2089	1785
弼	2089	1785
盭	2090	1785
系	2091	1785

孫	2092	1786
䌛	2093	1812

** 卷十三

糸	2094	1815
純	2095	1815
經	2096	1815
織	2097	1815
紀	2098	1815
納	2099	1815
絕	2100	1816
繼	2101	1816
紹	2102	1816
縕	2103	1816
絅	2104	1816
終	2105	1816
絑	2106	1817
纁	2107	1817
綰	2108	1817
紫	2109	1817
總	2110	1817
緌	2111	1817
組	2112	1817
緄	2112	1817
緟	2113	1817
䌛	2113	1818
縈	2114	1818
緘	2115	1818
縢	2116	1818
維	2117	1819
繇	2118	1819
緐	2119	1819
緐	2119	1819
績	2120	1819
綏	2121	1819

彝	2122	1819	二	2155	1855	壘	2188	1870
裁	2123	1845	亟	2156	1859	堯	2188+	1870
緐	2124	1846	恆	2157	1859	堇	2189	1870
緟	2124+	1846	亙	2157+	1859	艱	2190	1871
素	2125	1846	亘	2158	1859	里	2191	1871
韓	2126	1846	亶	2159	1860	釐	2192	1872
紷	2127	1846	凡	2160	1860	野	2193	1873
綸	2127	1846	土	2161	1860	埜	2193	1873
絬	2128	1847	地	2162	1861	田	2194	1874
絲	2129	1847	墬	2162	1861	晦	2195	1876
轡	2130	1847	堣	2163	1862	甸	2196	1877
率	2131	1847	䮄	2163	1862	當	2197	1877
虫	2132	1848	坡	2164	1862	畯	2198	1877
蛕	2133	1848	坪	2165	1862	畂	2198	1878
雖	2134	1848	均	2166	1864	留	2199	1878
蠆	2135	1848	塍	2167	1864	畜	2200	1878
蜀	2136	1848	基	2168	1864	𤰈	2201	1879
蠻	2137	1848	垣	2169	1865	㽙	2201	1879
蚘	2138	1849	堵	2170	1865	𤲅	2202	1879
虹	2139	1849	堂	2171	1866	𤳳	2203	1879
盗	2140	1849	在	2172	1866	䎗	2204	1879
𧌒	2141	1849	坐	2173	1867	䎙	2204	1879
𧋍	2142	1849	封	2174	1867	畺	2205	1879
蛸	2143	1849	型	2175	1867	[illegible]	2206	1880
蚔	2143+	1849	城	2176	1868	疆	2206	1880
蚀	2144	1850	𩫖	2176	1868	黃	2207	1880
蟲	2145	1850	增	2177	1868	黊	2208	1883
蟀	2146	1850	塑	2178	1868	男	2209	1883
蟊	2146+	1850	毀	2179	1868	力	2210	1884
它	2147	1850	坏	2180	1868	勳	2211	1884
龜	2148	1851	堋	2181	1869	勛	2211	1884
黽	2149	1852	墜	2182	1869	功	2212	1884
鼂	2150	1853	圭	2183	1869	務	2213	1884
鼄	2151	1854	[illegible]	2184	1869	動	2214	1884
鼅	2152	1855	坂	2185	1869	勞	2215	1884
䵷	2153	1855	[illegible]	2186	1869	勤	2216	1885
鼉	2154	1855	㙚	2187	1870	加	2217	1885

勇	2218	1885
戒	2218+	1885
刦	2218+	1885
粅	2219	1886
助	2220	1886
劦	2221	1886

** 卷十四

金	2222	1887
鍚	2223	1892
銅	2224	1892
鋚	2225	1893
鑄	2226	1893
鈃	2227	1898
鍾	2228	1898
鑑	2229	1898
鐈	2230	1898
鑊	2231	1898
鎬	2232	1899
鍪	2233	1899
錍	2234	1899
鈦	2235	1899
鋸	2236	1899
鑪	2237	1900
鋝	2238	1901
鈞	2239	1901
鈴	2240	1901
鉦	2241	1901
鐸	2242	1901
鏻	2243	1902
鐘	2244	1902
鎛	2245	1910
鎗	2246	1910
鏓	2247	1910
鈗	2247+	1910
鉈	2248	1910
鋝	2249	1911
鋢	2250	1911
鑾	2251	1912
鐊	2252	1912
鋪	2253	1912
銘	2254	1912
鈁	2255	1912
釬	2256	1912
鈷	2257	1912
鈼	2258	1912
鉘	2259	1913
鈇	2260	1913
銑	2261	1913
鉚	2262	1913
鉚	2262	1913
鉊	2263	1913
鍋	2264	1914
鋇	2265	1914
鏷	2266	1914
鑃	2267	1914
鐵	2268	1914
鑵	2269	1915
鍢	2270	1915
鏷	2270+	1915
処	2271	1916
處	2271	1916
且	2272	1916
俎	2273	1927
斤	2274	1927
斧	2275	1928
斨	2276	1928
斱	2277	1928
所	2278	1928
斯	2279	1929
斷	2280	1929
新	2281	1929
斲	2282	1932
斵	2283	1932
斗	2284	1932
斛	2285	1933
斝	2286	1933
料	2287	1933
斞	2288	1933
斠	2288	1933
料	2289	1933
升	2290	1934
矛	2291	1934
矠	2292	1935
車	2293	1935
輅	2294	1938
較	2295	1938
軫	2296	1938
幔	2297	1938
幅	2297	1939
軝	2298	1939
軎	2299	1939
帆	2300	1939
載	2301	1939
軍	2302	1939
轉	2303	1940
軌	2304	1940
輦	2305	1940
輔	2306	1940
軏	2307	1941
䡇	2308	1941
輘	2309	1941
輈	2310	1941
轢	2311	1941
𠂤	2312	1941
官	2313	1943
陞	2314	1945
陳	2315	1945
陵	2316	1945
陰	2317	1946

陽	2318	1946	厷	2352+	1983	孨	2387	2144
陸	2319	1947	禽	2353	1984	丑	2387	2144
阿	2320	1948	萬	2354	1984	育	2388	2144
限	2321	1948	禹	2355	2003	毓	2388	2144
陲	2322	1948	嘼	2356	2003	丑	2389	2144
陟	2323	1948	獸	2357	2004	羞	2390	2145
隊	2324	1948	甲	2358	2006	寅	2391	1246
降	2325	1949	乙	2359	2009	卯	2392	2148
隕	2326	1950	亂	2360	2024	辰	2393	2149
阤	2327	1950	尤	2361	2025	巳	2394	2151
書	2328	1950	丙	2362	2025	㠯	2395	2152
陭	2329	1950	丁	2363	2026	以	2395+	2158
陳	2330	1950	戊	2364	2041	晃	2396	2159
陶	2331	1952	成	2365	2045	午	2397	2159
阢	2332	1952	己	2366	2049	未	2398	2160
陕	2333	1953	㠱	2367	2057	申	2399	2161
阳	2334	1953	巴	2367+	2058	臾	2400	2163
関	2335	1953	庚	2368	2058	酉	2401	2163
陪	2336	1953	康	2369	2063	酒	2402	2165
渼	2337	1953	辛	2370	2066	醴	2403	2165
陪	2338	1953	辠	2371	2076	配	2404	2165
陵	2339	1953	辛	2372	2076	酌	2405	2166
陖	2340	1954	辟	2373	2076	酢	2406	2166
陦	2341	1954	辟	2374	2076	醬	2407	2166
陼	2342	1954	辭	2375	2078	酓	2408	2166
隞	2343	1954	嗣	2375	2078	𨟻	2409	2167
隤	2344	1954	壬	2376	2082	酌	2410	2167
隞	2345	1954	癸	2377	2084	酨	2411	2167
隌	2345+	1954	子	2378	2093	酷	2412	2167
隮	2345+	1955	字	2379	2137	醒	2413	2167
四	2346	1955	㝅	2380	2137	醇	2414	2167
宁	2347	1959	季	2381	2138	醒	2415	2168
亞	2348	1961	孟	2382	2141	醑	2416	2168
五	2349	1972	孳	2383	2143	醖	2417	2168
六	2350	1977	疑	2384	2143	酋	2417+	2168
七	2351	1980	学	2385	2143	尊	2418	2168
九	2352	1981	好	2386	2143	酯	2418+	2194

戌	2419	2194
亥	2420	2195

*

金文編附錄上

㝬	a001	2201
䢅	a001	2204
兲	a001	2204
耳䢅	a002	2204
天黽	a003	2204
黽	a004	2206
黍	a005	2206
ab	a006	2206
亦	a007	2206
嵩	a008	2207
ac	a009	2207
夲	a010	2208
鼠	a011	2208
旂	a012	2208
af	a013	2208
弞	a014	2208
奾	a015	2208
肰	a015	2209
㧘	a016	2209
矢㧘	a016	2210
鉞	a017	2210
ae	a018	2210
尧	a019	2210
aG	a020	2210
㗇	a021	2211
奾	a022	2212
嬰	a023	2212
嬰	a024	2212
㘝	a024	2213
ai	a025	2213
aj	a026	2213
ak	a027	2213
吳	a028	2214
aL	a029	2215
am	a030	2215
aa	a031	2215
宊	a032	2215
𠬝天	a033	2216
an天	a034	2216
ao	a035	2216
竟	a036	2216
奐	a037	2216
㚇	a038	2217
火亯天	a039	2217
衡天	a040	2217
衡天	a041	2217
ad	a042	2217
ap	a043	2217
aq	a044	2217
大舟	a045	2217
ar	a046	2218
㶣	a047	2218
tf	a048	2218
㿝	a049	2218
䝿	a050	2218
bc	a051	2218
麗	a052	2218
髭	a052	2219
單光單	a053	2219
人	a054	2219
企	a054	2219
竟	a055	2219
at	a056	2220
㞷	a057	2220
av	a058	2220
aw	a059	2220
歺	a060	2220
屮屮	a061	2221
臽	a062	2221
配	a063	2222
ax	a064	2222
ay	a065	2222
az	a066	2222
𢀛	a067	2222
a1	a068	2223
a2	a069	2223
a3	a070	2223
子八	a071	2224
斿	a072	2224
斿舟	a073	2224
a4	a074	2225
a5	a075	2225
重	a076	2225
a6	a077	2225
a7	a078	2225
配	a079	2225
顬	a080	2226
𢀛	a081	2226
𢀛戈	a082	2226
a8	a083	2227
尧	a084	2227
伐	a085	2227
a9	a086	2227
ba	a087	2227
卯刀	a088	2227
寐	a089	2227
重	a090	2228
亞重	a090	2228
佚	a091	2228
係	a092	2228
及弓	a093	2228
bb	a094	2229
頔	a095	2229
䢅	a096	2229
罗	a097	2229
耳擇	a098	2229

烏	a188	2250
鳥宁	a189	2251
鳥b5	a190	2251
帚隻	a191	2251
蝠	a192	2251
隻	a193	2252
虎	a194	2252
梳	a194	2252
b7	a195	2252
豕	a196	2252
亞豕	a196	2253
b8	a197	2253
犬	a198	2253
b9	a199	2254
羊	a200	2254
馬	a201	2254
豕	a202	2254
龍	a203	2255
牛	a204	2255
告	a205	2255
ca	a206	2256
犬丁	a207	2256
狽	a208	2256
京犬犬	a209	2256
cb	a210	2256
馭	a211	2257
馭	a212	2257
𠬝豕	a213	2257
守豙	a214	2257
亞豙	a215	2257
㬎	a216	2258
騶	a217	2258
cc	a218	2258
狩	a219	2259
狂	a220	2259
cd	a221	2259
犬未	a222	2259
漁	a223	2259
㞢	a224	2259
㞢	a225	2259
蟬	a226	2260
雞	a227	2260
雞	a228	2260
雞	a229	2260
鼂	a230	2260
弔	a231	2261
阤羊	a232	2262
阤	a233	2262
ce	a234	2262
學	a235	2262
戰	a236	2262
戈斤	a237	2262
聝	a238	2263
cf	a239	2263
刀	a240	2263
刀	a241	2263
刀	a242	2263
子刀刀	a243	2264
刀	a244	2264
剛	a245	2264
刀cG	a246	2264
刀ch	a247	2264
矛	a248	2264
辛	a249	2265
戚	a250	2265
耒	a251	2266
ci	a252	2266
彈	a253	2266
章	a253	2266
宁	a254	2266
女宁	a255	2268
宁工工	a256	2268
宁酉	a257	2268
宁cj	a258	2268
美宁	a259	2268
宁矢	a260	2268
亯	a261	2269
稟	a262	2269
ck	a263	2269
京	a264	2270
収京	a265	2270
cL	a266	2270
主	a267	2270
cm	a268	2270
cn	a269	2271
co	a270	2271
cp	a271	2271
cq	a272	2271
cr	a273	2271
cs	a274	2271
ct	a275	2271
cu	a276	2272
丁	a277	2272
cv	a278	2273
■	a279	2273
cx	a280	2273
弓	a281	2273
冂	a282	2274
cy	a283	2274
cz	a284	2274
c0	a285	2274
c1	a286	2274
兮	a287	2275
戉	a288	2275
c2	a289	2275
c3	a290	2275
規	a291	2275
乂	a291	2275
c4	a292	2276
c5	a293	2276
c6	a294	2276

↑	a295	2276
c7	a296	2276
丁	a297	2276
鍪	a298	2277
鍪	a299	2277
丫	a300	2278
丫	a301	2278
●丫	a302	2279
c8	a303	2279
亥	a304	2279
缶	a305	2279
c9	a306	2280
da	a307	2280
db	a308	2280
dc	a309	2280
弜	a310	2280
dd	a311	2281
不	a312	2281
de	a313	2282
用	a314	2282
df	a315	2282
心	a316	2282
口	a317	2282
dG	a318	2282
●	a319	2283
di	a320	2283
dj	a321	2283
dk	a322	2283
dL	a323	2283
dm	a324	2283
dn	a325	2283
do	a326	2283
dp	a327	2284
dq	a328	2284
句	a329	2284
句	a330	2284
句	a331	2284
句須	a332	2285
耳	a333	2285
耶	a334	2285
dr	a335	2285
ds	a336	2285
dt	a337	2285
刀	a338	2286
du	a339	2286
晶	a340	2286
皇	a341	2286
dw	a342	2287
中	a343	2287
dx	a344	2287
輪	a345	2287
輪	a346	2287
dy	a347	2287
丯	a348	2288
网	a349	2288
丰	a350	2288
丰	a351	2288
d0	a352	2289
d1	a353	2289
d2	a354	2289
d3	a355	2289
六六六	a356	2289
舲	a357	2289
d4	a358	2289
d5	a359	2289
d6	a360	2289
d7	a361	2290
卬	a362	2290
冈	a363	2291
d8	a364	2295
毌	a365	2295
句毌	a366	2295
戎	a367	2296
誖	a368	2296
d9	a369	2296
ea	a370	2296
eb	a371	2296
會	a372	2296
會	a373	2296
冎	a374	2297
ec	a375	2297
ed	a376	2297
ee	a377	2297
ef	a378	2297
甾由	a379	2297
eG	a380	2298
eh	a381	2298
ei	a382	2298
卤	a383	2298
ej	a384	2298
ek	a385	2298
eL	a386	2299
em	a387	2299
步	a388	2299
en	a389	2299
探	a390	2299
盃	a390	2299
eo	a391	2300
八一六	a392	2300
八五一	a393	2300
五八六	a394	2300
六一八六 六一一	a395	2300
六六一六六一 六六一	a396	2300
七五八	a397	2300
七八六 六六六	a396.1	2301
八七六 六六六	a396.2	2301
ep	a398	2301

戚	a399	2301	征	a434	2312	夊(鞭)	a468	2319
興	a400	2301	征	a435	2312	鞭	a468	2319
鼎	a401	2302	正	a436	2312	舌	a469	2319
則	a402	2302	出	a437	2313	fa	a470	2319
er	a403	2302	疋	a438	2313	周奴	a471	2319
es	a404	2302	此	a439	2313	探	a472	2319
et	a405	2302	亞	a440	2313	公奴	a473	2320
子	a406	2303	沚	a441	2313	高奴	a474	2320
鏈	a407	2307	e4	a442	2313	亞共奴	a475	2320
ev	a408	2307	判	a443	2314	界	a475+	2320
安	a409	2307	掣	a443	2314	系	a476	2320
ew	a410	2307	e5	a444	2314	皿鬲	a477	2320
朋	a411	2307	e6	a445	2314	叉	a478	2320
ex	a412	2308	品	a446	2314	fb	a479	2321
ey	a413	2308	晶	a447	2314	fc	a480	2321
辛章	a414	2308	盟	a448	2315	艮	a481	2321
dz	a415	2308	品矦	a449	2315	取	a482	2321
cw	a416	2309	兆	a450	2315	fd	a483	2321
eu	a417	2309	dv	a451	2315	耒	a484	2321
韡	a418	2309	虍徙	a452	2315	fe	a485	2322
隻韡	a419	2309	册	a453	2315	ff	a486	2322
韡朋	a420	2309	句册	a454	2316	救	a487	2322
韡匿	a420	2310	歺册	a455	2316	奴	a488	2322
韡麗	a420	2310	豆册	a456	2316	敽	a489	2322
b6	a421	2310	as	a457	2316	fh	a490	2322
罕	a422	2310	亞品册	a458	2316	商奴	a491	2322
be	a423	2310	bf	a459	2316	左	a492	2322
ez	a424	2310	牽册	a460	2316	專	a493	2323
e0	a425	2310	羊册	a460	2317	敉	a494	2323
束	a426	2310	fL	a461	2317	敕	a494	2323
el	a427	2311	衛册奴	a462	2317	殸	a495	2323
关	a428	2311	雛	a463	2317	盟夊	a496	2323
e2	a429	2311	雛竹	a464	2318	叟	a497	2323
e3	a430	2311	雛	a465	2318	受	a498	2323
舌	a431	2312	林	a465	2318	目♠大	a499	2324
舌	a432	2312	e7	a466	2318	fi	a500	2324
夊	a433	2312	e8	a467	2318	fj	a501	2324

嬰	a502	2324
朋辛	a503	2324
朋中	a504	2324
羌又	a505	2324
fk	a506	2325
䢅	a507	2325
徭	a508	2325
爰	a509	2325
剼	a510	2325
晉	a511	2325
晉	a512	2326
壴	a513	2326
壴	a514	2326
示皿	a515	2326
探	a516	2326
設	a517	2327
飲	a518	2327
盨	a519	2327
fm	a520	2327
㚔	a521	2327
𡙎	a522	2328
fn	a523	2328
睪	a524	2328
南	a525	2328
執	a526	2328
拲	a527	2329
埶	a528	2329
fo	a529	2329
fp	a530	2329
㚔箙㚔	a531	2329
睪箙	a531	2329
fq	a532	2330
fr	a533	2330
棫	a534	2330
fs	a535	2330
制	a536	2330
ft	a537	2330
東	a538	2330
fu	a539	2331
旟	a540	2331
fw	a541	2331
禾束	a542	2331
fx	a543	2331
fy	a544	2332
宜	a545	2332
fz	a546	2332
鄐	a547	2332
襄奸	a548	2332
f0	a549	2332
白丫	a550	2332
f1	a551	2332
弔	a552	2332
弔	a553	2333
般	a554	2333
f2	a555	2334
朕	a556	2334
媚	a557	2334
眉	a557	2334
夏	a558	2335
廟	a559	2335
f3	a560	2335
竹	a561	2335
f4	a562	2335
岂	a563	2336
洮	a564	2336
f5	a565	2337
f6	a566	2337
夙	a567	2337
守雩	a568	2337
f7	a569	2337
f8	a570	2337
婦	a571	2337
敉	a572	2340
Ga	a573	2340
婦旋	a574	2340
帚姦	a575	2340
Gb	a576	2340
封	a577	2340
Gc	a578	2340
幷	a579	2341
而丁	a580	2341
膚	a581	2341
庚	a582	2341
Gd	a583	2342
Ge	a584	2342
辛冂	a585	2342
戣	a586	2342
字	a587	2342
卓	a588	2342
Gf	a589	2343
卓	a590	2343
GG	a591	2343
Gh	a592	2344
Gi	a593	2344
Gj	a594	2344
攻	a595	2344
Gk	a596	2344
GL	a597	2344
眴	a598	2344
眴	a599	2344
橐	a600	2344
Gm	a601	2345
嗇	a602	2345
Gn	a603	2345
Go	a604	2345
Gp	a605	2345
害	a606	2345
Gr	a607	2345
Gs	a608	2345
Gt	a609	2346
Gu	a610	2346

北耳 a611 2346

*

金文編附錄下

聝 b001 2347
Gv b001 2347
Gw b002 2347
Gx b003 2347
福 b004 2347
福 b005 2347
Gy b006 2347
Gz b007 2347
琮 b008 2347
G0 b009 2347
G1 b010 2348
苣 b011 2348
楚 b012 2348
G3 b013 2348
G4 b014 2348
G5 b015 2348
G6 b016 2348
G7 b017 2348
G8 b018 2348
G9 b019 2349
凸 b020 2349
ha b021 2349
危 b022 2349
君 b023 2349
呂 b024 2349
hd b025 2349
吉 b026 2349
he b027 2349
詔 b028 2350
侶 b029 2350
hf b030 2350
hG b031 2350
hh b032 2350
hi b033 2350
hj b034 2350
呇 b035 2351
凷 b036 2351
駉 b037 2351
hm b038 2351
hn b039 2351
ho b040 2351
吾 b041 2351
hp b042 2351
訊 b043 2352
訊 b044 2352
嚣 b045 2352
嚣 b046 2352
hs b047 2352
虢 b048 2352
嵏 b049 2352
ht b050 2353
罽 b051 2353
hv b052 2353
hw b053 2353
hx b054 2353
趙 b055 2353
hz b056 2353
h0 b057 2353
h1 b058 2354
h2 b059 2354
趣 b060 2354
h4 b061 2354
h5 b062 2354
変 b063 2354
h7 b064 2354
h8 b065 2355
h9 b066 2355
微 b067 2355
貨 b068 2355
造 b068 2355
ib b069 2355
送 b070 2355
id b071 2355
适 b072 2356
if b073 2356
iG b074 2356
逨 b075 2356
遄 b076 2356
ii b077 2356
ij b078 2356
ik b079 2356
履 b080 2357
im b081 2357
in b082 2357
io b083 2357
微 b084 2357
微 b085 2357
ir b086 2357
徹 b087 2358
it b088 2358
iu b089 2358
iv b090 2358
遷 b091 2358
退 b092 2358
iy b093 2358
iz b094 2359
i0 b095 2359
i1 b096 2359
告 b097 2359
偉 b098 2359
i4 b099 2359
i5 b100 2359
適 b101 2360
i7 b102 2360
i8 b103 2360
i9 b104 2360

琨	b214	2376	L7	b251	2382	陰	b286	2387
Lm	b215	2376	L8	b252	2382	my	b287	2387
巨	b216	2376	㝵	b253	2382	集	b288	2387
Ln	b217	2376	L9	b254	2382	㴻	b289	2387
吉	b218	2376	差	b255	2382	侄	b290	2387
義	b219	2377	果	b256	2383	my	b291	2387
酉	b220	2377	mc	b257	2383	徘	b292	2387
帚	b221	2377	md	b258	2383	m0	b293	2388
Lq	b222	2377	me	b259	2383	斂	b294	2388
彭	b223	2377	杳	b260	2383	膽	b295	2388
虞	b224	2377	桂	b261	2383	m3	b296	2388
㲋	b225	2378	妹	b262	2383	施	b297	2388
盆	b226	2378	mG	b263	2383	m4	b298	2388
盂	b227	2378	mh	b264	2383	m5	b299	2388
盤	b228	2378	椙	b265	2384	m6	b300	2389
盟	b229	2379	梌	b266	2384	卣	b301	2389
Lu	b230	2379	mj	b267	2384	彝	b302	2389
Lv	b231	2379	柚柄	b268	2384	寠	b303	2389
Lw	b232	2379	mk	b269	2384	鈇	b304	2389
盄	b233	2379	蔪	b270	2384	m8	b305	2389
鉢	b234	2379	槲	b271	2385	鑊	b306	2390
盉	b235	2379	mm	b272	2385	na	b307	2390
盟	b236	2380	埜mn	b273	2385	nb	b308	2390
Lz	b237	2380	mn埜	b273	2385	nc	b309	2390
L0	b238	2380	mo	b274	2385	nd	b310	2390
賓	b239	2380	巢	b275	2385	ne	b311	2390
饋	b240	2381	mp	b276	2385	nf	b312	2390
㪯厚	b241	2381	圖	b277	2385	nG	b313	2391
倉	b242	2381	囩	b278	2386	nh	b314	2391
厎	b243	2381	圓	b278	2386	宓	b315	2391
㑹	b244	2381	賃	b279	2386	宓	b315	2391
L3	b245	2381	mq	b280	2386	穿	b316	2391
L4	b246	2381	散	b281	2386	宰	b317	2391
享	b247	2382	祁	b282	2386	求	b318	2391
喬	b248	2382	郢	b283	2386	nG	b319	2391
嵩	b249	2382	鄀	b284	2387	nm	b320	2392
L6	b250	2382	mt	b285	2387	㝬	b321	2392

nn	b322	2392	伸	b359	2397	pa	b396	2402
竄	b323	2392	何	b360	2397	pb	b397	2402
寶	b324	2392	oj	b361	2397	pc	b398	2402
np	b325	2392	歔	b362	2397	ᐃ卩	b399	2402
童	b326	2393	佫	b363	2397	pd	b400	2402
富	b327	2393	om	b364	2398	pe	b401	2403
nq	b328	2393	on	b365	2398	pf	b402	2403
nr	b329	2393	oo	b366	2398	pG	b403	2403
ns	b330	2393	op	b367	2398	ph	b404	2403
寓	b331	2393	oq	b368	2398	鄸	b405	2403
nt	b332	2393	or	b369	2398	pi	b406	2403
nu	b333	2393	os	b370	2398	炒	b407	2403
nv	b334	2394	亟	b371	2399	pj	b408	2403
nw	b335	2394	袞	b372	2399	pk	b409	2404
nx	b336	2394	斱	b373	2399	pL	b410	2404
ny	b337	2394	ot	b374	2399	pm	b411	2404
nz	b338	2394	ou	b375	2399	pn䦯	b412	2404
n0	b339	2394	屐	b376	2399	䦯pn	b412	2404
n1	b340	2394	肆	b377	2399	po	b413	2404
n2	b341	2394	艖	b378	2400	鄍po	b413	2404
寏	b342	2395	觶	b379	2400	宅	b414	2404
寤	b343	2395	oy	b380	2400	廟	b415	2404
窭	b344	2395	oz	b381	2400	pp	b416	2404
造	b345	2395	o0	b382	2400	pq	b417	2405
n6	b346	2395	o1	b383	2400	豺	b418	2405
n7	b347	2395	屐	b384	2400	pr	b419	2405
n8	b348	2395	頁	b385	2400	ps	b420	2405
𠀃	b349	2396	o3	b386	2400	匙	b421	2405
宋	b350	2396	o4	b387	2400	黽	b422	2405
oa	b351	2396	顯	b388	2401	飛	b423	2405
ob	b352	2396	o5	b389	2401	泆	b424	2406
oc	b353	2396	o6	b390	2401	从	b425	2406
od	b354	2396	䝴	b391	2401	pv	b426	2406
処	b355	2396	o7	b392	2401	pw	b427	2406
囪	b356	2397	o8	b393	2401	px	b428	2406
oG	b357	2397	o9	b394	2401	py	b429	2406
仡	b358	2397	焣	b395	2402	雉	b430	2406

臾	b431	2406	qq	b468	2413	rf	b504	2418
p1	b432	2407	qr	b469	2413	rG	b505	2418
p2	b433	2407	浾	b470	2413	敵	b506	2418
冶	b434	2407	qs	b471	2413	姚	b507	2418
鏊	b435	2409	qt	b472	2413	ri	b508	2418
p3	b436	2409	溜	b473	2413	rj	b509	2419
蔡	b437	2409	淫	b474	2414	rk	b510	2419
䀝	b438	2409	澗	b475	2414	歐	b511	2419
p4	b439	2409	涫	b476	2414	rL	b512	2419
p5	b440	2409	滚	b477	2414	rm	b513	2419
p6	b441	2409	qw	b478	2414	賸	b514	2419
p7	b442	2409	永	b479	2415	rn	b515	2419
p8	b443	2410	qx	b480	2415	要	b516	2419
敄	b444	2410	qy	b481	2415	ro	b517	2419
髭	b445	2410	粟	b482	2415	rp	b518	2420
实	b446	2410	罙	b483	2415	rq	b519	2420
矛	b447	2410	q1	b484	2415	rr	b520	2420
p9	b448	2410	綿	b485	2415	rs	b521	2420
qa	b449	2410	䦌	b486	2415	rt	b522	2420
p0	b450	2410	q2	b487	2416	妥	b523	2420
pu	b451	2410	回	b488	2416	rv	b524	2421
qb	b452	2411	q4	b489	2416	rw	b525	2421
qc	b453	2411	q5	b490	2416	曹	b526	2421
奔	b454	2411	q6	b491	2416	rx	b527	2421
qe	b455	2411	q7	b492	2416	ry	b528	2421
qf	b456	2411	q8	b493	2416	rz	b529	2421
qG	b457	2411	q9	b494	2417	瓯	b530	2421
qh	b458	2411	敵	b495	2417	r1	b531	2421
qi	b459	2411	媯	b496	2417	引	b532	2422
詄	b460	2412	敾	b497	2417	研	b533	2422
qj	b461	2412	rb	b498	2417	彊	b534	2422
qk	b462	2412	嫐	b499	2417	r3	b535	2422
qL	b463	2412	姅	b500	2417	r4	b536	2422
qm	b464	2412	rd	b501	2417	魚	b537	2422
qn	b465	2412	姺	b502	2418	㷊	b538	2423
qo	b466	2412	嫱	b502	2418	蝶	b539	2423
qp	b467	2413	re	b503	2418	r5	b540	2423

r6	b541	2423	sx	b577	2428	ts	b614	2432
r7	b542	2423	sy	b578	2428	陙	b615	2432
豐	b543	2423	sz	b579	2428	tt	b616	2432
r8	b544	2423	隮	b580	2428	tu	b617	2433
r9	b545	2423	隧	b581	2428	tv	b618	2433
sa	b546	2424	s0	b582	2428	目	b619	2433
sb	b547	2424	s1	b583	2428	tx	b620	2433
sc	b548	2424	s2	b584	2428	ty	b621	2433
同	b549	2424	s3	b585	2429	tz	b622	2433
𨋢	b550	2424	s4	b586	2429	t0	b623	2433
堵	b551	2424	参	b587	2429	t1	b624	2433
sd	b552	2424	参分	b588	2429	仁	b625	2434
se	b553	2424	s5	b589	2429	t2	b626	2434
堂	b554	2424	s6	b590	2429	升	b627	2434
貍	b555	2425	s7	b591	2429	t3	b628	2434
sG	b556	2425	s8	b592	2429	t4	b629	2434
sh丑	b557	2425	s9	b593	2430	帀	b630	2434
丑	b557	2425	ta	b594	2430	t5	b631	2434
si	b558	2425	tb	b595	2430	t6	b632	2434
sj	b559	2425	取	b596	2430	t7	b633	2434
sk	b560	2425	tc	b597	2430	t8	b634	2434
sL	b561	2425	td	b598	2430	t9	b635	2435
錫	b562	2426	te	b599	2430	ua	b636	2435
鐳	b563	2426	tG	b600	2430	ub	b637	2435
so	b564	2426	=	b601	2430	䍜	b638	2435
sp	b565	2426	th	b602	2431	uc	b639	2435
sq	b566	2426	ti	b603	2431	ud	b640	2435
sr	b567	2426	tj	b604	2431	ue	b641	2435
ss	b568	2426	堯	b605	2431	uf	b642	2435
st	b569	2427	tL	b606	2431	uG	b643	2436
su	b570	2427	tm	b607	2431	uh	b644	2436
sv	b571	2427	tn	b608	2431	ui	b645	2436
sw	b572	2427	to	b609	2432	uj	b646	2436
亘	b573	2427	||	b610	2432	uk	b647	2436
亘	b574	2427	tp	b611	2432	uL	b648	2436
叚	b575	2427	tq	b612	2432	um	b649	2436
厶官	b576	2428	tr	b613	2432	un	b650	2436

uo	b651	2437
up	b652	2437
uq	b653	2437
ur	b654	2437
us	b655	2437
ut	b656	2437
uu	b657	2437
uv	b658	2437
uw	b659	2437
ux	b660	2438
uy	b661	2438
嗌	b662	2438
豕	b663	2438
[illegible]	b664	2438
u0	b665	2439
u1	b666	2439
u2	b667	2439
u3	b668	2439
u4	b669	2439
u5	b670	2439
u6	b671	2439
u7	b672	2439
u8	b673	2440
u9	b674	2440
va	b675	2440
姝	b676	2440
[illegible]	b677	2440
歠	b678	2440
[illegible]	b679	2440
ve	b680	2441
vf	b681	2441
夌	b682	2441
vh	b683	2441
vi	b684	2441
vj	b685	2441
vk	b686	2441
vL	b687	2442
vm	b688	2442
vn	b689	2442
vo	b690	2442
vp	b691	2442
vq	b692	2442
爰	b693	2442
夔	b694	2442
夔	b695	2442
vu	b696	2443
vv	b697	2443
vw	b698	2443
履	b699	2443
vy	b700	2443
vz	b701	2443
v0	b702	2443
v1	b703	2443
v2	b704	2444
v3	b705	2444
幸	b706	2444
v5	b707	2444
鑄	b708	2444
v7	b709	2444
v8	b710	2444
v9	b711	2444
wa	b712	2444
wb	b713	2445
wc	b714	2445
wd	b715	2445
豚	b716	2445
we	b717	2445
啻	b718	2445
wG	b719	2445
wh東	b720	2445
wi韓	b721	2445
wj	b722	2445
wk	b723	2446
wL	b724	2446
wm	b725	2446
wn	b726	2446
wo	b727	2446
wp	b728	2446
wq	b729	2446
wr	b730	2446
ws	b731	2447
幾	b732	2447
艾	b733	2447
君	b734	2447
鳳	b735	2447
賓 有	b736	2447
wt	b737	2447
賓	b738	2447
wu	b739	2447
趣	b740	2448
卯	b741	2448

《青銅器銘文檢索》筆劃索引

字頭	編號	頁碼
一劃		
一	0001	0001
丶	0815	0799
乙	2359	2009
亞羌乙	a171	2247
八一六	a392	2300
八五一	a393	2300
六一八 六一一	a395	2300
六六一 六六一	a396	2300
二劃		
八	0105	0119
子八	a071	2224
八一六	a392	2300
八五一	a393	2300
五八六	a394	2300
六一八 六一一	a395	2300
七八六 六六六	a396.1	2301
八七六 六六六	a396.2	2301
七五八	a397	2300
十	0321	0292
又	0452	0363
羌又	a505	2324
𠂇	0469	0435
卜	0560	0481
丂	0746	0749
入	0860	0825
冂	0876	0843
冂	a282	2274
辛冂	a585	2342
人	1308	1233
人	a054	2219
匕	1366	1266
厂	1558	1407
匚	2066	1770
二	2155	1855
力	2210	1884
七	2351	1980
七八六 六六六	a396.1	2301
八七六 六六六	a396.2	2301
七五八	a397	2300
九	2352	1981
丁	2363	2026
犬丁	a207	2256
丁	a277	2272
丁	a297	2276
而丁	a580	2341
卬刀	a088	2227

刀	a240	2263
刀	a241	2263
刀	a242	2263
子刀刀	a243	2264
刀	a244	2264
刀cG	a246	2264
刀ch	a247	2264
刀	a338	2286
乂	a291	2275
厶官	b576	2428
〓	b601	2430
||	b610	2432

** 三 劃 **

万	0004+	0016
上	0007	0019
下	0010	0024
三	0037	0036
士	0055	0088
屮	0059	0100
小	0103	0116
口	0128	0154
乏	0199	0227
干	0314	0287
干建	a101	2229
千	0322	0300
幺	0641	0624
丌	0724	0719
工	0730	0726
乃	0743	0743
于	0753	0755
才	0972	0905
之	0974	0913
夕	1131	1045
巾	1288	1208
尸	1410	1315
兀	1432	1329
山	1535	1398
大	1665	1453
大舟	a045	2217
亞大	a153	2243
目●大	a499	2324
矢	1675	1469
尢	1682	1474
川	1853	1519
卩	1892	1568
女	1947	1603
弋	2024	1656
也	2025	1657
亡	2057	1692
弓	2079	1777
及弓	a093	2228
弓	a281	2273
凡	2160	1860
土	2161	1860
田	2194	1874
己	2366	2049
子	2378	2093
子八	a071	2224
子刀刀	a243	2264
子	a406	2303
巳	2394	2151

↑	a295	2276
夂	a433	2312
夊(鞭)	a468	2319
叉	a478	2320

四 劃

元	0002	0003
天	0003	0006
天黽	a003	2204
卬天	a033	2216
an天	a034	2216
火亯天	a039	2217
火亯天	a039	2217
衡天	a040	2217
衡天	a041	2217
王	0038	0040
气	0054	0088
壯	0056	0089
中	0057	0090
中	a343	2287
朋中	a504	2324
屯	0060	0101
少	0104	0119
分	0106	0123
參分	b588	2429
公	0111	0129
牛	0118	0151
牛	a204	2255
止	0189	0215
亞寠止	a130	2238
亞bw止	a163	2245
牙	0296	0274
廿	0324	0300
卅	0325	0302
収	0398	0332
収京	a265	2270
衛册収	a462	2317
周収	a471	2319
公収	a473	2320
公収	a473	2320
亯収	a474	2320
亞共収	a475	2320
爪	0438	0351
孔	0443	0359
亞孔孔	a120	2232
父	0453	0369
亞b0父	a176	2247
尹	0456	0421
及	0459	0427
及弓	a093	2228
反	0461	0429
艮	0462	0430
艮	a481	2321
友	0466	0432
殳	0490	0457
爻	0567	0539
幻	0652	0630
刃	0697	0663
丰	0700	0664
丰	a348	2288
曰	0739	0733
兮	0751	0752

兮	a287	2275
丹	0816	0800
井	0820	0801
今	0856	0821
内	0861	0825
木	0908	0866
币	0976	0937
币	b630	2434
丯	0981	0951
丯	a350	2288
丯	a351	2288
日	1082	0995
月	1121	1022
毋	1137+	1052
毋	a365	2295
市	1297	1210
仁	1310	1242
仁	b625	2434
弔	1354	1255
弔	a552	2332
弔	a553	2333
弔	a231	2261
化	1365	1266
从	1368	1267
比	1371	1271
毛	1408	1314
尺	1420	1319
方	1431	1327
允	1434	1330
旡	1464+	1342
文	1489	1360
匀	1517	1393

勿	1578	1412
犬	1623	1440
亞 虎 犬	a167	2246
犬	a198	2253
犬 丁	a207	2256
京 犬 犬	a209	2256
犬 未	a222	2259
夭	1677	1472
亢	1691	1480
夫	1698	1482
心	1710	1491
心	a316	2282
水	1773	1504
仌	1866	1553
孔	1893	1569
不	1894	1569
不	a312	2281
厄	1903	1581
手	1932	1590
毋	2021	1653
氏	2026	1657
戈	2029	1662
玑 戈	a082	2226
戈 斤	a237	2262
丏	2061	1766
四	2065	1769
引	2084	1782
斤	2274	1927
戈 斤	a237	2262
斗	2284	1932
升	2290	1934
升	b627	2434

五	2349	1972
八五一	a393	2300
五八六	a394	2300
七五八	a397	2300
六	2350	1977
六六六	a356	2289
八一六	a392	2300
五八六	a394	2300
六一八	a395	2300
六六一		
六六一	a396	2300
七八六	a396.1	2301
六六六		
八七六	a396.2	2301
六六六		
厷	2352+	1983
尤	2361	2025
巴	2367+	2058
壬	2376	2082
丑	2389	2144
丑	b557	2425
午	2397	2159
㕜豕	a213	2257
㕜	a488	2322
商㕜	a491	2322
戣	a236	2262
戕	a450	2315
巸夊	a496	2323
凵	b020	2349

五劃

丕	0004	0016
玉	0040	0084
尒	0107	0123
必	0112	0141
半	0117	0150
召	0135	0166
台	0140	0171
右	0142	0175
正	0198	0221
市	0267+	0259
册	0308	0279
衛册㕜	a462	2317
句	0317	0291
句	a329	2284
句	a330	2284
句	a331	2284
句須	a332	2285
句毋	a366	2295
句𠕁	a454	2316
古	0319	0292
亞古	a178	2248
世	0326	0304
史	0471	0436
亞肘史	a135	2240
肘史	a135	2240
聿	0473	0443
皮	0503	0460
卟	0561	0481
用	0563	0482

用	a314	2282	旦	1097	1001
目	0571	0541	外	1134	1046
目 [illegible] 大	a499	2324	禾	1157	1075
白	0589	0563	禾 束	a542	2331
白 [illegible]	a550	2332	瓜	1181	1109
魯	0591	0579	宂	1217	1181
幼	0642	0624	布	1294	1210
玄	0650	0628	白	1300	1213
左	0728	0722	仕	1311	1243
左	a492	2322	仲	1314	1244
巨	0731	0729	仜	1317	1245
巨	b216	2376	付	1331	1248
可	0750	0751	仔	1347	1252
乎	0752	0752	[illegible]	1355+	1264
平	0755	0770	北	1372	1272
皿	0783	0787	北 耳	a611	2346
亞 麀 皿 矛	a167	2246	丘	1374	1273
亞 皿 矢	a177	2247	兄	1436	1331
亞 皿 矢	a177	2247	参	1488	1360
示 皿	a515	2326	司	1498	1370
去	0810	0798	令	1500	1373
矢	0867	0832	令	a105	2230
矢 [illegible]	a016	2210	令	a126	2233
宁 矢	a260	2268	[illegible]	1503	1386
冋	0876	0843	[illegible]	1504	1386
市	0877	0843	切	1506	1387
央	0878	0844	印	1510	1387
本	0926	0871	匋	1523	1394
末	0928	0872	[illegible]	1565	1408
出	0978	0945	石	1575	1410
出	a437	2313	冉	1580	1414
生	0980	0946	立	1701	1485

汈	1838	1517
永	1861	1521
永	b479	2415
冬	1868	1554
戹	1903	1581
妟	1947+	1611
母	1961	1627
亞 玑 母 朋	a185	2249
奴	1971	1637
民	2022	1654
弗	2023	1655
氏	2028	1662
戉	2052	1686
埶 埶 戉	a109	2231
戉	a288	2275
乍	2058	1695
匄	2061	1766
匜	2068	1771
弘	2087+	1784
它	2147	1850
功	2212	1884
加	2217	1885
処	2271	1916
処	b355	2396
且	2272	1916
矛	2291	1934
亞 麂 皿 矛	a167	2246
矛	a248	2264
矛	b447	2410
阬	2332	1952
四	2346	1955
宁	2347	1959

卿 宁	a122	2232
bk 宁	a124	2233
鳥 宁	a189	2251
宁	a254	2266
宁 工 工	a256	2268
宁 工 工	a256	2268
宁 酉	a257	2268
宁 cj	a258	2268
宁 矢	a260	2268
甲	2358	2006
玑 甲 用	a100	2229
玑 甲 用	a100	2229
丙	2362	2025
戊	2364	2041
卯	2392	2148
卯	b741	2448
㠯	2395	2152
以	2395+	2158
未	2398	2160
犬 未	a222	2259
申	2399	2161
肰	a015	2209
㚇	a021	2211
屮 屮	a061	2221
㠯 刀	a088	2227
夘 束	a110	2231
夘 封	a111	2231
夘 橐	a125	2233
亞 示	a140	2241
亞 仳	a156	2244
亞 示	a181	2248
主	a267	2270

舌	a431	2312
舌	a432	2312
疋	a438	2313
示 皿	a515	2326
岊	a563	2336
旻	b160	2367
仡	b358	2397

** 六 劃 **

吏	0005	0016
所	0085	0111
名	0130	0155
吉	0144	0182
吁	0149	0199
各	0150	0200
此	0197	0220
此	a439	2313
攸	0276	0264
行	0291	0270
戹	0315	0288
辛	0392+	
关	0407	0339
关	a428	2311
共	0416	0341
聿	0476	0446
亞 聿	a143	2242
臣	0484	0451
寺	0500	0458
自	0587	0556
百	0594	0586
羽	0595	0589
羊	0615	0614
羊	a200	2254
羊 𠕋	a460	2317
皀匕 羊	a232	2262
再	0639	0623
丝	0643	0624
歺	0663	0644
死	0665	0644
辡	0687	0659
刑	0693	0662
刑	0821	0803
刲	0699	0664
刲	a443	2314
竹	0707	0669
羴 竹	a464	2318
竹	a561	2335
旨	0756	0771
荆	0821	0804
合	0853	0820
缶	0862	0830
缶	a305	2279
朱	0927	0871
休	0952	0881
叒	0973	0913
回	0989	0965
因	0994	0957
囝	0998	0958
邗	1035+	0983
邛	1050	0988
邢	1056	0989
邲	1065	0990

早	1084	0998
㫃	1100	1003
有	1127	1039
實 有	b736	2447
夙	1135	1047
夙	a567	2337
多	1136	1049
朿	1143	1057
亞 朿	a173	2247
夘 朿	a110	2231
年	1164	1079
宅	1183	1111
向	1186	1115
宇	1187	1116
安	1194	1118
守	1203	1174
守 豙	a214	2257
守 雩	a568	2337
宧	1221	1187
同	1277	1205
网	1283	1207
网	a349	2288
𠂤	1301	1230
伊	1315	1244
儕	1326	1247
任	1341	1251
伏	1351	1253
伐	1352	1253
伐	a085	2227
仮	1357	1265
幷	1370	1271
幷	a579	2341
㐺	1375	1274
衣	1385	1283
老	1402	1288
考	1406	1299
𦒱	1406+	1310
屏	1414	1318
舟	1422	1320
舟 亞 舟	a185	2249
大 舟	a045	2217
先	1441	1333
次	1457	1340
后	1497	1368
令	1502	1386
卸	1505	1386
抑	1509+	1387
旬	1518	1393
甶	1531	1397
庠	1551	1405
而	1581	1414
而 丁	a580	2341
光	1654	1448
單 光 單	a053	2219
夸	1669	1467
夷	1670	1467
亦	1674	1468
亦	a007	2206
交	1681	1473
忏	1734	1497
忓	1750	1500
江	1775	1504
池	1776	1504
沙	1818	1513

汋	1822	1514
沪	1838	1517
巟	1855	1519
州	1858	1520
𠂢	1863	1553
冰	1867	1554
至	1897	1579
西	1900	1579
耳	1921	1586
耳	a333	2285
北 耳	a611	2346
妃	1958	1626
妕	1972	1637
改	1974	1637
好	1977	1641
如	1979	1644
妄	1983	1645
妏	1988	1646
㚢	1991	1647
妏	2020+	1652
㚤	2027	1661
戎	2031	1676
戎	a367	2296
戍	2034	1678
戋	2039	1681
匡	2067	1770
匹	2069	1772
曲	2074	1775
弜	2087	1784
弜	2088	1784
亞 弜	a134	2239
弜	a310	2280

糸	2094	1815
虫	2132	1848
亙	2157+	1859
亘	2158	1859
地	2162	1861
在	·2172	1866
圭	2183	1869
圣	2184	1869
劦	2221	1886
𠂤	2312	1941
阤	2327	1950
成	2365	2045
字	2379	2137
字	a587	2342
戌	2419	2194
亥	2420	2195
亥	a304	2279
弜	a014	2208
尧	a019	2210
尧	a084	2227
吴	a028	2214
吴	1676	1470
宎	a032	2215
企	a054	2219
耶	a107	2230
仮	a136	2240
亞 仮	a136	2240
亞 企	a162	2245
亞 血	a175	2247
冉	a225	2259
冉	a224	2259
耒	a251	2266

来	a484	2321
冎	a374	2297
疋	a436	2312
彾 徙	a452	2315
襄 奸	a548	2332
危	b022	2349
旻	b145	2366
宅	b414	2404
弜	b532	2422
㬅	b638	2435
艾	b733	2447

** 七 劃 **

祀	0021	0030
礿	0025	0033
社	0030	0035
祉	0033	0035
玗	0048	0086
串	0058	0100
每	0061	0103
折	0085	0111
芳	0088	0112
芑	0094	0113
余	0113	0142
釆	0114	0149
牡	0119	0151
牢	0122	0152
吾	0131	0155
君	0133	0157
君	b023	2349
君	b734	2447
昏	0153	0203
知	0155	0204
咅	0156	0204
走	0171	0210
步	0195	0218
步	a388	2299
迖	0204	0230
迀	0238	0249
迂	0241	0250
这	0247	0251
这	b070	2355
彷	0277	0265
廷	0287	0266
延	0289	0269
足	0297	0275
冊	0327	0305
言	0328	0305
弄	0402	0335
戒	0403	0335
兵	0404	0335
弅	0408	0339
旻	0432	0347
孚	0439	0351
巩	0447	0360
杋	0449	0362
攸	0515	0466
更	0518	0467
攸	0529	0469
攻	0536	0472
攻	a595	2344
攺	0539	0475

吹	0540+	0475	余	0955	0890
弢	0541	0476	坒	0975	0937
攸	0557+	0479	朿	0984	0952
攸	b161	2368	朿	a426	2310
甫	0564	0538	貝	1000	0959
旬	0577	0544	邑	1029	0976
孚	0658	0635	邦	1030	0978
肖	0674	0647	邢	1037	0983
利	0683	0650	邢	1037	0983
初	0684	0650	邡	1048	0987
剌	0689	0662	邳	1055	0989
角	0702	0664	邪	1066	0990
巫	0733	0730	囧	1129	1043
酉	0744	0748	夙	1135	1047
甹	0747	0750	函	1138	1054
豆	0764	0777	甬	1139	1054
豆䣝	a456	2316	卣	1141	1054
彤	0817	0800	克	1155	1071
阱	0823	0804	宏	1190	1116
皀	0826	0804	寍	1210	1177
即	0827	0804	宋	1219	1181
矣	0871	0841	牢	1222	1187
矧	0872	0841	宙	1223	1187
良	0887	0857	呂	1252	1198
弟	0904	0863	穵	1259	1200
夆	0905	0863	宂	1265	1201
李	0910	0866	疕	1271	1202
杜	0912	0867	㒳	1280	1206
杙	0914	0867	芇	1295	1210
杞	0920	0868	咢	1302	1230
杕	0933	0873	伯	1313	1244
杠	0941	0875	何	1322	1246

何	b360	2397
位	1324	1247
作	1334	1249
佀	1339	1250
的	1339	1250
似	1339	1250
佃	1349	1252
佋	1355	1264
佋	b029	2350
身	1383	1280
求	1401+	1288
孝	1407	1310
扃	1415	1318
兄	1435	1330
見	1442	1336
吹	1455	1340
玖	1459	1341
邲	1500+	1384
卲	1501	1385
庎	1552	1406
居	1562	1408
屔	1563	1408
豕	1582	1415
豕	a196	2252
豕	a202	2254
亞 豕	a196	2253
豸	1590	1417
狄	1627	1443
犲	1631	1443
狴	1632	1443
赤	1664	1451
央	1667	1466
志	1713	1492
忝	1731	1496
忘	1744	1498
忨	1745	1499
忌	1748	1499
忍	1755	1501
忤	1756	1501
忑	1757	1501
𢗀	1758	1501
忬	1772+	1503
沅	1779	1505
沇	1784	1506
汈	1799	1510
汪	1807	1512
沖	1808	1512
沒	1822	1514
沈	1824	1514
汸	1839	1517
坙	1854	1519
谷	1864	1553
冶	1868+	1556
冶	b434	2407
否	1895	1577
扶	1934	1594
妘	1954	1622
妊	1959	1627
妣	1965	1636
姊	1966	1636
妝	1981	1644
妥	1990	1646
妏	1992	1647
我	2054	1687

医	2070	1772
匧	2071	1772
匨	2072	1772
系	2091	1785
系	a476	2320
均	2166	1864
坐	2173	1867
坏	2180	1868
坂	2185	1869
[illegible]	2186	1869
里	2191	1871
甸	2196	1877
男	2209	1883
刲	2218+	1885
車	2293	1935
辛	2370	2066
辛	a249	2265
辛 亯	a414	2308
辛 冂	a585	2342
䀠 辛	a503	2324
辰	2393	2149
酉	2401	2163
宁 酉	a257	2268
兒	a102	2230
吴	a129	2237
亞 吴	a129	2236
亞 其 吴	a129	2237
亞 㠱 医 吴	a129	2237
亞 㠱 医 吴	a129	2237
亞 肘 史	a135	2240
肘 史	a135	2240
亞 保 酉	a146	2242
亞 址	a160	2244
亞 㘸 母 朋	a185	2249
告	a205	2255
告	b097	2359
瓜 豕	a213	2257
狂	a220	2259
由 由	a379	2297
安	a409	2307
罕	a422	2310
征	a434	2312
征	a435	2312
沚	a441	2313
皿 医	a449	2315
旻	a497	2323
禾 束	a542	2331
呂	b024	2349
吉	b026	2349
吉	b218	2376
床	b243	2381
祁	b282	2386
亙	b301	2389
穽	b316	2391
宰	b317	2391
伸	b359	2397
洑	b424	2406
亘	b488	2416
妦	b500	2417
㚤	b502	2418
幵	b533	2422
同	b549	2424
𠂤	b574	2427
𠂤	b573	2427

㣎	b664	2438
b1 辵	a127	2234

** 八劃 **

祉	0023	0032
祀	0027	0033
祈	0028	0033
祓	0032	0035
芇	0070	0105
芸	0071+	0105
芃	0072	0105
芮	0076	0106
尚	0109	0127
呼	0129	0154
命	0134	0160
和	0138	0170
周	0145	0192
周 収	a471	2319
客	0157	0204
合	0162+	0206
郕	0173	0211
征	0205	0232
辻	0222	0240
返	0223	0241
迺	0248	0252
迲	0249	0252
往	0267	0259
彼	0268	0259
徂	0278	0265
延	0290	0269
孠	0309	0284
拘	0317+	0292
妾	0394	0325
奉	0399	0332
畁	0401	0335
具	0406	0337
㚬	0448	0361
玐	0450	0362
君	0456	0425
秉	0460	0428
取	0464	0431
取	a482	2321
叔	0463	0430
事	0472	0442
叓	0478	0448
隶	0482	0451
臤	0483	0451
牧	0540	0475
肞	0542	0476
旴	0573	0541
者	0592	0583
隹	0598	0592
羌	0620	0615
羌 又	a505	2324
於	0633	0620
叀	0647	0627
放	0653	0631
受	0657	0632
肯	0679	0649
其	0723	0686
典	0725	0719
畀	0726	0720

曶	0740	0742
虎	0773	0782
盂	0784	0787
卹	0812	0798
青	0818	0800
棚	0822	0804
俞	0855	0821
舍	0857	0823
匋	0863	0831
知	0870	0841
京	0880	0845
京 犬 犬	a209	2256
京	a264	2270
奴 京	a265	2270
享	0882	0856
來	0893	0859
松	0924	0870
果	0929	0873
果	b256	2383
枚	0930	0873
采	0949	0880
析	0950	0880
東	0963	0891
東	a538	2330
杴	0963+	0893
林	0965	0894
固	0995	0958
朋	1028	0974
邵	1036	0983
昃	1087	0999
昏	1088	0999
昌	1089	1000
昔	1091	1000
昆	1092	1001
昊	1093	1001
昙	1095	1001
明	1128	1041
夜	1132	1046
臽	1176	1108
臽	a062	2221
啚	1190	1116
定	1193	1117
宜	1206	1176
宕	1218	1181
宗	1220	1182
客	1224	1187
府	1225	1187
空	1256	1200
雨	1281	1206
希	1293	1209
希 隻	a191	2251
帛	1299	1213
佩	1312	1243
依	1329	1248
使	1345	1251
伏	1348	1252
免	1356	1264
佫	1356+	1265
俑	1358	1265
卓	1367	1267
坐	1369+	1271
卒	1396	1287
居	1411	1317
尿	1416	1318

屆	1421	1319
服	1428	1326
兒	1433	1329
扤	1439+	1333
旡旡	1440	1333
昳	1456+	1340
放	1460	1341
妏	1492	1367
卲	1507	1387
卿	1512	1390
匊	1516	1393
匋	1519	1393
罔	1536	1399
府	1542	1400
長	1576	1410
易	1594	1418
法	1611	1436
狐	1629	1443
狚	1633	1444
炎	1659	1450
奄	1668	1467
坴	1671	1468
奔	1679	1473
奔	b454	2411
幸	1685	1477
幸	a521	2327
幸 箙 幸	a531	2329
哭	1695	1482
並	1705	1490
性	1712	1492
忠	1717	1493
念	1718	1493
忽	1743	1498
河	1774	1504
沱	1776	1504
沮	1777	1504
沽	1798	1510
洚	1800	1510
泆	1840	1517
侃	1857	1520
雨	1869	1558
非	1891	1567
杯	1896	1577
到	1898	1579
侄	1898	1579
門	1906	1581
承	1938	1595
招	1939	1595
拍	1946	1602
姓	1948	1611
妻	1956	1622
叏	1956	1622
姁	1962	1634
姑	1963	1634
妹	1967	1636
始	1975	1639
姒	1975	1638
姛	1975	1640
妶	1993	1648
妧	1994	1648
姶	1995	1648
或	2037	1679
武	2040	1681
戚	2042	1684

亞其奴	a475	2320
亞其奴	a475	2320
亞其矣	a129	2237
亞果	a172	2247
亞果	a172	2247
亞牧	a144	2242
亞牧	a144	2242
亞羌乙	a171	2247
亞羌乙	a171	2247
亞肱	a141	2241
亞肱	a141	2241
亞保酉	a146	2242
亞俞	a132	2238
亞重	a090	2228
亞鹿	a165	2245
亞孳	a148	2242
亞薦	a185+	2249
亞雔	a168	2246
亞束	a173	2247
亞橐	a139	2241
亞嬰	a164	2245
亞麂	a166	2245
亞麂皿矛	a167	2246
亞麂犬	a167	2246
亞弜	a134	2239
亞㠱医矣	a129	2237
亞趄	a159	2244
亞仮	a136	2240
亞企	a162	2245
亞钒母朋	a185	2249
亞钒母朋	a185	2249
亞孔孔	a120	2232
舟亞舟	a185	2249
庚	2368	2058
庚	a582	2341
季	2381	2138
孟	2382	2141
孶	2385	2143
孶	a115	2232
育	2388	2144
奺	a015	2208
奺	a022	2212
火亩天	a039	2217
岦	a057	2220
㧄	a081	2226
奺甲用	a100	2229
妖	a145	2242
安	a185+	2249
探	a472	2319
弅	a475+	2320
制	a536	2330
㚖	b028	2350
変	b063	2354
変	b682	2441
紉	b203	2374
炢	b262	2383
宓	b315	2391
幽	b356	2397
炒	b407	2403
炗	b425	2406
寔	b446	2410
堵	b551	2424
餀	b575	2427
旼	b596	2430

𣅀	b615	2432
自	b619	2433
豖	b663	2438

** 九 劃 **

帝	0008	0021
祜	0011	0024
祗	0016	0027
神	0017	0028
祐	0020+	0029
祖	0022	0031
祠	0024	0032
祝	0027	0033
皇	0039	0074
皇	a341	2286
珈	0050	0087
茅	0069	0105
苛	0078	0107
茀	0080+	0109
若	0083	0109
革	0084	0111
春	0092	0112
家	0110	0128
牲	0121	0151
咨	0134+	0166
哉	0139	0171
咸	0141	0173
佫	0150	0200
哀	0151	0203
時	0158	0204
咢	0165	0207
前	0191	0216
是	0200	0227
延	0205	0232
迮	0213	0237
述	0234	0246
𨑒	0250	0252
待	0270	0259
後	0272	0259
律	0288	0268
建	0288	0268
建	b143	2365
干 建	a101	2229
品	0302	0276
訇	0356	0313
音	0390	0321
昪	0406+	0338
要	0422	0343
革	0426	0344
爲	0440	0352
叚	0465	0432
昚	0466	0432
卑	0470	0436
段	0493	0457
殺	0496	0457
敗	0508	0462
敄	0509	0463
故	0512	0464
政	0513	0464
貞	0562	0481
夏	0570	0541
眂	0572	0541

相	0578	0544
眈	0580	0546
眉	0584	0547
眉	a557	2334
省	0585	0555
盾	0586	0556
皆	0590	0579
美	0619	0615
美 宁	a259	2268
美 宁	a259	2268
宰	0620+	0616
爯	0640	0623
幽	0644	0625
䜌	0646	0626
兹	0651	0630
爰	0655	0631
爰	a509	2325
殃	0664	0644
胃	0670	0646
胤	0675	0647
則	0685	0657
制	0690	0662
甚	0736	0732
壴	0759	0774
壴	a513	2326
壴	a514	2326
虍	0777	0785
盄	0789	0790
盆	0790	0790
盅	0795	0794
盉	0814	0799
盈	0814+	0799
弇	0824	0804
既	0828	0807
㝟	0829	0812
食	0834	0814
侯	0869	0833
亯	0882	0847
亯	a261	2269
亯 奴	a474	2320
厚	0885	0856
䖵 厚	b241	2381
畐	0886	0857
复	0896	0860
韋	0900	0861
韋	b706	2444
亲	0911	0867
柞	0915	0867
柳	0918	0868
某	0925	0870
枼	0951	0880
南	0979	0946
東	0985	0953
剌	0986	0953
囿	0992	0957
郲	1046	0987
邿	1053	0988
郷	1067	0991
㳄	1068	0991
邛	1080+	0994
保	1309	1237
亞 保 酉	a146	2242
俘	1309	1237
侵	1335	1250

便	1340	1251
俗	1342	1251
侮	1350	1253
俘	1353	1255
重	1379	1278
重	a076	2225
重	a090	2228
亞 重	a090	2228
耇	1404	1289
侲	1412	1317
眉	1417	1319
俞	1423	1320
亞 俞	a132	2238
彤	1425	1322
腓	1438	1333
欱	1461	1341
頁	1466	1343
頁	b385	2400
首	1484	1352
彥	1493	1368
匍	1515	1392
苟	1525	1395
畏	1532	1397
禺	1533	1398
𡶲	1539	1400
庥	1553	1406
屐	1566	1408
㕟	1567	1408
易	1579	1413
希	1586+	1416
奎	1666	1466
枯	1699	1485
恃	1730	1496
息	1741	1498
怣	1759	1501
盄	1760	1501
盄	b226	2378
洛	1783	1505
洹	1793	1507
衍	1802	1511
津	1820	1514
洵	1841	1517
河	1842	1517
耶	1924+	1587
拜	1933	1590
持	1935	1594
姜	1949	1611
姞	1951	1619
威	1964	1635
姪	1968	1637
姦	1989	1646
帚 姦	a575	2340
戜	2043	1684
戰	2044	1684
武	2044	1684
䵶	2045	1685
攸	2058	1765.1
匽	2064	1768
畐	2076	1775
弭	2080	1777
紀	2098	1815
恆	2157	1859
垣	2169	1865
封	2174	1867

夘封	a111	2231
封	a577	2340
型	2175	1867
城	2176	1868
𡎺	2178	1868
眈	2198	1878
勇	2218	1885
戚	2218+	1885
勅	2219	1886
助	2220	1886
组	2273	1927
料	2289	1933
軍	2302	1939
軏	2304	1940
限	2321	1948
降	2325	1949
阻	2334	1953
陝	2335	1953
禹	2355	2003
癸	2377	2084
琶	2387	2144
曳	2400	2163
酋	2417+	2168
翊	B207	2375
夆	a010	2208
族	a012	2208
旍	a072	2224
旍 舟	a073	2224
旍 工	a117	2232
佚	a091	2228
係	a092	2228
亞 𣪕	a142	2241
𣪕	a142	2241
亞 音	a180	2248
守 豕	a214	2257
亞 豕	a215	2257
狩	a219	2259
㚸	a255	2268
邑	a390	2299
則	a402	2302
亞	a440	2313
𦥑	a469	2319
敄	a487	2322
數	a494	2323
盬	a519	2327
炣	b037	2351
要	b132	2364
羿	b187	2372
莃	b193	2373
倉	b242	2381
㑹	b244	2381
畲	b260	2383
柚 枘	b268	2384
施	b297	2388
宅	b315	2391
妟	b342	2395
㞒	b376	2399
飛	b423	2405
姚	b507	2418

** 十 劃 **

旁	0009	0022
祥	0014	0025
班	0053	0087
荅	0064	0104
荆	0073	0106
茲	0075	0106
荒	0079	0107
芻	0083	0110
莽	0088	0112
寀	0116	0150
羊	0126	0152
哲	0132	0155
唐	0146	0198
咎	0159	0205
咎	b035	2351
哦	0160	0205
豈	0183	0213
逗	0183	0213
异	0194	0217
㷬	0198+	0227
迹	0201	0229
徒	0204	0230
迨	0212	0237
逆	0217	0238
送	0225	0242
書	0226	0244
書	2328	1950
逃	0235	0247
追	0236	0247
逨	0251	0252
逬	0252	0252
逖	0253	0253
屖	0264+	0256
徐	0269	0259
徦	0271	0259
徣	0278	0265
衙	0293	0273
訊	0342	0308
訊	b043	2352
訊	b044	2352
記	0350+	0311
㚔	0409	0339
舁	0421	0343
鬲	0434	0347
皿 鬲	a477	2320
書	0477	0447
殺	0498	0458
専	0502	0459
效	0511	0464
取	0520	0467
救	0530	0471
敉	0540+	0476
啟	0543	0477
敆	0557+	0479
精	0566	0538
眔	0575	0542
䀠	0583	0547
䀠	a411	2307
䀠 中	a504	2324
䀠 辛	a503	2324
䣝 䀠	a420	2309

肯	0585	0556	射	0868	0832
隻	0599	0607	臭	0873	0841
隻	a193	2252	高	0874	0842
隻 譯	a419	2309	亳	0875	0843
帚 隻	a191	2251	夏	0898	0860
羔	0616	0614	夏	a558	2335
烏	0633	0620	畬	0906	0864
冓	0638	0623	乘	0907	0864
朕	0680	0649	笅	0922	0870
剛	0686	0659	桐	0923	0870
剛	a245	2264	格	0934	0873
割	0694	0663	栽	0935	0874
剅	0695	0663	柝	0956	0890
笑	0715	0683	柜	0958	0890
差	0729	0725	師	0977	0939
差	b255	2382	圃	0993	0957
矩	0731	0729	員	0999	0958
迺	0744	0748	貣	1004	0963
卣	0745	0749	郢	1044	0986
虔	0769	0779	郜	1049	0987
唬	0778	0786	郤	1052	0988
盌	0785	0788	鄗	1063	0990
盉	0792	0792	郑	1069	0991
益	0793	0793	時	1083	0998
盅	0796+	0794	昧	1085	0998
盈	0797	0795	晉	1086	0999
溢	0809+	0798	昊	1090	1000
邑	0830	0812	祀	1094	1001
敉	0839	0816	𣅀	1096	1001
飤	0841	0817	𨊠	1098	1002
倉	0859	0824	旂	1101	1003
毗	0864	0831	旃	1103	1005

斿	1104	1006	宛	1231	1188
旋	1106	1007	宝	1232	1188
旅	1108	1007	宔	1233	1188
旇	1110	1018	宔	a545	2332
星	1119	1021	寊	1234	1189
朔	1122	1035	姖	1235	1189
胄	1123	1035	宮	1250	1191
胐	1123	1035	宋	1254	1199
函	1138	1053	定	1258	1200
東	1140	1054	窔	1260	1200
彔	1156	1074	窀	1261	1200
秦	1166	1105	脵	1266	1201
秭	1167	1106	疾	1269	1202
兼	1170	1106	痁	1272	1202
耑	1180	1109	胄	1278	1205
家	1182	1109	冒	1279	1205
室	1184	1111	罚	1285	1207
宣	1185	1115	帥	1289	1208
宴	1195	1119	帬	1290+	1209
容	1199	1120	帢	1298	1212
宦	1201	1173	帤	1303	1230
宰	1202	1173	倗	1319	1245
宥	1205	1176	俱	1327	1247
宵	1207	1177	敚	1333	1248
客	1212	1178	倫	1359	1265
害	1215	1180	俯	1360	1265
害	a606	2345	眞	1364	1266
寍	1226	1187	般	1384	1282
寎	1227	1187	袞	1400+	1287
寁	1228	1188	耆	1403	1289
寍	1229	1188	展	1412	1317
宊	1230	1188	屖	1413	1317

屜	1418	1319
般	1427	1324
般	a554	2333
欿	1458	1341
叟	1490	1367
卿	1511	1387
卿 宁	a122	2232
冢	1522	1394
鬼	1527	1396
戚	1527	1396
庭	1544	1401
庳	1545	1401
辰	1568	1409
叚	1569	1409
馬	1597	1430
馬	a201	2254
臭	1624+	1441
狽	1634	1444
狽	a208	2256
狺	1635	1444
狢	1636	1444
能	1644	1445
烝	1648	1447
杳	1672	1468
桼	1692	1480
奚	1694	1481
奚	a037	2216
竍	1702	1489
竝	1705	1490
息	1711	1492
恕	1721	1494
恁	1736	1497
恐	1753	1500
恚	1761	1502
涂	1778	1505
涇	1780	1505
海	1801	1511
浮	1811	1512
涕	1835	1516
流	1850	1518
涉	1851	1518
邕	1856	1519
原	1860	1521
扉	1904	1581
耿	1922	1586
配	1931	1589
配 夂	a496	2323
姬	1950	1614
娒	1969	1637
姛	1975	1640
娊	1996	1648
砮	1997	1648
婞	1998	1648
娶	1999	1648
婚	2000	1649
娶	2001	1649
戚	2032	1677
戚	2032	1678
栽	2046	1685
戜	2048	1685
医	2072	1775
純	2095	1815
納	2099	1815
素	2125	1846

蚘	2138	1849
蚔	2143+	1849
留	2199	1878
畜	2200	1878
畺	2205	1879
務	2213	1884
釚	2255	1912
料	2287	1933
惠	2299	1939
陟	2323	1948
陪	2336	1953
晃	2396	2159
酒	2402	2165
配	2404	2165
配	a063	2222
配	a079	2225
酌	2405	2166
彰	2409	2167
酌	2410	2167
衰	a001	2204
美	a038	2217
羿	a096	2229
卿	a118	2232
卿	a121	2232
館	a233	2262
館 羊	a232	2262
挈	a443	2314
夕 冊	a455	2316
牽 冊	a460	2316
句 冊	a454	2316
羊 冊	a460	2317
豆 冊	a456	2316
亞 品 冊	a458	2316
牽 冊	a460	2316
殸	a495	2323
晉	a511	2325
南	a525	2328
拳	a527	2329
械	a534	2330
朕	a556	2334
旱	a588	2342
旱	a590	2343
書	b036	2351
逃	b068	2355
弊	b117	2362
莽	b126	2363
囿	b130	2363
扶	b157	2367
宋	b318	2391
宋	b350	2396
豺	b418	2405
晉	b526	2421
刍	b677	2440
wh 東	b720	2445
wh 東	b720	2445

十一劃

祿	0013	0024
祭	0020	0029
祟	0034	0035
祰	0035	0035
珸	0051	0087

莊	0063	0104	訟	0361	0315
莒	0067	0104	訊	0369	0317
荼	0088+	0112	訧	0370	0317
莫	0097	0113	訙	0371	0317
牼	0124	0152	訛	0372	0317
悊	0132	0155	章	0391	0323
問	0136	0168	斐	0414	0340
唯	0137	0168	異	0418	0342
啖	0148	0199	農	0424	0343
唬	0154	0204	勒	0431	0346
[illegible]	0161	0205	剢	0433	0347
昏	0162+	0206	曼	0455	0421
罟	0167	0208	叔	0467	0435
赵	0186	0214	畫	0481	0451
造	0209	0234	㑈	0487	0455
造	b345	2395	殹	0492	0457
速	0216	0238	將	0501	0459
逢	0220	0240	啓	0504	0460
通	0221	0240	敏	0507	0462
徙	0222	0240	𢽥	0515	0466
虍 徙	a452	2315	儌	0516	0466
連	0232	0245	敕	0519	0467
逐	0237	0249	救	0525	0468
逞	0239	0249	敚	0526	0468
逘	0254	0253	赦	0528	0469
得	0274	0261	敗	0532	0471
御	0275	0262	寇	0533	0471
跃	0301	0275	𢽾	0537	0474
商	0316	0288	敌	0538	0474
商 𠬝	a491	2322	敺	0544	0477
許	0332	0306	教	0558	0480
訢	0350	0310	庸	0565	0538

庸	0879	0844
爽	0569	0540
翏	0597	0591
唯	0604	0610
奞	0608	0611
瓶	0617	0615
臸	0621	0616
鳥	0626	0617
鳥	a187	2250
鳥 宁	a189	2251
鳥 b5	a190	2251
焉	0635	0622
畢	0636	0622
教	0654	0631
脰	0669	0646
脩	0676+	0647
剛	0696	0663
𣪘	0714	0670
笭	0717	0684
笲	0720	0685
晢	0737	0732
眼	0738	0733
曹	0742	0742
虘	0770	0780
庳	0771	0781
彪	0774	0783
盛	0786	0788
宜	0847	0819
郭	0879	0845
啚	0889	0858
亶	0890+	0858
麥	0895	0860
梅	0909	0866
根	0931	0873
桴	0938	0875
柖	0939	0875
梁	0948	0879
杴	0957	0890
桿	0959	0891
楚	0970	0904
產	0982	0951
國	0991	0956
責	1015	0972
貯	1021	0973
賢	1022	0973
貧	1023	0973
賁	1027+	0974
郰	1054	0988
郑	1057	0989
郳	1060	0989
郜	1070	0991
鄀	1072	0992
旋	1105	1007
婦 旋	a574	2340
族	1109	1018
旃	1111	1019
旋	1112	1019
旅	1113	1019
参	1120	1022
参	b587	2429
参 分	b588	2429
胶	1126	1039
稃	1168	1106
秬	1169	1106

黍	1171	1107
鞏	1172+	1107
舂	1175	1108
麻	1179	1109
宿	1208	1177
寍	1236	1189
窒	1264+	1201
㒳	1282	1207
常	1290	1209
㑈	1316	1245
側	1330	1248
偁	1332	1248
俾	1343	1251
偕	1361	1266
從	1369	1268
眔	1376	1274
衰	1386	1284
屖	1419	1319
船	1424	1321
跳	1439	1333
視	1443	1337
覓	1448	1338
㰻	1462	1341
頊	1470	1345
鄙	1508	1387
卿	1513	1390
𠱾	1534	1398
密	1537	1399
阽	1540	1400
庶	1548	1403
廦	1554	1406
庲	1557+	1406
厝	1570	1409
唇	1571	1409
厦	1572	1409
厥	1573	1410
冢	1586	1416
豚	1589	1417
豚	b716	2445
鹿	1612	1437
亞 鹿	a165	2245
粤	1621+	1439
㹟	1641+	1445
羨	1619	1447
熒	1656	1449
戚	1657	1449
恖	1663	1450
熜	1664+	1453
㞋	1664+	1453
奈	1673	1468
執	1686	1477
囷	1687	1479
奢	1690	1479
惟	1725	1495
念	1737	1497
惕	1754	1500
𢗐	1762	1502
深	1787	1506
淮	1789	1506
淠	1791	1507
淳	1803	1511
淲	1805	1511
減	1806	1511
淪	1810	1512

淑	1814	1513	戚	2053	1687
淺	1817	1513	戚	a250	2265
淊	1825	1515	戚	a399	2301
湶	1843	1517	望	2059	1766
淉	1844	1517	區	2062	1768
羕	1862	1552	匿	2063	1768
雩	1874	1560	虘	2077	1776
守 雩	a568	2337	張	2082	1778
雩	1874	1560	紹	2102	1816
雫	1876	1561	絅	2104	1816
雯	1877	1562	終	2105	1816
魚	1878	1562	組	2112	1817
鹵	1901	1580	率	2131	1847
鹵	a383	2298	蚖	2139	1849
厚	1905	1581	黽	2149	1852
閈	1907	1583	黽	a004	2206
閉	1913	1584	天 黽	a003	2204
排	1933+	1594	基	2168	1864
捷	1945	1602	堵	2170	1865
婚	1955	1622	堂	2171	1866
婦	1957	1623	堂	b554	2424
婦	a571	2337	堋	2181	1869
婦 旋	a574	2340	堇	2189	1870
婤	1973	1637	埜	2193	1873
婅	2002	1649	野	2193	1873
媱	2003	1649	畱	2201	1879
敊	2020+	1653	畱	2201	1879
婇	2020+	1653	動	2214	1884
域	2037	1680	釱	2235	1899
戭	2047	1685	釪	2256	1912
戟	2049	1686	處	2271	1916
戣	2050	1686	斛	2285	1933

十二劃

莽	0100	0114
曾	0108	0124
番	0115	0149
犅	0120	0151
犀	0125	0152
啻	0143	0181
啻	0206	0233
鬳	0147	0199
單	0166	0207
單光單	a053	2219
喪	0170	0209
越	0173	0211
趄	0188+	0215
麻	0192	0216
登	0194	0217
進	0208	0234
遣	0214	0238
遟	0256	0254
遫	0257	0254
復	0266	0258
馭	0275	0264
馭	a211	2257
馭	a212	2257
循	0279	0265
徝	0281	0265
𢔇	0282	0265
復	0283	0266
𢔶	0286+	0266
距	0299	0275
嗣	0310	0284
博	0323	0300
啻	0336	0307
啻	b718	2445
詠	0352	0311
評	0353	0311
詒	0354	0311
詐	0360	0315
訶	0362	0315
詆	0365	0316
訴	0373	0317
善	0388	0320
童	0393	0324
埶	0444	0359
執	0445	0360
彔	0468+	0435
肆	0479	0448
晝	0480	0450
𣪘	0495	0457
敦	0531	0471
敎	0540+	0476
敎	a526	2328
敎	0540+	0476
敢	0545	0477
戲	0546	0477
散	0547	0477
智	0593	0585
𨡩	0594+	0589
假	0605	0610
雉	0606	0611
𤘼	0621+	0616
𤘼	a507	2325
集	0625	0617
集	b288	2387
舄	0634	0621

鳥	0634	0621	棫	0913	0867
棄	0637	0623	棺	0953	0889
幾	0645	0626	梳	0960	0891
幾	b732	2447	梳	a194	2252
惠	0648	0628	無	0966	0894
巂	0656	0631	華	0983	0951
敢	0659	0636	圍	0996	0958
雁	0673	0647	寓	0997	0958
截	0677	0648	國	0997	0958
散	0678	0648	賀	1002	0963
㕑	0681	0649	貯	1009	0968
割	0688	0660	貳	1010	0969
剩	0692	0662	貿	1012	0971
筍	0709	0669	費	1014	0972
期	0723	0685	買	1017	0972
巽	0726+	0720	員	1024	0974
奠	0727	0720	都	1031	0982
猒	0735	0732	郰	1035	0983
晉	0741	0742	郾	1040	0984
厝	0742+	0743	鄂	1045	0986
喜	0758	0773	郜	1061+	0990
封	0760	0774	鄀	1071	0992
彭	0761	0775	鄁	1073	0992
虞	0768	0779	朝	1099	1003
茲	0798	0795	旐	1103	1006
琞	0799	0795	游	1104	1006
飯	0840	0817	旃	1114	1010
鈇	0848	0819	期	1125	1038
師	0852+	0820	盥	1130	1043
絣	0864	0831	棗	1144	1058
崇	0881	0846	棘	1145	1058
翆	0884	0856	椒	1178	1108

寏	1189	1116
寍	1192	1117
富	1197	1120
寑	1209	1177
寓	1213	1179
寓	b331	2393
寒	1214	1180
寙	1237	1189
寬	1262	1201
瘇	1267	1201
瘵	1273	1203
痟	1274	1203
䍙	1284	1207
悼	1292	1209
黹	1304	1230
孱	1316	1245
備	1323	1247
傅	1328	1247
量	1380	1279
禪	1394	1286
衰	1397	1287
毳	1409	1315
朕	1426	1322
艅	1429	1327
欽	1454	1340
欺	1463	1341
猔	1465	1342
碩	1473	1346
順	1477	1347
須	1487	1359
句須	a332	2285
詨	1491	1367
猶	1496	1368
登	1538	1400
䠣	1541	1400
廏	1546	1402
廟	1555	1406
麻	1561	1407
象	1596	1428
麀	1616	1438
猶	1628	1443
炎	1630	1443
獸	1637	1444
猲	1638	1444
奮	1646	1447
然	1647	1447
焚	1651	1447
焦	1652	1447
煬	1658	1449
粦	1661	1450
黑	1662	1450
喬	1678	1472
喬	b248	2382
壺	1683	1474
報	1689	1479
粃	1693	1481
替	1706	1490
悳	1714	1492
害	1719	1493
慈	1722	1494
惄	1735	1497
愉	1738	1497
惑	1747	1499
悠	1749	1500

悳	1751	1500
愁	1763	1502
悕	1766	1502
渒	1785	1506
湘	1786	1506
漑	1795	1510
湡	1796	1510
津	1812	1513
測	1813	1513
淵	1815	1513
湖	1819	1514
湛	1821	1514
渴	1827	1515
湯	1830	1515
減	1836	1516
彖	1845	1517
𦤎	1899	1579
墊	1899+	1579
開	1909	1583
閒	1910	1584
閑	1912	1584
閔	1916	1585
聯	1929	1589
聯	b196	2373
揚	1941	1595
嫣	1953	1621
媚	1976	1641
媚	a557	2334
媅	1978	1643
婼	1984	1645
媓	2004	1649
嫂	2005	1649
敞	2020+	1653
戟	2032	1677
戲	2055+	1692
買	2061	1766
發	2086	1784
𨜶 䶒	2087+	1784
㢸	2089	1785
弼	2089	1785
孫	2092	1786
絕	2100	1816
絑	2106	1817
紫	2109	1817
裁	2123	1845
絲	2129	1847
蛕	2133	1848
蜜	2140	1849
䖵	2144	1850
堣	2163	1862
堯	2188+	1870
堯	b605	2431
晦	2195	1876
晙	2198	1877
畾	2202	1879
黃	2207	1880
勛	2211	1884
勞	2215	1884
鈃	2227	1898
鈞	2239	1901
鈗	2247+	1910
斯	2279	1929
罕	2286	1933
炓	2288	1933

䝼	2292	1935
軫	2296	1938
軏	2300	1939
餦	2314	1945
餗	2315	1945
陽	2318	1946
隊	2324	1948
隩	2337	1953
隌	2338	1953
隁	2340	1954
禽	2353	1984
幸	2372	2076
孳	2383	2143
亞 孳	a148	2242
酢	2406	2166
尊	2418	2168
䚮	a011	2208
痳	a089	2227
聑	a334	2285
聑 㠩	a002	2204
聑 擤	a098	2229
䮸 圛	a420	2310
䎘	a453	2315
𠻗	a494	2323
剢	a510	2325
飲	a518	2327
眗	a598	2344
眗	a599	2344
徵	b067	2355
遰	b076	2356
退	b092	2358
彂	b146	2366
耤	b209	2375
㿿	b236	2380
斱	b270	2384
𦐌	b289	2387
衖	b292	2387
亩	b327	2393
肆	b377	2399
𩛥	b421	2405
奄	b422	2405
渻	b470	2413
嫐	b499	2417
嬲	b543	2423

** 十 三 劃 **

福	0015	0025
福	b004	2347
福	b005	2347
禋	0019	0029
禘	0026	0033
禍	0031	0035
聖	0042	0084
瑚	0052	0087
葉	0074	0106
葬	0098	0113
榖	0152	0203
詈	0168	0208
趄	0183	0213
趄	0185	0214
歱	0190	0216
歲	0196	0219

過	0207	0234	鬲	0434	0351
逾	0210	0237	豪	0441	0358
遄	0215	0238	虘	0457	0425
遇	0218	0239	發	0458	0426
僃	0219	0239	肅	0475	0446
達	0230	0245	𠤳	0488	0455
達	0231	0245	毄	0497	0458
遂	0234	0246	㲋	0499	0458
逮	0242	0250	敼	0535	0472
道	0244	0250	敫	0548	0477
遇	0255	0253	敵	0557+	0480
退	0258	0254	嬀	0559+	0480
復	0259	0254	睘	0574	0541
徙	0280	0265	睘	b049	2352
衎	0294	0274	啺	0579	0545
路	0300	0275	罭	0581	0546
桒	0303	0276	群	0618	0615
鉤	0318	0292	𧸘	0661	0643
意	0336	0307	腹	0672+	0646
詻	0338	0307	劉	0696+	0663
諫	0363	0315	衙	0703+	0667
誅	0368	0316	解	0705	0667
詨	0374	0317	節	0710	0669
訹	0375	0317	篕	0711	0670
設	0376	0317	筥	0713	0670
𢧁	0377	0318	塞	0732	0730
警	0378	0318	獻	0735	0732
業	0395	0325	湧	0748	0750
畀	0406	0338	粤	0754	0770
與	0419	0342	鼓	0763	0776
晨	0424	0344	豋	0765	0777
農	0425	0344	豊	0766	0777

盞	0800	0795	欽	1239	1190
盜	0801	0795	寡	1240	1190
鈶	0837	0816	寡	1263	1201
僉	0854	0821	瘩	1275	1203
會	0858	0823	傳	1346	1252
會	a372	2296	倘	1362	1266
會	a373	2296	裏	1387	1285
稟	0888	0858	袷	1388	1285
啚	0890	0858	裔	1391	1286
嗇	0891	0859	裕	1395	1286
靳	0902	0862	裘	1401	1288
楊	0917	0868	壽	1405	1290
椑	0945	0878	艅	1423	1321
𣙗	0961	0891	䙷	1449	1338
楚	0967	0901	頌	1469	1343
楙	0968	0903	項	1478	1347
媵	1005	0965	詹	1494	1368
賈	1009+	0968	鬳	1495	1368
賃	1019	0973	辟	1514	1390
責	1025	0974	匋	1520	1393
鄎	1041	0985	敬	1526	1395
戲	1061	0989	廟	1556	1406
遊	1104	1007	肆	1577	1411
旜	1108	1017	豦	1585	1416
盟	1130	1044	虒	1588	1416
黃	1133	1046	貉	1593	1417
鼎	1146	1058	駐	1604	1434
鼎	a401	2302	逸	1622	1440
稆	1169+	1106	獄	1642	1445
粱	1172	1107	照	1653	1447
索	1216	1180	䇂	1703	1489
寰	1238	1189	愼	1716	1492

愯	1728	1495	當	2197	1877
愚	1739	1498	[illegible]	2206	1880
惄	1746	1499	勤	2216	1885
[illegible]	1764	1502	鈴	2240	1901
惪	1765	1502	鉦	2241	1901
悆	1778	1505	鉈	2248	1910
滔	1804	1511	鈷	2257	1912
溓	1826	1515	鈼	2258	1912
溼	1828	1515	鉘	2259	1913
溼	b474	2414	新	2281	1929
電	1871	1558	輅	2294	1938
聖	1923	1586	載	2301	1939
搏	1936	1594	[illegible]	2308	1941
[illegible]	1954	1622	隕	2326	1950
媾	1970	1637	[illegible]	2339	1953
嬀	1984	1645	[illegible]	2341	1954
媿	1987	1645	隓	2345+	1955
[illegible]	2006	1649	萬	2354	1984
媡	2007	1649	亂	2360	2024
嫣	2020+	1652	辠	2371	2076
嫣	b496	2417	穀	2380	2137
賊	2033	1678	盩	2387	2144
戠	2041	1683	酤	2412	2167
[illegible]	2051	1686	亞 醜	a128	2234
義	2055	1690	觪	a132	2239
經	2096	1815	亞 䀄	a138	2241
緮	2112	1817	亞 䞊	a159	2244
鯀	2118	1819	學	a235	2262
綏	2121	1819	橐	a262	2269
蜀	2136	1848	嫂	a502	2324
滕	2167	1864	廚	a581	2341
毀	2179	1868	戣	a586	2342

虢	b048	2352
徫	b098	2359
奔	b116	2362
晨	b131	2364
氣	b144	2365
餞	b151	2366
孯	b191	2372
鬲	b220	2377
𥁕	b233	2379
埜mn	b273	2385
郥po	b413	2404
敵	b495	2417
敦	b497	2417
妥	b523	2420
𢐉	b534	2422
軭	b550	2424
嗌	b662	2438
筲	0723+	

十四劃

𠤳	0006	0019
璙	0052+	0087
熏	0062	0104
蒐	0071	0105
蓋	0082	0109
蒙	0087	0112
萬	0090	0112
莽	0099	0114
蒖	0102	0114
犕	0123	0152
睪	0169	0209
趙	0179	0212
𧼈	0184	0214
䟀	0198+	0227
遝	0211	0237
遣	0219	0239
遺	0226	0243
遲	0228	0244
遠	0240	0250
逐	0260	0255
逹	0260	0255
偺	0284	0266
嗣	0309	0284
聑	0310	0284
𣪠	0320	0292
語	0329	0305
誨	0337	0307
認	0344	0309
誓	0346	0309
諫	0347	0309
綦	0357	0314
詡	0379	0318
對	0396	0325
僕	0397	0331
畣	0410	0339
鞄	0427	0345
綮	0468	0435
𦁔	0474	0443
臧	0485	0455
肈	0506	0461
敦	0514	0465
斂	0521	0467

𢿡	0549	0477
𢽺	0559+	0480
爾	0568	0539
睽	0576	0544
罬	0582	0546
翟	0596	0591
雒	0600	0608
奪	0609	0611
蒦	0611	0611
蒦	b012	2348
鳴	0629	0619
𧯷	0649	0628
壴	0649	0628
罰	0691	0662
耤	0701	0664
簠	0716	0683
簋	0718	0684
幸 簋 幸	a531	2329
睪 簋	a531	2329
箙	0721	0685
箕	0723	0685
寧	0749	0751
嘗	0757	0772
嘉	0762	0775
虘	0779	0786
虓	0780+	0786
盡	0794	0794
舞	0899	0861
榮	0922	0869
軨	0937	0874
槃	0943	0875
樹	0954	0890
圖	0990	0956
團	0993	0957
賓	1011	0970
𧷢	1026	0974
鄙	1032	0982
鄭	1043+	0986
鄺	1047	0987
鄹	1059	0989
鄸	1074	0992
𨛖	1075	0993
郭	1077	0993
旃	1115	1020
嗣	1129+	1043
蒙	1137	1052
齊	1142	1055
稉	1163	1079
鞃	1190	1116
康	1191	1117
寡	1211	1178
寶	1241	1190
寰	1242	1190
雪	1243	1190
幕	1291+	1209
僟	1321	1246
樊	1355+	1264
聖	1378	1277
監	1381	1280
臨	1382	1280
兢	1437	1333
歌	1456	1340
散	1464+	1342
𠩺	1499	1373

徇	1521	1394
鬾	1528	1397
廙	1549	1404
廠	1559	1407
厥	1564	1408
豧	1583	1415
馶	1601	1434
𠥽	1605	1435
旻	1618	1438
獏	1639	1444
獄	1643	1445
熙	1655	1449
𧿳	1680	1473
訞	1700	1485
訞	b460	2412
嫂	1704	1490
咖	1707	1490
懋	1724	1495
漾	1781	1505
漢	1782	1505
滕	1809	1512
澆	1831	1516
需	1875	1561
需	a008	2207
漁	1886	1565
漁	a223	2259
聞	1926	1588
聝	1928	1589
聝	b001	2347
聝	a238	2263
婜	1960	1627
嫡	2008	1650
嗷	2009	1650
肇	2030	1675
匱	2073	1775
綰	2108	1817
綾	2111	1817
維	2117	1819
螢	2141	1849
壹	2142	1849
鄄	2204	1879
銅	2224	1892
銘	2254	1912
鈇	2260	1913
銑	2261	1913
斲	2277	1928
輔	2306	1940
輘	2309	1941
隓	2342	1954
陻	2343	1954
陾	2344	1954
隞	2345	1954
疑	2384	2143
戲	a017	2210
䀠	a106	2230
亞 隔	a170	2247
鳶	a186	2249
章	a253	2266
辛 章	a414	2308
詩	a368	2296
善	b135	2364
烝	b140	2365
剴	b204	2374
賸	b212	2376

敵	0524	0468	賜	1007	0967
戰	0534	0472	賣	1016	0972
⿰阝敫	0551	0478	賁	1020	0973
殹	0559	0480	賡	1027	0974
⿸疒雁	0601	0608	鄭	1034	0982
⿺辶雈	0607	0611	耶	1038	0984
蔑	0614	0612	鄦	1039	0984
駃	0632+	0619	鄧	1042	0985
曼	0630	0619	鄴	1043	0986
⿰月鳥	0631	0619	節	1058	0989
劍	0698	0664	鄹	1064	0990
⿸厂旋	0706+	0668	霝	1148	1067
箭	0708	0669	穆	1160	1076
嬰	0723	0686	稷	1161	1079
虢	0776	0784	稻	1162	1079
盠	0809+	0797	⿰米盆	1174+	1108
[illegible]	0833	0814	窒	1184	1111
養	0839	0816	賓	1198	1120
⿰食豕	0849	0819	寮	1255	1199
飲	0850	0820	瘨	1270	1202
章	0879	0844	⿰舟合	1298	1212
⿱亯羊	0883	0856	儌	1320	1246
憂	0897	0860	儀	1338	1250
載	0903	0863	億	1344	1251
樛	0932	0873	徵	1377	1274
盤	0943	0876	履	1421+	1319
樂	0947	0878	履	b384	2400
榍	0962	0891	脂	1430	1327
⿱殸攴	0963+	0893	覞	1450	1339
畫	0988	0955	⿰言欠	1464	1341
賢	1001	0962	頡	1479	1347
賞	1006	0966	顛	1485	1356

鄦	1490	1367
髮	1496	1368
廣	1547	1403
⿸广朋	1550	1405
廬	1557	1406
厲	1560	1407
⿸厂翏	1574	1410
駒	1598	1433
駟	1602	1434
廢	1611	1436
⿰犭無	1640	1445
熬	1650	1447
興	1697	1482
興	a050	2218
興	b438	2409
巤	1708	1491
慮	1709	1491
慶	1723	1494
慕	1733	1497
惷	1740	1498
懌	1752	1500
潭	1788	1506
潘	1832	1516
潸	1834	1516
潶	1846	1518
瀘	1848	1518
龠	1865	1553
⿰⿱虍鬲攴	1885	1565
閣	1908	1583
関	1917	1585
⿵門殳	1918	1585
播	1943	1602

撲	1944	1602
嫼	1985	1645
⿰女盧	2010	1650
嬰	2011	1650
⿰𢆶攴	2012	1651
⿰女睹	2013	1651
戮	2038	1680
⿱覀巠	2060	1766
緟	2113	1817
緘	2115	1818
縛	2124+	1846
紷	2127	1846
墜	2162	1861
增	2177	1868
墜	2182	1869
壘	2187	1870
⿱香番	2203	1879
鋚	2225	1893
鋝	2238	1901
鋪	2253	1912
鉌	2262	1913
鋁	2263	1913
⿰壴斤	2282	1932
輯	2297	1939
鞏	2305	1940
嚚	2356	2003
贊	2374	2070
⿰食㐬	2388	2144
⿰月⿱巛酉	2407	2166
酯	2418+	2194
衡 天	a040	2217
衡 天	a041	2217

戠	a114	2231
亞趩	a150	2243
蝠	a192	2251
畾	a340	2286
輪	a345	2287
輪	a346	2287
毀	a517	2327
廞	a559	2335
誂	a564	2336
罨	b051	2353
趣	b060	2354
歅	b149	2366
綴	b171	2369
胄	b199	2373
彭	b223	2377
盟	b229	2379
餗	b234	2379
盠	b235	2379
榭	b271	2385
園	b278	2386
鄂	b284	2387
餗	b304	2389
寍	b321	2392
寔	b343	2395
儆	b362	2397
廞	b415	2404
蔡	b437	2409
嬰	b516	2419
匽	b530	2421
隮	b580	2428

十六劃

禦	0029	0034
礄	0036	0036
璜	0045	0085
蕃	0091	0112
毄	0163	0206
毄	a103	2230
壺	0165	0207
歷	0192	0216
寵	0209	0235
遹	0218	0239
遲	0228	0244
適	0229	0244
遺	0233	0245
儈	0285	0266
儂	0286	0266
勴	0306	0279
器	0313	0286
謂	0330	0306
諾	0333	0306
謀	0339	0307
諶	0343	0309
諱	0345	0309
諫	0348	0310
諴	0349	0310
諧	0351	0311
諄	0380	0318
睪	0400	0332
興	0420	0342
興	a400	2301

鄦	1490	1367
髮	1496	1368
廣	1547	1403
廟	1550	1405
廬	1557	1406
厲	1560	1407
廖	1574	1410
駒	1598	1433
駟	1602	1434
廢	1611	1436
獙	1640	1445
熬	1650	1447
嬰	1697	1482
嬰	a050	2218
嬰	b438	2409
𪕽	1708	1491
慮	1709	1491
慶	1723	1494
慕	1733	1497
悆	1740	1498
懌	1752	1500
澤	1788	1506
潘	1832	1516
潸	1834	1516
漂	1846	1518
瀘	1848	1518
龠	1865	1553
獻	1885	1565
閤	1908	1583
閔	1917	1585
閱	1918	1585
播	1943	1602
撲	1944	1602
嫖	1985	1645
嬑	2010	1650
嬰	2011	1650
幾	2012	1651
嬏	2013	1651
戮	2038	1680
無	2060	1766
緟	2113	1817
緘	2115	1818
縛	2124+	1846
黔	2127	1846
墜	2162	1861
增	2177	1868
墜	2182	1869
壘	2187	1870
皤	2203	1879
鋻	2225	1893
錡	2238	1901
鋪	2253	1912
鉚	2262	1913
鋁	2263	1913
新	2282	1932
帽	2297	1939
輦	2305	1940
嚚	2356	2003
辭	2374	2076
銃	2388	2144
牆	2407	2166
醋	2418+	2194
衡 天	a040	2217
衡 天	a041	2217

戠	a114	2231
亞趩	a150	2243
蝠	a192	2251
𦉪	a340	2286
輪	a345	2287
輪	a346	2287
毀	a517	2327
廡	a559	2335
跣	a564	2336
𦋐	b051	2353
趣	b060	2354
叡	b149	2366
緻	b171	2369
胄	b199	2373
彭	b223	2377
盟	b229	2379
餗	b234	2379
盠	b235	2379
榭	b271	2385
圂	b278	2386
鄂	b284	2387
餗	b304	2389
寍	b321	2392
寇	b343	2395
徹	b362	2397
廡	b415	2404
蔡	b437	2409
嬰	b516	2419
厭	b530	2421
隮	b580	2428

** 十六劃 **

禦	0029	0034
禥	0036	0036
璜	0045	0085
蕃	0091	0112
嚴	0163	0206
嚴	a103	2230
𨙶	0165	0207
歷	0192	0216
寤	0209	0235
適	0218	0239
遲	0228	0244
遹	0229	0244
遺	0233	0245
衛	0285	0266
衞	0286	0266
𠭯	0306	0279
器	0313	0286
謂	0330	0306
諾	0333	0306
謀	0339	0307
諶	0343	0309
諱	0345	0309
諫	0348	0310
誠	0349	0310
諧	0351	0311
諍	0380	0318
羼	0400	0332
興	0420	0342
興	a400	2301

鼻	1619	1438	錫	2223	1892
屖	1694+	1481	鋸	2236	1899
奚	1696	1482	錞	2249	1911
娶	1697	1482	鉚	2262	1913
憲	1719	1493	鍋	2264	1914
愁	1722+	1494	鋃	2265	1914
惪	1727	1495	靳	2283	1932
懈	1742	1498	斠	2288	1933
澧	1790	1507	辥	2373	2076
濁	1794	1508	醒	2413	2167
澹	1816	1513	蜚	a001	2204
濱	1823	1514	傰	a024	2213
浸	1847	1518	髭	a052	2219
濡	1849	1518	夘 橐	a125	2233
鮑	1882	1564	亞 橐	a139	2241
羆	1884	1564	亞 囊	a130	2238
擇	1937	1595	萁	a131	2238
戲	1944	1602	鳥	a188	2250
嬴	1952	1620	摯	a528	2329
婧	2014	1651	鄂	a547	2332
婷	2015	1651	襄 奸	a548	2332
戰	2035	1679	獻	b087	2358
彊	2083	1778	適	b101	2360
縕	2103	1816	熾	b128	2363
縶	2114	1818	善	b138	2364
滕	2116	1818	劃	b205	2374
緈	2119	1819	服	b206	2375
執	2128	1847	叕	b208	2375
蛸	2143	1849	義	b219	2377
盆	2146+	1850	饉	b290	2387
匱	2159	1860	鄆	b405	2403
勳	2211	1884	髭	b445	2410

粟	b483	2415
螇	b539	2423

** 十 七 劃 **

禮	0012	0024
齋	0018	0029
環	0044	0085
䕅	0090	0112
龏	0101	0114
學	0162+	0206
趨	0187	0214
趪	0188	0215
邁	0203	0229
還	0224	0242
趞	0226	0244
遽	0245	0251
䢂	0263	0255
駛	0275	0264
龠	0304	0276
鬺	0311	0285
詳	0381	0318
謝	0382	0318
糞	0411	0339
彝	0412	0340
彝	b122	2362
樊	0415	0340
鬴	0435	0351
燮	0454	0421
斁	0527	0469
斁	b444	2410
斆	0553	0478
蕘	0666	0645
膺	0671	0646
腆	0682	0650
簋	0714	0670
篙	0722	0685
曆	0734	0731
虞	0772	0781
虞	b224	2377
盨	0791	0790
盨	0802	0795
盩	0804	0795
爵	0832	0813
錫	0843	0818
寶	0851	0820
寶	b324	2392
縞	0892	0859
韓	0901	0862
檜	0940	0875
黍	0969	0904
粟	0987	0955
賸	1005	0964
賸	b514	2419
鄴	1080	0993
壐	1081	0994
斷	1150	1068
竈	1245	1191
寶	1246	1191
營	1251	1198
竈	1253	1199
寮	1255	1199
隰	1268	1202

儥	1336	1250
褻	1392	1286
襄	1393	1286
瞏	1399	1287
傎	1471	1346
顯	1474	1346
蔿	1610	1435
亞 蔿	a185+	2249
獲	1625	1441
與	1641	1445
燮	1660	1450
盩	1688	1479
憖	1720	1494
懋	1732	1496
㦜	1767	1502
寍	1768	1502
憼	1769	1502
懷	1770	1503
默	1772	1503
濟	1797	1510
濯	1833	1516
霝	1872	1559
䨣	1873	1560
鮮	1881	1564
虞	1885	1565
龍	1887	1566
龍	a203	2255
闌	1911	1584
閭	1915	1585
舉	1942	1602
嬰	1980	1644
嬰	a023	2212
嬰	a024	2212
嬉	1986	1645
嬭	2016	1651
戲	2036	1679
鎰	2067	1770
彌	2085	1783
盤	2090	1785
績	2120	1819
雖	2134	1848
鬒	2145	1850
繁	2190	1871
𤕌	2204	1879
鍾	2228	1898
錍	2234	1899
鍨	2266	1914
轉	2310	1941
𤔲	2375	2078
醴	2414	2167
醒	2415	2168
聑 巽	a002	2204
罷	a112	2231
罷	a113	2231
鍪	a298	2277
鍪	a299	2277
徽	a508	2325
趨	b055	2353
樊	b123	2362
鑄	b186	2372
雜	b190	2372
帬	b221	2377
鬲	b225	2378
盤	b228	2378

濕	b477	2414	彝	0732	0730
鬧	b486	2415	豐	0767	0777
嬗	b502	2418	虢	0775	0784
錫	b562	2426	盨	0806	0796
賓	b738	2447	盬	0809+	0797
趣	b740	2448	櫅	0916	0868
			鄙	1079	0993
			礌	1151	1068
十八劃			聉	1152	1068
			穡	1158	1076
壁	0043	0085	糕	1173	1107
蘇	0089	0112	督	1177	1108
藏	0093	0113	獲	1287	1207
趩	0178	0212	歸	1296	1210
歸	0193	0217	儐	1337	1250
遹	0237+	0249	僎	1363	1266
譣	0383	0318	褱	1400	1287
韹	0392	0324	覲	1446	1338
鞞	0429	0345	顏	1468	1343
鞭	0432	0347	顓	1474	1346
鞭	a468	2319	虩	1530	1397
鞣	0433	0347	緐	1587	1416
駇	0554	0478	貙	1591	1417
雝	0602	0609	貘	1592	1417
雚	0612	0612	駺	1606	1435
舊	0613	0612	闖	1607	1435
羴	0622	0616	鬹	1621	1438
齋	0672	0646	鬹	a216	2258
觴	0706	0668	獵	1624	1441
簞	0712	0670	燮	1645	1446
簋	0715	0683	懦	1771	1503
簧	0719	0684	瀋	1785	1506

濼	1792	1507
鯀	1879	1563
職	1925	1587
擾	1940	1595
雙	2017	1651
谿	2093	1812
織	2097	1815
燓	2124	1846
韓	2126	1846
鞥	2127	1846
龜	2148	1851
竈	2152	1855
鏊	2192	1872
鎬	2232	1899
鎣	2233	1899
鎛	2245	1910
鎗	2246	1910
斷	2280	1929
轉	2303	1940
隮	2345+	1954
鹵	a049	2218
顣	a095	2229
罭	a099	2229
亞 賁	a131	2238
亞 衡	a147	2242.
離	a168	2246
亞 離	a168	2246
虎	a194	2252
嫜	a226	2260
雞	a227	2260
雞	a228	2260
雞	a229	2260

彊	a253	2266
旜	a540	2331
臺	a602	2345
嚫	b045	2352
嚫	b046	2352
徵	b084	2357
遷	b091	2358
罶	b118	2362
蹵	b120	2362
豁	b192	2372
窨	b253	2382
圖	b277	2385
僨	b279	2386
觸	b379	2400
漻	b473	2413
隧	b581	2428
谽	b708	2444

** 十九劃

藥	0081	0109
藉	0096	0113
邊	0246	0251
邋	0264	0255
勵	0306	0279
識	0341	0308
䜌	0355	0311
轉	0430	0346
隸	0482+	0451
斅	0555	0478
斆	0556	0478

難	0627	0618
齍	0787	0788
⿱糧皿	0805	0796
⿱對皿	0809+	0798
⿰言奉	0835	0814
鐘	0846	0819
鑪	0866	0831
纂	0894	0860
櫟	0921	0869
櫑	0944	0877
檜	0946	0878
麓	0969	0904
鄧	1062	0990
旝	1102	1005
旋	1107	1007
⿰韋柬	1140+	1054
寴	1196	1119
黼	1306	1231
儼	1318	1245
顜	1483+	1351
盧	1543	1401
麗	1615	1437
霝	1620	1438
懕	1715	1492
懷	1726	1495
瀞	1829	1515
瀘	1837	1516
瀕	1852	1519
關	1914	1584
繁	2119	1819
彝	2122	1819
螢	2135	1848
龕	2151	1854
疆	2206	1880
蹝	2208	1883
鏓	2247	1910
鏐	2250	1911
獸	2357	2004
辭	2375	2078
奬	a001	2201
亞 旐	a137	2241
嬰	a164	2245
亞 嬰	a164	2245
亞 麃	a166	2245
亞 麃 皿 矛	a167	2246
亞 麃 犬	a167	2246
縫	a407	2307
盟	a448	2315
謎	b075	2356
龔	b137	2364
駿	b172	2369
鋁	b178	2370
⿱亞絲	b395	2402
𢇍	b538	2423
wi ⿰韋柬	b721	2445

二十劃

蘇	0065	0104
薛	0068	0105
嚴	0164	0206
遷	0176	0212
鐀	0258	0254

饋	0843+	0818
迴	0264+	0256
謏	0384	0319
𧬞	0385	0319
競	0389	0321
龏	0405	0336
斆	0559	0480
彝	0588	0562
臚	0668	0645
鎣	0807	0796
遷	0833	0814
饎	0838	0816
饌	0843	0818
旟	1118	1021
鼐	1153	1068
穖	1159	1076
寶	1200	1121
寶 有	b736	2447
寵	1204	1175
騳	1608	1435
驫	1609	1435
麃	1614	1437
獻	1626	1441
繁	1859	1521
齵	1902	1581
闢	1919	1585
甗	2078	1776
繼	2101	1816
纁	2107	1817
鼂	2153	1855
鼉	2154	1855
鐈	2230	1898
鐘	2244	1902
鐊	2252	1912
轢	2311	1941
醴	2403	2165
聑 攖	a098	2229
龜	a230	2260
辥	a418	2309
辥 匬	a420	2310
辥 匿	a420	2310
辥 朋	a420	2309
隻 辥	a419	2309
旝	b295	2388
塋	b435	2409
鑺	b485	2415
wi 韎	b721	2445

** 二十一劃 **

籒	0162	0206
遠	0243	0250
躋	0298	0275
囂	0312	0286
譽	0386	0319
觸	0703	0667
嬴	0706+	0668
鷹	0713	0670
饗	0844	0819
鬳	1008	0968
酆	1033	0982
霸	1124	1036
鼏	1154	1068

瘨	1276	1203
覞	1452	1339
覿	1453	1340
顧	1476	1347
灃	1611	1436
懼	1729	1496
緌	1880	1564
龕	1888	1566
闢	1909	1583
繐	2110	1817
䑙	2176	1868
蟲	2188	1870
鐸	2242	1901
鏷	2270+	1915
醻	2416	2168
灅	b475	2414
瓔	b693	2442

** 二 十 二 劃 **

靈	0049	0086
龢	0305	0276
譚	0364	0316
譔	0387	0319
譽	0423	0343
數	0557	0479
瞖	0584+	0548
鶪	0627	0618
蠤	0808	0796
饔	0836	0816
饕	0845	0819
欉	0958+	0890
贖	1013	0972
旛	1116	1020
旟	1117	1020
竊	1247	1191
竇	1249	1191
覲	1447	1338
驕	1600	1434
黨	1662+	1450
懿	1684	1476
聽	1924	1587
孌	1982	1644
孋	2018	1652
彊	2085	1783
鬻 郭	2087+	1784
轡	2130	1847
鑄	2226	1893
鑑	2229	1898
鑊	2231	1898
鑊	b306	2390
鑃	2267	1914
顯	a080	2226
諧	b113	2361
顯	b388	2401

** 二 十 三 劃 **

還	0227	0244
雔	0334	0306
龔	0417	0342
鬻	0437	0351

變	0517	0466
體	0667	0645
贊	0782	0786
蠱	0813	0799
𩟗	0852	0820
鑐	0865	0831
欒	0919	0868
𪔁	1154	1068
䖘	1305	1231
𧇖	1307	1231
儡	1363+	1266
襲	1389	1285
顯	1480	1348
靁	1870	1558
巽	1890	1567
龔	1927	1588
孎	2019	1652
孈	2020	1652
𪔋	2163	1862
鑯	2268	1914
饌	b240	2381
數	b281	2386
夔	b694	2442
夔	b695	2442

二十四劃

讕	0367	0316
鬸	0489	0455
靃	0624	0616
䫿	0631+	0619
𧁽	0656	0632
盩	0809	0796
𩖁	1149	1068
𡫩	1248	1191
𩆚	1617	1438
鼂	2150	1853
鑪	2237	1900
𩱩 𩱦	a420	2310
䉽	b115	2361

二十五劃

趯	0175	0212
趲	0181	0213
覲	1444	1338
鄺	1509	1387
鬺	2113	1818
蠻	2137	1848
鑮	2243	1902
轋	2297	1938
㜮	b140	2365

二十六劃

鑰	0307	0279
龠	0307+	0279
鸞	0628	0618
韤	0903+	0863
𢿢	1645	1446
龓	1889	1566

龔	1890	1567
鑵	2269	1915
[illegible]	2417	2168
[illegible]	a463	2317
[illegible] 竹	a464	2318
[illegible]	a465	2318
[illegible]	b303	2389
[illegible]	b563	2426

二十七劃

[illegible]	0632	0619
饡	0842	0818
[illegible]	2146	1850
鑾	2251	1912

二十八劃

雧	0625	0617
[illegible]	1652	1447
[illegible]	a052	2218
鑿	b164	2368
[illegible]	b302	2389

二十九劃

[illegible]	0811	0798
鬱	0831	0813
[illegible]	1920	1585

[illegible]	2270	1915

三十劃以上

[illegible]	b391	2401
驫	1603	1434
[illegible]	a217	2258
[illegible]	0660	0642
鱻	1883	1564
[illegible]	0442	0359
[illegible]	1389	1285

未隸定字

代碼	字形	金文編字號	本書頁碼
a1		a068	2223
a2		a069	2223
a3		a070	2223
a4		a074	2225
a5		a075	2225
a6		a077	2225
a7		a078	2225
a8		a083	2227
a9		a086	2227
aa		a031	2215
ab		a006	2206
ac		a009	2207
ad		a042	2217
ae		a018	2210
af		a013	2208
aG		a020	2210

ai		a025	2213
aj		a026	2213
ak		a027	2213
aL		a029	2215
am		a030	2215
an		a034	2216
ao		a035	2216
ap		a043	2217
aq		a044	2217
ar		a046	2218
as		a457	2316
at		a056	2220
av		a058	2220
aw		a059	2220
ax		a064	2222
ay		a065	2222
az		a066	2222
b0		a176	2247
b1		a179	2248
b2		a182	2248
b3		a183	2248
b4		a184	2248
b5		a190	2251
b6		a421	2310
b7		a195	2252
b8		a197	2253
b9		a199	2254
ba		a087	2227
bb		a094	2229
bc		a051	2218
bd		a104	2230
be		a423	2310
bf		a459	2316
bG		a108	2230
bh		a116	2232
bi		a123	2233
bj		a119	2232
bk		a124	2233
bl		a127	2234
bm		a149	2243
bn		a151	2243
bo		a152	2243
bp		a154	2243
bq		a155	2244
bs		a158	2244
bt		a161	2245
bu		a161	2245
bw		a163	2245
bx		a169	2246
bz		a174	2247
c0		a285	2274
c1		a286	2274
c2		a289	2275
c3		a290	2275
c4		a292	2276
c5		a293	2276
c6		a294	2276
c7		a296	2276
c8		a303	2279
c9		a306	2280
cL		a266	2270
ca		a206	2256
cb		a210	2256
cc		a218	2258

cd		a221	2259
ce		a234	2262
cf		a239	2263
cG		a246	2264
ch		a247	2264
ci		a252	2266
cj		a258	2268
ck		a263	2269
cm		a268	2270
cn		a269	2271
co		a270	2271
cp		a271	2271
cq		a272	2271
cr		a273	2271
cs		a274	2271
ct		a275	2271
cu		a276	2272
cv		a278	2273
cw		a416	2309
cx		a280	2273
cy		a283	2274
cz		a284	2274
d0		a352	2289
d1		a353	2289
d2		a354	2289
d3		a355	2289
d4		a358	2289
d5		a359	2289
d6		a360	2289
d7		a361	2290
d8		a364	2295
d9		a369	2296
da		a307	2280
db		a308	2280
dc		a309	2280
dd		a311	2281
de		a313	2282
df		a315	2282
dG		a318	2282
di		a320	2283
dj		a321	2283
dk		a322	2283
dL		a323	2283
dm		a324	2283
dn		a325	2283
do		a326	2283
dp		a327	2284
dq		a328	2284
dr		a335	2285
ds		a336	2285
dt		a337	2285
du		a339	2286
dv		a451	2315
dw		a342	2287
dx		a344	2287
dy		a347	2287
dz		a415	2308
e0		a425	2310
e1		a427	2311
e2		a429	2311
e3		a430	2311
e4		a442	2313
e5		a444	2314
e6		a445	2314

e7		a466	2318
e8		a467	2318
ea		a370	2296
eb		a371	2296
ec		a375	2297
ed		a376	2297
ee		a377	2297
ef		a378	2297
eG		a380	2298
eh		a381	2298
ei		a382	2298
ej		a384	2298
ek		a385	2298
eL		a386	2299
em		a387	2299
en		a389	2299
eo		a391	2300
ep		a398	2301
er		a403	2302
es		a404	2302
et		a405	2302
eu		a417	2309
ev		a408	2307
ew		a410	2307
ex		a412	2308
ey		a413	2308
ez		a424	2310
f0		a549	2332
f1		a551	2332
f2		a555	2334
f3		a560	2335
f4		a562	2335
f5		a565	2337
f6		a566	2337
f7		a569	2337
f8		a570	2337
fL		a461	2317
fa		a470	2319
fb		a479	2321
fc		a480	2321
fd		a483	2321
fe		a485	2322
ff		a486	2322
fh		a490	2322
fi		a500	2324
fj		a501	2324
fk		a506	2325
fm		a520	2327
fn		a523	2328
fo		a529	2329
fp		a530	2329
fq		a532	2330
fr		a533	2330
fs		a535	2330
ft		a537	2330
fu		a539	2331
fw		a541	2331
fx		a543	2331
fy		a544	2332
fz		a546	2332
G0		b009	2347
G1		b010	2348
G3		b013	2348
G4		b014	2348

G5	b015	2348	h2	b059	2354
G6	b016	2348	h4	b061	2354
G7	b017	2348	h5	b062	2354
G8	b018	2348	h7	b064	2354
G9	b019	2349	h8	b065	2355
Ga	a573	2340	h9	b066	2355
Gb	a576	2340	ha	b021	2349
Gc	a578	2340	hd	b025	2349
Gd	a583	2342	he	b027	2349
Ge	a584	2342	hf	b030	2350
Gf	a589	2343	hG	b031	2350
GG	a591	2343	hh	b032	2350
Gh	a592	2344	hi	b033	2350
Gi	a593	2344	hj	b034	2350
Gj	a594	2344	hm	b038	2351
Gk	a596	2344	hn	b039	2351
GL	a597	2344	ho	b040	2351
Gm	a601	2345	hp	b042	2351
Gn	a603	2345	hs	b047	2352
Go	a604	2345	ht	b050	2353
Gp	a605	2345	hv	b052	2353
Gr	a607	2345	hw	b053	2353
Gs	a608	2345	hx	b054	2353
Gt	a609	2346	hz	b056	2353
Gu	a610	2346	i0	b095	2359
Gv	b001	2347	i1	b096	2359
Gw	b002	2347	i4	b099	2359
Gx	b003	2347	i5	b100	2359
Gy	b006	2347	i7	b102	2360
Gz	b007	2347	i8	b103	2360
h0	b057	2353	i9	b104	2360
h1	b058	2354	ia	b156	2367

ib		b069	2355
id		b071	2355
if		b073	2356
iG		b074	2356
ii		b077	2356
ij		b078	2356
ik		b079	2356
im		b081	2357
in		b082	2357
io		b083	2357
ir		b086	2357
it		b088	2358
iu		b089	2358
iv		b090	2358
iy		b093	2358
iz		b094	2359
j0		b134	2364
j2		b136	2364
j3		b141	2365
j4		b142	2365
j6		b147	2366
j7		b148	2366
j8		b150	2366
j9		b152	2366
ja		b105	2360
jb		b106	2360
jc		b107	2360
je		b109	2361
jf		b110	2361
jG		b111	2361
jh		b112	2361
jj		b114	2361
jm		b118	2362
jn		b119	2362
jo		b121	2362
jq		b124	2363
jr		b125	2363
jt		b127	2363
jv		b129	2363
jz		b133	2364
k0		b183	2371
k1		b185	2372
k3		b188	2372
k4		b189	2372
k8		b194	2373
kL		b167	2369
ka		b153	2367
kb		b154	2367
kd		b158	2367
ke		b159	2367
kh		b162	2368
ki		b163	2368
kj		b165	2368
kk		b166	2369
km		b168	2369
kn		b169	2369
ko		b170	2369
kq		b173	2370
kr		b174	2370
ks		b175	2370
kt		b176	2370
kw		b179	2370
kx		b180	2370
ky		b181	2370

kz	b182	2371
L0	b238	2380
L3	b245	2381
L4	b246	2381
L6	b250	2382
L7	b251	2382
L8	b252	2382
L9	b254	2382
La	b197	2373
Lb	b198	2373
Ld	b200	2374
Lf	b202	2374
Li	b210	2375
Lj	b211	2376
Lk	b213	2376
Lm	b215	2376
Ln	b217	2376
Lq	b222	2377
Lu	b230	2379
Lv	b231	2379
Lw	b232	2379
Lz	b237	2380
m0	b293	2388
m3	b296	2388
m4	b298	2388
m5	b299	2388
m6	b300	2389
m8	b305	2389
mc	b257	2383
md	b258	2383
me	b259	2383
mG	b263	2383
mh	b264	2383
mj	b267	2384
mk	b269	2384
mm	b272	2385
mn	b273	2385
mo	b274	2385
mp	b276	2385
mq	b280	2386
mt	b285	2387
mv	b287	2387
my	b291	2387
n0	b339	2394
n1	b340	2394
n2	b341	2394
n6	b346	2395
n7	b347	2395
n8	b348	2395
na	b307	2390
nb	b308	2390
nc	b309	2390
nd	b310	2390
ne	b311	2390
nf	b312	2390
nG	b319	2391
nh	b314	2391
nm	b320	2392
nn	b322	2392
np	b325	2392
nq	b328	2393
nr	b329	2393
ns	b330	2393
nt	b332	2393

nu	b333	2393
nv	b334	2394
nw	b335	2394
nx	b336	2394
ny	b337	2394
nz	b338	2394
o0	b382	2400
o1	b383	2400
o3	b386	2400
o4	b387	2400
o5	b389	2401
o6	b390	2401
o7	b392	2401
o8	b393	2401
o9	b394	2401
oa	b351	2396
ob	b352	2396
oc	b353	2396
od	b354	2396
oG	b357	2397
oj	b361	2397
om	b364	2398
on	b365	2398
oo	b366	2398
op	b367	2398
oq	b368	2398
or	b369	2398
os	b370	2398
ot	b374	2399
ou	b375	2399
oy	b380	2400
oz	b381	2400

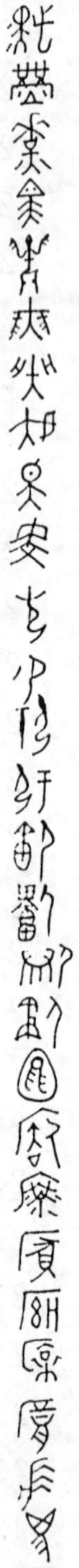

p0	b450	2410
p1	b432	2407
p2	b433	2407
p3	b436	2409
p4	b439	2409
p5	b440	2409
p6	b441	2409
p7	b442	2409
p8	b443	2410
p9	b448	2410
pa	b396	2402
pb	b397	2402
pc	b398	2402
pd	b400	2402
pe	b401	2403
pf	b402	2403
pG	b403	2403
ph	b404	2403
pi	b406	2403
pj	b408	2403
pk	b409	2404
pL	b410	2404
pm	b411	2404
pn	b412	2404
po	b413	2404
pp	b416	2404
pq	b417	2405
pr	b419	2405
ps	b420	2405
pu	b451	2410
pv	b426	2406
pw	b427	2406

px		b428	2406
py		b429	2406
q1		b484	2415
q2		b487	2416
q4		b489	2416
q5		b490	2416
q6		b491	2416
q7		b492	2416
q8		b493	2416
q9		b494	2417
qa		b449	2410
qb		b452	2411
qc		b453	2411
qe		b455	2411
qf		b456	2411
qG		b457	2411
qh		b458	2411
qi		b459	2411
qj		b461	2412
qk		b462	2412
qL		b463	2412
qm		b464	2412
qn		b465	2412
qo		b466	2412
qp		b467	2413
qq		b468	2413
qr		b469	2413
qs		b471	2413
qt		b472	2413
qw		b478	2414
qx		b480	2415
qy		b481	2415
r1		b531	2421
r3		b535	2422
r4		b536	2422
r5		b540	2423
r6		b541	2423
r7		b542	2423
r8		b544	2423
r9		b545	2423
rb		b498	2417
rd		b501	2417
re		b503	2418
rf		b504	2418
rG		b505	2418
ri		b508	2418
rj		b509	2419
rk		b510	2419
rL		b512	2419
rm		b513	2419
rn		b515	2419
ro		b517	2419
rp		b518	2420
rq		b519	2420
rr		b520	2420
rs		b521	2420
rt		b522	2420
rv		b524	2421
rw		b525	2421
rx		b527	2421
ry		b528	2421
rz		b529	2421
s0		b582	2428
s1		b583	2428

s2	b584	2428	t1	b624	2433
s3	b585	2429	t2	b626	2434
s4	b586	2429	t3	b628	2434
s5	b589	2429	t4	b629	2434
s6	b590	2429	t5	b631	2434
s7	b591	2429	t6	b632	2434
s8	b592	2429	t7	b633	2434
s9	b593	2430	t8	b634	2434
sa	b546	2424	t9	b635	2435
sb	b547	2424	ta	b594	2430
sc	b548	2424	tb	b595	2430
sd	b552	2424	tc	b597	2430
se	b553	2424	td	b598	2430
sG	b556	2425	te	b599	2430
sh	b557	2425	tG	b600	2430
si	b558	2425	tf	a048	2218
sj	b559	2425	th	b602	2431
sk	b560	2425	ti	b603	2431
sL	b561	2425	tj	b604	2431
so	b564	2426	tL	b606	2431
sp	b565	2426	tm	b607	2431
sq	b566	2426	tn	b608	2431
sr	b567	2426	to	b609	2432
ss	b568	2426	tp	b611	2432
st	b569	2427	tq	b612	2432
su	b570	2427	tr	b613	2432
sv	b571	2427	ts	b614	2432
sw	b572	2427	tt	b616	2432
sx	b577	2428	tu	b617	2433
sy	b578	2428	tv	b618	2433
sz	b579	2428	tx	b620	2433
t0	b623	2433	ty	b621	2433

tz	b622	2433
u0	b665	2439
u1	b666	2439
u2	b667	2439
u3	b668	2439
u4	b669	2439
u5	b670	2439
u6	b671	2439
u7	b672	2439
u8	b673	2440
u9	b674	2440
ua	b636	2435
ub	b637	2435
uc	b639	2435
ud	b640	2435
ue	b641	2435
uf	b642	2435
uG	b643	2436
uh	b644	2436
ui	b645	2436
uj	b646	2436
uk	b647	2436
uL	b648	2436
um	b649	2436
un	b650	2436
uo	b651	2437
up	b652	2437
uq	b653	2437
ur	b654	2437
us	b655	2437
ut	b656	2437
uu	b657	2437
uv	b658	2437
uw	b659	2437
ux	b660	2438
uy	b661	2438
v0	b702	2443
v1	b703	2443
v2	b704	2444
v3	b705	2444
v5	b707	2444
v7	b709	2444
v8	b710	2444
v9	b711	2444
vL	b687	2442
va	b675	2440
ve	b680	2441
vf	b681	2441
vh	b683	2441
vi	b684	2441
vj	b685	2441
vk	b686	2441
vm	b688	2442
vn	b689	2442
vo	b690	2442
vp	b691	2442
vq	b692	2442
vu	b696	2443
vv	b697	2443
vw	b698	2443
vy	b700	2443
vz	b701	2443
wa	b712	2444
wb	b713	2445

wc	[illegible]	b714	2445
wd	[illegible]	b715	2445
we	[illegible]	b717	2445
wh	東 [illegible]	b720	2445
wG	[illegible]	b719	2445
wi	[illegible]	b721	2445
wj	[illegible]	b722	2445
wk	[illegible]	b723	2446
wL	[illegible]	b724	2446
wm	[illegible]	b725	2446
wn	[illegible]	b726	2446
wo	[illegible]	b727	2446
wp	[illegible]	b728	2446
wq	[illegible]	b729	2446
wr	[illegible]	b730	2446
ws	[illegible]	b731	2447
wt	[illegible]	b737	2447
wu	[illegible]	b739	2447
[illegible]		a047	2218
[illegible]		a060	2220
[illegible]		a097	2229
[illegible]		a117	2232
[illegible]		a185+	2249
[illegible]		a279	2273
↑		a295	2276
[illegible]		a300	2278
[illegible]		a301	2278
[illegible]		a302	2279
[illegible]		a319	2283
[illegible]		a362	2290
[illegible]		a363	2291
[illegible]		a455	2316
[illegible]		a489	2322
目 [illegible] 大		a499	2324
白 [illegible]		a550	2332
[illegible]		b020	2349
[illegible]		b068	2355
[illegible]		b184	2371
[illegible]		b247	2382
[illegible]		b326	2393
[illegible]		b349	2395
[illegible]		b601	2430